Michel A. Parmentier

Bishop's University

Diane Potvin

Bishop's University

En bons termes | dixième édition

PEARSON

Toronto

Editorial Director: Claudine O'Donnell
Acquisitions Editor: Jennifer Sutton
Marketing Manager: Christine Cozens
Program Manager: Emily Dill
Project Manager: Richard di Santo
Developmental Editor: Patti Sayle
Production Editor: Susan Bindernagel
Composition: Cenveo® Publishing Services
Permissions Project Manager: Erica Mojzes
Photo and Text Permissions Research: Danny Meldung/Photo Aff airs, Inc.
Art Director: Alex Li
Cover and Interior Designer: Anthony Leung
Cover Image: Wuttichok Painichiwarapun/Shutterstock

Vice-President, Cross Media and Publishing Services: Gary Bennett

Credits and acknowledgments for material borrowed from other sources and reproduced, with permission, in this textbook appear on the appropriate page within the text.

If you purchased this book outside the United States or Canada, you should be aware that it has been imported without the approval of the publisher or the author.

Copyright © 2017, 2014, 2010, 2007, 2004, 1999, 1996, 1993, 1989, 1986 Pearson Canada Inc. All rights reserved. Manufactured in the United States of America. This publication is protected by copyright and permission should be obtained from the publisher prior to any prohibited reproduction, storage in a retrieval system, or transmission in any form or by any means, electronic, mechanical, photocopying, recording, or likewiste. To obtain permission(s) to use material from this work, please submit a written request to Pearson Canada Inc., Permissions Department, 26 Prince Andrew Place, Don Mills, Ontario, M3C 2T8, or fax your request to 416-447-3126, or submit a request to Permissions Requests at www.pearsoncanada.ca.

5   17

Library and Archives Canada Cataloguing in Publication

Parmentier, Michel Alfred, 1950–, author
  En bons termes / Michel A. Parmentier, Diane Potvin. — Tenth edition.

  For English-speaking students of French as a second language.
  ISBN 978-0-13-387029-9 (couverture souple)

  1. French language—Textbooks for second language learners—English speakers.
2. French language—Composition and exercises. 3. French language—Grammar—Textbooks.
4. French language—Grammar—Problems, exercises, etc. I. Potvin, Diane, 1943-, author II. Titre.

PC2129.E5P373 2016   448.2'421   C2015-908056-8

ISBN 978-0-13-387029-9

CONTENTS

CHAPITRE 5

À votre santé!   82

CHAPITRE 6

Le magasinage et la mode   99

CHAPITRE 7

Les études et la carrière   124

CHAPITRE 8

Les sports   148

CHAPITRE 9

Les voyages   169

Vocabulaire utile   170

Grammaire et exercices oraux

CHAPITRE 10

Arts et spectacles   192

Vocabulaire utile   193

Grammaire et exercices oraux

CHAPITRE **11**

Les jeunes et la vie   213

CHAPITRE **12**

Bon appétit   230

CHAPITRE 13

La famille   248

CHAPITRE 14

L'Acadie et la mer   268

CHAPITRE 22

Les droits de la personne 400

PREFACE

En bons termes is a first-year French program that aims to develop a basic proficiency in the four language skills (listening, speaking, reading, and writing) while fostering an awareness of the French presence in North America. It is designed to encourage and enable students to communicate in French not as a "foreign" language but as an alternative mode of expression for everyday living in the North American, and especially in the Canadian, context.

The progressive acquisition, reinforcement, and creative use of language structures quickly give students the necessary confidence to express themselves. This is very much a core program, providing a solid foundation on which students may later build. Difficulties are broken down and presented in stages with numerous exercises to ensure assimilation through interactive use in the classroom. Some grammatical forms traditionally presented at this level have been deliberately omitted so that more time can be devoted to a thorough study of forms more commonly used—for instance, no mention is made of the *passé simple*, whereas the forms and uses of the *passé composé* receive a more detailed treatment than is commonly afforded them.

One of the major changes that we've made in this edition is to use *la nouvelle orthographe* throughout the chapters. This increased exposure to *la nouvelle orthographe* will help students familiarize themselves with this new way of spelling. However, we know that many instructors continue to prefer the traditional spelling, so we have included both traditional and reformed spelling for affected words the first time they appear in the text. This edition also includes an appendix on *la nouvelle orthographe* featuring words commonly used at an introductory level, and we encourage students to refer to this appendix if they have specific questions. This tenth edition includes a number of updates, particularly in the vocabulary used in the examples and exercises, that take into account the recent changes in everyday life. Of particular note is that many of the reading passages have been replaced with new material that better reflects contemporary concerns and realities.

Format

The textbook consists of 22 chapters, each organized according to the following pattern (Chapters 1 and 2 present slight variations):

Vocabulaire utile: A list of words (divided into nouns, adjectives, verbs, adverbs, and prepositions) and expressions is provided, relating to the chapter readings and exercises, and representing a basic vocabulary to be memorized.

Grammaire et exercices oraux: This section is subdivided into separate grammatical units, each followed by a series of oral exercises. The title of each unit is in French so that students may become familiar with French grammatical terms, but the explanations are given in English to facilitate study and review outside the classroom. These explanations are simple and point out differences between French and English. The oral exercises progress from substitution and transformation drills to personalized questions and mini-dialogues. They provide ample material for classroom interaction.

Exercices écrits: These are assigned by the instructor for work outside the classroom and serve as reinforcement. They cover all the material studied in the previous section.

Lecture et questions: The reading passage incorporates grammatical structures studied in the chapter and provides additional vocabulary. A number of reading passages focus on various aspects of French culture in North America, whereas others discuss current issues (such as the environment and employment) or common interests (sports and travelling).

Each reading passage is followed by a vocabulary list and a set of questions. The questions are designed to test comprehension after the text has been read and studied in class. The vocabulary list provides contextual translations for words the students have not previously encountered.

Situations – Conversations: A range of activities (dialogues, role-playing exercises, and conversation in groups) allow choice and ensure full participation of all students. With supervision, the students can actively use the structures and vocabulary acquired in the chapter to express their feelings and opinions and to interact dynamically with each other and the instructor.

Prononciation: These sections cover all the basic problems of French pronunciation for English-speaking students. Apart from guiding students through areas such as intonation and liaison, recognition of nasal vowels, and association of letters or letter groups with particular sounds, they provide numerous drills to help the student develop correct articulatory habits and distinguish between related sounds.

Supplementary Materials
Student Supplements

MyFrenchLab (www.myfrenchlab.com) This online learning system was created specifically for students in university and college language courses. It brings together—in one convenient, easily navigable site—a wide array of language learning tools and resources, including a Pearson eText, a *Cahier de laboratoire*, and practice exercises. Readiness check pre- and post-tests and English grammar tutorials supplement the knowledge each student needs to have to be successful in each chapter of the course. Instructors can use the system to make assignments, set grading parameters, track student progress, and communicate with students. A student access code (required for registration at www.MyFrenchLab.com) provides 12 months of access from registration date, and can be purchased online or at the local campus bookstore. Pearson eText gives students access to the text whenever and wherever they have access to the Internet. eText pages look exactly like the printed text, offering powerful new functionality for students and instructors. Users can create notes, highlight text in different colours, create bookmarks, zoom, click hyperlinked words and phrases to view definitions, and view in single-page or two-page view. Pearson eText allows for quick navigation to key parts of the eText using a table of contents and provides full-text search. The eText may also offer links to associated media files, enabling users to access videos, animations, or other activities as they read the text.

The *Cahier de laboratoire* is also available in a print edition (ISBN 978-0-13-90232-7). Each unit in the *cahier* corresponds to a chapter in the textbook and includes additional exercises on structures, a listening comprehension exercise, a dictation, and pronunciation drills. See your local sales representative for details and access.

Instructor Supplements

Instructors may use **MyFrenchLab** to set assignments, readings, and class activities. They can also access the full instructor support package of supplementary teaching materials on this site, including the Instructor's Manual and the Instructor's Solutions Manual. Instructor access will be arranged through your Pearson representative or the Faculty Sales and Service Department.

Audio content for use in conjunction with the *Cahier de laboratoire* is available through MyFrenchLab. The audio resources contain both the answers in the cahier, as well as tracks to accompany the *Prononciation* sections of the textbook.

The following instructor supplements are available in the Instructor's Resources folder in MyFrenchLab, or for downloading from a password-protected section of Pearson Canada's online catalogue (**www.pearsoned.ca/highered**). Navigate to your book's catalogue page to view a list of those supplements that are available. See your local sales representative for details and access.

A *Guide du maitre*/**Instructor's Manual** provides suggestions on using the text material and transcriptions of the dictation exercises found in the *Cahier de laboratoire* in MyFrenchLab. Included in the *Guide du maitre* is an **Audio Correlation Guide**, which contains the track list for the audio resources, linking each track to the corresponding exercise in the *Cahier*.

An **Instructor's Solutions Manual** contains solutions to all the in-text exercises.

Learning Solutions Managers Pearson's Learning Solutions Managers work with faculty and campus course designers to ensure that Pearson technology products, assessment tools, and online course materials are tailored to meet your specific needs. This highly qualified team is dedicated to helping schools take full advantage of a wide range of educational resources, by assisting in the integration of a variety of instructional materials and media formats. Your local Pearson Canada sales representative can provide you with more details on this service program.

Michel A. Parmentier
Diane Potvin

GLOSSARY OF GRAMMATICAL TERMS

Adjective (l'adjectif)

An adjective is a word that modifies a noun or pronoun. The classification of adjectives in French and in English is based on the way they modify a noun.

Descriptive or qualitative (*qualificatifs*) adjectives indicate a quality:

a light shirt   *une chemise légère*

An attributive descriptive adjective is directly connected to the noun it modifies, as in the example above, while a predicate descriptive adjective is connected to the noun or pronoun it modifies by a linking verb:

She is tall.   *Elle est grande.*

Demonstrative (*démonstratifs*) adjectives point out particular persons or things:

this pen   *ce stylo*

Interrogative (*interrogatifs*) adjectives ask a question about a noun:

Which pen?   *Quel stylo?*

Possessive (*possessifs*) adjectives indicate possession or "belonging" to someone or something. They agree in gender and number with the thing possessed, not with the possessor or person who owns the thing. A possessive adjective agrees with the noun that it modifies:

your friends   *vos amis*
my chair   *ma chaise*

All adjectives in French agree in gender and number with the noun they modify.

Adverb (l'adverbe)

An adverb is an invariable word (it never changes its form) used mostly to modify a verb, an adjective or another adverb while expressing quantity, degree, time, place or manner:

He eats little.   *Il mange peu.*
a very large tree   *un très grand arbre*
She eats too fast.   *Elle mange trop vite.*

Antecedent (l'antécédent)

The antecedent of a pronoun is the word (a noun or pronoun) that this pronoun replaces. In the following example, "the book" (*le livre*) is the antecedent of the relative pronoun "that" (*que*):

I am reading the book that you lent me.
Je suis en train de lire le livre que tu m'as prêté.

Article (l'article)

An article is a word we use before a noun to indicate whether we are talking about a specific or non-specific item. In French, some articles are also used to refer to a general category of items or to an indeterminate quantity.

The definite (*défini*) article is used to refer to particular items:

The instructor is looking at the students.
Le professeur regarde les étudiants.

However, in French, the definite article is used to refer to a general category as well as before abstract nouns:

Books are expensive.
Les livres sont chers.

Charity is admirable.
La charité est admirable.

The indefinite (*indéfini*) article is used to refer to unspecified items. In French, the plural form *des* must be used before plural nouns:

a boy, a girl   *un garçon, une fille*
boys, girls   *des garçons, des filles*

The partitive (*partitif*) article is used in French when speaking about a *part* of a whole. It is used before singular mass nouns (referring to items that are not countable: *de la musique*) and nouns that are always plural, like *des gens*: people (in the plural, the partitive article is identical to and has the same function as the plural form of the indefinite article). The partitive article refers to an undetermined quantity of the item, and thus corresponds to "some" or "any." While "some" or "any" are frequently omitted in English, in French the partitive article must be stated:

I want (some) salad.
Je veux de la salade.

I don't want (any) salad.
Je ne veux pas de salade.

Auxiliary verb *(le verbe auxiliaire)*
An auxiliary verb helps another verb form compound tenses. In French, *avoir* and *être* are the two auxiliary verbs, which, when conjugated in the various tenses and followed by the past participle of the main verb, form the compound tenses *(passé composé, plus-que-parfait,* etc.) of that verb. *Avoir* is the auxiliary verb of most French verbs, whereas *être* is only used with about 16 verbs that can be readily memorized.

Clause *(la proposition)*
A clause is part of a complex sentence (see *sentence*) and is made up of at least a subject and a verb.

The main clause can, by itself (or with the addition of a pronoun such as *that),* be a complete sentence, whereas the subordinate clause cannot stand alone.

For instance, consider the following sentences:

We eat *when we are hungry.*
She believes *that she will succeed.*

"We eat" and "she believes (that)" are the main clauses: They can stand on their own and be complete sentences, while "when we are hungry" and "that she will succeed" cannot: They are subordinate clauses, i.e., they are dependent on a main clause.

Comparison of adjectives and adverbs *(la comparaison)*
When we compare two things or persons, or two events or processes, we may indicate that these two items possess a particular quality to the same degree, or that one possesses it to a greater or lesser degree than the other one. Thus, we may use a comparative *(comparatif)* form of equality (as... as — *aussi... que),* of superiority (more... than — *plus... que)* or inferiority (less... than — *moins... que).*

The superlative *(superlatif)* form (the most: *le, la, les plus*; the least: *le, la, les moins*) is used to indicate the highest or lowest degree.

Conditional *(see* mood and conditional sentence)
Conditional sentence *(la phrase conditionnelle)*
A conditional sentence expresses a hypothetical statement and is made up of two clauses. An "if" clause stating the condition and a main clause stating the result:

If I had money, I would buy this car.
Si j'avais de l'argent, j'achèterais cette voiture.

Conjunction *(la conjonction)*
There are two types of conjunctions: coordinating *(conjonctions de coordination)* and subordinating *(conjonctions de subordination).*

Coordinating conjunctions *(et, mais, ou* — "and, but, or" — are the most commonly used in French) link words or groups of words of equal grammatical value (i.e., two adjectives, two verbs, two clauses):

My father is tall and blond.
Mon père est grand et blond.

Subordinating conjunctions link a subordinate clause to a main clause.

In French they are

comme *(since, as),* quand *(when),* si *(if, whether),* que *(that),*

and all the expressions that include *que,* such as

bien que *(although),* parce que *(because),* pour que *(in order to).*

Contraction *(la contraction)*
In French, contractions are compulsory combinations of two words into a new unit:

au (à + le), auxquels (à + lesquels), des (de + les), etc.

Imperative *(see* mood)
Indicative *(see* mood)
Indirect speech *(le discours indirect)*
Whereas direct speech is a word-for-word quotation, indirect speech is a report of what has been said:

Il m'a dit: "Je suis très occupé aujourd'hui." (direct speech)
He told me: "I'm very busy today."

Il m'a dit qu'il était très occupé ce jour-là. (indirect speech)
He told me that he was very busy that day.

The switch from direct to indirect speech entails several modifications:

a) the quote becomes a subordinate clause;

b) the subject of the quote may change;

c) the tense of the verb may change under certain conditions;

d) some words and expressions of time and space may change.

Infinitive (l'infinitif)

The infinitive is the basic form of the verb, the form that it is listed under in the dictionary. In French, its ending is used to classify verbs with a regular conjugation (-er, -ir, or -re).

Intonation (l'intonation)

In French, as well as in English, variations in the pitch of the voice (producing intonation contours) may be used to differentiate one utterance from another, in particular to differentiate statements and questions:

Tu t'en vas demain.   Tu t'en vas demain?

You're leaving tomorrow.   *You're leaving tomorrow?*

Inversion of word order (l'inversion)

Normally, the subject precedes the verb. Inversion consists in placing the verb before the subject. In French, it is used mainly (but not exclusively) to phrase a question.

If the subject is a pronoun, it is placed after the verb, with a hyphen in between:

Voulez-vous une tasse de thé?
Would you like a cup of tea?

If the subject is a noun, the noun remains before the verb, but a subject pronoun of the same gender and number as the noun is added after the verb (or after the auxiliary verb in compound tenses):

Tes parents regardent-ils la télé?
Do your parents watch TV?

Les enfants ont-ils mangé tout le gâteau?
Did the children eat the whole cake?

Mood (le mode)

Verbs are used in various moods that indicate the attitude of the speaker toward what he or she is saying. The indicative mood is used to report events factually; the imperative mood is used to give orders; the conditional mood presents an event as a possibility or an impossibility; the subjunctive mood is used almost exclusively in subordinate clauses to relate an event that follows from a certain attitude or proviso.

Moods are subdivided into tenses.

Negation (la négation)

Negation in French always consists of two words: *ne* and another word that may be an adverb such as *pas*, an adjective (*aucun, aucune*), or a pronoun (*rien, personne*). *Ne* is always placed before the verb, while the second element is most often (except with the infinitive) placed after the verb or the auxiliary verb in compound tenses.

Noun (le nom)

A noun is a word that represents a person, a place, an object, an event, an idea, an activity. In French, all nouns have a gender: They are either masculine or feminine. They also have a number: singular or plural. Except in a limited number of particular cases, nouns in French are preceded by an article or some other determining word.

Object (le complément d'objet)

An object is a noun or pronoun that is related to the action of the verb or to a preposition.

The direct object receives the action of the verb directly, i.e., without a preposition (it answers the question *what?* or *whom?*):

Les enfants regardent **un film.**
The children are watching a movie.
(*The children are watching what?*)

The indirect object is related to the verb by the preposition *à* (it answers the question *to what?* or *to whom?*):

Elle a prêté sa voiture **à son amie.**
She lent her car to her friend.
(*She lent her car to whom?*)

The object of a preposition is a noun or pronoun preceded by any preposition (except the preposition *à* (to) when it acts as a link between the verb and its indirect object). In the following sentence, *la gare, six heures*, and *nos enfants* are objects of prepositions (*devant, à, avec*):

Nous serons devant la gare, à six heures, avec nos enfants.
We'll be in front of the station at six o'clock with our children.

Participle (le participe)

The past participle is combined with the auxiliary verb in compound tenses:

j'ai mangé
I have eaten

nous serions sortis
we would have gone out

Many past participles are used as descriptive adjectives:

un homme fatigué
a tired man

des tables vernies
varnished tables

Passive voice (*la voix passive*)

A sentence is said to be in the passive voice when the subject of the verb, instead of performing an action upon something or someone else (active voice), is being acted upon (whoever or whatever performs the action is then called the *agent*):

(Active) Le professeur a félicité Miriam.
The instructor congratulated Miriam.

(Passive) Miriam a été félicitée par le professeur.
Miriam was congratulated by the instructor.

Preposition (*la préposition*)

A preposition is a functional word that relates a noun, pronoun, or infinitive to another part of the sentence:

Le livre est **sur** la table.
The book is on the table.

C'est le livre **de** Paul.
That's Paul's book.

J'ai besoin **de** toi.
I need you.

Elle apprend **à** conduire.
She's learning to drive.

Pronominal verbs (*les verbes pronominaux*)

Pronominal verbs are verbs that are preceded by a reflexive pronoun, which must agree with the subject. Most pronominal verbs have non-reflexive constructions as well.

Usually, the presence of a reflexive pronoun indicates a *reflexive* or *reciprocal* action upon the subject:

Je me regarde dans le miroir.
I am looking at myself in the mirror.

Nous nous écrivons souvent.
We often write to each other/one another.

However, a number of pronominal verbs do not express a reflexive of pronominal action but have an idiomatic meaning. Some of these verbs only exist in the pronominal form, like "se souvenir (de)" (*to remember*). They may also be verbs whose pronominal form has a meaning that is different from their non-pronominal form:

attendre *to wait*   s'attendre (à) *to expect*

Finally, the pronominal form of certain verbs may be used instead of the passive voice to indicate a general or habitual fact:

Ces stylos se vendent partout.
Those pens are sold everywhere.

Pronoun (*le pronom*)

A pronoun is a word used in place of a noun (or sometimes another word like another pronoun or an adjective, or even a whole clause). The word it replaces has usually been mentioned previously and is called its antecedent. In the following example, "les étudiants" is the antecedent of the pronoun "ils":

Les étudiants sont entrés. Ils se sont assis.
The students came in. They sat down.

In French as in English, there are different kinds of pronouns: The main difference is that in French a pronoun must generally agree in gender and number with the noun that it replaces.

Personal (*personnels*) pronouns change their form according to their function in the sentence (subject, direct or indirect object, object of preposition); stress pronouns are mostly used for emphasis or as objects of prepositions; reflexive pronouns precede pronominal verbs.

A demonstrative (*démonstratif*) pronoun points out particular persons or things:

Je prends cette valise. Toi, prends **celle-là**.
I'm taking this suitcase. You take that one.

Indefinite (*indéfinis*) pronouns refer to unidentified persons or things:

Quelque chose est arrivé: **quelqu'un** me l'a dit.
Something happened: Someone told me.

An interrogative *(interrogatif)* pronoun is used in a question:

Qui a pris mon stylo?
Who took my pen?

A possessive *(possessif)* pronoun replaces a possessive adjective + a noun; it must agree in gender and number with the noun it replaces:

J'ai pris mon vélo et Hélène a pris **le sien**. (son vélo)
I took my bicycle and Helen took hers.

A relative *(relatif)* pronoun introduces a relative subordinate clause:

As-tu vu la voiture que Sylvie a achetée?
Have you seen the car Sylvie bought?

Relative clause *(la proposition relative)*

A relative clause is a subordinate clause introduced by a relative pronoun. It is usually placed right after its antecedent but may be separated from the latter by a preposition.

While the relative pronoun may be omitted in English, it must always be expressed in French:

La voiture **qu**'il a achetée coûte cher.
The car he bought is expensive.

When the relative pronoun is the object of a preposition, in English the preposition is often placed at the end of the relative clause, but it must always precede the relative pronoun at the beginning of the relative clause in French:

Je n'ai pas encore rencontré la fille avec laquelle Paul sort.
I have not yet met the girl Paul is going out with.

Sentence *(la phrase)*

A sentence is a group of words organized around a verb and expressing a complete thought.

A sentence may be

— declarative: it expresses a statement;

— interrogative: it asks a question;

— imperative: it issues an order or suggestion (what characterizes an imperative sentence is that it has no subject and can therefore consist only of the verb);

— exclamative: it expresses an emotion (in many exclamative sentences, the verb is omitted).

All sentences may be affirmative or negative.

A simple sentence consists of a single clause; a complex sentence consists of a main clause and at least one subordinate clause.

Subject *(le sujet)*

The subject of a verb is the noun or pronoun representing *who* or *what* performs the action (or is acted upon in a passive sentence).

Subjunctive *(see* mood)

Tense *(le temps)*

The tenses of a verb indicate *when* the action or condition expressed by the verbs takes place. Simple tenses consist of one verb form; compound tenses consist of two verb forms: the auxiliary verb *(avoir* or *être* in French), which is conjugated, and the past participle of the main verb.

Verb *(le verbe)*

The majority of French verbs are regular *(réguliers)*: They are conjugated according to a fixed pattern. There are three groups of regular verbs. Their infinitives end in *-er* (first group); in *-ir* (second group); and in *-re* (third group). Dropping the infinitive ending *(terminaison)* leaves the stem *(radical)*. Regular verbs are conjugated in the various tenses by adding a particular set of endings to the stem.

Irregular *(irréguliers)* verbs are those that do not follow an established pattern and must be memorized individually.

Transitive *(transitifs)* verbs take an object; intransitive verbs do not.

CHAPITRE 1

© Moodboard/Getty Images RF

Faisons connaissance

MyFrenchLab

Visit MyFrenchLab to access additional resources, including

- *Cahier de laboratoire*
- Self-grading assessments
- Audio exercises
- Grammar primers and tutorials

Thèmes

- Les salutations
- Les présentations
- Description des personnes

Grammaire

1.1 Présentations

1.2 L'alphabet

1.3 Les sons du français

1.4 Les pronoms personnels sujets

1.5 Le verbe *être* au présent de l'indicatif — forme affirmative

1.6 Le verbe *être* à la forme interrogative avec *Est-ce que*

1.7 Le verbe *être* à la forme négative

1.8 Adjectifs — masculin et féminin

1.9 Adjectifs — singulier et pluriel

1.10 L'accord des adjectifs avec les pronoms personnels sujets

VOCABULAIRE UTILE

Les salutations

Bonjour	Good morning
Monsieur	Sir
Bonsoir	Good evening
Madame	Madam
Salut	Hi; bye
Mademoiselle	Miss

Les adieux

Au revoir	Goodbye
À demain	See you tomorrow
À plus tard	See you later
À la prochaine	Until next time
À bientôt	See you soon
Bonne journée	Have a good day
Bonne soirée	Have a good evening

Les présentations

Je m'appelle Nathalie.	My name is Nathalie.
Comment vous appelez-vous?	What is your name?
Comment allez-vous?	How are you?
Je vais bien, merci.	I am fine, thank you.

Autres formules

Comme ci comme ça	So-so
Je ne sais pas	I don't know
Je ne comprends pas	I don't understand

Pardon	I beg your pardon
Excusez-moi	Excuse me
Pas mal	Pretty good

GRAMMAIRE ET EXERCICES ORAUX

1.1 Présentations

LE PROFESSEUR:	Bonjour!*
LES ÉTUDIANTS:	Bonjour Monsieur.
LE PROFESSEUR:	Je m'appelle Paul Duval. Comment vous appelez-vous, Monsieur?
CARLO:	Je m'appelle Carlo Sullo.
LE PROFESSEUR:	Comment allez-vous?
CARLO:	Je vais bien, merci.
LE PROFESSEUR:	Comment vous appelez-vous, Mademoiselle?
CATHY:	Je m'appelle Cathy Takeda.
LE PROFESSEUR:	Comment allez-vous?
CATHY:	Très bien, merci.
LE PROFESSEUR:	Et vous, Madame, comment vous appelez-vous?

HEATHER:	Je m'appelle Heather Francis.
LE PROFESSEUR:	Comment allez-vous?
HEATHER:	Pas mal, merci. Et vous?
LE PROFESSEUR:	Je vais bien, merci.

(At the end of the class)

LE PROFESSEUR:	Au revoir / À demain / À plus tard / À la prochaine / À bientôt / Bonsoir.*

French ways of greeting

Most French-speaking students greet each other with "Bonjour" or "Salut." Friends and younger people (even if they are strangers) generally use "tu" rather than "vous."

Getting acquainted

PAUL:	Salut!
RON:	Salut!
PAUL:	Je m'appelle Paul. Comment t'appelles-tu?
RON:	Je m'appelle Ron.
PAUL:	Comment ça va?
RON:	Ça va bien, merci. Et toi?
PAUL:	Comme ci comme ça.

 EXERCICES ORAUX

a. Répétez selon le modèle.

Modèle: Bonjour Monsieur.
Bonjour Monsieur.

1. Bonjour Madame.
2. Bonjour Mademoiselle.
3. Bonsoir Monsieur.
4. Bonsoir Madame.
5. Salut Didier.
6. Comment vous appelez-vous?
7. Ça va?
8. Comment ça va?
9. À plus tard.
10. À demain.
11. Comme ci comme ça.
12. Pardon.
13. Salut.
14. Excusez-moi.
15. Comment allez-vous?
16. Comment t'appelles-tu?
17. Je m'appelle Jeanne.
18. Très bien, merci.
19. Je vais bien, merci.
20. Au revoir.
21. À bientôt.
22. À la prochaine.

* In Canada, "Bonjour" and "Bonsoir" are often used when parting as well as in greeting. "Bonne nuit" (Good night) is used only when a person is going to bed.

23. Bonne nuit.

24. Bonne journée.

25. Bonne soirée.

26. Je ne sais pas.

27. Je ne comprends pas.

b. Students can act out the two sets of dialogues to differentiate between the formal and informal exchanges.

Formal exchange—teacher/student (use "vous")

Informal exchange—student/student (use "tu")

1.2 L'alphabet

In this chart, each letter of the alphabet is followed by phonetic symbols between slash marks, which indicate how the name of the letter is pronounced in French.

a	/a/	e	/ə/	i	/i/	m	/ɛm/	q	/ky/	u	/y/	y	/igrɛk/
b	/be/	f	/ɛf/	j	/ʒi/	n	/ɛn/	r	/ɛr/	v	/ve/	z	/zɛd/
c	/se/	g	/ʒe/	k	/ka/	o	/o/	s	/ɛs/	w	/dublə ve/		
d	/de/	h	/aʃ/	l	/ɛl/	p	/pe/	t	/te/	x	/iks/		

1.3 Les sons du français

French sounds are given below in phonetic symbols, accompanied by their most common spellings.

Vowel sounds

/i/	pirate, physique, ami	/y/	unité, mur
/e/	aimer, école, les, répéter	/ø/	deux, bleu
/ɛ/	elle, perte, mère, taire, seize	/œ/	neuf, professeur
/a/	la, papa, après, chocolat	/ə/	je, de, retourner
/ɑ/	bas, pâte	/ɑ̃/	anglais, enfin
/u/	nous, vous, debout	/ɔ̃/	bon, mon, savon
/o/	beau, gros, faux	/ɛ̃/	vingt, bain, rein
/ɔ/	sort, coffre	/œ̃/	un, brun

Semi-vowels

/j/	rien, bille
/y/	huit, bruit
/w/	oui, toi

Consonants

/p/	pot, après, pape	/z/	rose, raison, zéro
/b/	balle, robe	/ʃ/	chaise, architecte
/t/	table, rater	/ʒ/	je, manger
/d/	dire, radis	/m/	mari, femme
/k/	kilogramme, beaucoup, quatre	/n/	non, nous, bonne
/g/	garçon, guide	/ɲ/	montagne, cogner
/f/	finance, philosophie	/r/	ramener, arriver, rapport
/v/	vol, arriver	/l/	le, livre, allumer
/s/	silence, classe, dix, cire, garçon		

 EXERCICES ORAUX

a. Répétez les lettres et les mots suivants.

a e i o u m d p k r v w y
mu lot dit bar fol le papa mini taxi rose date musique
mademoiselle quatre coco chose avis manger embrasser

b. Épelez (spell).

pomme	ignoble	potiche	vocabulaire
chaise	bureau	coffre	craie
table	tapis	magnifique	yoyo
madame	photographe	classe	violon

c. Épelez votre nom.

Modèle: Je m'appelle John Kowalski.
J-o-h-n K-o-w-a-l-s-k-i

1.4 Les pronoms personnels sujets

A pronoun is a word used in place of one or more nouns. It may stand for a person, place, thing, or idea. Instead of repeating the proper noun "Paul" in the following example, a pronoun can be used:

Paul is an athlete. Paul goes to practice every day.
Paul is an athlete. He goes to practice every day.

The French subject pronouns

je / j'	I	nous	we
tu	you	vous	you
il	he/it	ils	they (m.)
elle	she/it	elles	they (f.)
on	one/people		

Observe that

1) **Je** is used before verbs beginning with a consonant: **je suis.**

   J' is used before a vowel: **j'ai.**

2) The **s** in **nous, vous, ils,** and **elles** is not pronounced when the verb begins with a consonant, but when the verb begins with a vowel, a **liaison** occurs:

   nou$ sommes

   nous‿avons

3) The pronoun **on** corresponds to "one," "someone," or "somebody" in English. It can also be
   used to mean "we," "they," and "you."

4) **Tu** and **vous** both correspond to "you" in English. **Tu** is used as an informal form of address
   when talking to, for example, a friend, a child, a member of your family, an animal, or to any-
   one in a situation that allows for informality. **Vous** is used in two distinct ways: 1) to address
   one person formally, i.e., someone you have met for the first time or someone for whom you
   want to show respect, or, generally, a stranger; 2) to address a group (more than one person).

✳ Note

To allow for practice of both the *tu* and the *vous* forms and to avoid ambiguities, the following
conventions have been adopted throughout the exercises in this book:

a) When addressing the instructor, students use the formal **vous** form:

   INSTRUCTOR: Est-ce que je suis sévère?
   STUDENT: Oui, *vous* êtes sévère.

b) When addressing each other, students use the **tu** form:

   STUDENT 1: Est-ce que *tu* es énergique?
   STUDENT 2: Oui, je suis énergique.

c) When the instructor asks a question using **tu**, he/she is asking an individual student to
   provide information about him/herself (the student answers with **je**):

   INSTRUCTOR: Est-ce que *tu* es modeste?
   STUDENT: Oui, *je* suis modeste.

d) When the instructor asks a question using **vous**, he/she is asking an individual student to provide information about the whole group of students in the class (the student answers with **nous**):

> INSTRUCTOR: Est-ce que *vous* êtes sympathiques?
> STUDENT: Oui, *nous* sommes sympathiques.

1.5 Le verbe *être* au présent de l'indicatif — forme affirmative

je	suis	I	am	nous	sommes	we are
tu	es	you	are	vous	êtes	you are
il		he		ils		
elle	} est	she	} is	elles	} sont	they are
on		one				

EXERCICES ORAUX

a. Répondez affirmativement.

> *Modèle:* Je suis énergique?
>
> *Oui, vous êtes énergique.*

1. Tu es dynamique? — Oui, je _____.
2. Tu es modeste? — Oui, je _____.
3. Tu es optimiste? — Oui, je _____.
4. Tu es réaliste? — Oui, je _____.
5. Je suis raisonnable? — Oui, vous _____.
6. Je suis calme? — Oui, vous _____.
7. Nous sommes calmes? — Oui, nous _____.
8. Nous sommes énergiques? — Oui, nous _____.
9. Vous êtes dynamiques? — Oui, nous _____.
10. Vous êtes optimistes? — Oui, nous _____.
11. Hélène, elle est optimiste? — Oui, elle _____.
12. Paul, il est dynamique? — Oui, il _____.
13. Hélène et Julie, elles sont raisonnables? — Oui, elles _____.
14. Paul et Marc, ils sont énergiques? — Oui, ils _____.

b. Complétez par un pronom sujet approprié.

1. _____ es riche.
2. _____ sommes calmes.
3. _____ sont timides.
4. _____ suis raisonnable.
5. _____ êtes sympathique.
6. _____ est modeste.

c. Complétez par la forme appropriée du verbe *être*.

1. Elles _____ timides.
2. Elle _____ réaliste.
3. Je _____ modeste.
4. Vous _____ énergique.
5. Ils _____ sympathiques.
6. Nous _____ riches.
7. Tu _____ dynamique.
8. Paul _____ raisonnable.

1.6 Le verbe *être* à la forme interrogative avec *Est-ce que*

To ask a question orally in French, you may simply give the declarative sentence a rising intonation instead of a descending one. Compare:

Pierre est dynamique.   Pierre est dynamique?

Another way to ask a question, both when speaking and writing, is to insert the expression **Est-ce que** before the declarative sentence:

Est-ce que Pierre est dynamique?

As with all oral questions requiring a "yes" or "no" answer, the intonation rises at the end of a question with **Est-ce que**:

Est-ce que Pierre est dynamique?

The verb *être* in questions using *Est-ce que*

Est-ce que je suis dynamique?
Est-ce que tu es riche?
Est-ce qu'il est sympathique?
Est-ce qu'elle est modeste?
Est-ce qu'on est optimiste?

Est-ce que nous sommes calmes?
Est-ce que vous êtes réalistes?
Est-ce qu'ils sont timides?
Est-ce qu'elles sont énergiques?

* Note

Before *il(s)*, *elle(s)*, and *on*, which begin with vowel sounds, the *e* at the end of *Est-ce que* is replaced by an apostrophe.

EXERCICES ORAUX

a. Répétez le verbe *être* en mettant la phrase à la forme interrogative.

Modèle: Je suis riche.

Est-ce que tu es riche?

1. Tu es calme.	Est-ce que je _____ ?
2. Il est sympathique.	Est-ce qu'il _____ ?
3. Nous sommes modestes.	Est-ce que vous _____ ?
4. Vous êtes optimistes.	Est-ce que nous _____ ?
5. Elles sont jeunes.	Est-ce qu'elles _____ ?
6. Je suis réaliste.	Est-ce que tu _____ ?
7. Ils sont optimistes.	Est-ce qu'ils _____ ?
8. David est énergique.	Est-ce que David _____ ?
9. Marie est pessimiste.	Est-ce que Marie _____ ?
10. David et Marie sont timides.	Est-ce que David et Marie _____ ?
11. Thérèse et Louise sont calmes.	Est-ce que Thérèse et Louise _____ ?
12. On est dynamique.	Est-ce qu'on _____ ?

b. Posez une question selon le modèle.

Modèle: Vous / optimiste

Est-ce que vous êtes optimiste?

1. Tu / riche	5. Suzanne et Albert / timides
2. Robert / dynamique	6. Elles / raisonnables
3. Lucie / sympathique	7. Graham et Henri / jeunes
4. Vous / énergiques	8. Il / modeste

1.7 Le verbe *être* à la forme négative

Negation is expressed by two words placed before and after the verb: **ne... pas** or **n'... pas** when the verb begins with a vowel.

Je	**ne** suis **pas** modeste.	Nous	**ne** sommes **pas** contents.
Tu	**n'**es **pas** timide.	Vous	**n'**êtes **pas** raisonnables.
Pierre / Il Suzanne / Elle } On	**n'**est **pas** riche.	Ils Elles }	**ne** sont **pas** pessimistes.

EXERCICES ORAUX

a. Répétez avec les changements nécessaires.

1. Je ne suis pas riche.
2. Tu _____.
3. Nous _____.
4. Pierre _____.
5. Il _____.
6. _____ dynamique.
7. Nous _____.
8. Anne et Marie _____.
9. Elles _____.
10. Vous _____.
11. Pierre et Charles _____.
12. Tu _____.
13. _____ pessimiste.
14. Il _____.
15. Je _____.
16. Didier _____.
17. Vous _____.
18. On _____.

b. Suivez le modèle.

Modèle: Est-ce que tu es sincère?

Non, je ne suis pas sincère.

1. Est-ce que tu es optimiste?
2. Est-ce que Lucie est pessimiste?
3. Est-ce que nous sommes réalistes?
4. Est-ce que vous êtes calmes?
5. Est-ce que nous sommes modestes?
6. Est-ce que tu es timide?
7. Est-ce qu'elle est sympathique?
8. Est-ce que Charles et Suzanne sont patients?
9. Est-ce que je suis dynamique?
10. Est-ce que tu es dynamique?
11. Est-ce qu'Alain est énergique?
12. Est-ce qu'Édith et Juliette sont énergiques?

c. Faites une phrase négative selon le modèle.

Modèle: Louise / jeune

Louise n'est pas jeune.

1. Nous / riches
2. Charles / optimiste
3. Ils / sympathiques
4. Tu / raisonnable
5. Je / timide
6. Yvette et Marie / dynamiques
7. Vous / réalistes
8. Elle / énergique

1.8 Adjectifs — masculin et féminin

Adjectives are words that modify nouns or pronouns. If adjectives describe the noun(s) or pronoun(s) they modify, they are called descriptive or qualitative adjectives. They agree in gender (masculine/feminine) with the nouns or pronouns they modify.*

* In the examples given in this chapter, all nouns and pronouns refer to persons and are thus readily identified as masculine (male) or feminine (female). In the next chapter, you will see that all French nouns are either masculine or feminine and that the adjectives modifying them agree accordingly.

1) Most adjectives are made feminine by adding **e** to the masculine form.

Masculine	*Feminine*
Louis est intelligent.	Marie est intelligente.
Il est absent.	Elle est absente.

2) When the masculine singular form of an adjective ends in **e**, it does not change in the feminine.

Masculine	*Feminine*
Il est sincère.	Elle est sincère.
Jean est modeste.	Louise est modeste.

EXERCICES ORAUX

a. Remplacez les tirets par un adjectif approprié.

intelligent(e), grand(e), petit(e), optimiste, blond(e), calme, amusant(e), dynamique, impatient(e), modeste, content(e), présent(e), absent(e)

1. Elle est _____.
2. Il est _____.
3. Je suis _____.
4. Le professeur est _____.
5. Sylvie est _____.

6. Réjean est _____.
7. Anne est _____.
8. Tu es _____.
9. Vous êtes _____.
10. Robert est _____.

b. Répondez par un adjectif contraire, selon le modèle.

Modèle: Est-ce que tu es pessimiste? (optimiste)

Non, je ne suis pas pessimiste, je suis optimiste.

Est-ce que tu es...

1. impatient(e)?	(patient[e])	6. intolérant(e)?	(tolérant[e])
2. grand(e)?	(petit[e])	7. mécontent(e)?	(content[e])
3. brun(e)?	(blond[e])	8. stupide?	(intelligent[e])
4. arrogant(e)?	(modeste)	9. déraisonnable?	(raisonnable)
5. riche?	(pauvre)	10. irresponsable?	(responsable)

c. Répondez aux questions selon le modèle.

Modèle: Jacques est patient. Et Suzanne?

Elle n'est pas patiente.

1. Henri est grand. Et Marie?
2. Pierre est arrogant. Et Sylvie?
3. Julien est amusant. Et Anne?

4. Marc est content. Et Lucie?
5. Robert est intolérant. Et Françoise?
6. Charles est riche. Et Jeanne?

1.9 Adjectifs — singulier et pluriel

Adjectives also agree in number with the noun or pronoun that they modify. Most adjectives are made plural by adding **s** to the singular form.

Singular	*Plural*
Je suis dynamique.	Nous sommes dynamiques.
Elle est sincère.	Elles sont sincères.

Adjectives ending in **s** or **x** in the masculine singular form remain the same in the masculine plural form.

Singular	*Plural*
Il est gros.	Ils sont gros.
Pierre est heureux.	Pierre et Jean sont heureux.

1.10 L'accord des adjectifs avec les pronoms personnels sujets

Predicate adjectives modifying subject pronouns agree in gender and number with these pronouns. While it is easy to make adjectives agree with subject pronouns in the third person—whose forms (**il**, **elle**, **ils**, and **elles**) indicate whether they refer to males or females, an individual or a group—with the other subject pronouns, you must bear in mind to whom these refer in order to make the correct agreement.

1) **Je** may refer to a male or female speaker:

♂ Je suis intelligent.   ♀ Je suis intelligente.

2) **Tu** may refer to a male or female addressee:

♂ Tu es intelligent.   ♀ Tu es intelligente.

3) **On** is indefinite; the predicate adjective is always masculine singular:

♂ On est intelligent.

4) **Nous** may refer to a group of males or females:

♂ Nous sommes intelligents.   ♀ Nous sommes intelligentes.

5) **Vous** may be used to address a single individual (male or female) formally:

♂ Vous êtes intelligent.   ♀ Vous êtes intelligente.

6) **Vous** may also be used to address a group of males or females:

♂ Vous êtes intelligents.   ♀ Vous êtes intelligentes.

7) Finally, **nous** and **vous** may refer to mixed groups. In the third person plural, mixed groups are referred to by the pronoun **ils**; the predicate adjective must then be in the *masculine* plural form:

♂ ♀ Nous sommes intelligents.

♂ ♀ Vous êtes intelligents.

EXERCICES ÉCRITS

a. *Masculin / féminin de l'adjectif.* Mettez l'adjectif entre parenthèses à la forme qui convient.

1. Suzanne est _____ (tolérant).
2. Il est _____ (tolérant).
3. Pierre est _____ (impatient).
4. Elle est _____ (impatient).
5. Alain est _____ (intelligent).
6. Marie est _____ (intelligent).

7. Josette est _____ (amusant).
8. Elle est _____ (grand).
9. Paul est _____ (arrogant).
10. Hélène est _____ (petit).
11. Elle est _____ (brun).
12. Il est _____ (intéressant).

b. *Pluriel de l'adjectif.* Mettez l'adjectif entre parenthèses à la forme qui convient.

1. Ils sont _____ (jeune).
2. Elles sont _____ (amusant).
3. Nous sommes _____ (intelligent).
4. Vous n'êtes pas _____ (stupide).
5. Ils ne sont pas _____ (absent).
6. Elles ne sont pas _____ (timide).

7. Suzanne et Henri sont _____ (dynamique).
8. Nathalie et Marie sont _____ (tolérant).
9. Alain et Paul sont _____ (content).
10. Chantal et Alain sont _____ (impatient).
11. Béatrice et Claire sont _____ (blond).
12. Vous êtes _____ (intéressant).

c. Répondez aux questions affirmativement.

Modèle: Est-ce que tu es poli(e)?

Oui, je suis poli(e).

1. Est-ce que tu es fatigué(e)?
2. Est-ce que vous êtes grand(e)s?
3. Est-ce qu'il est arrogant?
4. Est-ce qu'elle est blonde?
5. Est-ce que tu es brun(e)?
6. Est-ce que nous sommes intéressant(e)s?

7. Est-ce que Charles et Marie sont riches?
8. Est-ce que Céline et Anne sont blondes?
9. Est-ce que nous sommes dynamiques?
10. Est-ce que vous êtes déraisonnable(s)?
11. Est-ce que vous êtes tolérant(e)s?

d. Mettez à la forme interrogative.

Modèle: Je suis calme.

Est-ce que tu es calme?

1. Mario est jeune.
2. Olive est grande.
3. Pierre et Paul sont intelligents.
4. Louise et Josette sont blondes.
5. Jacqueline est amusante.

6. Je suis timide.
7. Elle est intéressante.
8. Nous sommes dynamiques.
9. Vous êtes sympathiques.
10. Nous sommes brun(e)s.

e. Construisez des phrases avec les adjectifs suivants et le verbe *être*.

1. sympathique	Nous _____.	6. amusant	Ils _____.
2. petit	Elle _____.	7. indépendant	Il _____.
3. modeste	Tu _____.	8. content	Vous _____.
4. blond	Elles _____.	9. patient	Nous _____.
5. réaliste	Je _____.	10. timide	Vous _____.

f. Répondez négativement selon le modèle.

Modèle: Pierre est blond. Et Suzanne?

Elle n'est pas blonde.

1. Lucie est tolérante. Et Henri?
2. Anne est grande. Et Sylvain?
3. Robert est petit. Et Hélène?

4. André est content. Et Claire?
5. Julien est amusant. Et Francine?
6. Ils sont sincères. Et elles?

SITUATIONS – CONVERSATIONS

1) *Rôles: dialogue entre deux étudiant(e)s.* Utilisez des variations.

Modèle:

CATHY:	Salut. Comment ça va?
PETER:	Ça va bien. Et toi?
CATHY:	Pas mal. Comment t'appelles-tu?
PETER:	Je m'appelle Peter. Et toi?
CATHY:	Je m'appelle Cathy.
PETER:	À bientôt.
CATHY:	Au revoir.

2) Préparez un portrait de vous-même à l'aide des adjectifs suivants:

petit(e)	réaliste	patient(e)	indifférent(e)
grand(e)	dynamique	impatient(e)	tranquille
blond(e)	modeste	indépendant(e)	raisonnable
brun(e)	optimiste	intelligent(e)	calme
amusant(e)	timide	tolérant(e)	pessimiste
énergique	sincère	arrogant(e)	responsable

3) Donnez votre première impression de la personnalité de votre voisin / voisine.

Je pense (*I think*) qu'il / elle est _____.

PRONONCIATION

((•─[Listen on **myfrenchlab**

(Students and instructors can listen to the audio track for this exercise on MyFrenchLab.)

I. L'accent tonique et les groupes rythmiques

1) In isolated words, the tonic accent always falls on the last syllable.

   Répétez:

   intelligént, amusánt, épatánt, maláde, absént, présént, actíf, sportíf,
   dynamíque, sympathíque, occupé, pressé

2) In rhythmic groups (phrases), words lose their tonic accent. Instead, the accent occurs on the last syllable of the final word of the group.

   Répétez:

   Ça vá. Ça va bién. Ça va très bién.

   Je suis sportíf.

   Tu es cálme.

   Nous sommes impatiénts.

   Pierre est intelligént.

II. L'intonation dans les phrases déclaratives

1) In a declarative sentence, which includes only one rhythmic group, the tonic accent has a falling pitch.

   Répétez:

   Je suis timide.   Il est sportif.   Elle est active.

2) When the sentence includes two rhythmic groups, the pitch of the voice rises at the end of the first one and falls at the end of the second one.

   Répétez:

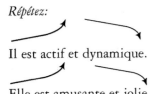

   Il est actif et dynamique.   Suzanne et Pierre sont absents.

   Elle est amusante et jolie.   Paul et Marie sont sportifs.

III. L'intonation dans les phrases interrogatives

1) By changing the intonation from a descending to a rising pattern, a declarative sentence may be transformed into a question.

   Répétez:

   Tu es fatiguée?   Vous êtes malades?   Ils sont amusants?

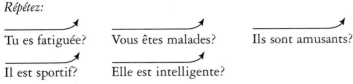

   Il est sportif?   Elle est intelligente?

   Listen to the following declarative sentences and change them into questions:

   Elle est sympathique.   Tu es calme.

   Il n'est pas amusant.   Vous n'êtes pas contents.

2) When using **Est-ce que** at the beginning of a sentence to form a question, the pitch of the voice should also rise at the end of the question.

Répétez:

Est-ce que tu es content?

Est-ce qu'il est patient?

Est-ce que vous êtes fatigués?

Est-ce qu'elle est blonde?

Est-ce qu'il est intelligent?

Est-ce qu'il est amusant?

Transform the following statements into questions by using **Est-ce que**:

Elle est brune.

Tu es intelligent.

Ils sont bruns.

Il est absent.

Vous êtes contents.

Elles sont amusantes.

MyFrenchLab   Visit MyFrenchLab to access additional resources such as audio exercises, the *Cahier de laboratoire,* and web destinations.

CHAPITRE 2

© technotr/Getty Images RF

Une chambre confortable

MyFrenchLab

Visit MyFrenchLab to access additional resources, including

- *Cahier de laboratoire*
- Self-grading assessments
- Audio exercises
- Grammar primers and tutorials

Thèmes

- Ma chambre
- Les objets de ma chambre
- Identifier les objets
- Exprimer la possession

Grammaire

2.1 *Qu'est-ce que c'est? / C'est, ce sont*

2.2 Noms — genre et nombre

2.3 L'article indéfini — *un / une / des*

2.4 Le verbe *avoir*

2.5 L'adjectif — genre et nombre

2.6 Place des adjectifs

2.7 Les nombres

VOCABULAIRE UTILE

Noms

		Adjectifs	
ami(e)	friend	**amusant(e)**	amusing, funny
auto(mobile) (f.)	car	**ancien, ancienne**	antique; old; former
appartement (m.)	apartment	**bas, basse**	low
baladeur (m.)	digital media player, ex. iPod™	**doux, douce**	soft; mild; gentle
		heureux, heureuse	happy
bureau (m.)	desk; office	**intéressant(e)**	interesting
cahier (m.)	notebook	**luxueux, luxueuse**	luxurious
chambre (f.)	(bed)room	**pratique**	practical
chat, chatte	cat	**spacieux, spacieuse**	spacious, roomy
crayon (m.)	pencil	**sportif, sportive**	athletic; keen on sports
disque compact (CD) (m.)	compact disc (CD)		
maison (f.)	house	**Adverbe**	
milieu (m.)	middle; environment	**aussi**	also
revue (f.)	magazine		
serviette (f.)	towel; briefcase	**Préposition**	
stylo (m.)	pen	**de**	of
tableau (m.)	blackboard		
tapis (m.)	carpet		

GRAMMAIRE ET EXERCICES ORAUX

2.1 *Qu'est-ce que c'est? / C'est, ce sont*

When you want someone to identify an object, ask: Qu'est-ce que c'est? (What is that?). To answer, use

C'est + article + singular noun   **C'est** une table.

or

Ce sont + article + plural noun   **Ce sont** des stylos.

EXERCICES ORAUX

a. Le professeur indique des objets dans la classe et demande: *Qu'est-ce que c'est?* Répondez.

1. C'est un mur.
2. C'est une fenêtre.
3. C'est une porte.
4. C'est un plancher.
5. C'est un plafond.
6. C'est un ordinateur.
7. C'est un tableau.
8. C'est un bureau.
9. Ce sont des plantes.
10. Ce sont des téléphones.
11. Ce sont des stylos.
12. Ce sont des chaises.
13. Ce sont des livres.
14. Ce sont des murs.

b. Indiquez des objets dans la chambre et demandez à un(e) autre étudiant(e): *Qu'est-ce que c'est?*

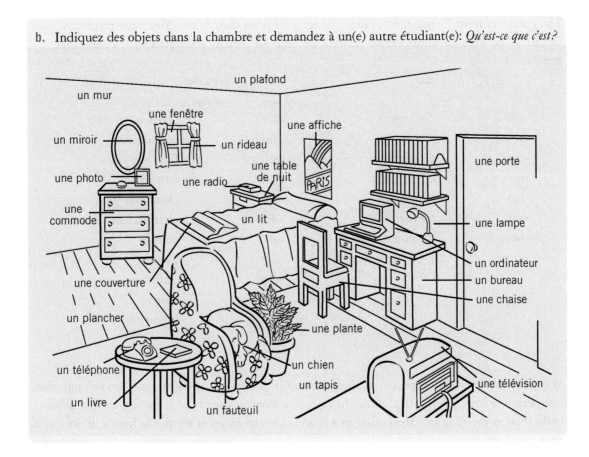

2.2 Noms — genre et nombre

Noun

A noun is a word that refers to

a person:	**Sonia, Paul, professeur**
a place:	**Montréal, Québec, village**
a thing or animal:	**lampe, chaise, chien**
an idea:	**démocratie, générosité**

Nouns that begin with a capital letter, such as the names of people or places, are called proper nouns. Nouns that do not begin with a capital letter are called common nouns.

Gender

When a word can be classified as masculine or feminine, it is said to have a gender. In French, all nouns are either masculine or feminine. There is no such thing as a neutral noun.

The gender of most French nouns cannot be inferred from their forms: You must memorize the gender along with the noun. However, some endings are usually associated with a particular gender:

Masculine *endings*		*Feminine* *endings*	
-age	virage	-ade	promenade
-al	arsenal	-aison	combinaison
-ent	sergent	-ette	fillette
-ier	fermier	-ière	fermière
-eur	chanteur	-euse	chanteuse
-ien	pharmacien	-ienne	pharmacienne
-isme	communisme	-ie	chimie
-ment	gouvernement	-sion	passion
		-ture	confiture
		-té	charité
		-tion	invention

Number

When a word refers to one person or thing, it is said to be singular. When it refers to more than one person or thing, it is called plural. In French, a word in the plural is usually spelled differently than in the singular. Most often an **s** is added to the singular word; the final **s**, however, is *never* pronounced.

livre (m.sing.)   livre**s** (m.pl.)
table (f.sing.)   table**s** (f.pl.)

The plural of nouns ending in

1) -al ⟶ -aux   animal ⟶ anim**aux**
2) -eau ⟶ -eaux   tableau ⟶ tableaux
3) -eu ⟶ -eux   milieu ⟶ milieux

✳ Note

If a noun ends with an *s*, an *x*, or a *z*, no **s** is added in the plural.

2.3 L'article indéfini — *un / une / des*

The indefinite article in English

"A" or "an" is used before a singular noun when we speak of a person, animal, thing, or idea that is not particularized:

She ate *an* apple. (not any particular apple)
He saw *a* man in the street. (not any particular man)

There is no plural form of the indefinite article in English. Plural nouns that do not refer to particular persons or things are used without an article (or occasionally with "some"):

> He ate apples. (some apples)
>
> He saw men in the street. (some men)

The indefinite article in French

The singular forms of the indefinite article in French match the gender of the noun they precede.

Un is masculine:

un garçon	a boy
un livre	a book

Une is feminine:

une femme	a woman
une chaise	a chair

As in English, the indefinite article indicates that we do not speak about any particular person or thing. However, in French, there is also a plural form of the indefinite article, **des**, which is used with both masculine and feminine plural nouns and which cannot be omitted. Compare:

J'ai *des* livres.	I have books. (some books)
Nous avons *des* chaises.	We have chairs. (some chairs)

 EXERCICES ORAUX

a. Employez *un* ou *une* devant chaque nom.

_____ bureau	_____ occasion	_____ couverture
_____ magicien	_____ général	_____ électricien
_____ journal	_____ tapis	_____ animal
_____ fenêtre	_____ porte	_____ ami
_____ mécanicien	_____ sergent	_____ chanteuse
_____ radio	_____ lampe	_____ parade

b. Répétez l'exercice précédent au pluriel.

> *Modèle:* occasion
>
> *des occasions*

2.4 Le verbe *avoir*

j'ai	I have	nous avons	we have
tu as	you have	vous avez	you have
il	he	ils	
elle } a	she } has	elles } ont	they have
on	one		

✱ Note

Liaison is required between *on, nous, vous, ils, elles* and the verb.

vous‿avez	nous‿avons	elles‿ont
on‿a		ils‿ont

The interrogative form with *Est-ce que*

Est-ce que *j'ai* un crayon?

Est-ce que *vous avez* un fauteuil?

The negative form: *ne + verbe + pas*

je	n'ai pas	nous	n'avons pas
tu	n'as pas	vous	n'avez pas
il		ils	
elle }	n'a pas	elles }	n'ont pas
on			

In a negative construction, **de** (**d'** before a vowel or a vowel sound) is used in place of **un, une, des**:

J'ai **un** chien.	Je n'ai pas **de** chien.
Il a **un** baladeur.	Il n'a pas **de** baladeur.
Ils ont **des** livres.	Ils n'ont pas **de** livres.
J'ai **des** affiches.	Je n'ai pas **d'**affiches.
Elle a **un** ordinateur.	Elle n'a pas **d'**ordinateur.

EXERCICES ORAUX

a. Répondez aux questions.

> *Modèle:* Dans ta chambre, est-ce que tu as une télévision ou des télévisions?
>
> *Dans ma chambre, j'ai...*

Dans ta chambre, est-ce que tu as...

1. une chaise ou des chaises?
2. un lit ou des lits?
3. une fenêtre ou des fenêtres?
4. un disque compact ou des disques compacts?
5. une plante ou des plantes?
6. une photo ou des photos?
7. un livre ou des livres?
8. une porte ou des portes?
9. un miroir ou des miroirs?
10. une affiche ou des affiches?

b. Répétez avec les changements indiqués.

> *Modèle:* André a un ordinateur.
>
> *Nous avons un ordinateur.*

1. Pierre a un livre.
2. Il _____.
3. Nous _____.
4. Juliette _____.
5. Marie et Pierre _____.
6. Vous _____.
7. _____ un bureau.
8. Suzanne _____.
9. Tu as une commode.
10. Olive et Suzanne _____.
11. Elle _____.
12. _____ une télévision.
13. Gaston _____.
14. Nous _____.
15. Je _____.

c. Posez des questions selon le modèle.

> *Modèle:* J'ai un chien. (chat)
>
> *Mais est-ce que tu as aussi un chat?*

1. Marc a une radio. (télévision)
2. Sylvie a des affiches. (photos)
3. Nous avons une télévision. (ordinateur)
4. J'ai une commode. (fauteuil)
5. La chambre a une porte. (fenêtre)
6. Les étudiants ont des livres. (disques compacts)
7. J'ai un lit. (couverture)
8. Les professeurs ont des chaises. (bureaux)

d. Mettez à la forme négative.

> *Modèle:* Il a une couverture.
>
> *Il n'a pas de couverture.*

1. Elle a un stylo.
2. Vous avez des livres.
3. Nous avons des chaises.
4. Didier a un lit.
5. Pierre et Karine ont des baladeurs.
6. Tu as une lampe.
7. J'ai des affiches.
8. Elle a une chambre.
9. Ils ont des photos.
10. Elles ont des plantes.

e. Formez des phrases avec les éléments suivants.

> *Modèle:* Je / avoir / livres
>
> *J'ai des livres.*

1. Nous / avoir / affiches
2. Vous / ne pas avoir / fauteuil
3. Jeanne / avoir / ami
4. Je / ne pas avoir / auto
5. Tu / ne pas avoir / chat
6. Les étudiants / avoir / ordinateurs portables
7. Il / avoir / baladeur
8. Paul et Toni / avoir / radio
9. Le professeur / ne pas avoir / téléphone
10. Elle / avoir / plantes

f. Posez une question à un(e) camarade. Le (la) camarade répond selon le modèle.

> *Modèle:* télévision / ordinateur
>
> *Est-ce que tu as une télévision?*
>
> *Non, je n'ai pas de télévision, mais j'ai un ordinateur.*

1. chat / chien
2. ordinateur / auto
3. radio / télévision
4. tapis / plante
5. fauteuil / lit
6. chambre / appartement
7. fenêtre / lampe
8. commode / bureau
9. table de nuit / bureau
10. téléphone / ordinateur

2.5 L'adjectif — genre et nombre

Some adjectives do not have a regular feminine form (adding **e** to the masculine form). Study the following patterns:

1) Doubling of the final consonant

a) **-ien, -ienne / -iens, -iennes**

	Masculine	Feminine
Singular	canadien	canadienne
Plural	canadiens	canadiennes

b) **-el, -elle / -els, -elles**

	Masculine	Feminine
Singular	rationnel	rationnelle
Plural	rationnels	rationnelles

c) **-s, -sse / -s, -sses**

	Masculine	Feminine
Singular	gros	grosse
Plural	gros	grosses

d) **bon, bonne / bons, bonnes**

	Masculine	*Feminine*
Singular	bon	bonne
Plural	bons	bonnes

2) Masculine: **-eux** / Feminine: **-euse**

	Masculine	*Feminine*
Singular	heureux	heureuse
Plural	heureux	heureuses

✳ Note

Masculine endings in *-eux* do not change in the plural.

3) Masculine: **-eau** / Feminine: **-elle**

	Masculine	*Feminine*
Singular	nouveau	nouvelle
Plural	nouveaux	nouvelles

✳ Note

Adjectives ending in *-eau* add *x* for the plural: *-eaux*.

4) Masculine: **-ou** / Feminine: **-olle**

	Masculine	*Feminine*
Singular	mou	molle
Plural	mous	molles

5) Masculine: **-if** / Feminine: **-ive**

	Masculine	*Feminine*
Singular	sportif	sportive
Plural	sportifs	sportives

6) Exceptional adjectives

	Masculine	*Feminine*
Singular	vieux	vieille
Plural	vieux	vieilles
Singular	doux	douce
Plural	doux	douces

EXERCICES ORAUX

a. Répétez avec les changements appropriés.

Modèle: Il est heureux.

Elle est heureuse.

1. Elle est bonne.
2. Il _____.
3. Elles sont _____.
4. Ils _____.
5. _____ heureux.
6. Elles _____.
7. Elle est _____.
8. _____ ambitieuse.
9. Il est _____.
10. _____ fou.
11. Elle est _____.
12. _____ raisonnable.
13. Ils sont _____.
14. _____ gros.
15. Elle est _____.
16. Il est vieux.
17. Elles sont _____.
18. _____ bonnes.
19. Il est _____.
20. _____ nouveau.
21. Elles sont _____.
22. _____ sérieuses.
23. Ils sont _____.
24. Elle est _____.
25. _____ ancienne.
26. Ils sont _____.
27. _____ bas.
28. Elle est _____.
29. _____ mou.
30. Ils sont _____.

b. Répondez aux questions selon le modèle.

Modèle: Jacques est heureux. Et Madeleine?

Elle est heureuse aussi.

1. Bertrand est vieux. Et Lucienne?
2. Marc est actif. Et Sylvie?
3. Sylvain est doux. Et Isabelle?
4. Jeanne est vietnamienne. Et Paul?
5. Nicole est malheureuse. Et André?
6. Henri est gros. Et Hélène?
7. Annie est folle. Et Richard?
8. Alice est bonne. Et David?
9. Lucien est vieux. Et Lucie?
10. Paul est nouveau. Et Suzanne?

2.6 Place des adjectifs

In English, descriptive adjectives precede the noun. In French, they usually *follow* the noun. Adjectives of colour, religion, or nationality almost always follow the noun and agree in gender and number with the noun or pronoun.

	Masculine	*Feminine*
Singular	un fauteuil moderne	une chaise confortable
	un vin français	une revue française
Plural	**des** fauteuils modernes	**des** chaises confortables
	des vins français	**des** revues françaises

✳ Note

Adjectives of nationality are not capitalized in French.

 EXERCICES ORAUX

a. Répondez aux questions en utilisant un des adjectifs de la liste suivante.

confortable, superbe, moderne, intéressant, exceptionnel, précieux, luxueux, pratique, magnifique, extraordinaire

Modèle: Est-ce que tu as un fauteuil?
Oui, j'ai un fauteuil confortable.

Est-ce que tu as…

1. un lit?
2. des livres?
3. des disques compacts?
4. des plantes?
5. un tapis?
6. un ordinateur portable?
7. une chambre?
8. une télévision?
9. un bureau?
10. des lampes?

b. Montrez votre chambre à un(e) ami(e). Combinez les éléments des quatre colonnes.

c'est	un	fenêtre	solide(s)
ce sont	une	mur	confortable
	des	bureau	intéressant(e)(s)
		plantes	pratique(s)
		photos	superbe(s)
		livres	élégant(e)(s)
		affiches	
		chaise	
		bureau	

c. Faites une phrase à partir des éléments donnés.

> *Modèle:* luxueux / avoir / je / tapis
> *J'ai un tapis luxueux.*

1. amusante / avoir / tu / revue
2. fauteuil / Hélène / avoir / confortable
3. Henri / moderne / avoir / ordinateur

4. superbes / avoir / plantes / Pierre
5. avoir / sympathiques / nous / amis
6. spacieuse / avoir / chambre / vous

Place des adjectifs (suite)

The following adjectives normally precede the noun and agree in gender and number with the noun they qualify.

	Masculine	*Feminine*
Singular	un grand lit	une grande table
Plural	de grands lits	de grandes tables

grand	grande (tall/large)
petit	petite (small)
beau	belle (beautiful)
joli	jolie (pretty)
gros	grosse (big)
nouveau	nouvelle (new)
vieux	vieille (old)
bon	bonne (good)
autre	autre (other)

✳ Note

1) In front of an adjective that is plural, *des* ⟶ *de.*
   Compare:
   des livres intéressants / **de** beaux livres
   des chaises confortables / **de** belles chaises

2) When placed before a masculine singular noun that begins with a vowel or a silent *h*, *beau*, *nouveau* and *vieux* become *bel*, *nouvel*, and *vieil*:
   un **vieil** ami   un **bel** homme   un **nouvel** ordinateur

3) An adjective that modifies more than one noun is plural. If the nouns have different genders, the masculine plural form is used:
   un garçon et une fille courag**eux**   un bureau et une table anci**ens**

EXERCICES ORAUX

a. Posez la question à un(e) autre étudiant(e). Il / Elle répond selon le modèle.

> *Modèle:* une lampe (grand / petit)
> *Est-ce que tu as une grande lampe?*
> *Non, j'ai une petite lampe.*

1. un fauteuil (nouveau, vieux)
2. un ordinateur (vieux, nouveau)
3. un lit (petit, grand)
4. un chien (gros, petit)
5. une télévision (nouveau, vieux)
6. une plante (petit, gros)
7. un tapis (beau, vieux)
8. une couverture (beau, vieux)
9. un stylo (bon, vieux)
10. une radio (vieux, bon)

b. Répondez aux questions.

> *Modèle:* Est-ce que vous avez des tables? (petit)
> *Oui, nous avons de petites tables.*

Est-ce que vous avez...

1. des lits? (grand)
2. des livres? (vieux)
3. des lampes? (beau)
4. des plantes? (gros)
5. des affiches? (joli)
6. des fenêtres? (petit)
7. des photos? (nouveau)
8. des stylos? (bon)
9. des couvertures? (beau)
10. des chaises? (vieux)

c. Répondez selon le modèle.

> *Modèle:* Est-ce que la chambre de Paul est belle?
> *Oui, c'est une belle chambre.*

1. Est-ce que le livre de Jeanne est intéressant?
2. Est-ce que l'appartement de Sylvie est grand?
3. Est-ce que la maison d'Yvon est jolie?
4. Est-ce que les affiches de Pierre sont nouvelles?
5. Est-ce que la chambre d'Isabelle est spacieuse?
6. Est-ce que le chien de Marc est gros?
7. Est-ce que le chat de Margot est petit?
8. Est-ce que le professeur de Pierre est dynamique?

d. Faites des phrases selon le modèle.

> *Modèle:* vieux / confortable / maison
> *C'est une vieille maison confortable.*

1. luxueux / nouveau / tapis
2. petit / pratique / table
3. bon / affectueux / chienne
4. vert / grand / plante
5. vieux / sympathique / homme
6. moderne / beau / chaise
7. intéressant / gros / livre
8. amusant / autre / revue

2.7 Les nombres

1	un	18	dix-huit	35	trente-cinq
2	deux	19	dix-neuf	36	trente-six
3	trois	20	vingt	37	trente-sept
4	quatre	21	vingt-et-un	38	trente-huit
5	cinq	22	vingt-deux	39	trente-neuf
6	six	23	vingt-trois	40	quarante
7	sept	24	vingt-quatre	41	quarante-et-un
8	huit	25	vingt-cinq	42	quarante-deux
9	neuf	26	vingt-six	43	quarante-trois
10	dix	27	vingt-sept	44	quarante-quatre
11	onze	28	vingt-huit	45	quarante-cinq
12	douze	29	vingt-neuf	46	quarante-six
13	treize	30	trente	47	quarante-sept
14	quatorze	31	trente-et-un	48	quarante-huit
15	quinze	32	trente-deux	49	quarante-neuf
16	seize	33	trente-trois	50	cinquante
17	dix-sept	34	trente-quatre		

✳ Note

1) Please note that numbers in this table use *la nouvelle orthographe.* Refer to the appendix on page 420 to view the traditional spelling of numbers.

2) The final consonants of all the numbers are pronounced when followed by words beginning with a vowel. The final *x* or *s* of deux, trois, six, and dix is pronounced as a /z/ sound.

un‿ami   deux‿étudiants   trois‿exercices

 EXERCICES ORAUX

a. Répétez:

45	11	13	49	2	17	9	48	16	32
12	22	27	26	12	50	13	23	15	42
15	10	32	19	22	30	40	7	14	48

b. Donnez la réponse correcte.

Modèle: 2 + 2 = 4

Deux plus deux font quatre. / Deux et deux font quatre.

plus			
	15 + 15 =	32 + 13 =	7 + 15 =
	11 + 22 =	18 + 16 =	9 + 2 =
	13 + 27 =	15 + 7 =	8 + 7 =

moins	$17 - 2 =$	$23 - 9 =$	$12 - 6 =$
	$40 - 13 =$	$49 - 23 =$	$27 - 11 =$
	$48 - 12 =$	$18 - 16 =$	$50 - 25 =$

fois	$2 \times 2 =$	$15 \times 2 =$	$5 \times 5 =$
	$13 \times 2 =$	$4 \times 4 =$	$12 \times 3 =$
	$10 \times 4 =$	$11 \times 3 =$	$7 \times 4 =$

c. Répondez aux questions.

Modèle: Combien est-ce que tu as de crayons? (12)

J'ai douze crayons.

Combien est-ce que tu as…

1. de livres?	(22)		7. de chats?	(11)
2. de tables?	(4)		8. de plantes?	(4)
3. de chaises?	(5)		9. de cahiers?	(8)
4. de lampes?	(2)		10. d'amis?	(2)
5. de fauteuils?	(4)		11. d'affiches?	(4)
6. de fenêtres?	(3)		12. de stylos?	(23)

EXERCICES ÉCRITS

a. Écrivez *un, une* ou *des*.

1. Est-ce que tu as _____ lit?
2. J'ai _____ commode.
3. Il a _____ chaises.
4. Charles a _____ télévision.
5. Claire a _____ lampe.
6. Ils ont _____ ordinateur.
7. Nous avons _____ chien.
8. Vous avez _____ radio.
9. Elles ont _____ auto.
10. Ils ont _____ rideaux.
11. Antoine a _____ chambre.
12. J'ai _____ plantes.
13. Est-ce qu'il a _____ affiches?
14. Vous avez _____ fenêtres.
15. Ils ont _____ miroir.
16. Georges et Paul ont _____ fauteuils.
17. Elle a _____ téléphone.
18. Nous avons _____ lampes.

b. Remplacez les tirets par le verbe *avoir* à la forme qui convient.

1. Elle _____ une télévision.
2. Je _____ un tapis.
3. Édouard _____ des livres.
4. Nous _____ des revues.
5. Tu _____ un ordinateur portable.
6. Elles _____ des stylos.

c. Mettez les phrases de l'exercice précédent: 1) à la forme négative; 2) à la forme interrogative avec *Est-ce que*.

d. Mettez au pluriel d'après les modèles.

Modèles: C'est un nouvel ordinateur.   C'est une chaise confortable.
Ce sont de nouveaux ordinateurs.   *Ce sont des chaises confortables.*

1. C'est un étudiant sportif.
2. C'est une vieille chaise.
3. C'est un gros chien.
4. C'est un livre intéressant.
5. C'est un étudiant sérieux.
6. C'est un bel animal.
7. C'est un grand tableau.
8. C'est une table basse.
9. C'est une bonne idée.
10. C'est un tapis superbe.

e. Mettez l'adjectif ou les adjectifs à la place qui convient et faites-les s'accorder avec le nom.

Modèle: Elle a des tables (petit, bas).
Elle a de petites tables basses.

1. Nous avons des disques compacts (nouveau).
2. J'ai un lit (grand).
3. Il a un fauteuil (confortable).
4. Il a un chien (intelligent).
5. Nous avons une commode (ancien).
6. Tu as un stylo (bon).
7. Nous n'avons pas de commode (beau).
8. Tu as une auto (pratique).
9. Pierre a des photos (intéressant).
10. Vous avez une lampe (joli, chinois).
11. Ils ont un fauteuil (bon, moderne).
12. Paul et Louise ont des chiens (exceptionnel).
13. J'ai une machine à écrire (vieux).
14. Marie a des lampes (beau, pratique).
15. Elles n'ont pas de couvertures (gros).
16. Vous avez des chambres (luxueux).
17. Ils ont des plantes (superbe).
18. Nous avons des couvertures (doux).

f. Répondez aux questions par des phrases complètes. (Écrivez les chiffres en toutes lettres.)

Combien est-ce que tu as...

1. de chaises?   (3)
2. de tables?   (2)
3. de lampes?   (5)
4. de livres?   (42)
5. de crayons?   (13)
6. de fenêtres?   (6)
7. de fauteuils?   (7)
8. d'affiches?   (5)
9. de photos?   (8)
10. de stylos?   (15)

g. Indiquez les réponses en chiffres écrits.

Modèle: $5 \times 5 =$ vingt-cinq

1. $4 \times 4 =$
2. $16 + 16 =$
3. $35 - 15 =$
4. $10 + 10 =$
5. $50 - 12 =$
6. $20 - 10 =$
7. $5 \times 3 =$
8. $10 + 13 =$
9. $5 + 6 =$
10. $25 - 12 =$
11. $24 - 10 =$
12. $24 - 12 =$

h. Faites des phrases à partir des éléments donnés.

> *Modèle:* Ce / ne pas / être / un homme / beau
> *Ce n'est pas un bel homme.*

1. Tu / avoir / un ami / nouveau
2. Ils / ne pas / avoir / amusant / des livres
3. Marie / être / une femme / vieux / heureux
4. Nous / avoir / quatre / fenêtres / grand
5. Vous / ne pas / avoir / des plantes / joli / vert
6. Alain / avoir / une télévision / beau / moderne

SITUATIONS – CONVERSATIONS

1. Qu'est-ce que vous avez dans votre chambre?

2. Demandez à votre voisin(e) quelle sorte de table
   de chaise
   de fauteuil
   de CD
   etc. } il / elle a.

> *Exemple:* Quelle sorte de table as-tu?
> *J'ai une petite table.*

COMPOSITION

Faites une description des objets de votre chambre.

> *Exemple: J'ai un grand lit confortable, un vieux tapis, de grandes fenêtres, etc. J'ai aussi un ordinateur.*

PRONONCIATION

((•—[Listen on **myfrenchlab**

(Students and instructors can listen to the audio track for this exercise on MyFrenchLab.)

I. Enchainement (Enchaînement)

Within a rhythmic group, when a word ends with a pronounced consonant and the next word begins with a vowel sound, that consonant is linked with the vowel.

> *Répétez:*

Marc‿a sept‿amis.   Le chat est un bel‿animal.   C'est un nouvel‿ordinateur.

Few words in French end in a consonant that is pronounced. However, a number of words end with the letter **e** that is never pronounced in that position: In such a case, the preceding consonant is pronounced and may also be linked with the following word if that word begins with a vowel sound.

Répétez:

Madame Armand	quatre amis
Mademoiselle Olive	un autre étudiant
Elle est absente.	une grande armoire
Elle est sportive.	une petite amie

II. Liaison

Although in most French words the final consonant is not pronounced, when a word ending in a silent consonant is followed by a word beginning with a vowel sound, that consonant is sometimes pronounced and linked with the vowel sound. Depending on the case, **liaison** is optional, compulsory, or even to be avoided (see Chapitre 21). **Liaison** is compulsory between a subject pronoun and a verb, as well as between an article and a noun or an adjective and a noun.

Final **s** and **x** are pronounced /z/ in **liaison**; final **d** is pronounced /t/.

Répétez:

nous avons	des étudiants
vous avez	de vieux arbres
ils ont	de vieux amis
elles ont	de nouveaux étudiants
des armoires	un grand arbre
des affiches	un grand ami
des amis	un grand animal
de bons étudiants	Ils ont des amis.
de grands arbres	Nous avons de bons amis.
de bons amis	

MyFrenchLab Visit MyFrenchLab to access additional resources such as audio exercises, the *Cahier de laboratoire*, and web destinations.

CHAPITRE 3

© 123rf.com

Parle-moi de toi

MyFrenchLab

Visit MyFrenchLab to access additional resources, including

- *Cahier de laboratoire*
- Self-grading assessments
- Audio exercises
- Grammar primers and tutorials

VOCABULAIRE UTILE

Noms

ambition (f.)	ambition	**endurant(e)**	tough, steadfast
banque (f.)	bank	**énergique**	energetic
besoin (m.)	need	**enthousiaste**	enthusiastic
bibliothèque (f.)	library	**facile**	easy
carte (f.)	card	**fatigué(e)**	tired
chanson (f.)	song	**fidèle**	faithful
coiffeur, coiffeuse	hairdresser	**honnête**	honest
concentration (f.)	concentration	**impulsif, impulsive**	impulsive
défaut (m.)	shortcoming	**indépendant(e)**	independent
effort (m.)	effort	**jeune**	young
enfant (m.)	child	**pratique**	practical
équilibre (m.)	equilibrium	**sincère**	sincere
femme (f.)	woman	**tenace**	tenacious
fierté (f.)	pride	**timide**	shy
fille (f.)	girl	**tolérant(e)**	tolerant
fin de semaine (f.)	weekend		

Adverbes

garçon (m.)	boy
gens (m.pl.)	people
homme (m.)	man

manque (m.)	lack	**assez**	enough, rather
oiseau (m.)	bird	**fort**	hard, strong, loud
parc (m.)	park	**jamais**	never
personne (f.)	person	**parfois**	sometimes
qualité (f.)	quality	**quelquefois**	sometimes
signe (m.)	sign	**souvent**	often
spectacle (m.)	show	**toujours**	always
tendance (f.)	tendency	**très**	very
travail (m.)	work	**vite**	fast, quickly

Adjectifs

Prépositions

agressif, agressive	aggressive	**avec**	with
attentif, attentive	attentive	**en**	in
audacieux, audacieuse	daring, bold	**jusque**	up to; until
autoritaire	authoritarian	**pour**	for; (in order) to
charmant(e)	charming		

Expressions

curieux, curieuse	curious
égoïste	selfish

discussion: avoir une —	to have a discussion
idées: échanger des —	to exchange ideas
renseignements: donner des —	to give information

GRAMMAIRE ET EXERCICES ORAUX

3.1 Verbes réguliers et verbes irréguliers

The majority of French verbs are regular (**réguliers**), which means that they are conjugated according to a fixed pattern. There are three groups of regular verbs. Their infinitives end in **-er** (first group); in **-ir** (second group); and in **-re** (third group). Dropping the infinitive ending (**la terminaison**) leaves the stem (**le radical**). Regular verbs are conjugated in the various tenses by adding a particular set of endings to the stem.

Irregular verbs are those that do not follow an established pattern and must be memorized individually. (**Être** and **avoir** are irregular verbs.)

3.2 Présent de l'indicatif des verbes en -er

The present tense of verbs in the first group is formed by adding to the stem the endings shown in this example:

danser (to dance)

je danse	**nous dans**ons
tu danses	**vous dans**ez
il / elle / on danse	**ils / elles dans**ent

✱ Note

The endings *-e, -es, -e, -ent* are silent: Hence the forms *je danse, tu danses, il/elle/on danse, ils/elles dansent* all have the same pronunciation.

The first group includes all the regular verbs whose infinitives end in **-er,** such as

aimer	(to like/to love)	Nous aimons la musique.
arriver	(to arrive)	J'arrive de la bibliothèque.
chanter	(to sing)	Est-ce que tu chantes dans la classe?
écouter	(to listen to)	Lise écoute la radio.
entrer	(to enter)	Nous entrons dans la classe.
étudier	(to study)	Ils étudient le français.
fumer	(to smoke)	Serge ne fume pas de cigares.
habiter	(to dwell)	Elles habitent à Montréal.
marcher	(to walk)	Vous marchez dans le parc.
manger	(to eat)	Est-ce que vous mangez au restaurant?
parler	(to speak)	Elle parle anglais.
regarder	(to look at/to watch)	Tu regardes la télévision.
rester	(to stay)	Je reste dans ma chambre.
travailler	(to work)	Nous ne travaillons pas bien.
trouver	(to find)	Alain trouve Catherine impulsive.

✳ Note

1) The pronoun *je* before a vowel or a silent *h* becomes *j'*: *j'arrive, j'entre, j'habite.*

2) There is only one verb form in French to indicate the present tense, whereas there are three forms in English:

je danse
$\left\{ \begin{array}{l} \\ \\ \\ \end{array} \right.$
I dance	(present)
I do dance	(present emphatic)
I am dancing	(present progressive)

 EXERCICES ORAUX

a. Répétez chaque phrase. Changez la forme du verbe selon le sujet entre parenthèses.

Modèle: Tu (elle, nous, je) imagines.
Tu imagines. Elle imagine. Nous imaginons. J'imagine.

1. Martin (vous, tu, je) écoute une chanson.
2. Nous (on, vous, Suzanne et Marc) regardons la télévision.
3. Je (vous, ils, tu, un professeur) marche dans la classe.
4. Elle (tu, André, nous) aime les animaux.
5. Sylvie (nous, elles, vous) travaille dans une banque.
6. Vous (je, ils, Henri, tu) parlez avec le professeur.
7. Ils (nous, je, Louise) étudient à Toronto.

b. Faites des phrases selon le modèle.

Modèle: Hélène / danser / chanter / bien
Hélène ne danse pas bien, mais elle chante bien.

1. nous / chanter / parler / dans la classe
2. Sylvain / écouter la radio / regarder la télévision
3. Francine et Jacques / étudier à l'université / travailler dans une banque
4. je / fumer / manger / dans le restaurant
5. vous / écouter le professeur / parler avec les autres étudiants

c. Posez la question appropriée.

Modèles: Je fume des cigares.
Est-ce que tu fumes des cigares?

Nous regardons un film.
Est-ce que vous regardez un film?

1. Je mange un sandwich.
2. Nous chantons une ballade.
3. J'étudie le français.
4. Je parle avec Hélène.
5. Vous regardez un film.

6. Nous parlons avec Yvon.
7. J'écoute une chanson.
8. Nous travaillons.
9. Nous marchons.
10. Tu aimes la classe.

d. Répondez aux questions selon le modèle.

Modèle: Hélène arrive aujourd'hui? (demain)
Non, elle arrive demain.

1. Tu aimes le jazz? (la musique classique)
2. Vous étudiez l'espagnol? (le français)
3. Pierre écoute un CD? (la radio)
4. Alain mange à la cafétéria?
   (au restaurant)
5. Sylvain et Marguerite habitent à Montréal?
   (à Toronto)
6. Tu trouves le professeur timide? (énergique)
7. Vous regardez un film? (un opéra)
8. Suzanne et Alain parlent espagnol? (italien)

e. Posez une question à un(e) autre étudiant(e). L'autre étudiant(e) répond selon le modèle.

Modèle: regarder / beaucoup / la télévision
Question: *Tu regardes beaucoup la télévision?*
Réponse: *Oui, je regarde beaucoup la télévision.*
(ou):   *Non, je ne regarde pas beaucoup la télévision.*

1. étudier / la philosophie
2. aimer / le jazz
3. écouter / des CD de musique classique
4. parler / avec le professeur
5. manger / au restaurant
6. habiter / un appartement
7. regarder / le hockey / à la télévision
8. danser / dans les discothèques

3.3 L'article défini

Forms

le	before a masculine singular noun or adjective beginning with a consonant: **le garçon, le stylo, le grand bureau**
la	before a feminine singular noun or adjective beginning with a consonant: **la table, la serviette, la jolie chaise**
l'	before a masculine or feminine singular noun or adjective beginning with a vowel sound or a silent **h**: **l'étudiant, l'homme, l'autre classe**
les	before all plural nouns or adjectives: **les stylos, les femmes, les nouveaux livres**

Uses of the definite article

1) Like "the" in English, it precedes nouns indicating particular persons, places, or things:

Le **professeur est dans la classe.**
Les **étudiants sont attentifs.**
*L'***université est grande.**

2) Unlike "the" in English, the definite article in French also precedes nouns used abstractly or in a general sense. Compare:

Le français est facile.

French is easy.

Les arbres sont verts.

Trees are green.

*L'*honnêteté est une vertu.

Honesty is a virtue.

 EXERCICES ORAUX

a. Remplacez l'article indéfini par l'article défini approprié.

un garçon	un mur	une fille	des couvertures
un étudiant	un ordinateur	une étudiante	un miroir
un chien	des lampes	une chaise	un tapis
des livres	une femme	un bureau	des fenêtres
une table	des affiches	des CD	un oiseau

b. Insérez l'article défini qui convient.

télévision	téléphone	photo	lit
table	plante	affiche	étagère
radio	commode	plafond	couverture
chambre	miroir	plafond	couverture
chambre	miroir	réveille-matin	livre
fauteuil	plancher		

3.4 Prépositions de lieu

à (at/in/to/into)	Il est **à** Montréal; **à** l'université.
de (from)	Elle arrive **de** Toronto; **de** la bibliothèque.
dans (in/into)	La plante est **dans** le pot.
devant (in front of)	Le professeur est **devant** les étudiants.
derrière (behind)	Le tableau est **derrière** le professeur.
sur (on)	Les livres sont **sur** la table.
sous (under)	Le chien est **sous** la chaise.
à côté de (beside/next to)	Le restaurant est **à côté de** la discothèque.
à droite de (to the right of)	Pierre est **à droite de** Marie.
à gauche de (to the left of)	Sylvie est **à gauche de** Marie.
entre (between)	Marie est **entre** Pierre et Sylvie.
en face de (facing)	Jean est **en face du** professeur.

3.5 Contractions (*à* et *de*)

When **à** or **de** precedes the definite article **le** or **les**, the following contractions are made:

à + le = au ⟶ à + les = aux
de + le = du ⟶ de + les = des

Nous sommes **au** restaurant.   Il parle **aux** étudiants.
J'arrive **du** cinéma.   Il parle **des** étudiants.

No contraction is made with **la** or **l'**:

Elle est **à la** maison.   Nous sommes à l'église.

Contractions are also made with **le** or **les** when **à** or **de** are part of longer prepositions:

à côté de + les étudiants ⟶ à côté **des** étudiants
jusqu'à (up to) + le parc ⟶ jusqu'**au** parc

3.6 Interrogation — l'inversion

Questions in French are asked not only by using upward intonation (**Ils sont grands?**) or **Est-ce que (Est-ce qu'ils sont grands?)**, but also by inverting the subject and verb: **Sont-ils grands?**

Inversion can be used when:

1) the subject is a pronoun, although it is not normally used if the subject is the pronoun **je**.

Tu es fatigué. ⟶ Es-tu fatigué?
Vous avez des CD. ⟶ Avez-vous des CD?

If the verb ends with a vowel, a **-t-** must be inserted between the verb and the pronouns **il, elle,** and **on**:

Danse-**t**-il à la discothèque?
A-**t**-elle un ordinateur?
Chante-**t**-on dans la classe?

2) the subject is a noun. The noun remains before the verb, but a subject pronoun of the same gender and number as the noun is added after the verb:

Les rideaux sont-ils verts?
René est-il intelligent?
Le professeur regarde-t-il les étudiants?

3) the question begins with an interrogative adverb such as **où** (where) or **d'où** (from where):

Où mange-t-il?
Où Pierre travaille-t-il?
D'où Suzanne arrive-t-elle?

An alternative construction is often used when the subject is a noun and the verb is **être**: **où** + verb (**être**) + noun subject.

>Où est Pierre?
>
>Où est le professeur?
>
>Où sont les livres?

 EXERCICES ORAUX

a. Formez une question avec l'inversion.

Modèles: Tu es sportif.   Bernard regarde la télévision.
Es-tu sportif?   *Bernard regarde-t-il la télévision?*

1. Elle est sympathique.
2. Vous êtes sportifs.
3. Il a une télévision.
4. Ils marchent dans le parc.
5. Tu manges un biscuit.
6. Elles sont amusantes.

7. Lisette mange un sandwich.
8. André regarde un film.
9. Le professeur écoute les étudiants.
10. Les poètes aiment la nature.
11. Louis a une télévision.
12. Les étudiants sont attentifs.

b. Formez la question. Employez *où* et l'inversion.

Modèle: Carole est à Montréal.
Où est Carole?

1. Le chat est sous la table.
2. Julien est derrière la porte.
3. Les livres sont sur le bureau.
4. Il est à droite de la fenêtre.
5. Le professeur est à côté de la porte.
6. Le fauteuil est entre la commode et la fenêtre.

7. Nous sommes dans la classe.
8. Elizabeth est à côté de Pierre.
9. Je suis devant Lucien.
10. La télévision est sur la commode.
11. Marianne et Lise sont dans la chambre.
12. Le chien est entre Loulou et Marie.

c. Même exercice.

Modèle: Pierre mange au restaurant.
Où Pierre mange-t-il?

1. Les étudiants marchent dans le parc.
2. Marc et Sylvie dansent à la discothèque.
3. Le professeur travaille à la bibliothèque.

4. Antoinette chante dans la bibliothèque.
5. Serge entre dans la classe.
6. J'habite à Vancouver.

d. Répondez par une phrase complète. Utilisez *à, au, à la, à l'* ou *de, de l', de la, du*.

> *Modèle:* D'où arrives-tu? (le cinéma)
> *J'arrive du cinéma.*

1. Où Jean habite-t-il? (Toronto)
2. Où manges-tu? (la cafétéria)
3. Où Pierre mange-t-il? (le restaurant)
4. Où sommes-nous? (la classe)
5. D'où es-tu? (Vancouver)
6. D'où rentre-t-elle? (le cinéma)
7. Où Yvette étudie-t-elle? (la bibliothèque)
8. D'où arrive-t-il? (le parc)
9. Où travaillez-vous? (une banque)
10. Où est-il? (l'hôpital)

e. Posez une question à un(e) autre étudiant(e) avec les verbes suivants: *manger, étudier, travailler, être, chanter, marcher, habiter*.

> *Modèle:* Où es-tu?
> *Je suis dans la classe.*

3.7 L'impératif

Like the indicative, the imperative is a mood (**un mode**). It is a form of the verb used to give commands or offer suggestions.

The imperative has three forms that correspond to the three subject pronouns **tu**, **nous**, and **vous**, but these subject pronouns are omitted. The three forms of the imperative are identical to the corresponding forms of the present indicative, except that the final **s** is dropped from the **tu** form of **-er** verbs.

danser	chanter	parler
danse	chante	parle
dansons	chantons	parlons
dansez	chantez	parlez

The imperative forms of **être** and **avoir** are irregular.

être	avoir
sois	aie
soyons	ayons
soyez	ayez

To form the negative form of the imperative, use **ne** before the verb and **pas** after it:

> Ne parle pas!
> Ne regardez pas la télévision!
> Ne chantons pas!
> Ne sois pas méchant!

EXERCICES ORAUX

a. Mettez les verbes à la forme correcte d'après le modèle.

> *Modèle:* (manger) à la cafétéria
> *Mange à la cafétéria. Ne mange pas à la cafétéria.*

1. (écouter) la radio
2. (danser) avec Danielle
3. (étudier) beaucoup
4. (être) dans la classe
5. (manger) à la cafétéria
6. (parler) avec les étudiants
7. (regarder) les autres étudiants
8. (travailler) dans la chambre
9. (imaginer) le spectacle
10. (chanter) le hymne national
11. (rester) à la maison
12. (avoir) pitié

b. Même exercice.

> *Modèle:* (regarder) le tableau
> *Regardez le tableau. Ne regardez pas le tableau.*

1. (être) attentifs
2. (marcher) dans le parc
3. (écouter) la radio
4. (entrer) dans la classe
5. (chanter) avec Marie
6. (regarder) le spectacle

c. Même exercice.

> *Modèle:* (écouter) le professeur
> *Écoutons le professeur. N'écoutons pas le professeur.*

1. (regarder) le livre
2. (rentrer) à la maison
3. (marcher) vite
4. (étudier) la philosophie
5. (entrer) dans la chambre
6. (parler) avec Henri

d. *Soyez contrariants!* Donnez l'ordre ou le conseil inverse.

> *Modèle:* Soyez curieux!
> *Ne soyez pas curieux!*

1. Reste à la bibliothèque!
2. Ne chantez pas et ne dansez pas!
3. Parlons anglais en classe!
4. Ne mangez pas vite!
5. Ne sois pas autoritaire avec les enfants!
6. Dansez sur les tables!
7. Regardons la télévision!
8. Ne marche pas devant les autres étudiants!

3.8 Verbes suivis de prépositions

Many verbs may be followed directly by a noun that is the direct object:

> Il regarde *la télévision.* Tu manges *un biscuit.*

Other verbs are followed by a preposition before a noun, as are the following:

> **parler de** (to speak of/about) Elle parle *du professeur.*
>
> Nous parlons *de la cafétéria.*
>
> **jouer à** (to play games/sports) Pierre joue *au tennis.*
>
> Le vieil homme joue *aux cartes.*
>
> **jouer de** (to play a musical instrument) Suzanne joue *de la guitare.*
>
> Guy ne joue pas *du piano.*

Remember that contractions occur with **à** and **de** when followed by the definite articles **le** or **les**:

> le tennis ⟶ jouer **au** tennis (à + le)
>
> les étudiants ⟶ parler **des** étudiants (de + les)

3.9 Rappel: *avoir* à la forme négative suivi d'un article indéfini

When the verb **avoir** is in the negative, the indefinite article preceding the direct object always becomes **de** (**d'**):

> J'ai **un** ordinateur. Je n'ai pas **d'**ordinateur.

This also applies to other transitive verbs, i.e., verbs that take a direct object:

> Je mange **un** sandwich. ⟶ Je ne mange pas **de** sandwich.
>
> Nous écoutons **des** CD. ⟶ Nous n'écoutons pas **de** CD.

 EXERCICES ORAUX

a. Répondez aux questions (affirmativement et négativement).

1. Est-ce que tu joues de la flute (flûte)?
2. Est-ce que nous jouons aux cartes dans la classe?
3. Est-ce qu'Albert joue au football?
4. Est-ce que tu regardes un DVD?
5. Est-ce que vous écoutez un concert?
6. Est-ce que vous écoutez des CD de rap?
7. Est-ce que nous parlons de Paul?
8. Est-ce que le professeur joue du violon?
9. Est-ce que je fume des cigares?
10. Est-ce que l'étudiante mange un steak?

b. De quel(s) instrument(s) est-ce que tu joues?

1. Je joue de… le piano, le violon, la flute, l'harmonica, la batterie, la guitare, l'orgue, la clarinette, le tuba, etc.

À quels jeux joues-tu?

2. Je joue à… les échecs, le Monopoly, les cartes, le bridge, le poker, le Scrabble, les dames, les dominos, etc.

c. Posez la question à un(e) autre étudiant(e) selon le modèle.

Modèle: donner des renseignements

Question: Est-ce que tu donnes des renseignements?
Réponse: Oui, je donne des renseignements. (ou) Non, je ne donne pas de renseignements.

1. écouter la radio
2. regarder la télévision
3. chanter dans la banque
4. manger souvent des biscuits

5. jouer aux échecs
6. aimer la musique rap
7. jouer de la trompette
8. parler du professeur

d. Répondez à la forme négative.

Modèle: Regardes-tu un film?
Non, je ne regarde pas de film.

1. Jean-Luc mange-t-il des bananes?
2. Est-ce qu'Éric écoute un concert?
3. Est-ce que tu fumes un cigare?
4. Le chien mange-t-il un gâteau?
5. Écoutent-elles une chanson?

6. Est-ce qu'il regarde un livre?
7. Le professeur écoute-t-il des CD?
8. Aimes-tu le film?
9. Regardes-tu la télévision?

3.10 Le verbe irrégulier *aller*

Présent de l'indicatif				*Impératif*
je	vais	nous	allons	va*
tu	vas	vous	allez	allons
il / elle / on	va	ils / elles	vont	allez

* In the **tu** form of the imperative, the **s** is dropped.

Aller is used in expressions such as

Comment ça va?	Ça va.
Comment allez-vous?	Je ne vais pas très bien.
Comment va Pierre?	Il va bien.

Aller generally means **to go**. It is used with the preposition **à** before the name of a city or a noun indicating a place:

Elle va à la bibliothèque.

Je vais à Montréal.

It is used with the preposition **chez** before a proper noun or a noun designating a person or persons:

Allons chez Cécile.

Ils vont chez des amis.

Elle va chez le dentiste.

 EXERCICES ORAUX

a. Répétez chaque phrase. Changez la forme du verbe selon le sujet entre parenthèses.

1. Le professeur (nous / je / les étudiants) va bien.
2. Vous (tu / Albert / je) n'allez pas à Québec.
3. Vas-tu (nous / elle / ils / vous) chez Robert?

b. Répondez aux questions. Employez *à, au, à la, à l'* ou *chez.*

1. Où vas-tu? (le coiffeur)
2. Où allez-vous? (le restaurant)
3. Où est-ce que je vais? (la cafétéria)
4. Où allons-nous? (Charles)
5. Où est-ce qu'elle va? (Halifax)
6. Où vont Pierre et Chantal? (le cinéma)
7. Où va-t-il? (le dentiste)
8. Où va le professeur? (la banque)

c. *Préférences.* Combinez les éléments donnés selon votre choix avec le verbe *aller.*

Modèle: je / le dentiste / le cinéma / à / chez
Je vais chez le dentiste. (ou) Je vais au cinéma.

1. les étudiants / la bibliothèque / la discothèque / à / pour danser
2. le chien / le vétérinaire / le dentiste / chez
3. je / le restaurant / la cafétéria / à
4. les touristes japonais / Vancouver / Winnipeg / à
5. nous / la banque / la bibliothèque / à / pour des livres
6. vous / Québec / Tokyo / à / pour parler français
7. nous / la classe / le laboratoire / dans / pour le cours de français
8. les étudiantes / le parc / le restaurant / dans / pour marcher

3.11 Les pronoms toniques

Stress pronouns are used to refer to persons.

Subject pronouns	*Stress pronouns*
je	**moi**
tu	**toi**
il	**lui**
elle	**elle**
nous	**nous**
vous	**vous**
ils	**eux**
elles	**elles**

They are used

1) to emphasize the subject:

Marie, **elle**, est dynamique, mais **moi**, je suis fatigué(e).

Stress pronouns come *after* the subject if it is a noun, but *before* a subject pronoun.

2) alone, or in short phrases:

J'ai un ordinateur, et **toi**?

Pierre est sportif, et **moi** aussi.

3) as part of compound subjects:

Hélène et **moi** allons à l'université.

4) as objects of prepositions:

Nous allons chez **Andrée**. ⟶ Nous allons chez **elle**.

Elle parle du **professeur**. ⟶ Elle parle de **lui**.

Pierre travaille avec **moi**.

Ils parlent entre **eux**.

 EXERCICES ORAUX

a. Remplacez les mots en italique par un pronom tonique.

1. Je vais chez *Marie*.
2. Hélène est chez *Pierre*.
3. Ils vont chez *les Armand*.
4. Marc est à côté de *Lucie*.
5. Marc est entre *Lucie et Henri*.
6. Les étudiants parlent de *M. Paul*.
7. Ils parlent des *professeurs*.
8. Je marche devant *les autres étudiants*.

b. Employez le pronom tonique correspondant au sujet.

> *Modèle:* Je / fatigué(e)
> *Moi, je suis fatigué(e).*

1. Tu / sympathique
2. Elle / énergique
3. Nous / agressifs
4. Ils / paresseux
5. Vous / enthousiastes
6. Je / grand(e)
7. Il / attentif
8. Elles / jeunes

c. Répondez négativement aux questions d'après le modèle.

> *Modèle:* Travailles-tu avec le professeur?
> *Non, je ne travaille pas avec lui.*

1. Joues-tu au tennis avec Nadia?
2. Vas-tu au cinéma avec Martin?
3. Manges-tu avec les autres étudiants?
4. Vas-tu au parc avec Geneviève?
5. Es-tu à côté de Serge?
6. Parles-tu de moi avec le professeur?

d. Répondez affirmativement selon le modèle.

> *Modèle:* Alain étudie le français. Et Sylvie?
> *Elle aussi.*

1. J'aime le jazz. Et toi?
2. Marie-France mange au restaurant. Et Lucien?
3. Le professeur va à la bibliothèque. Et les étudiants?
4. Nous habitons à Vancouver. Et vous?
5. Julie est timide. Et les autres étudiants?
6. Tu écoutes la radio. Et le professeur?

e. Répondez négativement selon le modèle.

> *Modèle:* Je n'ai pas de chien. Et toi?
> *Moi non plus.*

1. Tom ne chante pas. Et Jocelyne?
2. Isabelle ne va pas au concert. Et vous?
3. Albert n'est pas agressif. Et toi?
4. Serge n'habite pas à Montréal. Et Simon?
5. Pierre n'écoute pas. Et les autres étudiants?

3.12 Jours — mois — saisons — date

Une semaine = 7 jours

   lundi, mardi, mercredi, jeudi, vendredi, samedi, dimanche

Le premier jour de la semaine est lundi.
Le dernier jour de la semaine est dimanche.

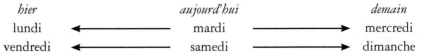

	hier		*aujourd'hui*		*demain*
	lundi	⟵	mardi	⟶	mercredi
	vendredi	⟵	samedi	⟶	dimanche

✳ Note

1) When referring to a particular day in the preceding or in the following week, use the name of the day only:

Il est arrivé dimanche. (He arrived on Sunday.)

Elle va à Montréal mardi. (She's going to Montreal on Tuesday.)

2) The masculine definite article *le* is used before the name of a day to indicate that some event or action regularly occurs on that particular day:

Le **samedi, il va à la discothèque.** (On Saturdays, he goes to the discotheque.)

Le **mardi, il joue aux échecs.** (On Tuesdays, he plays chess.)

Une année = 12 mois

janvier, février, mars, avril, mai, juin, juillet, aout (août), septembre, octobre, novembre, décembre

Nous sommes *en* septembre.

Il arrive *en* octobre.

4 saisons

le printemps, l'été, l'automne, l'hiver

✳ Note

Nous sommes *en* été / *en* automne / *en* hiver.

but

Nous sommes *au* printemps.

La date

Quelle est la date aujourd'hui?	C'est le *3 juin.*
Quelle est la date de l'examen?	C'est le *20 octobre.*

✳ Note

1) le *deux* février, le *cinq* avril, le *dix-huit* octobre **but** le *premier* aout

2) *le* huit mars, *le* onze avril (*le* does not become *l'* before *huit* and *onze*)

3.13 Les adjectifs interrogatifs

The forms of the interrogative adjective are

	Singular	*Plural*
Masculine	**quel**	**quels**
Feminine	**quelle**	**quelles**

The interrogative adjective agrees in gender and number with the noun it modifies.

1) It is used before a noun:

Quel film regardes-tu?	Quelles saisons aimes-tu?
Quelle chanson chante-t-elle?	C'est quel jour, aujourd'hui?

2) It may be used after a preposition:

Dans quelle chambre es-tu?   En quelle saison sommes-nous?
À quelle date est Noël?   De quelle ville es-tu?

3) It may be separated from the noun by the verb **être**:

Quelle est la date aujourd'hui?   Quels sont les jours de la semaine?
Quels sont les mois d'hiver?

 EXERCICES ORAUX

a. Répondez aux questions.

1. En quel mois sommes-nous?
2. C'est quel jour, aujourd'hui?
3. Quelle est la date?
4. En quelle saison sommes-nous?
5. Quels sont les mois de printemps? d'été? d'automne? d'hiver?
6. À quelle date est Noël? Pâques? la fête du Travail?
7. Quels sont les jours de la fin de semaine?
8. Après mercredi, c'est quel jour? Et après jeudi? Etc.
9. Après juin, c'est quel mois? Et après septembre? Etc.
10. En quelle saison est décembre? Et aout? Et mars? Et octobre? Etc.
11. Quelle est la date de l'examen?

b. Posez une question avec un adjectif interrogatif d'après le modèle.

Modèle: Pâques est le 3 avril.
À quelle date est Pâques?

1. Nous sommes en automne.
2. Noël est en hiver.
3. Nous sommes en octobre.
4. L'examen est le 15 octobre.
5. Le premier jour de la semaine est lundi.
6. Nous sommes dans la classe de français.
7. L'examen est le 1er novembre.
8. Le match de football est le 24 octobre.

c. Posez une question selon le modèle.

Modèle: Je vais au restaurant.
À quel restaurant vas-tu?

1. Raoul joue d'un instrument.
2. Francine travaille dans un cinéma.
3. Nous habitons dans un village.
4. Elle parle avec un ami.
5. Le livre est sur un bureau.
6. Ils habitent en face d'un parc.

EXERCICES ÉCRITS

a. Écrivez la forme correcte du verbe entre parenthèses.

1. Nous (danser) _____ dans les discothèques.
2. Je (rentrer) _____ du cinéma.
3. Vous (regarder) _____ la vidéo.
4. Lucie (écouter) _____ la radio.
5. Les étudiants (manger) _____ à la cafétéria.
6. Elle (jouer) _____ de la guitare.
7. Nous (parler) _____ de toi.
8. Elles (arriver) _____ à l'université lundi matin
9. Pierre (aller) _____ à Chicoutimi.
10. Ils (aller) _____ à la bibliothèque.
11. Je (aimer) _____ la nature.
12. Garou (chanter) _____ en français.
13. Nous (entrer) _____ dans la classe.
14. Tu (rester) _____ chez toi dimanche.
15. Vous (travailler) _____ à la cafétéria.
16. Je (habiter) _____ sur le campus.
17. Josette (arriver) _____ du parc.
18. Je (marcher) _____ jusque chez toi.
19. Elles (étudier) _____ à la bibliothèque.
20. Tu (fumer) _____ des cigares.

b. Insérez la préposition et l'article défini qui conviennent.

1. Le tableau est _____ professeur.
2. Le professeur est _____ étudiants.
3. La fenêtre est _____ mur.
4. La télévision est _____ commode.
5. François est _____ dentiste.
6. Bernadette entre _____ classe.

c. Écrivez la question avec la forme appropriée de l'adjectif interrogatif (*quel, quelle, quels, quelles*).

Modèle: Noël est le 25 décembre.
À quelle date est Noël?

1. C'est le 6 mai.
2. La fête de Maurice est le 3 avril.
3. Les jours de la fin de semaine sont samedi et dimanche.
4. Nous sommes en automne.
5. Nous sommes en décembre.
6. C'est lundi.

d. Insérez l'article défini qui convient. (Attention aux contractions: *au, aux, du, des*.)

1. Les étudiants arrivent (de) _____ bibliothèque.
2. Mme Brulot va (à) _____ restaurant.
3. Tu arrives (de) _____ États-Unis.
4. Marc va (à) _____ banque.
5. Elles rentrent (de) _____ cinéma.

e. Posez la question avec l'inversion.

Modèle: Il mange à la cafétéria.
Où mange-t-il?

1. Les étudiants arrivent de Moncton.
2. M. Gagnon va à Chicago.
3. Elle va à Miami.
4. Les CD sont sous la chaise.
5. Luc rentre de Calgary.
6. Il regarde la télévision dans la chambre.

f. Faites une suggestion à un(e) ami(e).

> *Modèle:* (aller) à Montréal.
> *Va à Montréal.*

1. (chanter) _____ une chanson.
2. (aller) _____ au cinéma Cartier.
3. (regarder) _____ le film à la télévision.
4. (rester) _____ chez toi ce soir.
5. (ne pas manger) _____ au restaurant.
6. (étudier) _____ dans ta chambre.
7. (ne pas travailler) _____ à la bibliothèque.
8. (parler) _____ de toi.
9. (écouter) _____ un nouveau CD.
10. (être) _____ gentil(le).

g. Mettez à la forme négative.

1. Elle mange des croissants.
2. Regardons un film.
3. Écoute le professeur.
4. Vous jouez aux échecs.
5. Il va à New York.
6. Elles parlent d'une autre étudiante.

h. Écrivez la date en toutes lettres.

> *Modèle:* 4/8
> *le quatre aout*

3/6   20/1   8/5   21/2   30/7   13/9   11/11

i. Répondez aux questions selon le modèle. (Employez un pronom tonique.)

> *Modèle:* Le professeur est-il devant les étudiants?
> *Oui, il est devant eux.*

1. André est-il derrière Lucie?
2. Vas-tu chez Alain?
3. Les étudiants parlent-ils du professeur?
4. Le professeur est-il devant toi?
5. Marie regarde-t-elle la télévision avec les autres étudiantes?

j. Donnez un ordre négatif à vos camarades.

> *Modèle:* manger / dans / classe
> *Ne mangez pas dans la classe!*

1. marcher / derrière / autres étudiants
2. manger / dans / bibliothèque
3. aller / dans / parc
4. entrer / dans / chambre
5. rester / devant / discothèque
6. entrer / chez / dentiste

Lecture

Quel est ton signe?

© conrado/Shutterstock.com

Le Bélier:

du 21 mars au 20 avril

Les gens nés sous le signe du Bélier ont un besoin permanent d'activité. Énergiques, enthousiastes et audacieux, ils ont le goût de la domination et sont parfois autoritaires, agressifs et égoïstes.

Le Taureau:

du 21 avril au 20 mai

Tenace, endurant, acharné au travail, sincère et fidèle, le Taureau a un sens pratique très développé. Il n'est pas exempt d'avidité, de jalousie et de rigidité.

Les Gémeaux:

du 21 mai au 21 juin

Caractérisés par l'intelligence et l'intuition, l'imagination et la fantaisie, ils montrent des tendances à la dispersion, à l'opportunisme, au manque de profondeur.

Le Cancer:

du 22 juin au 22 juillet

De tempérament sensible, le Cancer est très attaché à la famille et aux traditions. Sédentaire et porté à la rêverie,

il n'a pas toujours assez d'esprit d'initiative.

Le Lion:

du 23 juillet au 22 août

Fierté mais aussi vanité, ambition mais aussi despotisme. La vitalité des Lions est exemplaire, mais parfois excessive, en particulier dans le domaine sensuel.

La Vierge:

du 23 août au 22 septembre

Tenaces et méthodiques, les personnes nées sous ce signe aiment la précision. Elles sont dévouées aux autres, mais semblent souvent timides et trop critiques.

La Balance:

du 23 septembre au 22 octobre

Elle cherche l'équilibre, l'harmonie et la justice. Charmante, aimable et pacifique, c'est une bonne organisatrice. Comme elle déteste les conflits, elle est parfois trop accommodante.

Le Scorpion:

du 23 octobre au 21 novembre

Indépendant, tenace, le Scorpion est capable d'une grande concentration et d'un

effort soutenu. Principal défaut: l'entêtement, parfois agressif et destructeur.

Le Sagittaire:

du 22 novembre au 20 décembre

Le Sagittaire est curieux d'apprendre et d'étudier. Sociable, optimiste, idéaliste, il est parfois impulsif et impatient.

Le Capricorne:

du 21 décembre au 19 janvier

Ce sont des gens persévérants et disciplinés dans la poursuite de leurs ambitions. Ils sont peu tolérants envers les autres.

Le Verseau:

du 20 janvier au 18 février

L'amitié est très importante pour les gens du Verseau. Originaux, philanthropes, ils cherchent à améliorer le sort de l'humanité et sont portés vers l'utopie.

Le Poisson:

du 19 février au 20 mars

Dévoués, honnêtes, portés au mysticisme, les Poissons tombent parfois dans la crédulité et la nonchalance.

acharné	relentless	né(e)	born
aimable	kind, amiable	organisateur, organisatrice	organizer
apprendre	to learn	pacifique	peaceable
autre	other	persévérant(e)	persevering
améliorer	to improve	philanthrope (m./f.)	philanthropist
amitié (f.)	friendship	Poissons (m.pl.)	Pisces (fishes)
avidité (f.)	greed	porté(e)	inclined
Balance (f.)	Libra (scales)	poursuite (f.)	pursuit
Bélier (m.)	Aries (ram)	principal(e)	main
Cancer (m.)	Cancer (crab)	profondeur (f.)	depth
Capricorne (m.)	Capricorn (goat)	rêverie (f.)	daydreaming
conflit (m.)	conflict	rigidité (f.)	inflexibility
défaut (m.)	fault, failing	Sagittaire (m.)	Sagittarius (archer)
despotisme (m.)	despotism, bullying	Scorpion (m.)	Scorpio (scorpion)
dévoué(e)	devoted	sédentaire	sedentary,
discipliné(e)	disciplined		stay-at-home
dispersion (f.)	lack of	sembler	to seem
	concentration	sens (m.)	sense
domaine (m.)	area	sensible	sensitive
entêtement (m.)	stubbornness	sort (m.)	fate, lot
envers	toward	soutenu(e)	sustained
esprit		souvent	often
d'initiative (m.)	initiative	Taureau (m.)	Taurus (bull)
fantaisie (f.)	imagination	utopie (f.)	utopia
Gémeaux (m.pl.)	Gemini (twins)	vers	toward
goût (m.)	taste	Verseau (m.)	Aquarius (water
Lion (m.)	Leo (lion)		bearer)
méthodique	methodical	Vierge (f.)	Virgo (virgin)
montrer	to show		

QUESTIONS

1. Quel est ton signe?
2. Est-ce que la description donnée dans le texte est une bonne description de toi?
3. Quels signes sont caractérisés par la ténacité, l'endurance ou la persévérance?
4. Quels signes sont caractérisés par le gout (goût) de l'autorité?
5. Quels signes montrent une attitude altruiste, une ouverture envers les autres personnes?
6. Quel est le signe des gens utopistes? des gens attachés aux traditions?
7. Quelles qualités préfères-tu?
8. Quels défauts détestes-tu?
9. Consultes-tu l'horoscope dans le journal (toujours, jamais, quelquefois, souvent)?

SITUATIONS – CONVERSATIONS

1. Parle-moi de toi.

   a) Quelles sortes de films regardes-tu?

   Je regarde des films comiques, intellectuels, dramatiques, des films d'épouvante (*Dracula*), des films d'espionnage (*James Bond*), des westerns, des films policiers, etc. Et toi?

   b) Quel genre de musique aimes-tu?

   J'aime le jazz, le rap, le classique, l'opéra, les chansons poétiques, les chansons folkloriques, le blues, la musique country, etc. Et toi?

   c) Où travailles-tu en été?

   Je travaille à l'université, dans un bureau, dans un restaurant, dans un magasin, dans un parc, dans un camp de vacances, dans une ferme, dans la construction, etc. Et toi?

   d) Où vas-tu en vacances en été?

   Je vais à la campagne, à la mer, à la montagne, près d'un lac, près d'une rivière, dans une grande ville, sur une île, etc. Et toi?

   e) Quels sports pratiques-tu en été / au printemps / en automne / en hiver?

   Je pratique le ski de fond, le ski alpin, le ski nautique, la natation, la plongée sous-marine, la voile, l'équitation, le cyclisme, la course à pied, la boxe, le karaté, le judo, la planche à voile, le hockey, le football, le volleyball (volley-ball), etc. Et toi?

2. Quelles qualités recherchez-vous chez le / la partenaire idéal(e)? Quels défauts n'acceptez-vous pas? Est-ce que ce sont les mêmes qualités et défauts que vous avez?

3. Désignez des objets et des personnes dans la classe et demandez à un(e) autre étudiant(e) de dire où ils / elles sont situé(e)s.

   Exemple: Où est John?
   Il est en face de Paul, à côté de la fenêtre.

4. Décrivez la position d'un objet dans votre chambre.

   Exemple: L'ordinateur est sur le bureau, à côté du mur, sous la fenêtre.
   Où est le téléphone? le réveille-matin? la télévision? la radio? le tapis?, etc.

5. Décrivez un objet de la classe avec des mots et des gestes. Les autres étudiants devinent (*guess*).

   Exemple: Il est petit et long. Il est sur le bureau du professeur. Il est noir. (un stylo)

6. Demandez à un(e) autre étudiant(e):

   De quelle couleur est... (le mur, le stylo, le tableau, le ciel, la chaise, le livre, etc.)?
   Il / Elle est... (jaune, rouge, bleu, etc.).

   Les couleurs: jaune + rouge = orange   jaune + bleu = vert
                     rouge + bleu = violet   blanc + noir = gris

COMPOSITIONS

1. Parlez-moi de votre meilleur(e) ami(e). Comment est-il / elle? Qu'est-ce qu'il / elle aime ou n'aime pas?

2. Donnez les positions des objets de votre chambre.

PRONONCIATION

((•—Listen on **myfrenchlab**

(Students and instructors can listen to the audio track for this exercise on MyFrenchLab.)

I. L'élision

The **e muet** in **que, je, le, ce, ne, de** is dropped before a word beginning with a vowel sound or an **h muet**. When writing, the **e** is replaced by an apostrophe.

> Est-ce **qu'**il est intelligent?
> Qu'est-ce **qu'**elle regarde?
> **J'**ai un livre.
> Je **n'**ai pas de livre.
> **L'**homme est assis.
> Il **n'**a pas **d'**ordinateur.

II. La lettre h

H is never pronounced in French. However, **le h muet** and **le h aspiré** are distinguishable. The difference between the two becomes apparent through the phenomena of **élision** and **liaison**.

Compare:

	h muet		**h aspiré**
élision:	l'homme, j'habite	*pas d'élision:*	le héros, je hèle
liaison:	les‿hommes	*pas de liaison:*	les hangars
	des‿habits		des homards

III. Un / Une

1) Before a vowel or a silent **h**:

The consonant **n** is pronounced and linked with the initial vowel of the following word (**liaison**). However, **un** is pronounced with a nasal sound and **une** without a nasal sound.

Compare: un arbre / une idée
/œ̃ - na/ /y - ni/

Répétez:

un ami / une amie	un habit / une habitude
un arbre / une armoire	un ombilic / une ombre
un Italien / une Italienne	un ordre / une ordonnance
un ogre / une ogresse	un homme / une omelette
un avocat / une avocate	un étudiant / une étudiante

Replace the definite article by an indefinite article.

Exemple: l'arbre (m.)

un arbre

l'ordinateur (m.)	l'hiver (m.)
l'Espagnole (f.)	l'homme (m.)
l'oreille (f.)	l'épouse (f.)
l'enfant (m.)	l'ombre (f.)

2) Before a consonant:

Un: The **n** is not pronounced and the vowel is nasalized.

Une: The **n** is pronounced and the vowel is not nasalized.

Compare: un bruit / une branche

/œ̃ - b/ /yn - b/

Répétez:

un Canadien / une Canadienne	un sportif / une sportive
un chien / une chienne	un camarade / une camarade
un conducteur / une conductrice	un marchand / une marchande
un disciple / une disciple	un chat / une chatte

Replace the definite article by an indefinite article:

le bibelot	la table	la branche	le tapis	le tableau
la chaise	le stylo	la chambre	la fenêtre	le tronc

IV. Le / La / Les

1) Contrast **le** / **la**

Répétez:

le bout / la boule	le rosé / la rosée
le prix / la prise	le pli / la plie
le but / la bulle	le lit / la lie
le riz / la rime	le cours / la cour

2) Contrast **le** / **les**

Répétez:

le livre / les livres　　　　　　le jour / les jours

le dimanche / les dimanches　　le bruit / les bruits

le piano / les pianos　　　　　le disque / les disques

le soir / les soirs　　　　　　le cahier / les cahiers

MyFrenchLab Visit MyFrenchLab to access additional resources such as audio exercises, the *Cahier de laboratoire*, and web destinations.

CHAPITRE 4

© Tony Tremblay/Getty Images RF

La ville de Québec

MyFrenchLab

Visit MyFrenchLab to access additional resources, including

- *Cahier de laboratoire*
- Self-grading assessments
- Audio exercises
- Grammar primers and tutorials

Thèmes

- Description de ma ville
- Mon horaire quotidien (l'heure)
- La ville de Québec
- Indiquer la possession
- Poser des questions
- Les nombres de 50 à un milliard

Lecture

Un petit tour dans Québec

Grammaire

4.1 Les verbes réguliers en *-ir*

4.2 L'heure

4.3 Le verbe irrégulier *venir*

4.4 Rappel: *de* (from) + nom de ville

4.5 La possession: préposition *de* — adjectifs possessifs

4.6 Les adverbes interrogatifs

4.7 *Aller* + infinitif (le futur proche)

4.8 Les nombres

VOCABULAIRE UTILE

Noms

aéroport (m.)	airport
aspect (m.)	appearance; facet
bâtiment (m.)	building
cafétéria (f.)	cafeteria
campagne (f.)	countryside
centre commercial (m.)	shopping centre
centre-ville (m.)	downtown
chanteur, chanteuse	singer
devoir (m.)	assignment
école (f.)	school
édifice (m.)	(public) building
église (f.)	church
examen (m.)	test, exam
fin (f.)	end
gouvernement (m.)	government
heure (f.)	time; hour
horaire (m.)	timetable; schedule
immeuble (m.)	building
industrie (f.)	industry
jardin (m.)	garden
journée (f.)	day
laboratoire (m.)	laboratory
maison (f.)	house
monument (m.)	monument
musée (m.)	museum
pays (m.)	country
piscine (f.)	swimming pool
place (f.)	square
priorité (f.)	priority
problème (m.)	problem
programme (m.)	program
projet (m.)	project, plan
promenade (f.)	walk, stroll
quartier (m.)	district, neighbourhood
règlement (m.)	regulation, rules
route (f.)	road
rue (f.)	street
site (m.)	site
situation (f.)	situation
système (m.)	system
touriste (m./f.)	tourist
travail (m.)	work
université (f.)	university
vacances (f.pl.)	vacation, holidays
ville (f.)	town, city
voiture (f.)	car
voix (f.)	voice
vue (f.)	view

Adjectifs

municipal(e)	municipal, local
puissant(e)	powerful
quotidien, quotidienne	daily
responsable	responsible
touristique	touristy
triste	sad

Verbes

interroger	to question
préparer	to prepare
souhaiter	to wish
visiter	to visit

Adverbes

bien	well
demain	tomorrow

Prépositions

à	at
à cause de	because of, on account of

après	after	**Expressions**	
selon	according to	**temps: le — libre**	spare time
		heure: tout à l'—	later, in a short while
Conjonction			
parce que	because	**revenir: ne pas en —**	to be astonished

GRAMMAIRE ET EXERCICES ORAUX

4.1 Les verbes réguliers en -ir

The second group of regular verbs has infinitives ending in **-ir**. These verbs are conjugated by dropping the **-ir** from the infinitive and adding the endings shown below.

finir (to finish/to end/to complete)

	Présent de l'indicatif			*Impératif*
je	fin**is**	**nous**	fin**issons**	fin**is**
tu	fin**is**	**vous**	fin**issez**	fin**issons**
il / elle / on	fin**it**	**ils / elles**	fin**issent**	fin**issez**

Other verbs conjugated like **finir** include:

avertir (to inform/to warn)	Le professeur avertit les étudiants.
bâtir (to build)	Ils bâtissent une maison.
choisir (to choose)	Choisis un cours intéressant.
démolir (to demolish)	On démolit la vieille école.
établir (to establish/to set)	La municipalité établit des priorités.
fleurir (to bloom)	Les lilas fleurissent au printemps.
obéir à (to obey)	Obéissons au règlement.
punir (to punish)	Il punit le chien.
réfléchir à (to think about/to consider)	Je réfléchis à la proposition de Jean.
réussir à (to succeed/to pass [a test])	Il réussit à l'examen.

A number of **-ir** verbs are formed from adjectives:

grand	⟶	**grandir** (to grow/to get bigger)
gros	⟶	**grossir** (to gain weight)
jeune	⟶	**rajeunir** (to get younger)
large	⟶	**élargir** (to widen/to broaden)
pâle	⟶	**pâlir** (to grow pale)
vieux	⟶	**vieillir** (to grow old)

Verbs formed from colour adjectives usually have the meaning of "to become white/red, etc."
(**Rougir** also means "to blush.")

blanc	⟶	**blanchir**	jaune	⟶	**jaunir**
bleu	⟶	**bleuir**	noir	⟶	**noircir**
blond	⟶	**blondir**	rouge	⟶	**rougir**
brun	⟶	**brunir**	vert	⟶	**verdir**

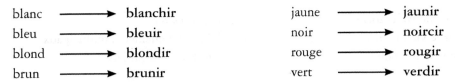

EXERCICES ORAUX

a. Complétez les phrases avec le verbe qui convient à la forme appropriée.

1. Je _____ (bâtir / démolir) un garage pour ma nouvelle voiture.
2. Nous _____ (brunir / pâlir) en hiver.
3. Les enfants _____ (punir / obéir à) leurs parents.
4. Les gens timides _____ (pâlir / rougir) souvent.
5. Au printemps, les plantes _____ (verdir / rougir).
6. Avec une bonne alimentation, les enfants _____ (grandir / grossir), mais ils ne _____ (grandir / grossir) pas.

b. Posez la question. Un(e) autre étudiant(e) répond.

Modèle: tu / grossir / en hiver

Est-ce que tu grossis en hiver?
Oui / Non, je (ne) grossis (pas) en hiver.

1. on / élargir / les rues de la ville
2. tu / rougir / facilement
3. les gens âgés / rajeunir / au printemps
4. les plantes / jaunir / en automne
5. tu / brunir / en été
6. les roses / fleurir / en hiver
7. tu / choisir / toujours / des cours difficiles
8. tu / établir / des priorités
9. la justice / punir / les criminels
10. tu / réussir / toujours / aux examens
11. vous / bâtir / une maison
12. nous / obéir / aux règlements de l'université

c. Employez l'impératif selon les modèles.

Modèle: obéir
Obéis!

1. réfléchir au problème
2. choisir une route
3. réussir à l'examen
4. finir la promenade
5. avertir la police
6. finir le travail

Modèle: finir

Finissons!

7. bâtir une nouvelle société
8. démolir le vieil édifice
9. choisir le bon moment

10. élargir les rues
11. obéir aux règlements municipaux
12. réfléchir à nos projets

Modèle: ne pas choisir

Ne choisissez pas!

13. ne pas rougir
14. ne pas vieillir
15. ne pas démolir le quartier

16. ne pas grossir
17. ne pas punir les enfants
18. ne pas obéir aux dictateurs

4.2 L'heure

1) **Quelle heure est-il?** (What time is it?)

Il est six heures.

Il est midi moins cinq.

Il est sept heures moins le quart.

Il est trois heures et quart.

Il est huit heures et demie.*

Il est deux heures moins vingt.

Il est deux heures vingt.

Il est minuit moins dix.

2) Questions:

À quelle heure déjeunes-tu?

— Je déjeune à sept heures.

De quelle heure à quelle heure travailles-tu?

— Je travaille de neuf heures à trois heures.

* There is always an e at the end of **demi**, except for **midi et demi** and **minuit et demi**.
A half hour = **une demi-heure**.

3) To avoid ambiguity regarding a.m./p.m., the following expressions are used:

du matin (from midnight till noon): Il est huit heures du matin.

de l'après-midi (from noon till 5:59 p.m.): Je rentre à cinq heures de l'après-midi.

du soir (from 6 p.m. till midnight): Le spectacle est à huit heures du soir.

4) A 24-hour system is used (on radio, television, in airports, etc.):

seize heures = (4:00 p.m.) quatre heures de l'après-midi

treize heures quinze = (1:15 p.m.) une heure et quart de l'après-midi

quatorze heures trente = (2:30 p.m.) deux heures et demie de l'après-midi

vingt heures quarante-cinq = (8:45 p.m.) neuf heures moins le quart du soir

5) Some useful expressions:

être à l'heure (to be on time)

être en avance (to be early)

être en retard (to be late)

EXERCICES ORAUX

a. Quelle heure est-il?

1. Il est... *du matin.*

| 7 h 30 | 10 h 15 | 8 h 20 | 10 h 45 | 7 h 50 | 3 h 30 |

2. Il est... *de l'après-midi.*

| 2 h 10 | 1 h 50 | 3 h 40 | 5 h 15 | 4 h 45 | 3 h 35 |

3. Il est... *du soir.*

| 9 h 00 | 9 h 50 | 11 h 15 | 10 h 40 | 7 h 35 | 8 h 30 |

4. Il est *midi* (12 h 00); il est *minuit* (00 h 00).

| 12 h 10 | 00 h 15 | 11 h 50 | 11 h 45 | 12 h 30 | 00 h 20 |

b. Posez la question à un(e) autre étudiant(e).

1. À quelle heure es-tu dans la classe de français?
2. À quelle heure es-tu au lit?
3. À quelle heure es-tu devant la télévision?
4. À quelle heure es-tu à la cafétéria?
5. À quelle heure la classe de français finit-elle?
6. À quelle heure arrives-tu à l'université?

c. Répondez en faisant une phrase complète.

1. De quelle heure à quelle heure dines-tu (dînes-tu)?
2. De quelle heure à quelle heure travailles-tu à la bibliothèque?
3. De quelle heure à quelle heure es-tu au laboratoire?
4. De quelle heure à quelle heure es-tu au lit?
5. De quelle heure à quelle heure es-tu à l'université?
6. De quelle heure à quelle heure regardes-tu la télévision?

d. Répondez par des phrases complètes.

Où es-tu généralement...

1. à huit heures du matin?
2. à midi?
3. à une heure de l'après-midi?
4. à six heures du soir?
5. à onze heures du soir?
6. à trois heures du matin?

e. Posez la question à un(e) autre étudiant(e).

Arrives-tu généralement à l'heure / en avance / en retard...

1. au cinéma?
2. au travail?
3. dans la classe de français?
4. à l'aéroport?
5. chez le dentiste?
6. chez le coiffeur?
7. à un rendez-vous?
8. au match de football?

4.3 Le verbe irrégulier *venir*

Venir (to come) is an irregular verb.

	Présent de l'indicatif			*Impératif*
je viens	**nous** venons			**viens**
tu viens	**vous** venez			**venons**
il / elle / on vient	**ils / elles** viennent			**venez**

Other verbs conjugated like **venir** are **devenir** (to become) and **revenir** (to come back).

Je viens d'Halifax.   Je reviens de la bibliothèque.   Il devient paresseux.

4.4 Rappel: *de* (from) + nom de ville

Je viens **de** Vancouver.   Elle revient **de** Trois-Rivières.

Contractions: de + le = **du**   Victor revient **du** laboratoire.

de + les = **des**   Il vient **des** États-Unis.

 **EXERCICES ORAUX**

a. Substituez au pronom sujet les mots entre parenthèses et faites les changements appropriés.

1. Je viens de Calgary. (nous, Claudine, les enfants, vous)
2. Elle devient intelligente. (Pierre, tu, nous, je)
3. Ils reviennent du cinéma. (vous, je, tu, elle, nous)

b. Répondez aux questions.

1. De quelle ville viens-tu?
2. De quel pays vient le tango?
3. À quelle heure viens-tu en classe?
4. À quelle heure reviens-tu de l'université le soir?
5. En quelle saison les oiseaux reviennent-ils des pays chauds?
6. Quand deviens-tu fatigué(e)?

c. Faites une phrase en choisissant parmi les éléments suggérés.

1. En hiver, je / devenir / énergique / morose / fatigué(e) / optimiste / sédentaire / actif(ive).
2. Au printemps, nous / redevenir / malheureux / joyeux / dynamiques / aimables / mélancoliques.
3. Le samedi, les centres commerciaux / devenir / calmes / actifs.
4. En été / l'université / la piscine / le travail / les sports / les promenades / les cours de français / les vacances / devenir / ma priorité.
5. Dans les grandes villes, les problèmes de pollution / devenir / faciles / importants / difficiles / dangereux.
6. Quand on a des problèmes, on / devenir / charmant / fatigué / tenace / stressé.

d. Posez la question à un(e) autre étudiant(e) selon le modèle.

Modèle: tu / venir / avec moi à la bibliothèque
Viens-tu avec moi à la bibliothèque?

1. tu / revenir / au laboratoire demain
2. le professeur / venir / avec nous au cinéma
3. tu / venir / au parc avec nous
4. nous / revenir / en classe demain
5. nous / devenir / intelligents dans la classe de français

e. Dites à un(e) autre étudiant(e)...

Modèle: de venir à la réception.
Viens à la réception.

1. de venir à la bibliothèque.
2. de ne pas venir au restaurant.
3. de ne pas venir demain.
4. de revenir à l'heure.
5. de revenir dans le jardin.
6. de venir chez vous.

f.   Dites à d'autres étudiants…

> *Modèle:* de ne pas venir en classe.
> *Ne venez pas en classe.*

1. de ne pas venir dimanche soir.
2. de ne pas devenir agressifs.

3. de ne pas venir avec vous.
4. de ne pas revenir en retard.

4.5 La possession: préposition *de* — adjectifs possessifs

1) The preposition **de** is used to indicate possession:

le livre de Julien	Julian's book
l'auto d'Hélène	Helen's car
la maison de Paul	Paul's house
le programme du gouvernement	the government program

2) Possessive adjectives:

Masculine singular	*Feminine singular*	*Plural*	
mon	ma / mon	mes	my
ton	ta / ton	tes	your
son	sa / son	ses	his/her/its
notre	notre	nos	our
votre	votre	vos	your
leur	leur	leurs	their

Possessive adjectives agree in gender and number with the noun modified rather than with the owner:

André réfléchit à *ses projets.*	Andrew is thinking about his plans.
Marie prépare *son repas.*	Mary is preparing her meal.
Le chien cherche *sa balle.*	The dog is looking for its ball.

The feminine adjectives **ma**, **ta**, **sa** become **mon**, **ton**, **son** before a feminine singular noun beginning with a vowel or a silent **h**:

> Je mange *ma* pêche. / Je mange *mon* orange.
>
> *Ta* voiture est puissante. / *Ton* auto est puissante.
>
> Il parle avec *sa* mère. / Il parle avec *son* amie.
>
> Elle réfléchit à *sa* vie. / Elle réfléchit à *son* histoire.

EXERCICES ORAUX

a. Répondez affirmativement.

Est-ce que c'est…

1. ma classe?
2. notre voiture?
3. son quartier?
4. ton auto?
5. notre jardin?
6. ta maison?

7. leur piscine?
8. mon taxi?
9. son professeur?
10. sa chaise?
11. ma voiture?
12. leur ville?

Est-ce que ce sont…

13. tes tables?
14. ses chiens?
15. ses amis?
16. nos livres?
17. mes priorités?
18. ses cahiers?

19. nos photos?
20. leurs chats?
21. vos chiens?
22. leurs enfants?
23. tes parents?
24. ses projets?

b. Transformez selon les modèles.

Modèles: l'auto de Paul
son auto

l'auto de mes parents
leur auto

1. l'école de Francine
2. le chien du professeur
3. les amis de Michel
4. le professeur de Jean et de Suzanne
5. les problèmes de ton père

6. le garage de Pierre
7. les stylos de la secrétaire
8. les parents des étudiants
9. les projets du directeur
10. la chambre de mon amie

c. Répondez aux questions.

1. As-tu ton stylo?
2. Regardes-tu ton livre?
3. Sommes-nous dans notre classe?
4. Aimez-vous votre université?
5. Viens-tu en classe avec ton chien?

6. Tes parents sont-ils jeunes?
7. Est-ce que tes parents aiment leur ville?
8. Habites-tu dans la maison de tes parents?
9. Écoutez-vous votre professeur?
10. Réfléchis-tu à tes devoirs?

d. Répondez aux questions selon le modèle.

> *Modèle:* Où est le livre d'Hélène? (sur le bureau)
> *Son livre est sur le bureau.*

1. Où est mon baladeur? (derrière la porte)
2. Où habitent les parents d'Henri? (à Québec)
3. Où est l'auto de Brigitte? (dans le garage)
4. Où sont les livres de Pierre? (sous la chaise)
5. Où est ma guitare? (à côté de l'ordinateur)
6. Où va l'ami de Lucie? (à Winnipeg)
7. Où vos amis dansent-ils? (à la discothèque)
8. Où est le chien de tes amis? (dans le jardin)

4.6 Les adverbes interrogatifs

Où / D'où (where/from where)

> Où vas-tu? — Je vais au jardin zoologique.
> D'où viens-tu? — Je viens du terrain de golf.

Quand (when)

> Quand revient-il? — Il revient lundi.

Comment (how)

> Comment vas-tu? — Je vais bien, merci.
> Comment est ton amie? — Elle est jolie et sympathique.

Pourquoi (why)

> Pourquoi es-tu triste? — Parce que j'ai des problèmes.

1) After these interrogative adverbs, either **est-ce que** or inversion may be used:

> Comment vas-tu à Toronto?
> Comment est-ce que tu vas à Toronto?
> Où est-ce que Pierre travaille?
> Où Pierre travaille-t-il?

2) To answer a question beginning with **pourquoi, parce que** (because), or **à cause de** (because of) may often be used. **Parce que** is a conjunction followed by a clause. **À cause de** is a preposition followed by a noun or a pronoun:

> Pourquoi es-tu heureux? — *Parce que* j'ai une nouvelle amie.
> Pourquoi aimes-tu le chanteur? — *À cause de* sa belle voix.

EXERCICES ORAUX

a. Posez des questions avec l'adverbe interrogatif approprié.

Modèles: Je vais bien.   Il revient lundi.
Comment vas-tu?   *Quand revient-il?*

1. Nous allons au musée.
2. Elle revient demain.
3. Il arrive en taxi.
4. Il est intéressant.
5. Je reviens de la piscine.
6. Il va à Ottawa.

7. Il est absent parce qu'il est en vacances.
8. Les cours finissent vendredi.
9. Les étudiants mangent à la cafétéria.
10. Mon père travaille au centre-ville.
11. Ma mère est au centre commercial.
12. Arthur va dans le jardin.

b. Remplacez *est-ce que* par l'inversion.

1. Où est-ce que Paul va?
2. Comment est-ce que Claudine travaille?
3. Pourquoi est-ce que les enfants chantent?
4. Quand est-ce que tes parents reviennent?

5. D'où est-ce qu'Hélène vient?
6. Quand est-ce que les enfants regardent la télévision?
7. Où est-ce que M. Vincent bâtit une maison?
8. Comment est-ce que tes parents reviennent de l'aéroport?

c. Répondez aux questions. (Use *parce que* or *à cause de* according to the answer suggested.)

1. Pourquoi aimes-tu ce film? (il est intéressant)
2. Pourquoi es-tu en retard? (ma voiture)
3. Pourquoi obéis-tu aux règlements? (ils sont raisonnables)
4. Pourquoi es-tu fatigué(e)? (mon travail)
5. Pourquoi les arbres jaunissent-ils? (nous sommes en automne)

4.7 *Aller* + infinitif (le futur proche)

Aller in the present tense followed by an infinitive may be used to indicate that an event will (or will not) take place in the near future.

Je vais revenir demain.   I am going to come back tomorrow.
Nous n'allons pas regarder la télé.   We are not going to watch television.

EXERCICES ORAUX

a. Mettez les verbes au futur proche.

> *Modèle:* (aujourd'hui) Il choisit un cours.
> *(demain) Il va choisir un cours.*

1. Nous regardons un bon film.
2. Vous venez au rendez-vous.
3. Il parle au policier.
4. Ils obéissent au règlement.
5. Vous revenez avec nous.
6. Elle prépare le diner (dîner).
7. Tu réussis à l'examen.
8. Je visite le musée.
9. Il finit son travail.
10. Elles choisissent un restaurant.

b. Faites des phrases au futur proche avec des éléments extraits des quatre colonnes.

demain	je	visiter	le centre-ville
ce soir	nous	aller à	le musée
samedi	mon chien	rester à / dans	la piscine
cet été	les touristes	manger à	le parc
	les enfants	marcher dans	le zoo
	mes parents	jouer dans	la maison
	mes amis	travailler à	le centre commercial
			la bibliothèque
			le jardin

c. Répondez aux questions.

1. Où vas-tu aller demain?
2. Le / la professeur(e) va-t-il / elle être en retard demain?
3. Quand vas-tu aller à la bibliothèque?
4. Vas-tu réussir à l'examen?
5. Les enfants vont-ils grandir?
6. Allons-nous finir la leçon?
7. Vas-tu réfléchir à ta composition?
8. Allez-vous venir au parc avec moi?
9. Comment vas-tu rentrer chez toi?

d. Posez la question à un(e) autre étudiant(e) qui va répondre à la question.

> *Modèle:* Où / manger? (à la cafétéria)
> *Question: Où vas-tu manger?*
> *Réponse: Je vais manger à la cafétéria.*

1. Quand / manger? (à 5 h de l'après-midi)
2. Quand / danser? (samedi)
3. Où / danser? (à la discothèque)
4. Où / travailler? (à la piscine)
5. Comment / revenir? (en taxi)
6. Comment / aller à la Nouvelle-Orléans? (en train)

e. Répondez aux questions.

> Où allez-vous aller cet après-midi? ce soir? demain? demain soir? la semaine prochaine? l'année prochaine? pendant vos vacances d'été? pendant vos vacances d'hiver?

4.8 Les nombres

50	cinquante	100	cent
51	cinquante-et-un	101	cent-un
52	cinquante-deux	102	cent-deux
60	soixante	200	deux-cents
61	soixante-et-un	201	deux-cent-un
62	soixante-deux	412	quatre-cent-douze
70	soixante-dix	1000	mille
71	soixante-et-onze	1001	mille-un
72	soixante-douze	1231	mille-deux-cent-trente-et-un
80	quatre-vingts	1986	mille-neuf-cent-quatre-vingt-six /
81	quatre-vingt-un		dix-neuf-cent-quatre-vingt-six
82	quatre-vingt-deux	2000	deux-mille
90	quatre-vingt-dix	1 000 000	un-million
91	quatre-vingt-onze	1 000 000 000	un-milliard
92	quatre-vingt-douze		

✳ Note

1) Please note that numbers in this table use *la nouvelle orthographe*. Refer to the appendix on page 420 to view the traditional spelling of numbers.

2) The letter *s* is added to *vingt* in *quatre-vingts* and to *cent* in multiples of one hundred (*deux cents*, etc.), but it is dropped when these are followed by another number (*quatre-vingt-un, trois-cent-quarante*).

3) A hyphen is used in compound numbers from 0 to 100.

4) *Et* is used in 21, 31, 41, 51, 61, 71 but not in 81, 91, 101.

EXERCICES ORAUX

a. Répétez.

53	98	73	103	748
80	84	95	218	992
67	59	82	573	546
91	70	76	690	888
72	67	99	100	666
1840	1900	2680	10 000	111 000
1980	1600	8949	80 300	230 000
1971	1990	7850	30 640	845 000
1984	1975	6374	40 950	738 940

b. Donnez la réponse correcte.

Modèle: 20 + 20 = 40
Vingt plus vingt font quarante.

plus									
	20	+	50	=	100	+	30	=	1100 + 250 =
	40	+	2	=	300	+	50	=	800 + 500 =
	60	+	15	=	600	+	66	=	600 + 400 =
	80	+	3	=	820	+	24	=	320 + 700 =
	70	+	20	=	460	+	13	=	5850 + 23 =
fois	10	×	10	=	20	×	3	=	25 × 5 =
	100	×	10	=	45	×	2	=	80 × 3 =
	100	×	100	=	20	×	4	=	90 × 4 =
	1000	×	1000	=	9	×	9	=	50 × 7 =

 EXERCICES ÉCRITS

a. Complétez les phrases avec la forme correcte du verbe approprié.

réussir	finir	brunir	verdir
avertir	réfléchir	établir	rougir
démolir	vieillir	punir	obéir

1. Tu _____ à l'examen.
2. Ils _____ la vieille église.
3. Les enfants _____ à leurs parents.
4. Louise _____ à l'agent de police.
5. Vous _____ devant une jeune fille.
6. Je _____ souvent à mes problèmes.
7. Les arbres _____ en automne au Québec.
8. Les plantes _____ au printemps.
9. Paul _____ son chien.
10. Elle _____ toujours en été.
11. Nous _____ un nouveau système.
12. Mes parents _____ bien.

b. Répondez par des phrases complètes.

Où es-tu généralement…

1. à 8 h du matin? (la maison)
2. à 10 h du matin? (la classe)
3. à 12 h (la cafétéria)
4. à 3 h de l'après-midi?
   (la bibliothèque)

5. à 6 h du soir? (le restaurant)
6. à 8 h du soir? (le parc)
7. à 11 h du soir? (mon lit)

c. Complétez les phrases avec les verbes *venir, revenir* et *devenir*.

1. Je _____ avec vous.
2. Tu ne _____ pas dimanche?
3. Lise _____ en classe demain?
4. Elles _____ lundi soir.
5. Nous _____ à l'université en septembre.
6. Vous _____ en classe jeudi.
7. Tu _____ au musée demain.
8. Charles _____ du laboratoire.
9. Ils _____ de Montréal.
10. Le livre _____ intéressant à la fin.
11. Il _____ raisonnable.
12. Nous _____ responsables.

d. Employez *de / du / de la / de l' / d'*.

1. Le livre vient _____ bibliothèque.
2. Robert revient _____ Winnipeg.
3. Louise vient _____ cafétéria.
4. Nous revenons _____ cinéma.
5. Ils reviennent _____ discothèque.
6. Vous revenez _____ université.
7. Il revient _____ centre commercial.
8. Elles reviennent _____ cours de maths.
9. Elle vient _____ Angleterre.

e. Remplacez *le, la, les* par les adjectifs possessifs.

mon / ma / mes	**ton / ta / tes**	**son / sa / ses**
l'ami	les stylos	le programme
le livre	le bureau	l'amie
la table	la ville	l'université
les devoirs	la télévision	le problème
la tasse	la rue	l'idée
la maison	les exercices	l'examen
le taxi	le chien	la réponse

notre / nos	**votre / vos**	**leur / leurs**
le quartier	l'appartement	les ennemis
les vacances	les parents	l'enfant
le jardin	la chambre	la réponse
la maison	l'ordinateur	le téléphone
le pays	la province	le laboratoire
la profession	l'automobile	l'édifice
l'adresse	l'équipe	les chaises

f. Mettez au futur proche.

1. Madeleine finit son travail.
2. Tu bâtis une maison.
3. Vous réfléchissez un moment.
4. Jules et Pierre téléphonent au professeur.
5. Elles marchent avec toi.

6. Nous allons au centre-ville.

7. J'écoute le concert.

8. Tu choisis un cours de géologie.

9. Ils parlent à leur avocate.

10. On ne démolit pas l'école.

11. Je ne grossis pas.

12. Tu reviens demain matin.

13. Elle ne prépare pas son examen.

14. Il ne visite pas Québec.

15. Nous ne regardons pas le monument.

g. Formez la question avec l'adverbe interrogatif approprié.

Modèle: Je réfléchis *parce que j'ai des problèmes.*

Pourquoi réfléchis-tu?

1. Ils vont *en autobus au cinéma.* (2 questions)

2. Gaston va diner *au restaurant demain.* (2 questions)

3. Ils arrivent *samedi.* (1 question)

4. Simone est *intelligente.* (1 question)

5. Il a deux automobiles *parce qu'il est riche.* (1 question)

6. J'aime Paul *à cause de son charme.* (1 question)

7. Elle revient *de Victoria.* (1 question)

8. Nous rentrons *en taxi.* (1 question)

h. Transformez les phrases suivantes selon le modèle.

Modèle: Mes cheveux deviennent blonds en été.

Mes cheveux blondissent en été.

1. Sa peau devient brune au soleil.

2. Les feuilles deviennent rouges en automne.

3. Leur enfant devient grand.

4. Les arbres deviennent verts au printemps.

5. Tu deviens pâle quand tu es fatiguée.

6. Les pages de mon livre deviennent jaunes.

7. Nous devenons gros quand nous mangeons trop.

8. On redevient jeune quand on est heureux.

Lecture

Un petit tour dans Québec

On entre par la porte Saint-Jean, reconstruite et modifiée à plusieurs reprises au fil des ans.

À votre gauche est situé le parc de l'Artillerie, où les bâtiments abritèrent des troupes françaises, anglaises et canadiennes depuis le XVIIe siècle. Un centre d'interprétation s'y trouve.

La rue Saint-Jean, qu'on voit en face, est remplie par la foule pendant les week-ends. À votre droite, la rue d'Auteuil monte jusqu'à la Citadelle, où des maisons colorées se serrent les unes contre les autres. Au bout de la rue, nous tournons à gauche pour pénétrer dans l'avenue Saint-Denis.

D'abord, l'église Unie Chalmers–Wesley, érigée en 1853, nous accueille chaleureusement, puis nous suivons l'avenue Saint-Denis et arrivons à un point d'observation idéal sur le Vieux-Québec et le fleuve.

Le Château Frontenac, la terrasse Dufferin, la basse ville avec la place Royale, le port et les traversiers qui relient Québec à Lévis sont en face, tandis qu'au loin on distingue l'île d'Orléans avec le pont qui relie l'île à Québec.

L'avenue Sainte-Geneviève court en parallèle à Saint-Denis. Si on la suit, on aboutit au Jardin des Gouverneurs, présentant de nombreux spectacles en saison estivale. Le jardin s'ouvre sur la terrasse Dufferin.

La terrasse nous mène jusqu'à la Citadelle par la promenade des Gouverneurs. De cette façon, on arrive aux plaines d'Abraham.

Puis, on se dirige vers le Château Frontenac, édifié en 1893 et complété par une tour centrale en 1925.

De l'autre côté du Château Frontenac se trouve la place d'Armes. Près du monument en l'honneur de Samuel de Champlain, au bout de la terrasse Dufferin, des calèches vous invitent à la promenade.

On descend la rue du Fort puis on tourne sur la droite dans la Côte de la Montagne.

À mi-côte se présente le célèbre escalier Casse-Cou, prolongé par la rue Petit–Champlain avec de nombreuses boutiques. On peut revenir en arrière par le boulevard Champlain. [...]

Prenez la rue Notre-Dame et tournez à droite dans la rue Sous-le-Fort, à l'extrémité de laquelle se trouve la Batterie royale.

La rue Saint-Pierre est bordée d'anciennes maisons. La petite ruelle à gauche débouche sur la Place Royale, où surgit l'église Notre-Dame-des-Victoires. [...]

Vous reviendrez à l'intérieur des murs du Vieux-Québec en tournant à gauche dans la rue Saint-Thomas, puis en remontant la côte de la Canoterie. Une fois en haut, prenez la rue des Remparts vers la gauche. Plusieurs canons y sont installés. On longe le séminaire de Québec par la rue Port-Dauphin et on se retrouve au sommet de la Côte de la Montagne.

D'ici, on prend la rue Buade jusqu'à la rue du Trésor. Dans la rue Sainte-Anne se trouve la cathédrale anglicane de la Sainte-Trinité, construite en 1804.

Au bout de la rue Sainte-Anne, prenez à gauche la rue Desjardins et vous arrivez au couvent des

© Pete Ryan/Getty Images

Ursulines, avec sa chapelle et son musée. On continue la rue Desjardins puis on prend à droite la rue Saint-Louis, avec ses nombreux restaurants.

Tout au bout de la rue se trouve la porte Saint-Louis. Tournez à droite et descendez la rue Sainte-Ursule. Vous voici revenu dans la rue Saint-Jean. [...]

La rue Saint-Jean devient la côte de la Fabrique et aboutit à la basilique Notre-Dame, la cathédrale de Québec. À côté se trouve le Séminaire.

En sortant, empruntez la rue Sainte-Famille, à droite, puis la rue Couillard, à gauche. [...] Une fois au bout de la rue Couillard vous apercevez, face à vous, la porte Saint-Jean, qui fut le point de départ de notre itinéraire.

Vous pouvez maintenant vous reposer dans un des nombreux cafés de la vieille cité.

Extrait du site Web http://grandquebec.com

aboutir	to end up	longer	to go along
abriter	to house	mener	to lead
accueillir	to greet, to welcome	mi-	half
apercevoir	to catch a glimpse of	monter	to climb
arrière: en —	backwards	mur (m.)	wall
avec	with	nombreux, nombreuses	numerous
bas, basse	low	ouvrir: s'—	to open (onto)
bordé(e)	lined	plusieurs	several
bout (m.)	end	pont (m.)	bridge
calèche (f.)	horse-drawn carriage	porte (f.)	door; gate
casse-cou (m.)	breakneck	pouvoir	to be able to
chaleureusement	warmly	prendre	to take
construit(e)	built	près de	near, close to
contre	against, next to	prolongé(e)	extended
côte (f.)	hill	puis	then
côté (m.)	side	reconstruit(e)	rebuilt
côté: à —	next	retrouver: se —	to find oneself again
courir	to run	relier	to connect
d'abord	first of all	remonter	to go back up
déboucher	to lead to	rempli(e)	filled
déscendre	to go down	reposer: se —	to rest
devenir	to become	reprises: à plusieurs —	several times
diriger: se —	to go, to move	revenir	to come back
distinguer	to make out	ruelle (f.)	lane
droite: à —	on the right	serrer: se	to huddle
édifié(e)	built	si	if
emprunter	to take	siècle (m.)	century
érigé(e)	erected	sommet (m.)	top
escalier (m.)	stairs	sortir	to go out
estival(e)	summer (adj.)	spectacle (m.)	show
face: en —	across the way, opposite	suivre	to follow
façon: de cette —	(in) this way	surgir	to appear
fil: au — des ans	over the years	tandis que	while
fleuve (m.)	river	tour (f.)	tower
fois: une —	once	tour (m.)	stroll
foule (f.)	crowd	traversier (m.)	ferry
gauche: à —	on the left	trouver: se —	to be located
haut: en —	at the top	vers	towards
île (m.)	island	voir	to see
jusqu'à	up to	y	there
loin: au —	in the distance		

QUESTIONS

1. Par où est-ce qu'on entre dans Québec?
2. Qu'est-ce qu'on voit en face?
3. De l'avenue Saint-Denis, qu'est-ce que nous observons?
4. Levis, qu'est-ce que c'est?
5. Comment l'ile (l'île) d'Orléans est-elle reliée à Québec?
6. Quand est-ce qu'on présente des spectacles au Jardin des Gouverneurs?
7. Comment est-ce qu'on arrive aux plaines d'Abraham?
8. Quel est l'âge du château Frontenac?
9. Où sont les calèches?
10. Pourquoi pensez-vous que l'escalier "Casse-cou" est célèbre?
11. Où se trouve l'église Notre-Dame-des-Victoires?
12. Qu'est-ce qui est installé rue des Remparts?
13. Qu'est-ce qu'on visite au couvent des Ursulines?
14. Comment s'appelle la cathédrale de Québec?
15. Quand et comment est-ce qu'on peut se reposer?

SITUATIONS – CONVERSATIONS

1. Décrivez votre ville natale (where you were born):

   nom de la ville, situation géographique, aspect physique, industries principales, sites touristiques, monuments célèbres, particularités.

2. Quelle ville souhaitez-vous visiter et pourquoi?

   Exemple: Je souhaite visiter Québec / Montréal / Toronto / Winnipeg / New York / Paris / Los Angeles parce qu'il y a des monuments historiques; parce que mes parents habitent là; parce qu'il y a des restaurants exotiques; parce que l'architecture est exceptionnelle; parce que le site est merveilleux; parce que j'aime l'ambiance / l'atmosphère de la ville / les théâtres / les clubs de nuit / les cinémas / l'opéra / les spectacles / le stade, etc.

3. Quel est votre horaire quotidien? Votre emploi du temps pendant une journée? une semaine? une année?

   Exemple: Le lundi, je vais à l'université; le mardi, je reste à la maison; le mercredi, je vais au marché; etc.

4. Préparez votre alibi pour une journée précise. L'inspecteur Poirot va vous interroger.

   Exemple: Dans la journée du 8 août, de 8 h à 11 h du matin, je suis au lit. De 11 h à 2 h, je mange à la cafétéria. De 2 h à 4 h, je suis dans mes classes de maths et de géographie, etc.

COMPOSITIONS

1. Racontez une visite dans une ville et décrivez les monuments et les sites historiques.

2. Décrivez l'organisation de votre fin de semaine. Employez le futur proche.

 PRONONCIATION   (((•—Listen on **myfrenchlab**

(Students and instructors can listen to the audio track for this exercise on MyFrenchLab.)

I. Consonnes finales — consonnes finales + e muet

1) Generally, final consonants are not pronounced:
   troi$, bon∂, droi⊄, peti⊄, chinoi$, long

2) The final consonants **c**, **f**, **l**, **r** are usually pronounced:
   ave**c**, sporti**f**, se**l**, pa**r**

3) The final **e** is silent (-**es** and -**ent** as plural forms and/or verb endings are also silent):
   disqu⊄ , commod⊄ , activ⊄ , dynamiqu⊄ , livre$, parl⊄n⊄

4) The consonant that precedes the final **e** is pronounced:
   droit⊄, petit⊄, chinois⊄, grand⊄, barb⊄

   Répétez:
   il est grand / elle est grande
   il est content / elle est contente
   il est heureux / elle est heureuse
   il est épatant / elle est épatante
   il est blond / elle est blonde
   il est présent / elle est présente
   il est absent / elle est absente
   il est impatient / elle est impatiente

✳ Note
   When the following word begins with a consonant, the final consonant in *cinq, six, huit,* and *dix* is not pronounced:
   cin**q** arbres / cin⊄ livres
   si**x** enfants / si⊄ disques
   hui**t** oiseaux / hui⊄ pots
   di**x** hommes / di⊄ cahiers

II. O ouvert — o fermé (/ɔ/ – /o/)

1) **O ouvert** (/ɔ/) is generally found in a closed syllable (a syllable ending with a pronounced consonant).

2) **O fermé** (/o/) is found in an open syllable (not ending with a pronounced consonant), in a

syllable closed by a /z/ sound, or when it is spelled **au**, **eau**, or **ô**.

Répétez: /ɔ/

d'accord, sport, téléphone, porte, molle, robe

Répétez: /o/

rose, ôte, beau, stylo, nos, vos, gauche

Répétez d'après le modèle:

beau / bol	faux / folle
mot / molle	nos / nord
peau / porc	tôt / tord
sot / sort	saule / sol
badaud / dormir	paume / pomme
vôtre / votre	rauque / roc

MyFrenchLab Visit MyFrenchLab to access additional resources such as audio exercises, the *Cahier de laboratoire*, and web destinations.

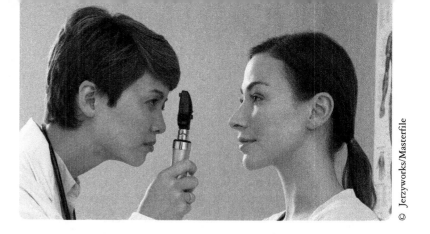

CHAPITRE 5

© Jerzyworks/Masterfile

À votre santé!

MyFrenchLab

Visit MyFrenchLab to access additional resources, including

- *Cahier de laboratoire*
- Self-grading assessments
- Audio exercises
- Grammar primers and tutorials

Thèmes

- La santé et la maladie
- Mes désirs et mes aptitudes
- Le corps humain
- Exprimer mon état de santé, mes besoins, mon âge
- Visite chez le médecin

Lecture

Quelques chiffres étonnants

Grammaire

5.1 Les verbes réguliers en *-re*

5.2 Les adjectifs démonstratifs

5.3 *Venir de* + infinitif (le passé immédiat)

5.4 Les verbes irréguliers *vouloir* et *pouvoir*

5.5 Les expressions idiomatiques avec *avoir*

VOCABULAIRE UTILE

Noms

adresse (f.)	address	poids (m.)	weight
argent (m.)	money	radiographie (f.)	X-ray
bière (f.)	beer	raie (f.)	stripe
bruit (m.)	noise	remède (m.)	medicine; remedy
carte (f.)	card	rhume (m.)	cold
chanteur, chanteuse	singer	salle d'attente (f.)	waiting room
chirurgien, chirurgienne	surgeon	santé (f.)	health
cinéma (m.)	movie theatre	sirop (m.)	syrup
clinique (f.)	clinic	tache (f.)	spot
comprimé (m.)	tablet	temps (m.)	time
copain, copine	buddy, friend	urgence (f.)	emergency
dentiste (m./f.)	dentist	verre (m.)	glass
distractions (f.pl.)	entertainment	visage (m.)	face
docteur (m.)	doctor	voiture (f.)	car
dossier (m.)	file	vin (m.)	wine
grippe (f.)	flu		
hôpital (m.)	hospital		

Adjectifs

infirmier, infirmière	nurse
insulte (f.)	insult
jus (m.)	juice
lettre (f.)	letter
lunettes (f.pl.)	glasses
maladie (f.)	sickness, disease
médecin (m.)	physician, doctor
médicament (m.)	medicine, drug
moto (f.)	(motor)bike
opération (f.)	operation, surgery
ordonnance (f.)	prescription
paix (f.)	peace
patient(e)	patient
pharmacie (f.)	pharmacy, drugstore
pharmacien, pharmacienne	pharmacist
pilule (f.)	pill
piscine (f.)	swimming pool
plage (f.)	beach

court(e)	short
distrait(e)	absent-minded, inattentive
épais, épaisse	thick
étroit(e)	narrow
grave	serious
large	wide
malade	sick
nerveux, nerveuse	nervous; high-strung
pointu(e)	pointed
préoccupé(e)	preoccupied
rond(e)	round

Verbes

avaler	to swallow
consulter	to consult
cultiver	to cultivate; to grow (plants)
embrasser	to kiss
étouffer	to choke
faire	to do, to make

gouter (goûter)	to taste	*Adverbe*	
guérir	to cure; to get well	**très**	very
		Expressions	
prendre	to take	**À votre santé!**	Cheers! Good health!
protéger	to protect		
rassurer	to reassure	**exercice:**	
respirer	to breathe	**faire de l'—**	to exercise
téléphoner	to phone, to call	**forme: rester en —**	to stay in shape
tousser	to cough		

GRAMMAIRE ET EXERCICES ORAUX

5.1 Les verbes réguliers en *-re*

The third group is made up of regular **-re** verbs. The **-re** ending is dropped from the infinitive and the following endings are added:

attendre (to wait/to wait for)

Présent de l'indicatif				*Impératif*
j'	**attends**	nous	**attendons**	**attends**
tu	**attends**	vous	**attendez**	**attendons**
il / elle / on	**attend***	ils / elles	**attendent**	**attendez**

Other verbs conjugated like **attendre** include

entendre	(to hear)	J'entends un bruit étrange.
perdre	(to lose)	Vous perdez la tête!
rendre	(to hand back/to return)	Nous rendons le livre.
répondre à	(to answer)	Ils ne répondent pas aux lettres.
vendre	(to sell)	Vends-tu ta voiture?

 EXERCICES ORAUX

a. Répétez les phrases en remplaçant le sujet par les mots entre parenthèses.

1. Tu (les enfants, nous, l'infirmière) attends le médecin.
2. Vous (le professeur, les étudiantes, je) rendez des livres à la bibliothèque.
3. La chirurgienne (les infirmiers, nous, tu) répond aux questions des patients.
4. Nous (une copine, mes amis, vous) perdons la tête régulièrement.

---

* Note that in the inversion **attend-il / elle / on**, the letter **d** is pronounced /t/.

b. Répondez aux questions.

1. Est-ce que tu entends le téléphone?
2. Entendez-vous le professeur?
3. Répondez-vous aux questions du médecin?
4. Est-ce que le docteur répond aux questions des patients?
5. Rends-tu des livres à la bibliothèque?
6. Le / la professeur(e) rend-il / elle les compositions aux étudiants?
7. Est-ce que tu vends ta voiture?
8. Vends-tu ton ordinateur?
9. Est-ce qu'on vend des pilules à la pharmacie?
10. Est-ce que tu perds du poids?
11. Est-ce que vous perdez votre temps à l'université?
12. Perds-tu ton argent à la loterie?
13. Perds-tu ton argent au poker?
14. Attends-tu tes amis après la classe?
15. Attendez-vous le / la dentiste quand il / elle est en retard?

c. Posez la question avec l'inversion.

Modèle: Pierre rend le livre à la bibliothèque.
Pierre rend-il le livre à la bibliothèque?

1. Vous entendez la musique.
2. Solange vend ses CD.
3. Il perd la tête.
4. L'infirmière attend les enfants.
5. Elle rend les lunettes à Hubert.
6. Il répond au téléphone.

d. Employez l'impératif d'après les modèles.

Modèle: rendre le livre à la bibliothèque
Rends le livre à la bibliothèque.

1. attendre cinq minutes
2. ne pas vendre la maison
3. ne pas perdre l'argent
4. répondre au téléphone

Modèle: répondre aux questions
Répondons aux questions.

5. attendre l'infirmière
6. vendre la voiture
7. rendre l'argent à Suzanne
8. ne pas perdre notre temps

Modèle: ne pas vendre vos livres
Ne vendez pas vos livres.

9. attendre l'ambulance
10. ne pas perdre l'adresse de la clinique
11. rendre l'argent à Guy
12. ne pas répondre aux insultes

5.2 Les adjectifs démonstratifs

	Singular	*Plural*
Masculine before a consonant	ce	ces
Masculine before a vowel sound	cet	ces
Feminine	cette	ces

The demonstrative adjective agrees in gender and number with the noun modified:

ce garçon   ⟶   ces garçons

cet homme   ⟶   ces hommes

cette table   ⟶   ces tables

These forms correspond to the English "this" or "that" ("these" or "those"). In French, however, the distinction between "this" and "that" is not usually made except for emphasis or to distinguish between two items or groups of items, in which case **-ci** and **-là** are added to the noun modified:

J'aime cette *maison-ci*, mais Hélène aime cette *maison-là*.

I like this house but Helen likes that house.

Le corps humain

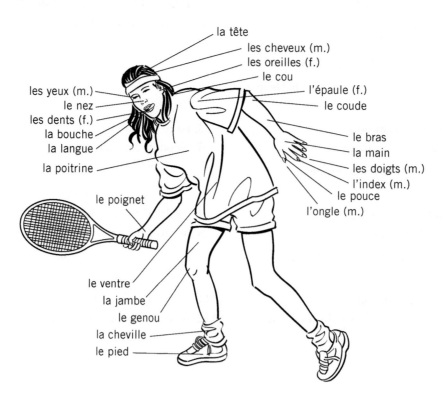

EXERCICES ORAUX

a. Remplacez *le / la / les* par *ce / cet / cette / ces.*

le concert	l'homme	l'épaule	les genoux
les filles	la femme	la profession	le front
l'enfant	le bras	le dos	l'oreille
l'animal	la jambe	les dents	le doigt
la voiture	les cheveux	la bouche	les organes
le problème	la poitrine	le coude	les pieds
le matin	l'après-midi	l'œil	la dent
le soir	les yeux	le nez	les ongles

b. Répondez selon le modèle.

Modèle: Attends-tu cet homme? (une femme)
Non, mais j'attends cette femme.

1. Attends-tu ce taxi? (un autobus)
2. Est-ce que tu vends ce CD? (un livre)
3. Vas-tu avaler ce comprimé? (une pilule)
4. Allons-nous finir ce chapitre aujourd'hui? (un exercice)
5. Écoutes-tu ce chanteur? (une chanteuse)

c. Répondez selon le modèle.

Modèle: Rends-tu ce livre-ci?
Non, mais je rends ce livre-là.

1. Attends-tu cet autobus-ci?
2. Est-ce qu'on démolit cet hôpital-ci?
3. Vas-tu vendre cette voiture-ci?
4. Vas-tu choisir ce dentiste-là?
5. Allons-nous dans ce restaurant-ci?
6. Réponds-tu à ces questions-ci?

d. Répondez aux questions selon le modèle.

Modèle: Quelle leçon étudies-tu?
J'étudie cette leçon-ci.

1. Quels médicaments achètes-tu?
2. Quelle leçon étudiez-vous?
3. Quel cours vas-tu choisir?
4. Quel CD allons-nous écouter?
5. À quelles questions les étudiants répondent-ils?
6. Quel livre vas-tu acheter?
7. Quels patients sont en avance pour leur rendez-vous?
8. Quel enfant est malade?
9. Quelles plantes aimes-tu?

5.3 *Venir de* + infinitif (le passé immédiat)

Venir in the present tense followed by **de + infinitif** indicates that the action or event referred to by the infinitive has just taken place:

Je viens de finir ce travail.	I have just finished this work.
Il vient de téléphoner au médecin.	He has just phoned the doctor.

 EXERCICES ORAUX

a. Composez des phrases au passé immédiat en combinant des éléments des deux colonnes.

les patients	téléphoner à l'hôpital
le médecin	avaler des pilules
l'infirmière	répondre au téléphone
la pharmacienne	rentrer de la clinique
je	vendre des pilules
nous	rassurer les malades
	passer une radiographie
	parler au médecin

b. Posez une question à un(e) autre étudiant(e) qui répond selon le modèle.

Modèle: tu / consulter un médecin / parler à une infirmière
Vas-tu consulter un médecin?
Non, je viens de parler à une infirmière.

1. elle / aller aux urgences / parler à un médecin au téléphone
2. vous / prendre des médicaments / prendre des vitamines
3. tu / étudier dans ta chambre / finir mes devoirs
4. ce patient / sortir de l'hôpital / avoir une opération
5. les enfants / jouer au hockey / rentrer de la piscine
6. nous / étudier le chapitre trois / finir le chapitre quatre

5.4 Les verbes irréguliers *vouloir* et *pouvoir*

vouloir (to want/to wish)				pouvoir (to be able/allowed to)			
je	veux	nous	voulons	je	peux	nous	pouvons
tu	veux	vous	voulez	tu	peux	vous	pouvez
il / elle / on	veut	ils / elles	veulent	il / elle / on	peut	ils / elles	peuvent

1) **Vouloir** may be followed by a noun or an infinitive:

> Je veux des vitamines.
>
> Elle veut aller aux urgences.

2) **Pouvoir** is usually followed by an infinitive. It may indicate ability to do something or permission to do something:

Pouvez-vous réparer ma voiture?	Can you (are you able to) repair my car?
Les enfants ne peuvent pas entrer dans ce cinéma.	Children are not allowed (to go) in this cinema.

 EXERCICES ORAUX

a. Construisez des phrases selon le modèle.

> *Modèle:* Je veux travailler. Et toi?
> *Moi aussi, je veux travailler.*

1. Je veux aller à Banff. Et lui? Et toi? Et eux? Et Hélène?
2. Nous voulons manger. Et vous? Et elles? Et toi? Et Stéphane?
3. Je peux attendre cinq minutes. Et eux? Et lui? Et vous? Et elles?
4. Nous pouvons aller au cinéma. Et toi? Et Pascale? Et les enfants? Et vous?

b. Faites des phrases selon le modèle.

> *Modèle:* Robert / manger du dessert / perdre du poids
> *Robert ne peut pas manger de dessert; il veut perdre du poids.*

1. mes amis / aller au cinéma / finir leurs devoirs
2. je / attendre mes amies / arriver au concert à l'heure
3. nous / regarder la télé avec vous / jouer aux échecs
4. tu / perdre ton temps / devenir riche
5. mes parents / venir avec nous au restaurant / attendre leurs amis à l'aéroport
6. elle / fumer des cigarettes / rester en forme

c. Faites des phrases affirmatives ou négatives avec les éléments des trois colonnes.

les infirmières	pouvoir	guérir
les patients	vouloir	répondre aux questions
les enfants		réussir aux examens
je		passer une radiographie
la pharmacienne		aller chez le dentiste
nous		parler avec un médecin
le docteur		perdre du temps
les étudiants		attendre patiemment
		manger à la cafétéria de l'hôpital
		rester au lit

d. *Si tu veux, tu peux.* Formez des phrases selon le modèle avec des éléments des trois colonnes.

Modèle: Si ton amie *veut* de l'argent, elle *peut* travailler.

ton amie	de l'argent	aller à la plage
tu	la santé physique	consulter un médecin
nous	des distractions	aller au cinéma
le professeur	la santé mentale	rester au lit
les enfants	du plaisir	aller à la piscine
le chien	des amis	avaler des pilules
on	la paix	vendre des voitures
	le succès	jouer au poker
	la popularité	marcher dans le parc
		cultiver un jardin
		étudier

5.5 Les expressions idiomatiques avec *avoir*

avoir... ans		J'ai dix-huit ans.
(to be ... years old)		
avoir l'air	**+ adjectif**	Elle a l'air intelligent(e).*
(to seem/	**+ de + nom**	Il a l'air d'un bandit.
to look like)	**+ de + infinitif**	Ils ont l'air de travailler dur.
avoir besoin de	**+ nom**	Les étudiants ont besoin de vacances.
(to need)	**+ infinitif**	J'ai besoin de consulter un médecin.
avoir chaud / froid		J'ai chaud en été.
(to be warm/cold)		Nous avons froid en hiver.
avoir envie de	**+ nom**	As-tu envie d'un dessert?
(to feel like)	**+ infinitif**	J'ai envie de regarder ce film.
avoir faim / soif		J'ai faim; je veux un sandwich.
(to be hungry/thirsty)		Il a soif; il veut un verre de jus d'orange.
avoir hâte de	**+ infinitif**	J'ai hâte de rentrer chez moi.
(to be eager/impatient)		Elle a hâte d'avoir dix-huit ans.
avoir l'intention de	**+ infinitif**	Nous avons l'intention de visiter Montréal.
(to intend)		
avoir peur de	**+ nom**	Il a peur des maladies.
(to be afraid of)	**+ infinitif**	Ils ont peur de grossir.
avoir mal à	**+ nom**	J'ai mal à la tête / aux yeux / au ventre / au dos / aux dents.
(to have a ... ache)		
avoir raison / tort de	**+ infinitif**	J'ai raison. Toi, tu as tort.
(to be right/wrong)		Elle a raison de vouloir réussir.

* The adjective can be made to agree either with **l'air** (masculine singular) or with the subject.

 **EXERCICES ORAUX**

a. Répondez aux questions.

1. Quel âge as-tu?
2. Quel âge a ton copain?
3. Quel âge a ta copine?
4. As-tu chaud en hiver?
5. As-tu froid en été?
6. Quand avons-nous chaud généralement?

7. Est-ce qu'on a froid dans un sauna?
8. As-tu faim à midi? à minuit?
9. Vas-tu avoir faim ce soir?
10. Est-ce qu'on a soif dans le désert?
11. Est-ce qu'on a soif après un match de tennis?

b. Répondez aux questions selon le modèle.

Modèle: As-tu envie d'un verre de bière? (d'un verre de vin)
Non, je n'ai pas envie d'un verre de bière, mais j'ai envie d'un verre de vin.

1. As-tu envie d'une nouvelle voiture? (d'une nouvelle télévision)
2. As-tu envie d'un livre? (d'un CD)
3. As-tu envie de regarder un film? (d'aller à la discothèque)
4. As-tu envie de manger un sandwich? (de manger un croissant)
5. As-tu besoin d'une aspirine? (d'un bon café)
6. As-tu besoin d'une moto? (d'une voiture)
7. As-tu besoin d'aller chez le médecin? (d'aller chez le dentiste)
8. As-tu peur du professeur? (de l'examen)
9. As-tu peur des chiens? (des serpents)
10. As-tu peur d'aller chez le dentiste? (d'avoir mal aux dents)

c. Répondez aux questions selon le modèle.

Modèle: Antoine a l'air malade. (fatigué)
Non, il a plutôt l'air fatigué.

1. Pierrette a l'air dynamique. (nerveux)
2. Guy a l'air distrait. (préoccupé)
3. Il a l'air d'un acteur de cinéma. (d'un boxeur)
4. Elle a l'air d'une avocate. (d'une pharmacienne)

5. Le chien a l'air d'avoir faim. (d'avoir soif)
6. Cet enfant a l'air d'avoir peur. (d'être fatigué)

d. Répondez aux questions.

1. As-tu l'intention de devenir riche?
2. As-tu hâte de travailler?
3. Avez-vous hâte d'avoir des vacances?
4. Avez-vous l'intention de protéger l'environnement?

5. Les gens ont-ils raison de bien manger?
6. Les femmes ont-elles tort de vouloir l'égalité?

e. Vous êtes médecin. Posez la question à un(e) autre étudiant(e).

Modèle: Avez-vous mal / la tête? (les oreilles)
Question: Avez-vous mal à la tête?
Réponse: Non, mais j'ai mal aux oreilles.

1. Avez-vous mal / les yeux? (les sinus)
2. Avez-vous mal / le dos? (le ventre)
3. Avez-vous mal / les pieds? (les jambes)
4. Avez-vous mal / la tête? (les yeux)
5. Avez-vous mal / les genoux? (les chevilles)

6. Avez-vous mal / les bras? (les coudes)
7. Avez-vous mal / le cou? (la tête)
8. Avez-vous mal / le ventre? (la poitrine)
9. Avez-vous mal / l'estomac? (la tête)
10. Avez-vous mal / le cœur? (la poitrine)

f. Faites des phrases à partir des éléments donnés.

Modèle: Il / avoir peur / vieillir
Il a peur de vieillir.

1. Isabelle / avoir hâte / rentrer chez elle
2. Vous / avoir raison / consulter un médecin
3. Les étudiants / avoir l'air / aimer ce cours

4. Tu / avoir tort / perdre ton temps
5. Je / avoir l'intention / perdre du poids
6. Nous / avoir envie / réussir

EXERCICES ÉCRITS

a. Mettez le verbe à la forme correcte.

1. Ils _____ l'autobus numéro 38. (attendre)
2. Elle _____ un bruit bizarre. (entendre)
3. Je _____ ma vieille auto. (vendre)
4. Hubert _____ souvent la tête. (perdre)

5. Nous _____ à sa lettre. (répondre)
6. Tu _____ le livre à Jean. (rendre)
7. Il _____ un taxi. (attendre)
8. Lise et Jeanne _____ la musique. (entendre)

b. Posez la question avec l'adverbe interrogatif approprié (où / quand / comment / pourquoi) et en employant l'inversion.

Modèle: Il attend l'autobus devant l'hôpital.
Où attend-il l'autobus?

1. Il perd son temps dans les discothèques.
2. On vend des médicaments à la pharmacie.
3. Elle répond correctement aux questions du médecin.
4. Il vend ses livres parce qu'il a besoin d'argent.
5. Les cours finissent en fin d'après-midi.

c. Employez l'impératif et dites à un(e) ami(e) de / d'…

1. rendre le CD à son amie.
2. ne pas perdre l'ordonnance du médecin.
3. attendre l'arrivée du médecin.
4. répondre à la question de l'infirmière.
5. ne pas vendre sa belle voiture.

d. Remplacez *le* / *la* / *les* par *ce* / *cet* / *cette* / *ces*.

la pilule	les jambes	la pharmacienne	le malade
le pied	la gorge	l'infirmière	la malade
la tête	le médecin	l'enfant	l'étudiant
le dos	la spécialiste	les adultes	les maladies

e. Mettez les verbes *pouvoir* et *vouloir* à la forme correcte.

pouvoir

1. Tu _____ partir avant midi.
2. Nous _____ attendre madame Gagnon.
3. Vous _____ répondre à la question.
4. Elle _____ entendre la conversation.
5. Je _____ finir l'exercice.
6. Ils _____ inviter leurs amis.

vouloir

1. Je _____ aller à l'hôpital.
2. Nous _____ regarder un film à la télé.
3. Ils _____ finir les devoirs après la classe.
4. Elles _____ un comprimé.
5. Tu _____ une bière.
6. Il _____ une nouvelle ordonnance.

f. Répondez aux questions par des phrases complètes.

1. Est-ce que tu veux travailler ce soir?
2. Est-ce que vous voulez venir aux urgences?
3. Pouvons-nous finir ce chapitre aujourd'hui?
4. Peux-tu entrer dans les discothèques?
5. Veux-tu aller à la clinique ce soir?
6. Voulez-vous venir au restaurant avec moi?
7. Est-ce que les enfants veulent jouer au hockey?
8. Est-ce que les étudiants veulent réussir aux examens?
9. Veux-tu perdre du poids?
10. Veux-tu perdre ton argent dans les casinos?
11. Peux-tu jouer de la guitare? du piano? du violon?
12. Peux-tu aller sur Mars?
13. Tes parents veulent-ils venir dans notre classe?
14. Voulez-vous réussir à l'examen de français?
15. Pourquoi veux-tu étudier la médecine?
16. Où veux-tu aller ce soir?
17. Quelle sorte de voiture veux-tu?
18. Quand vas-tu pouvoir aller à Montréal?
19. À quelle heure peux-tu rentrer chez toi?
20. Où peut-on regarder un film?

g. Répondez aux questions selon le modèle.

Modèle: Est-ce que tu vas à la bibliothèque?
Non, je viens d'aller à la bibliothèque.

1. Est-ce que tu regardes un film?
2. Est-ce que Monique finit son travail?
3. Est-ce que vous réfléchissez à cette question?
4. Est-ce que les enfants écoutent la radio?
5. Est-ce qu'il vend sa voiture?

h. Complétez les phrases avec votre imagination.

> *Modèle:* Quand je suis fatigué(e), je... (avoir mal à)
> *Quand je suis fatigué(e), j'ai mal aux yeux.*

1. Quand je suis à la discothèque, je... (avoir envie de)
2. J'admire Renée parce qu'elle... (avoir l'air de)
3. Je veux rentrer chez moi parce que je... (avoir hâte de)
4. Quand on est fatigué, on... (avoir besoin de)
5. Demain, je... (avoir l'intention de)
6. Solange ne veut pas être malade parce qu'elle... (avoir peur de)
7. On va chez le dentiste quand on... (avoir mal à)

i. Répondez aux questions par des phrases complètes.

1. Quel âge as-tu?
2. Quel âge a le professeur?
3. Quand est-ce que tu as chaud / soif / faim / froid?
4. Quand as-tu peur?
5. Quand as-tu mal à la tête?
6. Quelle voiture as-tu envie d'avoir?
7. Quelle ville as-tu l'intention de visiter?
8. De quoi as-tu hâte?
9. Quand as-tu l'air intelligent / important / malade / stupide?
10. De quoi as-tu besoin présentement?

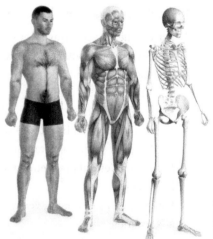

© 123rf.com

Lecture
Quelques Chiffres Étonnants

160 000 km. C'est la longueur totale de tous les vaisseaux sanguins d'un corps humain, ce qui représente quatre fois la circonférence de la Terre.

120 000 cheveux en moyenne poussent sur notre crâne.

15 000 litres d'air transitent quotidiennement par nos poumons. Ensemble, ils présentent une surface respiratoire de 70 mètres carrés et peuvent contenir 6 litres d'air.

10 000 à 100 000 neurones meurent chaque jour, entre 20 et 60 ans.

7 500 litres de sang sont pulsés par le coeur chaque jour. Dans toute une vie, cette fabuleuse pompe effectue 2,5 milliards de battements.

2 000 kg. Telle est la pression maximale à laquelle l'ossature peut résister. L'os le plus lourd est le fémur (environ 1 kg).

640 muscles, il faut bien ça pour mouvoir un corps. 50 d'entre eux nous permettent d'afficher des expressions sur le visage. Le plus petit muscle, le muscle de l'étrier ou *musculus stapedius*, logé dans l'oreille moyenne, ne fait que 0,5 cm.

360 km/heure, c'est la vitesse de pointe digne d'une F1 avec laquelle un stimulus nerveux se déplace dans le corps.

270 os forment le corps à la naissance. Plus tard, certains se soudent comme, par exemple, les os du crâne. Un corps adulte, lui, en compte 206. Les mains (avec 27 os par main) et les pieds (avec 26 os par pied), en constituent plus de la moitié.

150 litres de liquide sont filtrés par les reins chaque jour. Quotidiennement, ces organes sécrètent 1,5 litre d'urine. Costaud, quand on songe qu'ensemble, ils ne pèsent que 300 grammes.

130 décibels constituent le seuil de la douleur pour l'oreille.

13 kg. C'est ce que pèse un squelette adulte.

4 à 5 litres de sang parcourent en moyenne le circuit sanguin d'une femme. Avis aux Dracula en puissance, pour l'homme il convient d'ajouter un litre.

1,5 km, un sacré circuit pour la paroi interne de l'intestin grêle, villosités (aspérités et muqueuse) comprises. Sans ces aspérités, l'intestin grêle ne fait plus que 7 mètres de long, contre 1,5 mètre pour le côlon.

1,3 kg. C'est ce que pèse en moyenne le cerveau.

www.plusmagazine.be – Leen Baekelandt

afficher	to display
ajouter	to add
aspérité (f.)	spike
avec	with
avis à	let it be known to
battement (m.)	beat
carré(e)	square
certains, certaines	some
cerveau (m.)	brain
chaque	each
chiffre (m.)	figure, number
cœur (m.)	heart
combien	how much, how many
comme	as, like
compris(e)	included
compter	to have, to include
contre	as opposed to
convient: il — de	one should
costaud(e)	impressive
crâne (m.)	skull
(se) déplacer	to move
digne de	worthy of
douleur (f.)	pain
effectuer	to make
ensemble	together
entre	between, among
environ	approximately
étonnant(e)	surprising, amazing
eux, elles	them
F1 (f.)	Formula 1 race car
fait: ne — que	measures only
faut: il — bien ça	that's what is needed
fois (f.)	time
intestin (m.) **grêle**	small intestine
jour (m.)	day
lequel, laquelle	which
logé(e)	located
longueur (f.)	length
lourd(e)	heavy
moitié (f.)	half
mourir (*meurent*)	to die
mouvoir	to move
moyenne: en —	on average
muqueuse (f.)	mucous membrane
naissance (f.)	birth
os (m.)	bone
ossature (f.)	skeleton
par	by; per; through
parcourir	to run through
paroi (f.)	wall
peau (f.)	skin
permettre	to allow, to enable
peser	to weigh
plus	more, most
poids (m.)	weight
poumon (m.)	lung
pour	for; in order to
pousser	to grow
pression (f.)	pressure
puissance: en —	potential
que: ne —	only
quelques	a few, some

quotidiennement	daily	**tard**	late
rein (m.)	kidney	**tel, telle**	such
respiratoire	breathing	**Terre** (f.)	Earth
sacré(e)	a heck of	**tout(e)**	whole
sang (m.)	blood	**tous, toutes**	all
sans	without	**transiter**	to pass through
seuil (m.)	threshold	**vaisseau** (m.) **sanguin**	blood vessel
songer	to think	**vie** (f.)	life
(se) souder	to fuse together	**villosité** (f.)	villus
superficie (f.)	area, surface	**vitesse** (f.) **de pointe**	top speed
sur	on	**visage** (m.)	face

QUESTIONS

1. Quelle est la circonférence de la Terre?
2. Où poussent les cheveux?
3. Quel volume d'air peuvent contenir les poumons?
4. Combien de battements de coeur dans une vie humaine?
5. Quel os pèse 1 kilo?
6. Qu'est ce que les muscles du visage nous permettent?
7. Quelle est la vitesse d'un stimulus nerveux?
8. Où sont la moitié des os du corps humain?
9. L'urine constitue quel pourcentage de liquide filtré par les reins?
10. 130 décibels et plus: quel est l'effet sur l'oreille?
11. Combien mesure l'intestin grêle?
12. Quel est le poids du cerveau?

SITUATIONS – CONVERSATIONS

1. *Une visite chez le médecin.* Un(e) étudiant(e) joue le rôle du médecin et deux autres jouent les rôles de la secrétaire et de la patiente / du patient. Inspirez-vous du modèle ci-dessous.

   a) (*Avec la secrétaire du médecin*)

SECRÉTAIRE:	Bonjour Monsieur.
PATIENT:	Bonjour, je suis Louis Dupras et j'ai rendez-vous à 7 h avec le docteur Lafontaine.
SECRÉTAIRE:	Est-ce que c'est votre première visite? Est-ce que vous avez un dossier ici?
PATIENT:	Oui, c'est ma première visite et je n'ai pas de dossier.
SECRÉTAIRE:	Votre carte d'assurance-santé, s'il vous plait (s'il vous plaît).
PATIENT:	Voici ma carte.
SECRÉTAIRE:	Passez à la salle d'attente. Le docteur va vous appeler dans quelques minutes.
PATIENT:	Très bien, merci.

b) (*Avec le médecin*)

LE MÉDECIN:	Bonjour Monsieur. Quel est l'objet de votre visite?
PATIENT:	Bonjour Docteur. Eh bien, j'ai mal à la tête et à la gorge. Je tousse, j'ai le nez bouché et j'ai aussi mal aux oreilles.
LE MÉDECIN:	Eh bien, ce n'est pas grave. Vous avez une grippe. Voici une ordonnance et vous allez revenir dans quinze jours.
PATIENT:	Très bien, merci Docteur. Au revoir.
Autres symptômes:	Je tousse, je respire mal, j'étouffe. J'ai mal au cœur.
	J'ai une douleur dans la poitrine. J'ai de la fièvre.
	J'ai des étourdissements, je perds connaissance.
Autres maladies:	le rhume, la grippe, une pneumonie, une bronchite.
Des médicaments:	des aspirines, du sirop, des antibiotiques, des onguents.

2. Qu'est-ce qu'on peut faire avec... (What can you do with ...)

les yeux? le nez? la bouche? l'estomac? les pieds? les jambes? les poumons? les mains? les oreilles? les doigts? les bras?

Modèle: Avec la tête, je pense.

(Verbes: respirer, digérer, marcher, entendre, embrasser, écouter, regarder, gouter, travailler, jouer d'un instrument, etc.)

3. Décrivez votre animal favori.

J'aime les chats / les chiens / les souris / les vaches / les écureuils / les lions / les tigres / les girafes / les éléphants / les kangourous, etc.

Le pelage (*fur*) est blanc / brun / noir, avec des raies / des taches / des couleurs différentes, etc.
Le cou est très long / court / étroit / large, etc.
La queue (*tail*) est longue / courte / épaisse, etc.
Les pattes (*legs*) sont longues / courtes, etc.
Le museau, la gueule (*mouth*) est rond(e) / pointu(e), etc.

4. Pour rester en bonne santé, on a besoin...

de manger des fruits, de respirer de l'air pur, de consulter un médecin, de manger modérément, d'éviter l'alcool, de marcher plusieurs heures par jour, de jouer d'un instrument de musique, de surveiller son alimentation, de faire du sport, de ne pas fumer, etc.

COMPOSITIONS

1. Vous êtes malade. Écrivez une courte lettre à votre professeur pour expliquer la situation.

2. Quelles sont les mauvaises habitudes qui sont nuisibles à votre santé?

3. Décrivez un régime de vie recommandé pour rester en bonne santé.

PRONONCIATION

(((•—[Listen on **myfrenchlab**

(Students and instructors can listen to the audio track for this exercise on MyFrenchLab.)

Contraste i, u, ou (/i/ – /y/ – /u/)

1) **La voyelle i (/i/)**

   Répétez d'après le modèle:

ris	petit	image	amiral
si	radis	idée	habiter
mi	mardi	idem	politique
dit	lundi	arriver	

2) **La voyelle u (/y/)**

   (Bring your tongue to the front as for /i/, but round the lips.)

   Répétez d'après le modèle:

dit / du	mi / mu	lit / lu	débit / début
ni / nu	pis / pu	pli / plu	habit / abus
si / su	riz / rue	bris / bru	pari / paru
fi / fut	vit / vu	cri / cru	écrit / écru

   Répétez d'après le modèle. (Try not to say **biu, miu, piu**.)

bu	buvez	rébus	amusant
pu	pudique	repu	rebuter
mû	musique	ému	débuter

3) **La voyelle ou (/u/)**

   (Rounded lips as for /y/, but bring your tongue towards the back; for /y/, the tongue is pushed towards the front.)

   Répétez d'après le modèle:

tu / tout	mu / mou	bru / broue
bu / bout	pu/ pou	truc / trouve
rue / roue	vu / vous	bulle / boule
du / doux	nu / nous	furet / fourré

4) **Contraste /i/ – /y/ – /u/**

   Répétez d'après le modèle:

vit / vu / vous	pis / pu / pou	mi / mue / mou
rit / rue / roux	fit / fût / fou	ni / nu / nous
si / su / sous	dit / du / doux	lit / lu / loue

MyFrenchLab Visit MyFrenchLab to access additional resources such as audio exercises, the *Cahier de laboratoire*, and web destinations.

© View Apart/Shutterstock.com

CHAPITRE 6

Le magasinage et la mode

MyFrenchLab

Visit MyFrenchLab to access additional resources, including

- *Cahier de laboratoire*
- Self-grading assessments
- Audio exercises
- Grammar primers and tutorials

Thèmes

- Les vêtements
- Dans un magasin de vêtements
- La mode
- Exprimer les quantités
- Exprimer l'obligation, la probabilité, l'intention
- Poser des questions avec *qui, que*

Grammaire

6.1 Modifications orthographiques de quelques verbes réguliers en *-er*

6.2 *Amener — apporter — emmener — emporter*

6.3 L'article partitif

6.4 Le verbe irrégulier *devoir*

6.5 Les pronoms interrogatifs *qui* et *que*

6.6 Construction — verbe + infinitif

6.7 Les pronoms relatifs *qui* et *que*

Lecture

Optez pour l'achat de vêtements d'occasion et recyclés

VOCABULAIRE UTILE

Noms

achat (m.)	purchase	**repos** (m.)	rest
anniversaire (m.)	birthday	**robe** (f.)	dress
argent (m.)	money	**sucre** (m.)	sugar
bouteille (f.)	bottle	**supermarché** (m.)	supermarket
châle (m.)	shawl	**vendeur, vendeuse**	salesclerk
chaleur (f.)	heat	**vêtement** (m.)	piece of clothing
chance (f.)	luck	**vitrine** (f.)	display window
commentaire (m.)	comment	**voyage** (m.)	travel, trip
complet (m.)	suit		
conférencier,	lecturer, speaker	**Adjectifs**	
conférencière		**compliqué(e)**	complicated
couture (f.)	sewing	**déprimé(e)**	depressed
couturier (m.)	fashion designer	**sale**	dirty
eau (f.)	water		
foulard (m.)	scarf	**Verbes**	
fromage (m.)	cheese	**blesser**	to hurt, to injure
magasin (m.)	store	**emprunter**	to borrow
magasinage (m.)	shopping	**fermer**	to close
mode (f.)	fashion	**féliciter**	to congratulate
moutarde (f.)	mustard	**rencontrer**	to meet
ombre (f.)	shadow; shade		
pain (m.)	bread	**Expressions**	
poulet (m.)	chicken	**comptant: payer —**	to pay cash
récompense (f.)	reward	**courses: faire des —**	to go shopping
repas (m.)	meal	**mode: à la —**	fashionable

GRAMMAIRE ET EXERCICES ORAUX

6.1 Modifications orthographiques de quelques verbes réguliers en *-er*

Spelling changes before silent endings (*-e, -es, -ent*)

1) In verbs like **acheter** (to buy), **amener** (to bring), **emmener** (to take), the letter **e** that precedes the final consonant in the stem takes an **accent grave** (**è**) before a silent ending:

j'achète, tu achètes, il achète, ils achètent

but nous achetons, vous achetez

2) In verbs like **préférer** (to prefer), **espérer** (to hope), **répéter** (to repeat), **précéder** (to precede), the **accent aigu** over the **e** that precedes the final consonant in the stem changes to an **accent grave** before a silent ending:

> je préfère, tu préfères, il préfère, ils préfèrent
>
> *but* nous préférons, vous préférez

3) In the verbs **appeler** (to call; to telephone) and **jeter** (to throw; to throw away), the final consonant in the stem is doubled before a silent ending*:

> j'appelle, tu appelles, il appelle, ils appellent
>
> *but* nous appelons, vous appelez
>
> je jette, tu jettes, il jette, ils jettent
>
> *but* nous jetons, vous jetez

4) In verbs ending in **-yer**, the **y** changes to **i** before a silent ending. (In verbs ending in **-ayer**, like **payer**, the **y** may be retained as an optional spelling.)

ennuyer (to bore/to bother):	**payer** (to pay for):
j'ennuie, tu ennuies, il ennuie, ils ennuient	je paie, tu paies, il paie, ils paient
but nous ennuyons, vous ennuyez	*but* nous payons, vous payez

Verbs ending in *-ger* and *-cer*

1) With verbs whose stems end in **g** like **manger** (to eat) or **obliger** (to force/to compel), whenever the ending does not begin with **e** or **i**, the letter **e** must be inserted between the stem and the ending, as in the **nous** form of the present tense:

> nous mangeons, nous obligeons

2) With verbs whose stems end in **c**, like **commencer** (to begin) or **agacer** (to bother/to irritate), a **cédille** must be placed under the letter **c** (**ç**) whenever the ending does not begin with **e** or **i**, as in the **nous** form of the present tense:

> nous commençons, nous agaçons

 ## EXERCICES ORAUX

a. Substituez au sujet les mots entre parenthèses.

1. Lucien appelle le vendeur chez lui. (tu, elles, vous, je, nous)
2. André jette de vieux souliers. (je, ils, l'étudiant, nous)
3. Tu espères une récompense. (vous, elles, Suzanne, je)
4. Elles achètent des vêtements. (vous, je, nous, Lucien)
5. Ils paient comptant. (nous, tu, Juliette, je)

*See the appendix on "La nouvelle orthographe."

b. Posez une question à un(e) autre étudiant(e) à partir des éléments donnés. L'autre étudiant répond.

> *Modèle:* Quand / tu / acheter / des bottes
> *Quand achètes-tu des bottes?*
> *J'achète des bottes en hiver / quand j'ai froid, etc.*

1. Pourquoi / tu / jeter tes vieux vêtements
2. Pourquoi / on / acheter à crédit
3. Quand / on / emmener son chien chez le vétérinaire
4. Où / tu / amener ton ami(e) pour son anniversaire
5. Quand / vous / jeter vos notes de cours
6. Quand / vous / répéter après le professeur
7. À quelle heure / le cours de français / commencer
8. Quand / nous / ennuyer nos amis
9. À quelle heure / tu / espérer rentrer chez toi ce soir
10. Comment / tu / payer tes achats dans les magasins
11. Quand / les enfants / agacer leurs parents
12. À quelle heure / tu / préférer diner
13. Quand / les examens / commencer
14. Quand / tu / appeler / tes parents
15. Quand / vous / appeler / la police
16. Où / tu / préférer magasiner
17. Quand / il / amener son ami(e) au restaurant
18. Quand / nous / emmener le professeur au restaurant
19. Quand / le verbe / précéder le sujet en français
20. Quand / nous / commencer le chapitre sept

c. Répondez aux questions selon le modèle.

> *Modèle:* J'achète des vêtements. Et vous? (des CD)
> *Nous, nous achetons des CD.*

1. Je mange un sandwich. Et vous? (un biscuit)
2. Je commence une nouvelle leçon. Et vous? (un nouveau cours)
3. Je jette mes vieux tapis. Et vous? (nos vieux vêtements)
4. Je préfère la bière. Et vous? (le vin)
5. J'espère aller à Montréal demain. Et vous? (pouvoir jouer au tennis)
6. J'appelle mes parents. Et vous? (nos amis)

6.2 *Amener — apporter — emmener — emporter*

amener (une personne/un animal)
apporter (une chose) ⎫ to bring (along)

emmener (une personne/un animal)
emporter (une chose) ⎫ to take (along)

David amène sa petite amie chez lui.
Sylvie emmène son chien chez le vétérinaire.
J'apporte une bouteille de vin pour le repas.
Quand il va en voyage, il emporte un imperméable.

 EXERCICES ORAUX

a. Répondez aux questions par des phrases complètes.

1. Est-ce que vous amenez vos amis chez vous?
2. Est-ce que tu emportes des livres de la bibliothèque?
3. Quelles choses est-ce que vous apportez au cours de français?
4. Où amène-t-on une personne blessée?
5. Où amène-t-on un animal blessé?
6. Quelle(s) personne(s) emmenez-vous à la discothèque?
7. Quels vêtements est-ce que tu emportes quand tu pars en voyage?
8. Quand emmène-t-on une personne chez le médecin?
9. Quelles choses est-ce que tu apportes à un ami malade?
10. Quels vêtements apportez-vous à la plage?

b. Complétez la phrase par le verbe (*amener / apporter / emmener / emporter*) qui convient.

1. Au revoir, Pierre. Je rentre chez moi. Est-ce que je peux _____ ce CD?
2. Revenez chez nous demain. Vous pouvez _____ vos amis.
3. Reste au lit: Je vais _____ tes médicaments.
4. Gilbert va aller en Italie. Il a l'intention d'_____ sa famille avec lui.

6.3 L'article partitif

Forms of the partitive article

du   before a masculine singular noun beginning with a consonant
de la before a feminine singular noun beginning with a consonant
de l' before a masculine or feminine noun beginning with a vowel sound
des   before a plural noun

1) The partitive article is used before singular mass nouns (referring to items that are not countable): **de l'argent, de la musique, du mérite**. The plural form of the partitive article is used before countable nouns (**des fleurs**) and nouns that are always plural, like **des gens** (people). The partitive article is used when referring to an undetermined amount of the item mentioned, and thus corresponds to "some" or "any." While "some" and "any" are frequently omitted in English, in French the partitive article must be stated:

   Je veux de la salade.   I want (some) salad.
   Elle mange du pain.   She is eating (some) bread.
   Ils regardent des photos.   They are looking at (some) pictures.

2) When they precede a noun that is the direct object of a verb, all forms of the partitive article are reduced to **de** after a negative expression such as **ne... pas**:

   J'ai de l'argent.   ⟶   Je n'ai pas d'argent.
   Elle écoute **de la** musique.   ⟶   Elle n'écoute pas **de** musique.

This change does not occur after a verb like **être**, which is not a transitive verb (that is, it does not take a direct object):

   Ce sont **des** gens intelligents.
   Ce ne sont pas **des** gens intelligents.

3) The use of the partitive article must be clearly distinguished from that of the definite article. The definite article is used when speaking about a particular item or with nouns used abstractly or in a general sense. The partitive article is used when speaking about an undetermined amount of the item to which the noun refers. Do not be confused by the fact that, in English, articles are not usually placed before abstract nouns, or that "some" is frequently omitted before nouns.

   Compare:
   She likes plants.   Elle aime **les** plantes.
   She buys plants.   Elle achète **des** plantes.
   Talent is a gift.   **Le** talent est un don.
   He has talent.   Il a **du** talent.

EXERCICES ORAUX

a. Répondez aux questions affirmativement et négativement.

Est-ce que tu as...

1. de l'argent?
2. de la chance?
3. de l'ambition?
4. du courage?
5. du talent?

6. de la patience?
7. de l'enthousiasme?
8. de la ténacité?
9. de l'imagination?
10. de l'énergie?

Est-ce que tu manges...

11. de la salade?
12. du fromage?
13. du pain?

14. du porc?
15. du bœuf?
16. de la moutarde?

Est-ce que tu veux...

17. du vin?
18. de la bière?
19. du café?
20. du thé?

21. du whisky?
22. de la vodka?
23. de l'eau?
24. de la limonade?

b. Employez les mots indiqués d'après le modèle.

Modèle: Je n'ai pas... mais j'ai...
Je n'ai pas d'argent, mais j'ai de l'ambition.

du courage, de l'enthousiasme, de l'énergie, du talent, de l'ambition, de la chance, de la patience, du tact, de la ténacité, de l'imagination, de l'intuition

c. Changez l'article défini en article partitif.

le respect	la lumière	l'ombre
l'amabilité	le sel	l'obscurité
l'eau	le sucre	le poulet
la neige	l'air	la moutarde

d. Mettez à la forme négative.

1. Elle mange de la salade.
2. Il a de l'argent.
3. C'est de la moutarde.
4. Ils invitent des gens intéressants.
5. J'entends du bruit.
6. Elle écoute du jazz.

7. Nous avons de la patience.
8. J'apporte de la vodka.
9. Tu as de la patience.
10. Il veut du café.
11. Elle achète du porc.
12. Elle prépare de la soupe.

e. Article défini ou article partitif? Complétez les phrases suivantes en employant l'article approprié.

1. J'aime _____ salade. Je mange _____ salade tous les jours.
2. As-tu _____ patience? _____ patience est une vertu.
3. Voulez-vous acheter _____ café? _____ café de Colombie est excellent.
4. Pas de fromage pour moi, merci. Je vais manger _____ dessert. Je ne digère pas _____ fromage.
5. _____ chance de Suzanne est extraordinaire. As-tu _____ chance, toi aussi?

6.4 Le verbe irrégulier *devoir*

Présent de l'indicatif

je	dois	nous	devons
tu	dois	vous	devez
il / elle / on	doit	ils / elles	doivent

1) **Devoir** followed by a noun may mean "to owe":

   Je dois dix dollars à mon ami.

   I owe my friend ten dollars.

2) In the present tense, and followed by an infinitive, **devoir** may express

   a) necessity or obligation (must/to have to):

      Nous devons rendre les livres à la bibliothèque.

      We must return the books to the library.

      On doit payer ses dettes.

      One must pay one's debts.

   b) probability (must):

      Il doit avoir chaud après ce match.

      He must be hot after that match.

   c) intention or expectation (to be supposed to):

      Je dois rencontrer Marie au centre commercial ce soir.

      I am supposed to meet Mary at the shopping centre tonight.

      Il doit arriver cet après-midi.

      He is supposed to arrive this afternoon.

EXERCICES ORAUX

a. Changez la forme du verbe selon le sujet entre parenthèses.

1. Je dois emprunter de l'argent. (tu / elle / nous / vous)
2. Il doit être fatigué après le magasinage. (ils / vous / les touristes / elle)
3. Elle doit arriver demain soir. (tu / il / nous / les enfants)

b. Répondez à la question.

1. Est-ce que tu dois de l'argent à la banque?
2. À quelle heure le magasin doit-il fermer?
3. Quand devons-nous avoir l'examen?
4. Est-ce que vous devez rendre des livres à la bibliothèque?
5. Dois-tu retrouver tes amis après le cours?
6. Les vendeurs doivent-ils être enthousiastes?
7. Le professeur doit-il être intéressant?
8. Est-ce que je dois essayer la chemise?
9. Est-ce que tu dois de l'argent à tes parents?
10. Devons-nous répéter cet exercice?

c. Répondez aux questions d'après le modèle.

Modèle: À quelle heure Armand arrive-t-il? (à cinq heures)
Armand doit arriver à cinq heures.

1. À quelle heure rentres-tu chez toi?
2. À quelle heure vas-tu à la bibliothèque?
3. À quelle heure la classe finit-elle?
4. Quand vas-tu à Shawinigan?
5. Quand vas-tu chez le médecin?
6. Quand rencontres-tu tes amis?
7. Pourquoi vas-tu à la pharmacie?
8. Qu'est-ce que tu étudies ce soir?
9. Retournes-tu au magasin bientôt?
10. Quand joues-tu au badminton?

d. Transformez les phrases selon le modèle.

Modèle: Le professeur est fatigué après la classe.
Oh! oui, il doit être fatigué.

1. Hélène a chaud après ce match de tennis.
2. Les enfants ont peur après ce film.
3. Le chien a soif après cette promenade.
4. Elle est déprimée après cet examen difficile.
5. Nous parlons français après les cours.
6. Il a envie d'un bon café après ce gros repas.
7. Tu es fatiguée après ce long magasinage.
8. Édouard est nerveux après cet accident.
9. Vous êtes en forme après les exercices.
10. Tu as besoin de repos après ces examens.

e. *Pouvoir et devoir.* Répondez aux questions selon le modèle.

Modèle: Peux-tu jouer avec nous? (étudier)
Non, je dois étudier.

1. Peux-tu aller au magasin? (finir un devoir)
2. Est-ce que je peux emprunter ton parapluie? (emporter avec moi)
3. Pouvez-vous attendre l'autobus avec nous? (rentrer à la maison tout de suite)
4. Les enfants peuvent-ils regarder la télévision? (aller au lit)
5. Est-ce que Paul peut emmener le chien chez le vétérinaire? (aller à son cours)
6. Est-ce que nous pouvons jouer au badminton ce soir? (aller au centre commercial)

6.5 Les pronoms interrogatifs *qui* et *que*

Qui

To ask a question about a person, the interrogative pronoun **qui** is used.

1) To ask the identity of a person, use **Qui est-ce**:

    Qui est-ce?   C'est Bernard.

                    C'est le professeur.

                    C'est le père de Léonard.

                    Ce sont mes voisins.

2) **Qui** may be used as the subject of an interrogative sentence:

    Qui joue du piano? — Moi, je joue du piano.

    Qui veut aller au centre-ville? — Suzanne et Pierre veulent aller au centre-ville.

3) **Qui (+ inversion)** or **Qui est-ce que (qui + est-ce que)** may also be used as the direct object of a verb:

    Qui regardes-tu? — Je regarde la vendeuse.

    Qui est-ce que vous écoutez? — Nous écoutons le professeur.

Que

The interrogative pronoun **que** is used to ask a question about a thing.

1) To ask someone to identify or name something, use **Qu'est-ce que c'est**:

    Qu'est-ce que c'est?   C'est un veston.

                                Ce sont des chaussures.

2) **Qu'est-ce qui (que + est-ce qui)** is used as the subject of an interrogative sentence:

    Qu'est-ce qui est sur la table? — C'est mon châle.

    Qu'est-ce qui fatigue René? — C'est la chaleur.

3) **Que (+ inversion)** or **Qu'est-ce que (que + est-ce que)** are used as direct object of the verb:

    Que regardes-tu? — Je regarde la robe de cette femme.

    Qu'est-ce que tu écoutes? — J'écoute un opéra.

EXERCICES ORAUX

a. Utilisez *Qui est-ce?* ou *Qu'est-ce que c'est?* d'après les modèles.

Modèles: C'est mon ami.   Ce sont des insectes.
Qui est-ce?   *Qu'est-ce que c'est?*

1. C'est le professeur de Lucien.   6. Ce sont des étudiants en médecine.
2. C'est une bouteille.   7. Ce sont des poulets.
3. Ce sont des robes.   8. C'est mon père.
4. C'est un couturier.   9. C'est Mila.
5. C'est Mme Barrault.   10. C'est un foulard.

b. Posez la question appropriée d'après les modèles.

Modèles: J'écoute du jazz.   Elle écoute Claude.
Qu'est-ce que tu écoutes?   *Qui écoute-t-elle?*

1. Elle mange de la crème glacée.   4. Je vais rencontrer une amie de Jean.
2. Elle veut des vêtements.   5. Ils emportent leurs récompenses.
3. Nous écoutons le couturier.   6. J'emmène ma mère au défilé de mode.

c. Posez la question appropriée d'après les modèles.

Modèles: Ma cravate est sous la chaise.   Luc joue aux échecs.
Qu'est-ce qui est sous la chaise?   *Qui joue aux échecs?*

1. Ces vendeuses travaillent dans   4. Ce complet est élégant.
   une boutique.   5. Charles va acheter une chemise.
2. Ces vêtements coutent (coûtent) cher.   6. Les examens fatiguent les étudiants.
3. Hélène vient d'arriver.

d. Complétez la phrase interrogative avec *Qu'est-ce qui* ou *Qu'est-ce que*.

1. _____ agace le professeur?   5. _____ ennuie les enfants?
2. _____ tu vas acheter au magasin?   6. _____ est sous la table?
3. _____ tes amis vont apporter   7. _____ vous voulez acheter?
   au piquenique (pique-nique)?   8. _____ précède le verbe dans la phrase?
4. _____ nous devons porter pour aller à
   cette réception?

6.6 Construction — verbe + infinitif

Certain verbs expressing a sentiment, wish, movement, or perception are frequently followed by an infinitive.

1) Verbs expressing like, dislike, or preference:

aimer	**Elle aime dessiner.**
	She likes to draw.
adorer	**J'adore regarder les vitrines.**
	I love to look in the display windows.
aimer mieux	**J'aime mieux jouer que travailler.**
	I would rather play than work.
préférer	**J'aime les vêtements à la mode, mais je préfère porter des vêtements confortables.**
	I like fashionable clothes, but I prefer to wear comfortable clothes.
détester	**Il déteste aller dans les magasins.**
	He hates going into stores.

2) Verbs expressing a wish:

désirer	**Elle désire avoir des enfants.**
	She wants to have children.
espérer	**J'espère aller au Mexique.**
	I hope to go to Mexico.
souhaiter	**Il souhaite devenir couturier.**
	He would like to become a fashion designer.

3) **pouvoir, vouloir,** and **devoir:**

pouvoir	**Pouvez-vous réparer ma jupe?**
	Can you fix my skirt?
vouloir	**Il veut danser avec Béatrice.**
	He wants to dance with Beatrice.
devoir	**On doit regarder ce film.**
	We must watch this film.

4) **aller** and **venir:**

aller	**Va acheter un foulard.**
	Go *and* buy a scarf.
venir	**Viens écouter ce CD.**
	Come *and* listen to this CD.

5) Other verbs like

penser*	**Je pense aller en vacances aux États-Unis.**
	I intend to spend my vacation in the United States.
compter	**Il compte arriver ce soir.**
	He expects to arrive tonight.

*__Penser__ usually means "to think." Followed by an infinitive, it is equivalent to "to intend to" or "to expect to."

* Note

1) Verbs of perception like *écouter, entendre,* and *regarder* may be followed by an infinitive clause. The subject of the infinitive is different from the subject of the verb of perception.

Elle écoute son ami jouer.

Elle écoute son ami jouer de la guitare.

Nous entendons les étudiants répéter.

Nous entendons les étudiants répéter la phrase.

2) If the infinitive is not followed by an object, its subject may come after rather than before it:

Elle écoute jouer son ami.

Nous entendons répéter les étudiants.

 EXERCICES ORAUX

a. Répondez aux questions.

1. Est-ce que vous désirez apprendre la couture?
2. Est-ce que tu aimes mieux aller dans les boutiques ou au centre commercial?
3. Détestes-tu travailler?
4. Espérez-vous réussir vos études?
5. Est-ce que tu adores aller au concert?
6. Comptes-tu acheter un chapeau?
7. Souhaites-tu rencontrer le premier ministre?

b. Dites à un(e) autre étudiant(e) de…

1. venir regarder la télévision.
2. aller rendre ses livres à la bibliothèque.
3. venir manger chez vous.
4. aller acheter une ceinture.
5. venir écouter vos CD.
6. aller chercher ses lunettes.

c. Transformez les phrases d'après le modèle.

Modèle: Elle écoute son ami. Son ami chante.

Elle écoute son ami chanter.

1. Luc regarde Sylvie. Sylvie danse.
2. Les étudiants écoutent le professeur. Le professeur parle.
3. J'entends mon voisin. Il joue du piano.
4. Entends-tu Lise? Elle répond à la directrice.
5. Je veux regarder Marc. Marc joue au football.
6. Tu dois écouter le conférencier. Il parle.
7. Elle aime entendre Jean-Pierre Rampal. Il joue de la flûte.

d. Répondez aux questions selon le modèle.

> *Modèle:* J'aime aller au théâtre. Et toi? (préférer / au cinéma)
> *Moi, je préfère aller au cinéma.*

1. J'adore jouer au base-ball. Et toi? (aimer mieux / au hockey)
2. Nous espérons visiter l'Angleterre. Et vous? (compter / l'Italie)
3. Pierre veut devenir couturier. Et Lucie? (souhaiter / psychologue)
4. Sylvain désire avoir des enfants. Et Hélène? (préférer / réussir sa carrière)
5. Je compte aller à Chicoutimi demain. Et toi? (devoir / à Québec)

6.7 Les pronoms relatifs *qui* et *que*

A relative pronoun serves two purposes:

1) It connects two clauses, a main clause and a subordinate (relative) clause of which it is part and in which it has a grammatical function (subject, direct object, etc.);

2) It stands for a noun or pronoun (*its antecedent*) previously mentioned in the main clause.

He is talking to *a man who* looks intelligent.

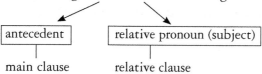

antecedent	relative pronoun (subject)
main clause	relative clause

Qui

Qui is the *subject form* of the relative pronoun, whether its antecedent is a person (who/that) or a thing (which/that):

> **Je n'aime pas les gens** *qui* **ont toujours raison.**
> I do not like people who are always right.
> **Elle préfère les vêtements** *qui* **ne coutent pas cher.**
> She prefers clothes which are inexpensive.

Que

1. **Que** is the *direct object form* of the relative pronoun. Its antecedent may be a person (whom/that) or a thing (which/that):

> **Elle admire un chanteur** *que* **je déteste.**
> She admires a singer whom I hate.
> **Où est la cravate** *que* **je viens d'acheter?**
> Where is the tie which I have just bought?

2. In English, a relative pronoun that is the direct object in the relative clause is frequently omitted, but in French it must always be expressed:

> I like the dress you are going to buy.
>
> **J'aime la robe** *que* **tu vas acheter.**

 EXERCICES ORAUX

a. Transformez les phrases selon le modèle.

> *Modèle:* Regarde cette jeune fille.
>
> *Elle* entre dans le magasin.
>
> *Regarde cette jeune fille qui entre dans le magasin.*

1. Elle porte une blouse. *Cette blouse* est très élégante.
2. Il aime une jeune fille. *Cette jeune fille* préfère son ami.
3. Pierre vient d'acheter un oiseau. *Cet oiseau* ne chante pas.
4. Ne porte pas cette chemise. *Elle* est sale.
5. Nous allons féliciter un ami. *Il* vient de réussir à son examen.

b. Combinez les phrases selon le modèle.

> *Modèle:* Je dois rendre ce livre. Je viens de finir *ce livre.*
>
> *Je dois rendre ce livre que je viens de finir.*

1. N'emporte pas ces vêtements. Je veux essayer *ces vêtements.*
2. Elle souhaite rencontrer ce couturier. Elle admire *ce couturier.*
3. Allons acheter cette robe. Tu désires *cette robe.*
4. Mes parents viennent d'inviter ce couple. Je n'aime pas *ce couple.*
5. Je vais chercher un magazine. Tu vas aimer *ce magazine.*

c. Transformez les phrases en employant *qui* ou *que.*

1. Pierre vient d'acheter ce veston. *Il* n'a pas de boutons.
2. Nous venons de regarder un film. Nous recommandons *ce film.*
3. C'est une jupe. *Cette jupe* est à la mode.
4. Elle attend un ami. *Cet ami* vient de Chicago.
5. Veux-tu cette cravate? Je porte *cette cravate* dans les grandes occasions.
6. Parlons à cet étudiant. *Il* travaille dans une boutique.

d. Remplacez les tirets par *qui* ou *que.*

1. J'aime beaucoup la jupe _____ tu portes.
2. Il entre dans les magasins _____ ont l'air bon marché.
3. Tu dois rappeler cette femme _____ vient de téléphoner.

4. Elle préfère acheter des vêtements _____ sont confortables.

5. Quand vas-tu commencer le travail _____ le professeur vient de donner?

6. J'attends mes amis _____ sont en retard.

7. Je vais au concert entendre ce musicien _____ tu détestes.

8. Va consulter le médecin _____ travaille à l'hôpital Ste-Marie.

9. Voici les souliers _____ je viens d'acheter.

e. Complétez les phrases.

1. J'aime les hommes qui…

2. J'adore les femmes qui…

3. Je vais acheter la chemise que…

4. Il vient de regarder un film que…

5. N'achète pas le veston qui…

6. Elle parle d'une avocate qui…

7. Je déteste les couleurs que…

8. Je préfère les bottes qui…

EXERCICES ÉCRITS

a. Écrivez la forme correcte du verbe entre parenthèses.

1. Tu (préférer) _____ la blouse au chandail.

2. Vous (emmener) _____ vos parents au concert.

3. Elle (envoyer) _____ une lettre à son ami.

4. Je (espérer) _____ aller à Vancouver.

5. Elles (jeter) _____ leurs vieilles robes.

6. Le sujet (précéder) _____ normalement le verbe.

7. Il (acheter) _____ une chemise.

8. Vous (payer) _____ comptant.

9. Il (appeler) _____ sa petite amie.

10. Nous (commencer) _____ le repas.

b. Selon le contexte, utilisez un des verbes: *amener, emmener, apporter* ou *emporter* à la forme appropriée.

1. Quand il vient chez nous, il _____ sa guitare et nous chantons ensemble.

2. Les infirmiers _____ le malade à l'hôpital.

3. Quand on va en voyage, on _____ son passeport.

4. Paul _____ son chien quand nous allons marcher.

c. Remplacez les tirets par la forme correcte de l'article partitif.

1. Justine a _____ ambition, mais elle n'a pas _____ patience.

2. Ce musicien a _____ talent.

3. Voulez-vous _____ bière ou _____ vin?

4. Tu as _____ chance: tu vas bientôt avoir _____ vacances.

5. Veux-tu _____ sucre dans ton café?

6. Lucien n'a pas _____ argent.

d. Complétez les phrases avec un verbe infinitif de votre choix.

   Modèle: Les étudiants espèrent...

   Les étudiants espèrent avoir une bonne note.

   1. Les touristes aiment...
   2. Un gourmet adore...
   3. Je ne peux pas...
   4. Pensez-vous...
   5. Ce musicien désire...
   6. Les journalistes souhaitent...
   7. Les étudiants doivent...
   8. Le professeur déteste...
   9. Venez...
   10. Veux-tu...
   11. Ce vieil homme désire...
   12. Va...
   13. Ma mère préfère...
   14. Nous comptons...

e. Répondez aux questions avec *devoir*.

   Modèle: Qu'est-ce que tu achètes? (un veston)

   Je dois acheter un veston.

   1. Qu'est-ce qu'on rend à la bibliothèque? (des livres)
   2. À quelle heure le train arrive-t-il? (à cinq heures)
   3. Qu'est-ce que nous mangeons? (de la viande)
   4. Qui attendez-vous? (Lucie et Jacques)
   5. Est-ce que Daniel est dans sa chambre? (Oui)
   6. Qui rencontre-t-elle? (un journaliste)

f. Voici la réponse. Posez la question appropriée aux mots en italique.

   Modèle: Elle termine *sa composition.*

   Qu'est-ce qu'elle termine?

   1. Elle écoute *la radio.*
   2. C'est *mon professeur.*
   3. Les spectateurs regardent *le film.*
   4. Nous allons acheter *des chandails.*
   5. C'est *une sculpture moderne.*
   6. Je viens de rencontrer *une infirmière.*
   7. Ce sont *mes voisins.*
   8. Il compte acheter *une robe* pour Martine.

g. Transformez les phrases selon le modèle. Employez *qui* ou *que*.

   Modèle: Regarde la jeune fille. Elle porte une jupe bleue.

   Regarde la jeune fille qui porte une jupe bleue.

   1. Nous venons de voir un film. Ce film terrifie les enfants.
   2. Apporte ce CD. Tu viens d'acheter ce CD.
   3. Peux-tu payer cette jupe? Tu veux acheter cette jupe.
   4. Je dois rencontrer un ami. Il est en retard.
   5. Nous commençons un travail. Il est long et compliqué.

6. Peux-tu apporter le parapluie? Il est derrière la porte.

7. J'espère rencontrer cet homme. Tu admires cet homme.

h. Remplacez les tirets par *qui* ou par *que*.

1. Sa femme déteste les vêtements _____ il aime porter.

2. Voilà le complet _____ je veux acheter.

3. Va chercher la cravate _____ est dans ta chambre.

4. Je n'aime pas parler aux gens _____ ont l'air arrogant.

Lecture

Optez pour l'achat de vêtements d'occasion et recyclés

© gabe9000c/Fotolia.com

Économisez et faites votre part pour l'environnement

Qui n'a jamais rêvé de pouvoir se procurer des vêtements de marque et des pièces uniques pour quelques dollars? Rien de plus simple : il suffit de magasiner dans une friperie.

Opter pour l'achat de vêtements d'occasion et recyclés comporte de grands avantages économiques et écologiques. "Les gens peuvent récupérer de beaux morceaux en bon état à coût moindre. On vend plusieurs vêtements de marque et de grands couturiers", explique le directeur général de la Corporation Gens au Travail, Daniel Vermeersch, qui gère la Boutique aux Fringues, située à Beloeil.

Cette friperie vend des vêtements de plusieurs styles pour toute la famille et s'adresse à tous, peu importe leurs moyens financiers. Elle reçoit des dons de vêtements, les trie et sélectionne ceux qui sont en parfait état. Les vêtements sont ensuite lavés et repassés avant d'être vendus. "Quand on pense aux vêtements de bébés qui sont souvent très peu usés, ça vaut vraiment la peine de les acheter d'occasion. Une famille qui a trois ou quatre enfants économisera beaucoup en achetant les vêtements à notre boutique pour la rentrée scolaire", mentionne le directeur général.

La boutique Cul-de-sac, située à Montréal, offre plusieurs possibilités à ses clients. Elle vend des vêtements *vintage* datant surtout des années 70-80-90, des vêtements revampés et remis au goût du jour, des créations conçues à partir de matières et de vêtements recyclés et des échantillons qui sont souvent des morceaux neufs de marques connues vendus comme démos à une fraction du prix.

La friperie vise majoritairement les gens de 14 à 50 ans, peu importe leurs moyens financiers. On y retrouve différents styles. Les vêtements sont achetés, lavés, modifiés au besoin et repassés.

Selon la propriétaire de la boutique Cul-de-sac Mélissa Turgeon, acheter des vêtements d'occasion apporte de grands avantages.

"Tu peux faire des trouvailles. À la rentrée scolaire, les ados aiment beaucoup s'habiller ici, car ils peuvent acheter des pièces uniques au lieu de tous porter la même chose."

Acheter des vêtements d'occasion permet aussi de diminuer la quantité de vêtements qui se retrouvent dans les sites d'enfouissement. "On recycle une tonne de vêtements qui iraient à la poubelle. S'ils n'étaient pas revampés, personne ne les achèterait", ajoute la propriétaire de la boutique Cul-de-sac.

La Boutique aux Fringues permet aussi la création d'emplois en embauchant deux employés à temps plein ainsi que des étudiantes de l'éducation aux adultes, volet intervention sociale, qui souffrent d'une légère déficience intellectuelle et s'initient au marché du travail en travaillant quelques heures par semaine à la boutique. Certaines d'entre elles sont subventionnées par Emploi-Québec.

Optez pour l'achat de vêtements d'occasion et recyclés, écrit par Andréanne Brault et publié le 3 septembre 2013 dans l'Émeraude Plus.

acheter	to buy	**importe: peu —**	regardless
ado (m./f.)	teen	**jamais: ne —**	never
adresser: s'—	to be geared towards	**laver**	to wash
ainsi que	as well as	**léger, légère**	mild
ajouter	to add	**lieu: au — de**	instead of
apporter	to bring	**marché** (m.)	market
aussi	also	**marque: vêtements de —**	designer clothes
avant	before	**même**	same
beaucoup	a lot	**morceau** (m.)	piece
besoin: au —	if need be	**moyen** (m.)	means
ça	it	**neuf, neuve**	new
car	for, because	**occasion: d' —**	second-hand
ceux, celles	those	**par**	by
chose (f.)	thing	**partir: à —de**	from
comporter	to have	**penser**	to think
client (m.)	customer	**permettre**	to make it possible
conçu(e)	designed	**personne**	nobody
connu(e)	well-known	**peu (très —)**	very little
coût: à moindre —	at a lower cost	**plus**	more
déficience (f.)	disability	**plusieurs**	a number of
don (m.)	donation	**porter**	to wear
échantillon (m.)	sample	**poubelle** (f.)	trash (can)
économiser	to save	**pour**	for
embaucher	to hire	**pouvoir**	to be able to
emploi (m.)	job; employment	**(se) procurer**	to get (hold of)
enfant (m.)	child	**propriétaire** (m./f.)	owner
ensuite	then, afterwards	**quelques**	some, a few
état (m.)	condition	**recevoir**	to receive
expliquer	to explain	**récupérer**	to pick up, to salvage
faire	to do, to make	**remis(e) au goût du jour**	remodelled
famille (f.)	family	**rentrée** (f.) **scolaire**	beginning of the school year
fringues (f.pl.)	threads, clothes		
friperie (f.)	second-hand clothes store	**repasser**	to iron
		(se) retrouver	to find (again); to end up
gens (m. pl.)	people		
gérer	to manage, to run	**rêver**	to dream
(s')habiller	to dress; to wear; to buy clothes	**rien**	nothing
		site (m.) **d'enfouissement**	dump
ici	here	**situé(e)**	located

souffrir de	to suffer from	**trouvaille** (f.)	find, treasure
subventionner	to subsidize	**vaut: ça — la peine**	it's worth it
suffit: il —de	all it takes	**vendre**	to sell
surtout	mostly	**vendu,e**	sold
temps: à — plein	full time	**viser**	to target, to be geared towards
tout, toute	all, the whole		
tous, toutes	all, everyone	**volet** (m.)	section
travail (m.)	work, employment	**vraiment**	really
trier	to sort	**y**	there

QUESTIONS

1. Quel est le rêve de beaucoup de gens?
2. Comment est-ce qu'on peut réaliser ce rêve?
3. Pourquoi acheter des vêtements d'occasion? Quels sont les avantages?
4. Qui est Daniel Vermeersch?
5. Quel type de vêtements vend la friperie Boutique aux Fringues?
6. Qu'est-ce qui est avantageux pour les familles?
7. Qu'est-ce que la boutique Cul-de-Sac offre de particulier?
8. Pourquoi les ados aiment-ils cette boutique?
9. Comment l'achat de vêtements d'occasion est-il écologique?
10. Quelle est l'autre contribution de la Boutique aux Fringues?

Les vêtements

un manteau

une chemise

une cravate

un veston

un pantalon

une chaussette

un soulier

un chapeau

des lunettes (f.)

un chandail

une ceinture

une jupe

un imperméable

un bas

une botte

un parapluie

EXPRESSIONS UTILES

acheter à crédit	to buy on credit	**essayer (un vêtement)**	to try on (an article of clothing)
aubaine (f.)	bargain		
bon marché*	inexpensive	**être bien / mal habillé(e)**	to be well/ badly dressed
carte (f) (de crédit / de débit)	(debit / credit) card	**excentrique**	eccentric
chic*	chic/smart	**garde-robe** (f.)	wardrobe
confortable	comfortable	**lèche-vitrines: faire du —**	to go window shopping
couter cher / pas cher	to be expensive/ inexpensive	**neuf, neuve***	brand new
dépenser de l'argent	to spend money	**usé(e)**	worn out
démodé(e)	out of style	**porter**	to wear
élégant(e)	elegant		
en coton, en laine, en nylon	(made of) cotton, wool, nylon		

SITUATIONS – CONVERSATIONS

1. *Dans un magasin de vêtements.* Un(e) étudiant(e) joue le rôle d'un vendeur / d'une vendeuse; un(e) autre étudiant(e) joue le rôle d'un(e) client(e). Variez les achats: sous-vêtements, chaussures, vêtements de sport, d'été, d'hiver, etc. Le vendeur / la vendeuse prend les mesures du client / de la cliente et donne des conseils. Le client / la cliente peut être facile / difficile, payer comptant, acheter à crédit, payer par chèque, etc.

   Inspirez-vous du modèle ci-dessous.

   (Au rayon des hommes)

   LE VENDEUR: Bonjour Monsieur. Je peux vous aider?

   DANIEL: Oui, je veux acheter un pantalon.

   LE VENDEUR: Essayez ce pantalon-ci. Cette couleur est très à la mode en ce moment.

   DANIEL: Je n'aime pas porter du gris. Je préfère le bleu marine.

   LE VENDEUR: Voilà un pantalon bleu qui est élégant et confortable.

   DANIEL: En effet, je vais l'essayer.

   (Il revient de la cabine d'essayage.)

   DANIEL: J'achète ce pantalon. Combien coute-t-il?

   LE VENDEUR: Il est assez bon marché; il coute seulement cinquante dollars.
   Vous avez une carte de crédit?

   DANIEL: Non, je paie comptant.

***Bon marché** and **chic** do not change when modifying a feminine or plural noun. **Neuf**, in contrast to **nouveau**, always comes after the noun modified.

(Au rayon des femmes)

BRIGITTE: Mademoiselle, s'il vous plait!

LA VENDEUSE: Oui, Mademoiselle. Vous désirez essayer cette robe? La cabine est par ici...

                (Brigitte revient de la cabine d'essayage.)

BRIGITTE: Est-ce qu'elle est en coton?

LA VENDEUSE: Moitié coton, moitié fibres synthétiques. Ce modèle vous va bien.

BRIGITTE: Est-ce qu'elle coute très cher?

LA VENDEUSE: Vous avez de la chance, c'est une vraie aubaine! Elle coute seulement trente dollars.

BRIGITTE: Dans ce cas, j'achète!

2. Qu'est-ce que tu portes quand tu vas à la discothèque? quand tu es en classe? quand tu vas camper? quand tu es sur une plage? quand tu participes à une réunion de famille? quand tu as un rendez-vous d'amoureux?

3. Quelle importance accordez-vous aux vêtements pour vous-même? pour d'autres personnes? Quand aimez-vous être élégant(e)? Quels vêtements préférez-vous sur une personne de l'autre sexe?

4. Complétez avec votre imagination à tour de rôle.

J'aime les hommes qui...   J'adore manger les choses qui...

Je préfère les femmes qui...   J'aime mieux les vêtements qui...

Je déteste les films qui...   Je souhaite rencontrer le politicien qui...

Je n'aime pas les professeurs qui...

5. Qu'est-ce que vous devez faire cet après-midi? demain matin? demain soir? lundi prochain? cette année? l'année prochaine?

6. De quoi est composée la garde-robe typique d'un étudiant ou d'une étudiante?

COMPOSITIONS

1. Vous allez dans un magasin acheter de nouveaux vêtements. Racontez.

2. Quelle est l'importance de la mode pour vous?

PRONONCIATION

((•—Listen on myfrenchlab

(Students and instructors can listen to the audio track for this exercise on MyFrenchLab.)

I. E fermé / e ouvert (/e/ – /ɛ/)

E fermé (closed e) – /e/

The sound /e/ never occurs in closed syllables (syllables ending in a consonant sound). In an open syllable, the sound /e/ is associated with various spellings:

1) **er** at the end of a noun, adjective, or infinitive:

inviter, marcher, premier, étranger

2) **é, ée, és, ées:**

été, fatigué, armée, désolés, aimées

3) **es** in one-syllable words:

mes, tes, ses, ces, les, des

4) **ez:**

chez, vous parlez, vous finissez, nez

5) the verb ending **ai:**

j'ai, je chanterai (future tense)

Répétez:

J'ai l'été pour travailler.	Vous venez de chez René.
Allez chercher mes clés.	Vous devez espérer.
Ces ouvriers sont fatigués.	Vous répétez comme un bébé.

E ouvert (open e) – /ɛ/

In a closed syllable, the sound /ɛ/ is associated with the following spellings:

1) **e, è, ê:**

errer, emmène, espère, tête, bête

2) **aî, ai, ei:**

locataire, plaire, maitre (maître), treize, neige

In an open syllable, it is associated with the spellings:

1) **è, ê, et:** grès, forêt, billet, ballet
2) **ai, aid, aie, ais, ait, aix:** mais, paix, laid, dais

However, the tendency is to use /e/ instead of /ɛ/ in an open syllable.

Répétez:

Il amène son père au ballet.

Le locataire plait à ma mère.

Il reste treize biscuits dans le paquet.

La neige est épaisse dans la forêt.

Contraste /e/ − /ɛ/

Répétez:

répétez / répète   préférez / préfère

précédez / précède   digérez / digère

espérez / espère   référez / réfère

ouvrier / ouvrière   postier / postière

épicier / épicière   boulanger / boulangère

premier / première / premièrement

dernier / dernière / dernièrement

particulier / particulière / particulièrement

II. La lettre c

1) The letter **c** is pronounced /s/ when followed by **e, i,** or **y:**

   citer, cerf, racine, macérer, cyanure

2) It is pronounced /k/ when followed by other vowels:

   cadeau, coder, cure, cancan, conseil, écouter

3) The **cédille** placed under **c** indicates that the sound /s/ is retained before vowels other than **e, i,** or **y:**

   maçon, tronçonner, commençons, agaçons

III. La lettre g

1) the letter **g** is pronounced /ʒ/ when followed by **e, i,** or **y:**

   gêner, geindre, gymnastique, rage, agir, genre

2) It is pronounced /g/ when followed by other vowels:

   gâteau, gond, gant, gober, ambigu, gouter

3) When the letter **e** is inserted between **g** and a vowel other than **e, i,** or **y,** it indicates that **g** must be pronounced /ʒ/:

   nous mangeons, nous obligeons

4) When the letter **u** is inserted between **g** and **e, i,** or **y,** it is not pronounced but it indicates that **g** must be pronounced /g/:

   guerre, digue, fatigué, langue, guitare, Guy

MyFrenchLab   Visit MyFrenchLab to access additional resources such as audio exercises, the *Cahier de laboratoire*, and web destinations.

CHAPITRE 7

© Bloomberg/Getty Images

Les études et la carrière

MyFrenchLab

Visit MyFrenchLab to access additional resources, including

- *Cahier de laboratoire*
- Self-grading assessments
- Audio exercises
- Grammar primers and tutorials

Thèmes

- Qu'est-ce que je fais ou ne fais pas?
- Quel temps fait-il?
- Quels cours faut-il suivre?
- Les professions
- Exprimer la nécessité
- Exprimer les quantités

Lecture

"Partout, il y a de la place pour tout le monde"

Grammaire

7.1 Le verbe irrégulier *partir*

7.2 Le verbe irrégulier *faire*

7.3 *Quel temps fait-il?*

7.4 Les pronoms interro-gatifs *qui* et *quoi* après une préposition

7.5 *Il y a*

7.6 *Il faut*

7.7 Les pronoms personnels objets directs

7.8 Les expressions de quantité

7.9 Noms de profession avec *être*

7.10 *C'est, Ce sont; Il / Elle est; Ils / Elles sont*

VOCABULAIRE UTILE

Noms

acteur, actrice	actor
avocat(e)	lawyer
baccalauréat (m.)	bachelor's degree
cahier (m.)	notebook
calculatrice (f.)	calculator
carrière (f.)	career
chance (f.)	luck
chocolat (m.)	chocolate
commerçant(e)	storekeeper
conférencier, conférencière	lecturer
directeur, directrice	director, manager
doctorat (m.)	Ph.D.
employeur, employeuse	employer
employé(e)	employee
enseignant(e)	schoolteacher
éponge (f.)	sponge
fermier, fermière	farmer
informaticien, informaticienne	computer scientist; data processor
ingénieur(e)	engineer
invité(e)	guest
journal (m.)	newspaper
loisirs (m.pl.)	spare time (activities)
maitrise (maîtrise) (f.)	master's degree
manteau (m.)	overcoat
note (f.)	grade; note
nourriture (f.)	food
nouvelles (f.pl.)	news
nuage (m.)	cloud
odeur (f.)	smell
plombier, plombière	plumber
policier, policière	police officer
raisin (m.)	grape
sac à dos (m.)	backpack
savon (m.)	soap
séjour (m.)	stay
soldat(e)	soldier
soleil (m.)	sun
tempête (f.)	storm
traducteur, traductrice	translator
vie (f.)	life

Adjectifs

économe	thrifty
frais, fraîche	fresh; cool
libre	free
sec, sèche	dry

Verbes

aider	to help
assister à	to attend
compter sur	to count on
dépenser	to spend
garder	to keep
inviter	to invite
neiger	to snow
pleuvoir	to rain
regretter	to regret
rencontrer	to meet
trouver	to find

Adverbes

bien	well
bientôt	soon
ensemble	together
mal	badly
moins	less

Prépositions

pendant	during, for
pour (+ inf.)	to, in order to

Expressions

désordre: en —	messy, untidy
cours: suivre un —	to take a course

GRAMMAIRE ET EXERCICES ORAUX

7.1 Le verbe irrégulier *partir*

Présent de l'indicatif

je	pars	nous	partons
tu	pars	vous	partez
il / elle / on	part	ils / elles	partent

The imperative of **partir** is regular: Its three forms are identical to those of the **tu, nous,** and **vous** forms in the present tense.

Partir means "to leave/to go away" and is often used with **pour** (for) and **de** (from), or accompanied by an adverbial expression. It must be distinguished from two other verbs:

1) **aller. Partir** may be used by itself, but **aller** must be followed by a preposition:

Je pars.	I am going/I am leaving.
Je vais chez Paul.	I am going to Paul's.

2) **quitter** (to leave a place/a person/an activity) and **laisser** (to leave something or someone behind), which are transitive verbs:

Le train **part** de Détroit à six heures.

Les étudiants **quittent** l'université à six heures.

M. Adam vient de **quitter** sa femme.

Elle **laisse** ses livres dans la classe.

Ils **partent** en vacances et **laissent** leurs enfants chez les grands-parents.

Other verbs conjugated on the same pattern as **partir** are

dormir	(to sleep):	dors, dors, dort, dormons, dormez, dorment
mentir	(to lie):	mens, mens, ment, mentons, mentez, mentent
sentir	(to smell/to feel):	sens, sens, sent, sentons, sentez, sentent
servir	(to serve):	sers, sers, sert, servons, servez, servent
sortir	(to go out):	sors, sors, sort, sortons, sortez, sortent

 EXERCICES ORAUX

a. Répondez aux questions.

1. À quelle heure pars-tu de chez toi le matin?
2. Tes parents partent-ils souvent en voyage?
3. Partons-nous en voyage ensemble?
4. Laissez-vous vos livres dans la classe?
5. Où laisses-tu ton chien (ton chat, ton ordinateur, etc.)?

6. À quelle heure sortez-vous de la classe?

7. Quel soir sors-tu avec tes amis?

8. Où vont les étudiants quand ils sortent?

9. Qu'est-ce qui sent bon?

10. Où sent-on de bonnes odeurs?

11. Est-ce que les fleurs sentent bon ou mauvais?

12. Combien d'heures dors-tu?

13. Combien d'heures dorment les jeunes enfants?

14. Dormez-vous pendant le cours de français?

15. Où est-ce qu'on dort mal généralement?

16. Qui sont les gens qui mentent souvent, selon vous?

17. Est-ce que vous mentez au professeur?

18. Est-ce que le professeur ment aux étudiants?

19. Où est-ce qu'on sert du vin (du café, des sandwichs)?

20. Quand les gens servent-ils du champagne à leurs invités?

b. Demandez à un(e) autre étudiant(e) s'il / si elle…

1. dort pendant la classe de français.
2. sort avec ses amis le samedi soir.
3. part pour Montréal demain.
4. quitte la maison à neuf heures.
5. ment à ses parents.
6. ment à ses amis.
7. sert du vin à ses cousins.
8. sert du caviar à ses invités.
9. dort pendant la journée.
10. sent la bonne odeur du café.

c. Complétez les phrases suivantes en utilisant la forme appropriée de l'un des verbes suivants: *aller, laisser, partir, quitter.*

1. Hélène veut _____ son emploi à Toronto. Elle souhaite _____ pour Vancouver.
2. Quand je _____ au magasin, je _____ mon chien à la maison.
3. Il est minuit. Je dois _____ et rentrer chez moi. Est-ce que je peux _____ mes livres chez vous?
4. Elle pense au divorce. Elle veut _____ son mari.

d. Répondez selon le modèle.

Modèle: Nous sortons ce soir. Et toi? (demain soir)
Moi, je sors demain soir.

1. Moi, je dors mal avant un examen. Et vous? (bien)
2. Les enfants dorment douze heures par jour. Et vous? (huit heures)
3. Tu sers de la bière à tes invités. Et tes parents? (du thé)
4. Nous partons pour Winnipeg demain. Et toi? (Calgary)
5. Cet homme ment souvent. Et ses amis? (rarement)
6. Ces fruits sentent bon. Et ce fromage? (mauvais)

7.2 Le verbe irrégulier *faire*

Présent de l'indicatif

je	fais	**nous**	faisons
tu	fais	**vous**	faites
il / elle / on	fait	**ils / elles**	font

The imperative of **faire** is regular.

Faire (to do/to make) is used in a variety of expressions:

1) *Studies:*

faire des études	to study/to take classes
faire des études de français / d'anglais / de médecine / de danse, etc.	to study French/English/medicine/dance, etc.
faire du français, etc.	to study French, etc.
faire des exercices	to do exercises
faire un travail	to do an assignment
faire un baccalauréat / une maitrise	to do a bachelor's degree/a master's degree

2) *At home:*

faire la cuisine	to do the cooking
faire le ménage	to do the housework
faire la vaisselle	to do the dishes
faire son lit	to make one's bed
faire des courses	to go shopping

3) *Sports:*

faire du sport	to take part in sports
faire du tennis / du ski	to play tennis/to ski

4) *Miscellaneous:*

faire 10 kilomètres à pied	to walk 10 kilometres
faire 100 kilomètres en voiture	to drive 100 kilometres
faire l'amour	to make love
faire la guerre	to make war
faire des affaires	to do business
faire des progrès	to make progress

EXERCICES ORAUX

a. Répondez aux questions.

1. Est-ce que tu fais du français? de l'anglais? de la physique?
2. Est-ce que vous faites des exercices en classe de français?
3. Faites-vous des études universitaires?
4. Fais-tu des études de médecine?
5. Est-ce que tu fais un baccalauréat? une maitrise? un doctorat?
6. Vas-tu faire une maitrise après ton baccalauréat?
7. Les banquiers font-ils des affaires?
8. Qui fait la vaisselle chez vous?
9. Est-ce que vous faites le ménage dans la classe?
10. Est-ce que le professeur fait la vaisselle dans la classe?
11. Fais-tu du sport? Quel(s) sport(s)?
12. Est-ce que vous faites des progrès en français?

b. Demandez à un(e) autre étudiant(e) s'il / si elle...

1. fait des mathématiques; de la psychologie; de la chimie; de l'anglais; du russe.
2. fait un baccalauréat; une maitrise; un doctorat.
3. fait la cuisine; la vaisselle; son lit.
4. fait une composition pour le professeur de français.
5. veut faire du sport.

c. Répondez aux questions.

1. Que faisons-nous en ce moment?
2. Combien de kilomètres fais-tu pour venir à l'université?
3. Pourquoi fais-tu des études?
4. Quand fais-tu la cuisine?
5. En quelle saison fait-on du ski? du tennis?
6. Quelles nations font la guerre en ce moment?

d. Votre ami(e) a un problème. Donnez la solution en employant une expression avec *faire*.

Modèle: J'ai mal à la tête.
Fais une promenade!

1. Je veux perdre du poids.
2. Ma chambre est en désordre.
3. J'ai faim. Je veux manger un bon repas.
4. Je n'ai pas envie de rester ici cet été.
5. Je veux devenir riche.
6. Je n'ai plus de nourriture à la maison.
7. J'ai l'intention de devenir médecin.
8. J'ai un baccalauréat, mais je veux continuer mes études.

7.3 *Quel temps fait-il?*

Il fait beau. / Il fait mauvais. / Il fait tempête.

Il fait chaud. / Il fait froid.

Il fait (du) soleil. / Il fait frais.

Il fait sec. / Il fait humide.

Le ciel est bleu et pur. / Le ciel est couvert de nuages.

Les précipitations:	Il pleut (pleuvoir). Il neige (neiger). Il grêle (grêler).
La température:	Combien fait-il? Il fait 25 degrés.
	Il fait combien? Il fait moins 10.

 EXERCICES ORAUX

a. Répondez aux questions.

1. Quel temps fait-il aujourd'hui?
2. Quel temps fait-il au printemps? en été? en automne? en hiver?
3. En hiver, il neige. Et en été?
4. Quel temps fait-il à Miami en été?
5. Quel temps fait-il à Edmonton en hiver?
6. Il fait combien aujourd'hui?
7. En général, combien fait-il en hiver? en été?
8. Est-ce qu'il pleut aujourd'hui?
9. Est-ce qu'il neige?
10. Qu'est-ce que tu fais quand il pleut? quand il y a une tempête?
11. Comment est le ciel aujourd'hui?
12. Quel temps va-t-il faire demain?
13. Est-ce qu'il va pleuvoir demain? Est-ce qu'il va neiger? Est-ce qu'il va grêler?
14. Est-ce qu'il va neiger à Noël?
15. Est-ce qu'il va faire beau pendant la fin de semaine?
16. Est-ce qu'on attrape facilement un rhume quand il fait froid et humide?
17. Est-ce qu'il y a du brouillard en automne?

7.4 Les pronoms interrogatifs *qui* et *quoi* après une préposition

Qui and **quoi** are the interrogative pronouns used as objects of prepositions.

1) **Qui** refers to persons:

   À qui parles-tu? — Je parle à Francine.

   Avec qui sors-tu? — Je sors avec Marcelle.

   À côté de qui es-tu assis(e)? — Je suis assis(e) à côté de Guy.

   À qui penses-tu? — Je pense à mon amie Louise.

2) **Quoi** refers to things:

   À quoi est-ce que tu joues? — Je joue au poker.

   De quoi joues-tu? — Je joue du violon.

   À quoi réfléchis-tu? — Je réfléchis à l'exercice.

   Avec quoi fais-tu la vaisselle? — Je fais la vaisselle avec du savon et une éponge.

 EXERCICES ORAUX

a. Posez la question qui correspond à la réponse donnée.

   Modèle: Elle joue *aux cartes.*
   À quoi joue-t-elle?

1. Je pense *à ma composition.*
2. Nous jouons *du piano.*
3. Ils jouent *au baseball.*
4. Nous parlons *de nos études.*
5. Elles parlent *de leur enseignant.*
6. Je vais téléphoner *à Sylvie.*
7. Les parents pensent *à leurs enfants.*
8. J'ai besoin *d'argent.*
9. Elle a envie *d'une nouvelle robe.*
10. Ils ont besoin *de toi.*
11. Je pense *à toi.*
12. Elles ont peur *du professeur.*
13. On fait du vin *avec du raisin.*
14. Henri sort *avec Jacinthe.*
15. Il fait la vaisselle *avec une éponge.*
16. Elle est assise *derrière Lucien.*
17. Ils comptent *sur leurs amis.*

7.5 *Il y a*

1) **Il y a** (there is/there are) is used to indicate the presence of persons or things. It may be followed by singular or plural nouns:

   Il y a un conférencier dans la salle.

   Il y a des étudiants dans le corridor.

2) To form a question, one may use either **est-ce qu'il y a** or **y a-t-il**:

   Est-ce qu'il y a une caméra dans le centre commercial?

   Y a-t-il un ordinateur dans ta chambre?

3) After **il n'y a pas**, the indefinite and partitive articles all become **de**:

Il y a un arbre dans le jardin. Il n'y a pas **d'arbre**.

Il y a du sucre dans mon café. Il n'y a pas **de** sucre.

 EXERCICES ORAUX

a. Répondez aux questions.

1. Est-ce qu'il y a un tableau dans la classe? une girafe?
une télévision? un professeur? une automobile?

2. Qu'est-ce qu'il y a sur le bureau du professeur?
derrière le professeur? sur le mur? au plafond?

b. Demandez à un(e) autre étudiant(e) s'il y a...

1. un ordinateur dans sa chambre.

2. des illustrations dans ce livre.

3. un sandwich dans son sac à dos.

4. des vampires en Transylvanie.

5. des rhinocéros en Alaska.

6. un bon film à la télé ce soir.

7. des livres intéressants à la bibliothèque.

8. des nuages dans le ciel.

9. un examen demain.

10. des gens sympathiques à l'université.

c. Répondez aux questions.

1. Est-ce qu'il va y avoir un cours de français demain?

2. Est-ce qu'il va y avoir un examen la semaine prochaine?

3. Est-ce qu'il va y avoir beaucoup de gens sur la terre en l'an 2050?

4. Où est-ce qu'il y a des arbres?

5. Où y a-t-il des animaux exotiques?

6. Combien y a-t-il d'étudiants dans la classe?

7. Combien est-ce qu'il y a d'étudiants à l'université?

8. Pourquoi est-ce qu'il y a de la pollution dans les villes?

7.6 *Il faut*

1) The irregular verb **falloir** (to be necessary) is only used with the pronoun **il**. **Il faut** may be followed by a noun or an infinitive:

Il faut du talent pour être artiste.   One needs talent to be an artist.

Il faut travailler pour réussir.   It is necessary to work in order to succeed.

2) The negative form **il ne faut pas** does not mean "it is not necessary" but rather "one must not":

Il ne faut pas fumer dans le centre commercial.

Il ne faut pas avoir peur des difficultés.

3) The expression corresponding to "it is not necessary to" is **il n'est pas nécessaire de**, which is followed by an infinitive:

> **Il n'est pas nécessaire d'**avoir une calculatrice pour faire une addition.

 ## EXERCICES ORAUX

a. Répondez aux questions avec un nom.

> *Modèle:* Qu'est-ce qu'il faut pour réussir?
> *Il faut de l'ambition.*

1. Qu'est-ce qu'il faut pour être un bon étudiant?
2. Qu'est-ce qu'il faut pour être un bon professeur?
3. Qu'est-ce qu'il faut pour être un bon acteur?
4. Qu'est-ce qu'il faut pour être amusant?
5. Qu'est-ce qu'il faut pour être heureux?
6. Combien de personnes faut-il pour avoir un jury?
7. Combien de cartes faut-il pour jouer au poker?
8. Qu'est-ce qu'il faut pour réussir ses études?

b. Répondez aux questions avec un infinitif.

> *Modèle:* Que faut-il faire pour bien dormir? (faire de l'exercice)
> *Il faut faire de l'exercice.*

1. Que faut-il faire pour avoir de bonnes notes? (travailler)
2. Que faut-il faire pour avoir un baccalauréat? (faire des études)
3. Que faut-il faire pour être en forme? (faire du sport)
4. Que faut-il faire pour être heureux? (garder son sens de l'humour)
5. Que faut-il faire pour avoir des amis? (montrer de la générosité)

c. Répondez aux questions d'après le modèle.

> *Modèle:* Qu'est-ce qu'il ne faut pas faire quand on a un rhume? (sortir dans le froid)
> *Il ne faut pas sortir dans le froid.*

Qu'est-ce qu'il ne faut pas faire…

1. quand on a du travail? (regarder la télé)
2. quand on veut être en bonne santé? (fumer)
3. quand on est à l'hôpital? (faire du bruit)
4. quand on veut être économe? (dépenser beaucoup d'argent)
5. quand on est en classe? (dormir)

7.7 Les pronoms personnels objets directs

Personal pronouns change according to their grammatical function in the sentence. Here are the forms of the *direct object pronouns*:

Subject pronouns	*Direct object pronouns*
je	me*
tu	te*
il	le*
elle	la*
nous	nous
vous	vous
ils	les
elles	les

Le, la, les may stand for

1) a proper noun:

   Est-ce que tu admires *Gaston?* — Oui, je *l'*admire.

2) a noun preceded by a definite article (**le, la, les**):

   Attends-tu *l'autobus?* — Je *l'*attends.

3) a noun preceded by a demonstrative adjective:

   Veux-tu *ce livre?* — Je *le* veux.

4) a noun preceded by a possessive adjective:

   Est-ce qu'il écoute *mes* CD? — Oui, il *les* écoute.

A direct object pronoun precedes the verb, even if the verb is in the infinitive and follows another conjugated verb:

Affirmative	*Negative*	*Interrogative (inversion)*
Il **la** regarde.	Il ne **la** regarde pas.	**La** regarde-t-il?
Tu **m'**écoutes.	Tu ne **m'**écoutes pas.	**M'**écoutes-tu?
Nous allons l'acheter.	Nous n'allons pas l'acheter.	Allons-nous l'acheter?
Elle veut **le** jeter.	Elle ne veut pas **le** jeter.	Veut-elle **le** jeter?

* Before a vowel sound, **me** becomes **m'**, **te** becomes **t'**, **le** and **la** both become **l'**: il *m'*écoute, je *t'*entends, nous *l'*emportons.

EXERCICES ORAUX

a. Remplacez les mots en italique par des pronoms.

1. Je prépare *le repas.*
2. Nous aimons *les étudiants.*
3. Ils adorent *ce professeur.*
4. Il trouve *la leçon* intéressante.
5. Vous n'avez pas *votre cahier.*

6. Elle préfère *la musique classique.*
7. Écoutez-vous *la radio?*
8. On étudie *l'anatomie* dans ce cours.
9. Finissez-vous *le travail* bientôt?
10. J'écoute *la conférencière.*

b. Répondez aux questions avec des pronoms, affirmativement et négativement.

Modèle: Aimes-tu le livre?
Oui, je l'aime.
Non, je ne l'aime pas.

1. Achètes-tu le journal?
2. Regardes-tu le film?
3. Explique-t-il le problème?
4. Est-ce que tu tolères le racisme?
5. Finit-elle sa composition?

6. Attend-on l'autobus?
7. Est-ce que vous écoutez vos parents?
8. Aidons-nous les enfants?
9. Est-ce que tu aimes ces exercices?
10. Regrettez-vous cette décision?

c. Formulez la question, selon le modèle.

Modèle: Je regarde la télévision.
La regardes-tu?

1. J'ai le journal d'aujourd'hui.
2. Il quitte sa femme.
3. Vous achetez ce manteau.
4. Ils étudient les sciences sociales.

5. Nous écoutons la nouvelle chanson.
6. Elle sert le diner.
7. Je fais les exercices.
8. On invite les étudiants de première année.

d. Répondez aux questions.

Est-ce que / qu'…

1. tu me regardes?
2. je vous regarde?
3. elle te regarde?
4. nous te regardons?
5. vous me regardez?
6. il me regarde?
7. vous m'écoutez?
8. tu m'écoutes?
9. je t'écoute?
10. vous nous écoutez?

11. nous vous écoutons?
12. ils vous écoutent?
13. vous pouvez m'entendre?
14. tu peux m'entendre?
15. je peux te rencontrer?
16. tu peux me rencontrer?
17. vous pouvez nous rencontrer?
18. nous pouvons vous rencontrer?
19. tu vas m'inviter?
20. je vais vous inviter?

e. Demandez à un(e) autre étudiant(e) s'il / si elle...

> *Modèle:* vous regarde.
>
> *Est-ce que tu me regardes?*

1. vous écoute.
2. vous trouve intelligent(e).
3. vous trouve intéressant(e).
4. veut vous inviter à sortir.
5. peut vous attendre.

6. va vous accompagner à la bibliothèque.
7. vous déteste.
8. vous aime.
9. va vous aider.
10. vient d'arriver en classe.

f. Répondez à la question avec un pronom, affirmativement ou négativement.

> *Modèle:* Viens-tu d'acheter *ce livre?*
>
> *Oui, je viens de l'acheter.*
>
> *Non, je ne viens pas de l'acheter.*

1. Vas-tu regarder *la télévision* ce soir?
2. Faisons-nous *cet exercice?*
3. Manges-tu *ton sandwich* dans la classe?
4. Est-ce que je vais inviter *les étudiants* au restaurant*?*
5. Aimes-tu écouter *les politiciens?*

6. Devons-nous faire *les exercices?*
7. Est-ce que tu fais *la vaisselle?*
8. Rendez-vous *vos livres* à la bibliothèque?
9. Écoutes-tu *la radio?*
10. Est-ce que tu aimes *le rap?*

7.8 Les expressions de quantité

Expressions of quantity are followed by **de** before a noun rather than by the full partitive article. Most may be used with both countable and uncountable nouns:

+ *Uncountable noun (Singular)*	+ *Countable noun (Plural)*
assez de temps (enough)	**assez** d'avocats (enough)
beaucoup de travail (a lot of)	**beaucoup** de projets (many)
combien de sucre? (how much)	**combien** de stylos? (how many)
peu de chance (little)	**peu** de nouvelles (few)
tant de courage (so much)	**tant** de femmes (so many)
trop de chocolat (too much)	**trop** de problèmes (too many)

There are a few special cases:

1) **un peu de** (a little) is used exclusively with uncountable nouns whereas **quelques** (a few) is used only with countable nouns:

> *un peu de* talent / *quelques* amis

2) **quelques** (a few) and **plusieurs** (several) are used only with plural countable nouns; they are not followed by **de** and they have the same form with both masculine and feminine nouns:

> *plusieurs* hommes / *plusieurs* femmes
>
> *quelques* garçons / *quelques* filles

3) **la plupart** (most) is followed by the full partitive article and may be used with either countable or uncountable nouns; the partitive article agrees with whatever follows the expression.

> *la plupart du* temps (most of the time)
>
> *la plupart des* gens (most people)

EXERCICES ORAUX

a. Répondez aux questions.

1. Y a-t-il beaucoup d'étudiants dans la classe?
2. Avez-vous trop de travail?
3. Est-ce qu'il y a assez de travail dans ce cours?
4. As-tu trop d'argent, assez d'argent ou seulement un peu d'argent?
5. Manges-tu assez de fruits?
6. As-tu beaucoup de CD ou seulement quelques CD?
7. Dépenses-tu trop d'argent?
8. As-tu assez de talent pour être acteur / actrice?
9. Est-ce que les étudiants ont trop de loisirs?
10. Est-ce que tu as peu d'imagination?

b. Demandez à un(e) autre étudiant(e) s'il / si elle...

1. a beaucoup de vêtements.
2. a peu d'ambition.
3. mange trop de chocolat.
4. fait assez d'exercices.
5. a besoin d'un peu de chance.
6. veut écouter quelques chansons.
7. aime avoir quelques amis.
8. aime un peu de sucre dans son café.
9. a trop de travaux.
10. fait trop de compositions.
11. n'a pas assez de temps libre.
12. regarde beaucoup de films.

c. Remplacez les tirets par une expression de quantité appropriée.

1. Il faut _____ argent pour faire des études.
2. Il fume _____ cigarettes: ce n'est pas bon pour sa santé.
3. Je n'ai pas _____ ambition pour devenir avocat(e).
4. Aux échecs, il faut _____ patience.
5. C'est un homme admirable: il a _____ courage!

d. Quelle est votre idée d'une vie parfaite?

Il faut avoir
- beaucoup de...
- assez de...
- pas trop de...
- un peu de...
- quelques...
- peu de...

7.9 Noms de profession avec *être*

1) The indefinite article (**un, une, des**) is not used before an unmodified noun indicating a profession after the verbs **être** and **devenir**:

Je suis ingénieur.	Tu vas devenir médecin.
Il est mécanicien.	Elle va être dentiste.
Ils sont étudiants.	Elle veut devenir avocate.

2) If the noun indicating a profession is modified by an adjective, the indefinite article must be used:

Je suis un étudiant brillant.

Elle va devenir une excellente architecte.

3) After **c'est** and **ce sont**, the indefinite article must also be used:

C'est un ingénieur.

C'est une commerçante.

Ce sont des étudiants.

4) When should one use, for instance, **il est architecte** rather than **c'est un architecte** and vice versa? (Both forms may be translated as "He is an architect.")

C'est un architecte is used when one wants to *identify* that person: It answers a question (which may be implied) such as **Qui est-ce?**

Il est architecte is used to *characterize* a person whose identity is known or has been previously stated: It could answer such a question as **Que fait-il dans la vie?**

 EXERCICES ORAUX

a. Employez *c'est (ce sont)* ou *il / elle est (ils / elles sont)*.

Modèles: ingénieur   des fermiers

Il est ingénieur.   *Ce sont des fermiers.*

1. musicienne	9. une commerçante
2. un policier	10. un vendeur
3. une avocate	11. des professeurs
4. un fermier	12. enseignante
5. fermière	13. un enseignant
6. informaticien	14. infirmières
7. des mécaniciens	15. électriciens
8. une pharmacienne	16. une informaticienne

b. Changez la phrase selon les modèles.

Modèles: Il est plombier. (mauvais) Elles sont architectes. (bonnes)
C'est un mauvais plombier. *Ce sont de bonnes architectes.*

1. Elle est infirmière. (jeune)
2. Ils sont médecins. (excellents)
3. Elle est directrice de banque. (compétente)
4. Il est psychiatre. (prudent)
5. Il est musicien. (extraordinaire)
6. Elles sont avocates. (dynamiques)
7. Elle est traductrice. (intelligente)
8. Ils sont dentistes. (nouveaux)

c. Répondez à la question "Qui est-ce?" selon le modèle.

Modèle: Madame Dufresne / musicienne / excellente
C'est Madame Dufresne. Elle est musicienne. C'est une excellente musicienne.

1. Paul Charest / plombier / qualifié
2. Hélène / infirmière / remarquable
3. l'amie de mon frère / étudiante / brillante
4. mon voisin / informaticien / brillant.
5. Monsieur Desrochers / enseignant / dévoué
6. Madame Larue / psychiatre / bonne

7.10 *C'est, Ce sont; Il / Elle est; Ils / Elles sont*

1) **C'est, Ce sont**

+ **article** + **nom** (avec ou sans adjectif)
C'est le livre de Jean.
C'est une table.
C'est une jeune femme.
Ce sont des cahiers.
C'est un étudiant intelligent.

+ **nom propre**
C'est Hélène.
C'est Mme Bertrand.
Ce sont les Morel.

2) **Il / Elle est; Ils / Elles sont**

+ **nom de profession** (sans article)
Il est pilote.
Elles sont vendeuses.

+ **préposition** + **nom**
Elle est sur la table.
Il est à Toronto.
Ils sont dans l'appartement.

+ **adjectif** (sans nom)
Elle est pratique.
Ils sont jeunes.
Il est intelligent.

EXERCICES ORAUX

a. Employez *C'est (Ce sont)* ou *Il / Elle est (Ils / Elles sont)*.

1. _____ une calculatrice; _____ très utile.
2. _____ Marc Bellac; _____ un jeune architecte; _____ à Montréal.
3. _____ une enseignante; _____ amusante.
4. _____ des outils; _____ dans le studio.
5. _____ les Duval; _____ sympathiques; _____ à côté des Marchand.
6. _____ des psychologues compétents; _____ à l'université.

EXERCICES ÉCRITS

a. Remplacez les tirets par la forme correcte du verbe entre parenthèses.

1. (Sentir) _____ -vous cette bonne odeur?
2. Marcel et Hélène (sortir) _____ ce soir?
3. Je ne (mentir) _____ pas à mes amis.
4. Nous (partir) _____ pour New York demain.
5. Elle (dormir) _____ dix heures par nuit.

b. Répondez aux questions.

1. À quelle heure sors-tu de chez toi le matin?
2. À quelle heure sortons-nous de la classe?
3. À quelle heure part l'autobus pour le centre-ville?
4. Est-ce que tu mens parfois à tes employeurs?
5. Est-ce que les criminels mentent à la police?
6. Qu'est-ce qui sent bon? mauvais?
7. Qu'est-ce qu'on sent quand on entre dans la cuisine?
8. Est-ce que tu sers du vin à tes invités?

c. Complétez les phrases en employant une expression appropriée avec faire: *faire des affaires, faire la cuisine, faire la guerre, faire l'amour, faire des mathématiques.*

1. Les soldats _____.
2. Cet étudiant _____.
3. Les banquiers _____.
4. Les amoureux _____.
5. Ce gourmet _____.

d. Répondez aux questions.

1. Faites-vous du sport? Quel(s) sport(s)?
2. Aimes-tu faire la cuisine?
3. Que fais-tu à l'université?
4. Qu'est-ce que tu aimes faire le dimanche?
5. Combien de kilomètres fais-tu en auto par semaine?

e. Répondez aux questions avec *deux* expressions sur le temps pour chaque réponse.

1. Quel temps fait-il en été?
2. Quel temps fait-il aujourd'hui?
3. Quel temps fait-il en hiver?
4. Quel temps va-t-il faire demain?

f. Posez la question qui correspond à la réponse donnée.

1. Nous avons besoin *d'amour.*
2. Je sors *avec Hugo.*
3. Elle a envie *de vacances.*
4. Yvette pense *à sa mère.*
5. Ils jouent *au tennis.*
6. Elles parlent *de politique.*

g. Répondez aux questions par des phrases complètes. Employez *Il y a* ou *Il n'y a pas.*

1. Y a-t-il des acteurs dans un film?
2. Est-ce qu'il y a du bruit dans une bibliothèque?
3. Est-ce qu'il y a de la bière dans un cocktail?
4. Y a-t-il des gens sur la planète Mars?
5. Y a-t-il des arbres dans la classe?

h. Choisissez une des expressions de la liste suivante pour compléter les phrases: *travailler, manger des fruits, écouter avec attention, mentir, dormir.*

1. Dans la classe, il faut _____.
2. Quand on est fatigué, il faut _____.
3. Quand on est très riche, il n'est pas nécessaire de _____.
4. Quand on veut être honnête, il ne faut pas _____.
5. Pour avoir assez de vitamines, il faut _____.

i. Répondez aux questions.

1. Pourquoi faut-il faire du sport?
2. Quand faut-il porter un manteau?
3. Quelles qualités faut-il avoir pour être heureux?
4. À quelle heure faut-il venir en classe?
5. Où faut-il aller quand on veut rencontrer des gens?
6. Que faut-il porter quand on va à la plage?
7. Où faut-il aller quand on est très malade?
8. Où faut-il aller quand on a mal aux dents?

j. Remplacez les mots en italique par des pronoms.

1. L'étudiant fait *son devoir.*
2. Elle espère gagner *le championnat.*
3. Nous comptons avoir *nos vacances* en juillet.
4. Je n'ai pas envie de manger *cette salade.*
5. Ils n'ont pas besoin de faire *ces exercices.*
6. Elle admire *Roberta Bondar.*
7. Nous allons attendre *Marcelle* à la gare.
8. Trouvez-vous *ce livre* intéressant?
9. Regardes-tu *ce film?*
10. Il fait *sa composition.*
11. Ils mangent *la soupe.*
12. Elle achète *notre voiture.*
13. Je finis *ce travail.*
14. Elle attend *Pierre.*
15. Je n'entends pas *ce bruit.*
16. Je n'aime pas *ce professeur.*
17. Il aime *Sonia.*

k. Répondez d'après le modèle.

Modèle: Est-ce que tu m'écoutes?
Oui, je t'écoute.

1. Est-ce que je te regarde?
2. Écoutons-nous la radio?
3. Est-ce que vous voulez m'inviter?
4. Irma veut-elle cette robe?
5. Est-ce que je dois t'écouter?
6. Espères-tu vendre ton vieil ordinateur?
7. Comptez-vous nous rencontrer demain?
8. Allons-nous finir nos études?
9. Est-ce qu'il faut faire cet exercice?
10. Peux-tu me donner ce livre?

l. Remplacez les tirets par une expression de quantité appropriée: *beaucoup de, trop de, tant de, un peu de, quelques, peu de*.

1. Tu vas être malade: tu manges _____ chocolat.
2. C'est merveilleux: tu as _____ chance!
3. Les gens pauvres ont _____ argent.
4. Les gens riches ont _____ argent.
5. Il faut avoir au moins _____ patience.
6. Je ne désire pas des choses extraordinaires: je veux seulement avoir _____ amis.

m. Employez *C'est (Ce sont)* ou *Il / Elle est (Ils / Elles sont)*.

1. _____ un vieux médecin; _____ à l'hôpital Saint-Vincent; _____ fatigué.
2. _____ Olivier; _____ un nouvel étudiant; _____ dans ma classe.
3. _____ la mère de Jean; _____ infirmière.
4. _____ mon copain; _____ gentil.
5. _____ une excellente enseignante; _____ dynamique.
6. _____ électriciens; _____ dans la maison.

Lecture

"Partout, il y a de la place pour tout le monde"

© Nejron Photo/Shutterstock.com

Il n'existe aucun nom de métier qui ne peut être féminisé. Insensé donc de croire que certaines professions sont réservées aux hommes.

Le 18e gala national du concours Chapeau, les filles! et son volet Excelle Science récompense des femmes ayant emprunté la voie d'une carrière traditionnellement masculine.

Des 56 lauréates, cinq vivent en Estrie. Parmi celles-ci, Christine Morin qui travaille comme soudeuse-monteuse chez BRP depuis près d'un an. Passionnée depuis des lustres par la soudure grâce à son grand-père, elle a toutefois muselé son ambition pour se diriger vers un domaine plus conventionnel, celui de la physiothérapie.

"J'ai eu des emplois que j'aimais plus ou moins. Je savais que je ne voulais pas faire ça jusqu'à ma retraite, je me suis dit que j'allais changer un jour. J'ai gardé l'oeil ouvert jusqu'à il y a deux ans où l'opportunité de formation en soudage-montage en alternance travail-études chez BRP s'est présentée", raconte la lauréate du Prix de la Fédération des commissions scolaires du Québec.

Ce qu'elle répond à ceux qui s'interrogent sur son choix de métier : "Ce que j'aime, c'est vraiment de pouvoir créer. Avec une soudeuse à la maison, il y a 1000 possibilités. J'ai fait un trailer et un foyer extérieur. J'aime beaucoup bouger, rester en arrière d'un bureau c'est un peu difficile pour moi. Je travaille encore de mes mains, mais d'une autre façon."

Elle ne croit pas que le domaine de la soudure soit réservé aux hommes.

"Partout, il y a de la place pour tout le monde. Les hommes avec qui j'ai fait mes cours étaient super gentils et on s'aidait autant d'un côté comme de l'autre. Je ne me suis jamais sentie rejetée."

Exode urbain

De son côté, Geneviève Martel a quitté le travail de bureau de Montréal pour aller s'installer en campagne à Bonsecours. Son mari s'est fait offrir un emploi sur une ferme locale, mais c'est finalement Geneviève qui sautera sur l'occasion, un saut qui lui vaudra le prix Esprit d'entreprise.

"Je me suis toujours dit que je voulais une poule pour mes oeufs, une chèvre pour mon lait... Quand j'ai trouvé un emploi sur une ferme, j'ai su que c'était ma place", raconte-t-elle.

Conciliant travail, famille, loisirs et études, elle est parvenue à compléter son DEP en production animale. Après trois ans, elle prendra le flambeau de la Ferme des miracles puisque les propriétaires quittent partiellement pour la retraite.

"On dirait que c'était un rêve inatteignable, là je suis rendue. Je me sens prête", indique-t-elle.

À toutes les jeunes femmes qui voudraient se lancer dans un domaine traditionnellement masculin, elles émettent ces conseils : "Osez le faire. Je me sens bien parce que je suis bien dans mon choix. Les proches peuvent réagir, mais ils finissent par changer d'idée parce qu'ils nous voient heureuses dans ce qu'on fait. Il faut le faire pour soi-même et pas pour les autres", mentionne Christine Morin.

"Ne pas lâcher prise, parce que quand on veut on peut. Quand on veut, on trouve toujours des solutions. Ce n'est pas parce que le chemin n'est pas tracé qu'on ne peut pas le faire nous-mêmes", ajoute Geneviève Martel.

Article d'Ismael Toulouse, extrait du journal *La Tribune*

avec	with	garder l'oeil ouvert	to stay on the look out
(s') aider	to help one another	gentil, gentille	nice
ajouter	to add	grâce à	thanks to
après	after	grand-père (m.)	grandfather
arrière: en — de	behind	inatteignable	unattainable
aucun (e)	none, not any	insensé (e)	crazy, foolish
autant	as much	(s')installer: aller —	to move
autre	other	(s')interroger	to wonder
bien	well	jamais	never
bouger	to move, to be active	jusqu'à	until
ça	that	là	there; now
campagne (f.)	country(side)	lâcher prise	to let go, to give up
chapeau	hats off	lait (m.)	milk
chemin (m.): tracer un —	to clear a path	(se) lancer	to venture
chèvre (f.)	she-goat	loisir (m.)	leisure (activity)
chez	at	lustres: depuis des —	for ages
choix (m.)	choice	mais	but
comme	as, like	maison (f.)	house
commission (f.) scolaire	school board	mari (m.)	husband
concours (m.)	competition	métier (m.)	trade
conseil (m.)	advice	museler	to muzzle
côté (m)	side	nom (m.)	name
cours (m.)	course; studies	oeuf (m.)	egg
créer	to create	offrir	to offer
croire	to believe	oser	to dare
DEP (m.)	diploma of professional studies	parmi	among
depuis	for, since	parvenir (parvenu)	to manage
(se) dire (dit)	to say, to tell	partout	everywhere
(se) diriger vers	to gravitate towards	peu: un —	a little
		place (f.)	room
donc	therefore	plus ou moins	more or less
émettre	to give	poule (f.)	hen
emploi (m.)	job	prendre le flambeau	to take over (carry the torch)
emprunter la voie	to take the path		
entreprise (f.): esprit d'—	entrepreneurship	près de	nearly
esprit (m.)	mind, spirit	prêt (e)	ready
Estrie	Eastern Townships	prix (m.)	prize
exode (m.) urbain	migration from urban to rural areas	proches (m. pl.)	family and friends
		propriétaire (m./ f.)	owner
façon (f.)	way	puisque	since
féminiser	to put into the feminine	quand on veut on peut	where there's a will, there's a way
ferme (f.)	farm	quitter	to leave
fille (f.)	girl	raconter	to tell
formation (f.)	training	réagir	to react
foyer (m.)	fireplace	récompenser	to reward

rejeter	to reject	**soudure** (f.)	welding
rendu(e): être —	to have gotten there	**sur**	on, about
répondre	to answer, to reply	**toujours**	always
rester	to stay	**tous, toutes**	all
retraite (f.)	retirement	**tout le monde**	everybody
sauter sur l'occasion	to jump at the opportunity	**toutefois**	however
		trouver	to find
savoir (su)	to know	**vivre**	to live
(se) sentir	to feel	**volet** (m.)	component, part
soi-même	oneself	**vraiment**	really, truly
soudeuse-monteuse (f.)	welder-fitter		

QUESTIONS

1. Est-il raisonnable de penser que certaines professions sont réservées aux hommes?
2. Qui est-ce qu'on récompense au gala national?
3. Quel est le métier de Christine Morin?
4. Depuis quand est-elle passionnée par ce métier et pourquoi?
5. Avant ce métier, quel était son domaine de travail?
6. Pourquoi est-ce qu'elle a changé de métier?
7. Quelle opportunité s'est présentée?
8. Qu'est-ce qui est satisfaisant pour elle dans son nouveau métier?
9. Est-ce qu'elle est rejetée par les hommes dans son nouveau métier?
10. Où est-ce que Geneviève Martel est installée et quel est son nouveau travail?
11. Quel diplôme a-t-elle?
12. Quels sont ses projets?
13. Quels conseils donnent-elles aux autres jeunes femmes?
14. Pourquoi ne faut-il pas abandonner ses projets?

SITUATIONS – CONVERSATIONS

1. Vous voulez passer une année dans une université québécoise. Vous parlez de vos projets à un(e) ami(e) qui étudie à cette université. Posez des questions, demandez des renseignements à votre ami(e).
   — Comment sont les professeurs? les cours? les étudiants?
   — Pouvez-vous trouver des cours dans votre domaine de spécialisation?
     Y a-t-il beaucoup d'examens?
   — Les classes sont-elles petites ou grandes? Les contacts entre les étudiants et les professeurs sont-ils faciles?
   — Pourquoi votre ami(e) est-il / elle à cette université?

2. Qu'est-ce que vous étudiez? Pourquoi? Quelle est votre matière préférée? Que pensez-vous du système universitaire en général? Comment trouvez-vous les méthodes d'enseignement? Partagez-vous la mentalité des autres étudiants?

3. Exposez vos projets d'avenir. Quelle profession allez-vous choisir? Quelles études devez-vous faire? Quels cours devez-vous suivre?

Je veux devenir vendeur / vendeuse, directeur / directrice de banque, enseignant / enseignante, médecin, dentiste, psychiatre, psychologue, travailleur / travailleuse social(e), professeur(e), architecte, notaire, avocat / avocate, infirmier / infirmière, ingénieur / ingénieure, pilote d'avion.

Je dois faire un baccalauréat, une maitrise, un doctorat, un diplôme spécialisé, un stage (avocat / avocate, expert-comptable / experte-comptable), un internat (médecin, psychiatre).

Je dois suivre des cours de français, d'anglais, d'allemand, d'espagnol, de littérature, de philosophie, de psychologie, de sociologie, d'économie, de sciences politiques, d'histoire, de géographie, de chimie, de physique, de biologie, de mathématiques, d'informatique, d'administration, de comptabilité, de finance, de droit.

COMPOSITIONS

1. Vous faites des études: parlez de vos joies et de vos frustrations, des avantages et des inconvénients, de vos rapports avec les professeurs et avec les autres étudiants.

2. Comment organisez-vous votre programme d'études? Quelles sont les matières que vous étudiez? Quels sont vos cours? Comment travaillez-vous et où? Qu'est-ce que vous préférez étudier et pourquoi?

3. Quand on est étudiant, qu'est-ce qu'il faut faire? Qu'est-ce qu'il ne faut pas faire? Qu'est-ce qu'il n'est pas nécessaire de faire?

4. Qu'est-ce que vous voulez devenir? Qu'est-ce que vous devez étudier pour exercer cette profession?

 ## PRONONCIATION   ((•—[Listen on **myfrenchlab**

(Students and instructors can listen to the audio track for this exercise on MyFrenchLab.)

I. Comment reconnaitre (reconnaître) les voyelles nasales?

A vowel is *nasal* when followed by **n** or **m** in three instances:

1) vowel + **n** or **m** at the end of a word:
    maison, main, paysan, brun

2) vowel + **n** or **m** + final consonant (unpronounced):
    chantons, devant, saint

3) vowel + **n** or **m** + pronounced consonant:
    manche, lundi, ombre, imparfait

A vowel is *not nasal* when followed by **n (nn)** or **m (mm)** + vowel (pronounced or silent):
femme, pardonner, aimer, plume, inutile, imaginer

Exception: At the beginning of a word, **en** and **em** are always nasal:

emporter, emmener, entendre, enfant

Répétez:

1. fin / fine   son / sonne
   bon / bonne   nain / naine
   don / donne   pan / panne

2. inutile / indien   anis / année
   amener / amputer inné / indiscret
   image / impropre   amour / ampoule

3. marchand / marchande maint / mainte
   blond / blonde   long / longue
   adolescent / adolescente parent / parente
   atteint / atteinte   étudiant / étudiante

II. Le son /r/ — r + voyelle — consonne + r

(Back of the tongue raised towards the soft palate; tip of the tongue against the lower front teeth.)

Répétez d'après le modèle:

1. le gant / le rang / le grand le gout / le roux / grouiller
   le gond / le rond / gronder le gave / la rave / grave
   le gain / le rein / grincer

2. rincer rage rive robe réfléchir retirer ronce rang
   rein radis riz rot rébus redire ronge ranci
   éreinté rave rideau rôder récif repu rond ramper

3. gras / gris / gros / grue / gré / grand / gronder / grincer
   cri / cru / croute (croûte) / crasse / craie / cran / crin
   pré / pris / proue / prends / produit / pratique
   bras / briser / brouter / bru / brandir / brin
   drap / drôle / dru
   très / trou / tronc / train

MyFrenchLab Visit MyFrenchLab to access additional resources such as audio exercises, the *Cahier de laboratoire*, and web destinations.

CHAPITRE 8

© Kadmy/Fotolia.com

Les sports

MyFrenchLab

Visit MyFrenchLab to access additional resources, including

- *Cahier de laboratoire*
- Self-grading assessments
- Audio exercises
- Grammar primers and tutorials

Thèmes

- Les sports et l'équipement
- La place des sports dans ma vie
- Mes sports favoris
- Les sports d'hiver
- Mes activités au passé
- Exprimer le temps passé

Grammaire

8.1 Les verbes irréguliers *prendre* et *mettre*

8.2 Les pronoms objets indirects

8.3 Les verbes irréguliers *savoir* et *connaitre*

8.4 Le passé composé avec *avoir*

8.5 *Il y a* + une expression de temps

8.6 Le pronom relatif *où*

8.7 L'adjectif *tout*

Lecture

Toutes les raisons de courir

VOCABULAIRE UTILE

Noms

arbitre (m.)	referee	**partie** (f.)	game, match
ballon (m.)	ball	**patin** (m.)	skate
bicyclette (f.)	bicycle	**pente** (f.)	slope
cadeau (m.)	present, gift	**piste** (f.)	trail; run
candidature (f.)	application	**progrès** (m.)	progress
casque (m.)	helmet	**raquette** (f.)	racket; snowshoe
casquette (f.)	cap	**règle** (f.)	rule
champion, championne	champion	**règlement** (m.)	regulation
coéquipier, coéquipière	team mate	**renseignement** (m.)	piece of information
course (f.)	race; running	**saut** (m.)	jump
descente (f.)	way down; descent; downhill	**ski** (m.)	ski; skiing
		ski de fond (m.)	cross-country skiing
entrainement (entraînement) (m.)	training, practice	**ski alpin** (m.)	downhill skiing
		vélo (m.)	bicycle

Noms (suite)

entraineur(euse) (entraîneur)	coach
équipe (f.)	team
équipement (m.)	equipment
fois (f.)	time
gant (m.)	glove
glace (f.)	ice
gymnastique (f.)	gymnastics
indice (m.)	clue
joueur, joueuse	player
maillot de bain (m)	swimming trunks; swimsuit
moniteur, monitrice	instructor
montagne (f.)	mountain
motoneige (f.)	skidoo, snowmobile
neige (f.)	snow
partenaire (m./f.)	partner

Adjectifs

blessé(e)	injured
dernier, dernière	last
gagnant(e)	winning; winner
sage	good; wise; well-behaved

Verbes

descendre	to come down, to go down
donner	to give
(s')entrainer (entraîner)	to train
gagner	to win
patiner	to skate

Expressions

question: poser une —	to ask a question
visite: rendre — à	to visit (someone)

GRAMMAIRE ET EXERCICES ORAUX

8.1 Les verbes irréguliers *prendre* et *mettre*

Présent de l'indicatif

prendre (to take)		mettre (to put/to put on/to set)	
je	prends	je	mets
tu	prends	tu	mets
il / elle / on	prend	il / elle / on	met
nous	prenons	nous	mettons
vous	prenez	vous	mettez
ils / elles	prennent	ils / elles	mettent

The imperative forms of **prendre** and **mettre** are regular.

Apprendre (to learn) and **comprendre** (to understand) are conjugated like **prendre**.

Permettre (to allow/to permit), **promettre** (to promise) and **soumettre** (to submit) are conjugated like **mettre**.

Exemples:	*Je prends des leçons de ski.*	I am taking ski lessons.
	Prenez votre temps.	Take your time.
	Nous apprenons le judo.	We are learning judo.
	Je ne comprends pas pourquoi.	I do not understand why.
	Elle met un maillot de bain.	She puts on a swimsuit.
	Mets les balles sur la table.	Put the balls on the table.
	Je vais mettre la table.	I am going to set the table.

✳ Note

The following constructions with **permettre, promettre,** and **soumettre:**

1) **Ils permettent *à* leurs enfants *de* faire de l'alpinisme.**

   They allow their children to go mountain-climbing.

   Elle promet *à* son père *de* remporter la médaille d'or.

   She promises her father that she is going to win the gold medal.

2) **Je soumets un travail *au* professeur.**

   I am submitting an assignment to the professor.

   Ils promettent une récompense *à* Paul.

   They are promising Paul a reward.

EXERCICES ORAUX

a. Mettez les verbes au présent.

prendre

1. Je _____ l'autobus.
2. Tu _____ tes skis.
3. Il _____ sa raquette.
4. Elle _____ ses patins.

5. Nous _____ nos gants.
6. Vous _____ vos balles.
7. Ils _____ leur équipement.
8. Elles _____ leur temps.

mettre

9. Je _____ mon chapeau.
10. Tu _____ ton chandail.
11. Il _____ sa casquette.
12. Elle _____ son maillot de bain.

13. Nous _____ nos souliers.
14. Vous _____ vos gants.
15. Ils _____ leurs lunettes.
16. Elles _____ leurs patins.

b. Composez des phrases avec les éléments des trois colonnes.

je	apprendre	une récompense
l'équipe	comprendre	à jouer au hockey
les joueurs	mettre	les règles du jeu
la monitrice	promettre	une pause
les enfants	prendre	de gagner la partie
nous		de faire beaucoup d'efforts
		à faire du vélo
		la décision de l'arbitre

c. Dites à un(e) autre étudiant(e)…

Modèle: de prendre ses skis.
Prends tes skis.

1. de ne pas mettre de tuque.
2. d'apprendre les règles du jeu.
3. de ne pas mettre son imperméable.

4. de prendre du repos.
5. de ne pas mettre la table.
6. de promettre une récompense aux gagnants.

d. Posez la question à un(e) autre étudiant(e).

1. Quels vêtements mets-tu en hiver? en été?
2. Prends-tu un gant pour jouer au baseball?
3. Combien de langues apprends-tu?
4. Comprends-tu l'espagnol? l'allemand? le russe? le japonais?
5. Vas-tu prendre des vacances cet été?
6. Quand devons-nous soumettre une composition au professeur?
7. Est-ce que tu promets à tes coéquipiers de faire des efforts?

e. Répondez selon le modèle.

> *Modèle:* J'apprends l'arabe. Et vous?
> *Nous apprenons l'arabe aussi.*

1. Les joueurs font une pause. Et l'arbitre?
2. Henri met ses patins. Et ses amis?
3. Nous comprenons ce poème. Et toi?
4. L'entraineur a promis d'être patient. Et les joueurs?
5. Je soumets ma candidature. Et vous?
6. Ils apprennent les règles du jeu. Et Sylvain?

8.2 Les pronoms objets indirects

Subject pronouns	Indirect object pronouns
je	me
tu	te
il	lui
elle	lui
nous	nous
vous	vous
ils	leur
elles	leur

1) The indirect object pronouns **lui** and **leur** stand for a noun indicating a person preceded by the preposition **à**:

> Vas-tu parler *au professeur?* — Oui, je vais *lui* parler.
>
> Est-ce qu'il répond *aux étudiants?* — Oui, il *leur* répond.
>
> Téléphones-tu *à Sylvie?* — Oui, je *lui* téléphone.

2) Like direct object pronouns, indirect object pronouns precede the verb, even when the verb is in the infinitive and follows another conjugated verb:

Affirmative	*Negative*	*Interrogative (inversion)*
Il *nous* parle.	Il ne *nous* parle pas.	*Nous* parle-t-il?
Tu *lui* téléphones.	Tu ne *lui* téléphones pas.	*Lui* téléphones-tu?
Elle doit *leur* obéir.	Elle ne doit pas *leur* obéir.	Doit-elle *leur* obéir?

 EXERCICES ORAUX

a. Remplacez les mots en italique par un pronom objet indirect.

1. Je téléphone *à Jacques.*
2. Ils parlent *aux joueurs.*
3. Nous obéissons *à l'arbitre.*
4. J'explique la leçon *à mon camarade.*
5. Tu adresses la lettre *à la monitrice.*
6. Il parle *à ses athlètes.*

7. Tu vas donner ton numéro
   à l'instructrice.

8. Vous répondez *au professeur.*

9. Pierre demande un renseignement
   à Jeanne.

10. Il va répéter les règles *aux joueurs.*

11. Paul achète des fleurs *à la gagnante.*

12. Je donne un examen *à mes élèves.*

13. Il achète des fruits *aux enfants.*

14. Daniel va donner le livre *à Louise.*

15. Il va téléphoner *à l'arbitre.*

16. Philippe aime donner des conseils *à ses amis.*

17. Je veux acheter une raquette
    à mon partenaire.

18. Il espère passer le ballon *à son coéquipier.*

b. Répondez aux questions.

Est-ce que / qu'...

1. tu me parles?

2. je te parle?

3. tu lui parles?

4. il te parle?

5. tu me téléphones?

6. je te téléphone?

7. elle te téléphone?

8. tu lui téléphones?

9. je te réponds?

10. tu me réponds?

11. vous nous répondez?

12. nous vous répondons?

13. vous nous téléphonez?

14. nous vous téléphonons?

15. vous nous promettez d'être sages?

16. ils vous promettent de revenir?

17. je vous permets d'entrer?

18. vous lui permettez de partir?

19. tu veux me parler?

20. elle veut te parler?

21. vous voulez me parler?

22. nous voulons lui parler?

23. vous devez m'obéir?

24. nous devons lui obéir?

25. ils doivent t'obéir?

26. je peux te téléphoner?

27. tu peux me téléphoner?

28. nous pouvons vous téléphoner?

29. vous pouvez nous téléphoner?

c. Posez la question selon le modèle.

Modèle: Je leur téléphone.

Est-ce que tu leur téléphones? / Leur téléphones-tu?

1. Il me téléphone.

2. Ils m'obéissent.

3. Elle nous parle.

4. Je lui obéis.

5. Elle me donne un chèque.

6. Il nous permet de sortir.

7. Je vais lui téléphoner ce soir.

8. Nous préférons leur téléphoner.

9. Elle veut m'acheter une cravate.

10. Il doit nous répondre demain.

d. *Qu'est-ce que tu fais quand...?* Répondez à la question selon le modèle.

Modèle: Qu'est-ce que tu fais quand le professeur te pose une question? (répondre)

Je lui réponds.

Qu'est-ce que tu fais quand...

1. un ami a mal à la tête? (donner une aspirine)

2. tu ne comprends pas le professeur? (poser une question)

3. le chef d'équipe donne un ordre? (obéir)
4. tu rends visite à tes grands-parents? (apporter un cadeau)
5. tes copains te rendent visite? (servir du café)
6. une amie te demande de l'argent? (faire un chèque)

8.3 Les verbes irréguliers *savoir* et *connaitre (connaître)*

Présent de l'indicatif

	savoir	connaitre
je	sais	connais
tu	sais	connais
il / elle / on	sait	connait
nous	savons	connaissons
vous	savez	connaissez
ils / elles	savent	connaissent

The imperative of **connaitre** is regular; the imperative forms of **savoir** are **sache, sachons, sachez**. Both **savoir** and **connaitre** mean "to know"; however, they are used differently and are not interchangeable:

1) **Connaitre** means to know (to be acquainted with or to be familiar with) a person or a place:

> Je connais Claire Dubé.
> Il connait bien Winnipeg.
> Connais-tu ce restaurant?

2) **Savoir** means to know facts, to be informed about something:

> Je sais la conjugaison du verbe être.
> Elle ne sait pas mon nom.

3) **Savoir** may be followed by an infinitive or a subordinate clause introduced by **que** (that), but not **connaitre**:

> Je sais patiner.
> Nous savons qu'il est malade.

✳ Note

"Can" in English is sometimes used as an equivalent for "to know how to," in which case it corresponds to *savoir* in French. Compare:

Elle *sait* nager.	She can swim. (She knows how to swim.)
Elle *peut* nager longtemps.	She can swim a long time. (She is able to...)

EXERCICES ORAUX

a. Répondez aux questions.

1. Savez-vous la date du match de boxe?
2. Savez-vous l'adresse du professeur?
3. Sais-tu le numéro de téléphone du centre sportif?
4. Sais-tu jouer au hockey?
5. Sais-tu jouer de la guitare?
6. Savez-vous parler espagnol?
7. Sais-tu faire la cuisine?

b. Répondez aux questions.

1. Connais-tu la Nouvelle-Écosse?
2. Connais-tu la Floride?
3. Connaissez-vous les montagnes Rocheuses?
4. Est-ce que tes parents me connaissent?
5. Connaissez-vous la musique de Mozart?
6. Connais-tu bien Détroit?
7. Connais-tu tous les joueurs de l'équipe?

c. Demandez à un(e) autre étudiant(e) s'il / si elle...

1. sait nager.
2. sait faire du ski.
3. sait jouer aux échecs.
4. sait faire la cuisine.
5. connaît Québec.
6. connaît Londres.
7. connaît les livres de Mordecai Richler.
8. connaît un bon médecin.

d. Employez *savoir* ou *pouvoir*, selon le contexte.

1. Une mécanicienne _____ réparer une voiture.
2. Nous _____ faire du sport en hiver.
3. Un bon athlète _____ nager pendant trois heures.
4. Ce bébé a dix mois et il _____ déjà marcher.
5. Ce joueur blessé ne _____ pas marcher très vite.

e. Répondez aux questions selon le modèle.

> *Modèle:* Connais-tu Hélène Richard? (pas très bien / être étudiante)
> *Je ne la connais pas très bien, mais je sais qu'elle est étudiante.*

1. Connais-tu le professeur Marceau? (pas personnellement / être un bon professeur)
2. Connais-tu le père de Jean? (pas bien / être architecte)
3. Est-ce que tes parents connaissent Christiane? (pas / être étudiante)
4. Connaissez-vous l'Ile de Vancouver? (pas / être un très bel endroit)
5. Connais-tu les romans de Margaret Atwood? (pas du tout / avoir du succès)

8.4 Le passé composé avec *avoir*

1) The **passé composé** is used to indicate that an action or situation occurred in the past. It corresponds to both the simple past (I ate) and the present perfect (I have eaten) in English.

2) The **passé composé** is formed by using the present tense of an auxiliary verb (**avoir** or **être**) followed by the past participle of the verb. For most verbs, the auxiliary verb which is used is **avoir**.

3) The past participle of regular verbs consists of the stem plus an ending. The endings for the three regular verb groups are as follows:

Group	Infinitive	Stem	Ending
1. -er	manger	mang-	-é
2. -ir	finir	fin-	-i
3. -re	attendre	attend-	-u

Passé composé

j'	ai **mangé**	ai **fini**	ai **attendu**
tu	as **mangé**	as **fini**	as **attendu**
il / elle / on	a **mangé**	a **fini**	a **attendu**
nous	avons **mangé**	avons **fini**	avons **attendu**
vous	avez **mangé**	avez **fini**	avez **attendu**
ils / elles	ont **mangé**	ont **fini**	ont **attendu**

4) In the negative, **ne** precedes **avoir** and **pas** follows it:

Il *n*'a *pas* répondu à ma question.

5) In a question with inversion, the subject pronoun follows the form of **avoir**:

As-tu parlé à l'arbitre?
Ton coéquipier a-t-il téléphoné?

6) The direct and indirect object pronouns precede **avoir**:

Il m'a regardé.
Elle ne lui a pas téléphoné.
Leur ont-ils répondu?

7) Here are the past participles of the irregular verbs that were presented in previous chapters and that take **avoir** as an auxiliary verb:

avoir	j'ai **eu**	pouvoir	j'ai **pu**
connaitre	j'ai **connu**	prendre†	j'ai **pris**
devoir	j'ai **dû**	savoir	j'ai **su**
être	j'ai **été**	vouloir	j'ai **voulu**
faire	j'ai **fait**	falloir (il faut)	il a **fallu**
mettre*	j'ai **mis**	pleuvoir (il pleut)	il a **plu**

For verbs conjugated like **dormir (mentir, sentir, servir)**, add the ending **-i** to the stem: **j'ai dormi, j'ai menti, j'ai senti, j'ai servi.**

* promettre: *promis*; permettre: *permis*; soumettre: *soumis*

† apprendre: *appris*; comprendre: *compris*

EXERCICES ORAUX

a. Mettez au passé composé.

-er	-ir	-re
1. Je demande.	11. Elle réfléchit.	21. Il attend.
2. Il écoute.	12. Vous obéissez.	22. Tu perds.
3. Nous regardons.	13. Ils démolissent.	23. Nous entendons.
4. Vous donnez.	14. Elles fleurissent.	24. Vous vendez.
5. Ils mangent.	15. Nous réussissons.	25. Ils rendent.
6. Tu parles.	16. Il grossit.	26. Nous répondons.
7. Il trouve.	17. Ils vieillissent.	27. Ils vendent.
8. Elles acceptent.	18. Je finis.	28. Elle rend.
9. Vous refusez.	19. Tu choisis.	29. Nous attendons.
10. Nous marchons.	20. Vous établissez.	30. Ils perdent.

b. Mettez à la forme négative.

Modèle: J'ai joué au soccer.

Je n'ai pas joué au soccer.

1. Il a invité des camarades.
2. Ils ont regardé le match à la télé.
3. J'ai puni les joueurs.
4. Nous avons obéi à la monitrice.
5. Elle a fini son entrainement.
6. Tu as rougi.
7. Vous avez attendu le signal.
8. Il a vendu sa motoneige.
9. J'ai répondu à la question.
10. Nous avons vendu nos skis.

c. Mettez à la forme interrogative. Employez l'inversion.

Modèle: Vous avez mangé.

Avez-vous mangé?

1. Il a fini son entrainement.
2. Vous avez attendu l'autobus.
3. Cet étudiant a réussi à son examen.
4. Ils ont perdu la partie.
5. Marie a parlé à son moniteur.
6. Ils ont choisi un autre coéquipier.
7. Tu as répondu à la lettre de ton entraineur.
8. Le médecin a examiné les blessés.

d. Mettez les verbes au passé composé.

1. Je ne comprends pas cette leçon.
2. Il apprend le patinage.
3. Nous prenons le train.
4. Elle dort huit heures.
5. Tu sers du jus aux athlètes.
6. Il ment à ses partenaires.
7. Il pleut.
8. Il faut réparer la motoneige.
9. Elles font de la course à pied.
10. Il fait du sport.
11. Vous faites de la gymnastique.
12. Il a des difficultés.

13. Nous avons un ballon.

14. Ils sont malades.

15. Elle est championne de ski alpin.

16. Je connais des patineurs

17. Nous mettons la table.

18. Il promet une moto à son fils.

19. Elle permet à ses enfants de regarder le match de hockey.

e. Complétez les phrases avec le participe passé de l'un des verbes de la liste suivante: *perdre, avoir, vendre, faire, acheter, gagner, pouvoir, mettre.*

1. J'ai _____ mes vieux patins et, avec l'argent, j'ai _____ une nouvelle paire de skis.

2. Les joueurs de hockey ont _____ leur casque et leurs gants pour aller sur la glace.

3. Nous avons _____ beaucoup de ski l'hiver dernier.

4. Il a _____ très mal à la tête; c'est pourquoi il n'a pas _____ participer à notre match de football.

5. Nous sommes contents: notre équipe a _____ la partie! L'équipe adverse a _____ parce que deux de ses joueurs ont _____ un accident.

f. Posez la question à un(e) autre étudiant(e) au *passé composé*. L'autre étudiant(e) répond affirmativement ou négativement.

   Modèle: Faire du patinage l'hiver dernier.

   Est-ce que tu as fait du patinage l'hiver dernier?

   Oui, j'ai fait du patinage l'hiver dernier.

   Non, je n'ai pas fait de patinage l'hiver dernier.

1. Connaitre des joueurs de baseball.

2. Acheter un vélo de montagne.

3. Pouvoir faire du tennis l'été dernier.

4. Apprendre à nager très jeune.

5. Être membre d'une équipe sportive.

6. Vouloir devenir champion / championne.

7. Gagner la partie avec son équipe la dernière fois qu'ils ont joué.

8. Vendre son équipement de hockey. (football, baseball, ski, etc.)

8.5 *Il y a* + une expression de temps

Il y a followed by an expression of time has the meaning "ago." It may be used with a verb in the **passé composé**.

   Il a quitté le Canada il y a un mois.
   He left Canada a month ago.

   La partie de tennis a commencé il y a cinq minutes.
   The tennis game started five minutes ago.

   Quand as-tu fait du ski? — Il y a deux jours.
   When did you go skiing? — Two days ago.

EXERCICES ORAUX

a. *La dernière fois.* Posez la question à un(e) autre étudiant(e) qui répond selon le modèle.

>   *Modèle:* Nager à la piscine.
>   *Quand as-tu nagé à la piscine la dernière fois?*
>   *J'ai nagé à la piscine il y a trois jours (deux mois, etc.).*

1. Faire du ski (du vélo, du tennis, etc.).
2. Regarder un match de boxe (de hockey, etc.) à la télé.
3. Acheter un nouvel équipement sportif.
4. Jouer une partie de badminton (de ping-pong, etc.).
5. Manger au restaurant.
6. Visiter un musée.
7. Faire la vaisselle.
8. Rendre visite à ses parents.
9. Préparer un repas gastronomique.
10. Prendre une décision importante.

b. Faites des phrases à partir des éléments donnés en employant *il y a* et en mettant le verbe au passé composé.

>   *Modèle:* Je / téléphoner / à Sylvain / une heure
>   *J'ai téléphoné à Sylvain il y a une heure.*

1. Le match / commencer / dix minutes
2. Nous / faire du ski / deux jours
3. Il / quitter l'équipe / un mois
4. Ma sœur / vendre sa voiture / trois semaines
5. Je / jouer au hockey / longtemps

8.6 Le pronom relatif *où*

1) **Où** is a relative pronoun that means "where" when its antecedent is a noun indicating a place:

>   **C'est le restaurant *où* j'ai diné hier.**
>   This is the restaurant where I had dinner yesterday.

>   **Québec est une ville *où* j'aime marcher.**
>   Québec is a city where I love to walk.

2) **Où** as a relative pronoun may also mean "when" if its antecedent is a noun indicating a time period:

>   **2005 est l'année *où* j'ai quitté Montréal.**
>   2005 is the year when I left Montreal.

>   **Mes parents m'ont donné une moto le jour *où* j'ai eu dix-huit ans.**
>   My parents gave me a motorcycle the day I turned eighteen.

EXERCICES ORAUX

a. Transformez les phrases selon le modèle.

> *Modèle:* Je connais la rue. Tu habites *dans cette rue.*
> *Je connais la rue où tu habites.*

1. Je connais un restaurant. On sert des repas japonais *dans ce restaurant.*
2. Il aime les centres de ski. Il y a beaucoup de gens *dans ces centres de ski.*
3. Le Yukon est une région. Il fait très froid *dans cette région.*
4. Je vais t'amener dans un musée. On peut voir des poteries anciennes *dans ce musée.*
5. Il fait du ski de fond dans un bois. Il y a de belles pistes *dans ce bois.*

b. Transformez les phrases selon le modèle.

> *Modèle:* J'ai été malade *cette semaine-là.*
> *C'est la semaine où j'ai été malade.*

1. Nous avons joué au tennis *ce matin-là.*
2. J'ai fini mes études secondaires *cette année-là.*
3. Il a beaucoup neigé *ce mois-là.*
4. Il a eu un accident de ski *ce jour-là.*
5. Nous avons gagné le match *ce soir-là.*

c. Complétez les phrases avec *que / qu'* ou *où.*

1. Montréal est une ville _____ j'aime.
2. C'est une ville _____ il y a beaucoup d'activités.
3. Je connais un bois _____ il y a beaucoup de pistes de ski de fond.
4. Je vais essayer les patins _____ je viens d'acheter.
5. L'été est la saison _____ je préfère.
6. L'hiver est la saison _____ je fais des voyages.
7. Je vais t'emmener à un lac _____ on peut patiner.
8. Les Laurentides sont une région _____ il faut visiter.
9. Il veut aller vivre dans un pays _____ il fait toujours soleil.

8.7 L'adjectif *tout*

The adjective **tout (toute / tous / toutes)** agrees with the noun it modifies and precedes the determiner (article or possessive adjective or demonstrative adjective). It corresponds to "all" or "whole" in English:

J'ai écouté *tout* l'opéra.	I listened to the whole opera.
Il a fait du ski *toute* la journée.	He skied the whole day.
***Tous* ces joueurs sont excellents.**	All those players are excellent.
Elle a acheté *toutes* mes vieilles robes.	She bought all my old dresses.

Note the expressions **tout le monde** (everybody) and **tous les jours** (every day):

     Il connait *tout* le monde.   He knows everybody.

     Il joue au football *tous* les jours.   He plays football every day.

 ## EXERCICES ORAUX

a. Refaites les phrases selon le modèle.

    Modèle: Ces joueurs sont compétents.
    Tous ces joueurs sont compétents.

1. *La partie* a été intéressante.
2. Il a compris *la leçon.*
3. J'ai donné *mes* CD à Guy.
4. *Les étudiants* sont fatigués après les examens.
5. *Mes vêtements* sont sales.
6. Il a mangé *le gâteau.*
7. Elle a fait *la vaisselle.*
8. Tu as menti à *tes amis.*
9. J'ai besoin de *ces livres.*

b. Répondez aux questions selon le modèle.

    Modèle: Veux-tu écouter *mes CD?*
    Oui, je veux écouter tous tes CD.

1. As-tu peur de *ces animaux?*
2. Peux-tu faire *ces exercices?*
3. Dois-tu faire *le ménage?*
4. Est-ce que tu connais *mes amies?*
5. Est-ce que tu comptes réussir *tes examens?*

 ## EXERCICES ÉCRITS

a. Mettez les phrases au passé composé.

    Modèle: Je regarde les Jeux olympiques.
    J'ai regardé les Jeux olympiques.

1. Il met ses skis.
2. Nous prenons la bicyclette.
3. Ils apprennent le golf.
4. Je ne comprends pas cette leçon.
5. Il connait l'entraineur de l'équipe.
6. Je téléphone à mon instructeur.
7. Elle brunit au soleil.
8. Nous rendons l'argent à Jean.
9. Ils choisissent une nouvelle piscine.
10. Je réponds à sa lettre.
11. Vous attendez un taxi.
12. Il veut venir avec moi.
13. Ils doivent partir.
14. Nous avons quelques problèmes.
15. Elles ne savent pas réparer le filet.
16. Ils sont perdants.
17. Je fais du ski de fond.
18. Vous choisissez un nouveau club.
19. Il avertit l'arbitre.
20. Valérie fait de la gymnastique.

b. Employez *savoir* ou *connaitre* au présent selon le contexte.

1. Babette _____ jouer aux échecs.
2. Nous _____ l'entraineur de Jean.
3. Ils _____ Mme Raymond.
4. Je _____ faire la cuisine.
5. Tu _____ Thunder Bay?
6. Vous _____ mon nom.
7. Il _____ mon père.
8. Elles _____ que je fais du ski.

c. Complétez les phrases avec un des verbes suivants au présent.
apprendre, mettre, permettre, comprendre, promettre, prendre, soumettre.

1. Luc _____ l'autobus pour Montréal.
2. Ils _____ une récompense aux gagnants.
3. Nous _____ les règles du tennis.
4. Mme Dufy _____ à ses enfants d'aller aux Jeux olympiques.
5. Vous _____ la raison de mon absence.
6. Tu _____ un chandail.
7. Je _____ un projet à l'instructrice.

d. Répondez affirmativement selon le modèle. Employez les pronoms objets indirects.

Modèles: Téléphones-tu à ta mère?
Oui, je lui téléphone.

Vas-tu me téléphoner?
Oui, je vais te téléphoner.

1. Est-ce que vous me parlez?
2. Est-ce que tu me téléphones?
3. Est-ce que je vous réponds?
4. Est-ce que je vous promets de bonnes notes?
5. Est-ce que tu veux me parler?
6. Est-ce que je peux te téléphoner?
7. Peux-tu me donner tes vieux skis?
8. Est-ce que ton père va t'acheter une voiture?
9. Obéis-tu à tes moniteurs?
10. Est-ce que tu me promets d'être à l'heure?
11. A-t-il promis une médaille aux gagnants?
12. As-tu parlé au médecin?
13. Est-ce qu'on doit obéir aux arbitres?
14. Est-ce que tu nous permets de fumer?

e. Complétez les phrases suivantes avec votre imagination.

1. 1980 est l'année où...
2. New York est une ville où...
3. Je connais une discothèque où...
4. Septembre est le mois où...
5. Ste-Anne est la station de ski où...

f. Refaites les phrases selon le modèle en employant la forme correcte de *tout*.

Modèle: Je comprends *la leçon.*
Je comprends toute la leçon.

1. Sylvie admire *les joueurs de football.*
2. Je connais *les livres de Marie-Claire Blais.*
3. Elle a aimé *le film.*
4. J'ai jeté *mes vieux vêtements.*
5. *Cette leçon* est difficile.
6. Il a répondu *aux questions.*

g. Répondez aux questions selon le modèle en employant *il y a* plus l'expression entre parenthèses.

> *Modèle:* Vas-tu manger un sandwich? (une heure)
> *Non, j'ai mangé un sandwich il y a une heure.*

1. Vas-tu faire du ski de fond? (deux jours)
2. Vas-tu prendre un café? (dix minutes)
3. Vas-tu vendre tes patins? (un mois)
4. Vas-tu mettre la table? (une demi-heure)
5. Va-t-il pleuvoir? (une heure)

Lecture
Toutes les raisons de courir

© kristian sekulic/Getty Images RF

La course à pied connaît un regain de popularité à Québec. Vainqueurs de l'épreuve de 5 km d'hier, à l'Université Laval, Manon Létourneau et Daniel Blouin en sont des témoins privilégiés, chacun à leur façon.

Samedi matin d'avril : 1 °C au mercure, −4 °C comme température ressentie. Gris. Venteux. Plus de 400 paires de cuisses sont quand même au rendez-vous dans les rues du campus. Louise Dompierre participe à sa première course officielle. Sa fille est la première femme de la vague rapide, c'est-à-dire moins de 20 minutes, à passer sous l'arche d'arrivée.

"Mes parents sont mes plus grands fans, ils viennent toujours voir mes courses. Alors, j'ai dit à ma mère que je courrais avec elle, que je serais là pour l'encourager", défile Létourneau avant de repartir pour une autre trotte de 5 km. Plus lente celle-là que ses 17 min 13 s initiales, trois secondes de moins que son record de l'an passé. "Je visais en bas de 17 minutes, mais je suis contente de l'effort fourni considérant que je suis dans un gros bloc d'entraînement." Sa reprise aux côtés de maman a duré 27:36:9.

Triathlète émérite, Létourneau se rend au Mexique, fin mai, pour prendre le départ d'une étape de Coupe panaméricaine, à Ixtapa. L'épreuve de Coupe du monde d'Edmonton, en juillet, constitue le principal objectif de sa saison. "Pour la course à pied, je n'ai pas de problème, le standard [du circuit mondial] est à 17:40. Mais à la nage, j'ai raté deux fois le standard du 1500 m par deux secondes! Je pense être capable la prochaine fois", explique l'athlète de 24 ans. Aucune norme n'est imposée pour la partie vélo, puisque les concurrents roulent surtout en peloton.

Moins de 15 minutes

Si Létourneau n'est pas parvenue à faire moins de 17 minutes, Daniel Blouin est devenu le premier et le seul à boucler les trois tours en moins de 15 minutes. Son chrono de 14:51:6 pulvérise les 15:19:5 établis par Pier-Olivier Laflamme il y a deux ans. "J'avais prédit 15:12", confie Blouin, à propos de la prédiction exigée de chaque participant avant la course.

"Les jeunes poussent", souligne l'enseignant au Campus Notre-Dame-de-Foy, âgé de 33 ans. "Le deuxième est Charles Philibert-Thiboutot [15:04,

20 ans]. Il a battu mon record du Rouge et Or au 3000 m, cette année. Alors, j'avais envie de lui mettre une petite mine", a glissé Blouin, sourire en coin.

Celui qui garde la forme en compagnie de l'ex-athlète olympique Joël Bourgeois travaille aussi comme entraîneur privé rattaché à une boutique de Québec. Certains de ses élèves étaient de la course, ce qui constituait une motivation supplémentaire. "De 2000 à 2005, j'ai travaillé à la boutique du PEPS [de l'Université Laval] et on était les seuls à Québec à faire de la course. Mais là, depuis deux ans, ça déboule, c'est fou!"

"Tout le monde court! Le problème, c'est que le monde court tout croche. Mais ça s'améliore. Les gens s'intéressent plus aux techniques et à l'équipement", assure Blouin.

Sa théorie sur cette renaissance du plus vieux sport de l'humanité? Une attraction encore plus ancienne. "Beaucoup de femmes se mettent à courir pour garder la forme. Et où il y a des femmes, les gars suivent."

Article d'Olivier Bossé, extrait du journal *Le Soleil*

alors	so	fin	at the end of
améliorer: s' —	to get better	forme (f.)	shape
arche (f.) d'arrivée	finish line	fou, folle	crazy
aucun(e)	no, none	fournir (un effort)	to make (an effort)
autre	other	garder	to keep
avant	before	gars (m.)	guy
bas: en — de	below	gens (m.pl.)	people
battre	to beat	glisser	to confide, to whisper
bloc d'entraînement (m.)	training session		
boucler	to complete	gris(e)	grey
ça	it	gros, grosse	big
celui	the one	là	there
celle-là	that one	lent(e)	slow
certains, certaines	some	mais là	but now
chacun(e)	each	mercure: au —	actual temperature
chaque	each	mère (f.)	mother
chrono (m.)	lap time	mettre: se — à	to start
concurrent (m.)	competitor	mine: mettre une —	to outdistance, to leave far behind
confier	to confide		
côtés: aux — de	next to	moins	less
coupe (f.)	cup	monde (m.)	world
courir	to run	nage (f.)	swimming
croche	the wrong way	or (m.)	gold
cuisse (f.)	thigh	partie (f.)	part
déboule: ça —	there's a surge	parvenir	to manage
départ: prendre le —	to start (to race)	passé(e)	past, last
durer	to last	peloton (m.)	pack
émérite	experienced	plus	more
enseignant (m.)	teacher	pousser	to push, to shove
entraîneur (m.)	trainer	prédire	to predict
épreuve (f.)	event	premier, première	first
établir	to set	privé(e)	personal, private
étape (f.)	leg (of a race)	prochain(e)	next
exiger	to require	propos: à — de	regarding
façon (f.)	way	puisque	since
fille (f.)	daughter	pulvériser	to smash

quand même	still	**souligner**	to stress
raison (f.)	reason	**sourire en coin**	with a wink
rapide	fast	**standard** (m.)	benchmark
rater	to miss	**suivre**	to follow
rattaché(e)	associated	**supplémentaire**	additional
regain (m.): **connaître un —**	to regain	**surtout**	mostly
rendez-vous (m.)	meeting place	**témoin** (m.)	witness
rendre: se —	to go	**toujours**	always
repartir	to start off again	**tout le monde**	everybody
reprise (f.)	second run	**trotte** (f.)	stretch
ressentie: comme température —	with the wind chill	**vague** (f.)	wave
		vainqueur (m.)	winner
rouler	to ride, to cycle	**venteux, venteuse**	windy
tour (m.)	lap	**viser**	to aim
seul(e)	only one		

QUESTIONS

1. Qu'est-ce qui est populaire à Québec?
2. Qui sont Manon Létourneau et Daniel Blouin?
3. Quel temps fait-il le jour de la course?
4. De qui Louise Dompierre est-elle la mère?
5. Pourquoi Manon Létourneau participe-t-elle à cette course?
6. Après combien de temps Manon passe-t-elle sous l'arche d'arrivée de la première course?
7. Combien de temps prend la reprise aux côtés de sa mère?
8. Quand et pourquoi Manon Létourneau se rend-elle au Mexique?
9. Qu'est-ce qu'elle pense être capable de faire à Edmonton?
10. Qu'est-ce qui est remarquable dans la victoire de Daniel Blouin?
11. Quelle est la principale motivation de Daniel Blouin dans cette épreuve?
12. Quels sont les deux emplois de Daniel Blouin?
13. Quelle différence observe-t-il depuis deux ans?
14. Comment explique-t-il la nouvelle popularité de la course à pied?

SITUATIONS – CONVERSATIONS

1. À quels sports vous adonnez-vous? Où et quand?

Je fais
— du football, du baseball, du golf, du tennis, du soccer, du hockey, du hockey sur gazon, du ballon-balai, du basketball (basket-ball), du judo, du karaté, du ski alpin, du ski de randonnée (de fond), du canotage, du patinage, du cyclisme, du squash, du jogging, etc.

— de la natation, de la boxe, de la lutte, de la plongée sous-marine, de la voile, de la planche à voile, de la gymnastique, de la course à pied, de l'équitation, de l'alpinisme, etc.

2. Faites-vous partie d'une équipe sportive? De quel sport s'agit-il? Combien y a-t-il de membres dans l'équipe? Qui est votre entraineur(euse)? Comment est-il / elle? Quelle position jouez-vous dans l'équipe? (à la défense / à l'offensive / à l'aile gauche ou droite / à l'avant ou à l'arrière / gardien ou gardienne de but, etc.) Pratiquez-vous souvent ce sport? Quand? À quel endroit? Quelle sorte de joueur / joueuse êtes-vous? (agressif / ive, détendu(e), brutal(e), indépendant(e), etc.) Quelles sont vos plus graves erreurs au jeu? vos meilleurs moments?

3. Pour pratiquer votre sport favori, de quoi avez-vous besoin?

SPORT	ENDROIT	ÉQUIPEMENT
a) D'ÉQUIPE		
extérieur		
le football, le baseball, etc.	terrain ou stade	un ballon, des gants, des souliers cloutés, un bâton, etc.
intérieur		
le basketball, le curling le ballon-balai, etc.	un gymnase, un terrain	des balles, des balais, des rondelles, etc.
b) INDIVIDUEL		
extérieur		
le ski, la course à pied, l'équitation, la natation, le cyclisme, le jogging, le canotage, le patinage, etc.	une piste, des pentes, une piscine, une patinoire, une rivière / un lac, etc.	des skis, un cheval, un maillot, une bicyclette, des patins, un canot et des rames, etc.
intérieur		
la natation, le patinage, la plongée, la gymnastique, etc.	une piscine, une patinoire, un gymnase, etc.	un costume, une bouteille d'oxygène, des palmes, des appareils, des barres, etc.
c) AVEC PARTENAIRE		
extérieur		
le golf, le tennis, le canotage, etc.	un terrain, un court, une rivière / un lac, etc.	des bâtons, des balles, des raquettes, un canot, etc.
intérieur		
le squash, le racquetball, etc.	un court, etc.	des balles et des raquettes, etc.
d) DE COMBAT		
la boxe, la lutte, le judo, le karaté, etc.	un matelas, une arène, etc.	un costume, des gants, un maillot, etc.

4. Pourquoi aimez-vous les sports? Quelle place ont-ils dans votre vie? (Réponses possibles: pour la détente, pour les loisirs, pour rencontrer des amis, par habitude, pour développer mes muscles, pour évaluer mes aptitudes, par gout de la compétition, pour rester en bonne santé, par obligation envers l'équipe, pour plaire à mes parents / à mes amis, etc.)

5. Préparez pour les amateurs de sports un bulletin de nouvelles sportives.

6. Racontez la partie la plus excitante que vous avez vue.

   Exemple: *Une partie de hockey — Les Canadiens ont gagné 3 à 2 contre les Sénateurs —*
   PK Subban a marqué un but et a obtenu une punition, etc.

7. Donnez des indices sur votre athlète favori(te): nous allons deviner de qui il s'agit.

   Exemple: *Indice: C'est le plus grand joueur de hockey de tous les temps.*
   Réponse: Wayne Gretzky

   Indice: Il a été champion poids lourd à deux reprises.
   Réponse: Muhammad Ali

8. Connaissez-vous les sports? Comment joue-t-on au tennis? au hockey? au baseball? (Décrivez l'équipement nécessaire, le nombre de joueurs, les règles du jeu.)

9. Comment devient-on champion?

COMPOSITIONS

1. Est-ce que vous pensez que l'importance accordée aux sports à la télévision est justifiée? Expliquez.

2. Est-il bon d'obliger les enfants à pratiquer des sports dès leur plus jeune âge?

3. Préparez une interview d'une personnalité sportive. Quelles questions allez-vous poser? Un(e) autre étudiant(e) joue le rôle de l'athlète que vous avez choisi(e).

4. Est-ce que, en général, vous préférez la compagnie d'un sportif ou d'un intellectuel? Expliquez pourquoi.

5. Quel est le sport idéal, à votre avis, et pour quelles raisons?

PRONONCIATION   ((•─ **Listen** on **myfrenchlab**

(Students and instructors can listen to the audio track for this exercise on MyFrenchLab.)

Les voyelles nasales /ã/ et /õ/

I. Le son /ã/

The nasal vowel /ã/ is associated with the spellings **an, am, en,** and **em** (when **n** or **m** is not pronounced).

Répétez:

1. bas / ban   chat / chant   ça / sang
    pas / pan   tas / tant   là / lent
    ras / rang   va / vent

2. chant / chante   lent / lente   rend / rendu
    rang / range   pend / pendu   tend / tendu

3. ampoule   endormir   jument
    entier   parent   hareng
    embrasser   marchand   devant

II. Le son /õ/

The nasal vowel /õ/ is associated with the spellings **on** and **om** (when **n** or **m** is not pronounced).

Répétez:

1. tôt / ton   pot / pont   dos / don
    rot / rond   sot / son   vos / vont
    mot / mon   faux / font   lot / long

2. son / songe   bon / bonté   plomb / plombier
    rond / ronde   mon / montez   front / frontière
    pont / ponte   long / longueur blond / blondir

3. ombre   plafond   répondre
    ongle   canon   dénombrer
    bison   prison   démontrer

III. Contraste /ã/ – /õ/

For /õ/, round the lips. For /ã/, bring the tongue forward.

Répétez:

on / an   tremper / tromper
bon / banc   ranger / ronger
don / dans   bandit / bondit
rond / rang   angle / ongle
mont / ment   ambre / ombre

MyFrenchLab   **Visit MyFrenchLab** to access additional resources such as audio exercises, the *Cahier de laboratoire*, and web destinations.

CHAPITRE 9

© Syda Productions/Shutterstock.com

Les voyages

MyFrenchLab

Visit MyFrenchLab to access additional resources, including

- *Cahier de laboratoire*
- Self-grading assessments
- Audio exercises
- Grammar primers and tutorials

Thèmes

- Les voyages que j'ai faits
- Les pays et les continents
- Les moyens de transport
- Je parle du passé

Grammaire

9.1 Le passé composé avec *être*

9.2 L'accord du participe passé des verbes conjugués avec *avoir*

9.3 Les pronoms *en* et *y*

9.4 Les verbes irréguliers *dire, écrire, lire, rire* et *sourire*

9.5 Les prépositions avec les noms géographiques

9.6 Les noms de nationalité

9.7 Les moyens de transport

Lecture

L'autre île du Prince-Édouard

VOCABULAIRE UTILE

Noms

agence (f.)	agency	**paysage** (m.)	landscape
ascenseur (m.)	elevator	**projet** (m.)	plan, project
auteur(e)	author	**pomme de terre** (f.)	potato
bébé (m.)	baby	**roman** (m.)	novel
billet (m.)	ticket	**siège** (m.)	seat
carte postale (f.)	postcard	**toit** (m.)	roof
croisière (f.)	cruise	**valise** (f.)	suitcase
cuisine (f.)	cooking; kitchen	**vérité** (f.)	truth
dame (f.)	lady	**Adjectifs**	
demande (f.)	application; request	**célibataire**	single, unmarried
dépliant publicitaire (m.)	advertising leaflet	**prochain(e)**	next
étage (m.)	floor	**Verbes**	
erreur (f.)	error, mistake	**demeurer**	to remain; to live, to stay
horaire (m.)	schedule, timetable		
ile (f.)	island	**raconter**	to tell, to relate
itinéraire (m.)	itinerary	**Expressions**	
journal (m.)	newspaper	**monde: parcourir le —**	to travel the world
langue (f.)	language; tongue	**voyage: faire un —**	to take a trip; to go on a journey
mensonge (m.)	lie		
ouvrier, ouvrière	(manual) worker	**voyage: un — organisé**	package tour

GRAMMAIRE ET EXERCICES ORAUX

9.1 Le passé composé avec *être*

1) A few verbs, which usually indicate motion or transition, use **être** instead of **avoir** as an auxiliary verb in the **passé composé** and other compound tenses. Some of these verbs are regular -er verbs and their past participle ends in é:

arriv*er*	(to arrive)	arrivé
ent*rer*	(to enter)	entré
mon*ter*	(to go up)	monté
pass*er*	(to pass by)	passé
rent*rer*	(to go home/to come back in)	rentré

retourn*er*	(to go back/to return)	retourn*é*
rest*er*	(to stay/to remain)	rest*é*
tomb*er*	(to fall)	tomb*é*

One verb is a regular **-re** verb; its past participle ends in **-u**:

descend*re*	(to go down)	descend*u*

Other verbs conjugated with **être** are irregular:

all*er*	(to go)	all*é*
ven*ir*	(to come)	ven*u*
deven*ir*	(to become)	deven*u*
reven*ir*	(to come back)	reven*u*
part*ir*	(to leave)	part*i*
sort*ir*	(to go out)	sort*i*
mour*ir*	(to die)	m*ort*
nait*re* (naître)	(to be born)	n*é*

2) When **être** is used as the auxiliary verb, the past participle agrees in gender and number with the subject.

	Masculine subject	*Feminine subject*
Singular	Je suis entr*é*.	Je suis entr*ée*.
	Tu es sort*i*.	Tu es sort*ie*.
	Il est descend*u*.	Elle est descend*ue*.
Plural	Nous sommes part*is*.	Nous sommes part*ies*.
	Vous êtes arriv*és*.	Vous êtes arriv*ées*.
	Ils sont tomb*és*.	Elles sont tomb*ées*.

✳ Note

If the formal *vous* is used to address one person, the past participle is singular (masculine or feminine). When *nous, vous,* or *ils* refer to a mixed group, the past participle is masculine plural.

 **EXERCICES ORAUX**

a. Mettez les verbes au passé composé.

1. Il monte dans l'autobus.
2. Le chien monte sur le siège.
3. Nous montons au premier étage.
4. Je descends du train.
5. Le chat descend de l'auto.
6. Vous descendez en ascenseur.

7. Il passe par Drummondville pour aller à Montréal.

8. Je passe devant le complexe sportif.

9. Nous passons par la rue Queen.

10. L'ouvrier tombe du toit.

11. La vieille dame tombe dans sa cuisine.

12. Je tombe sur la glace.

13. Nous restons à la maison.

14. Elle reste chez elle samedi.

15. Il reste sportif.

16. Elles restent célibataires.

17. Jean retourne à Toronto.

18. Vous revenez de voyage.

19. Il part en Afrique.

20. Nous allons en vacances.

b. Répondez aux questions.

1. À quelle heure êtes-vous arrivé(e)s en classe?

2. À quelle heure sommes-nous entré(e)s dans la classe?

3. Es-tu sorti(e) hier soir?

4. Es-tu rentré(e) tard hier soir?

5. À quelle heure es-tu rentré(e) hier soir?

6. Es-tu resté(e) dans ta chambre hier soir?

7. Êtes-vous venu(e)s en classe hier soir?

8. Es-tu déjà monté(e) sur un toit?

9. Sommes-nous allé(e)s en voyage ensemble?

10. Es-tu passé(e) par le parc ce matin?

11. Es-tu allé(e) au centre sportif aujourd'hui?

12. En quelle année es-tu né(e)?

13. En quelle année est mort le président Kennedy?

14. Es-tu tombé(e) sur la glace cet hiver?

15. Es-tu monté(e) dans un autobus ce matin?

c. Qu'est-ce que Simone a fait hier? Faites attention au choix de l'auxiliaire *avoir* ou *être*.

1. arriver à l'université à neuf heures

2. prendre un café à la cafétéria

3. parler avec ses amis

4. aller à ses cours

5. manger un sandwich à midi

6. entrer à la bibliothèque

7. retourner en classe

8. sortir de l'université à trois heures

9. rentrer chez elle

10. téléphoner à des amis

11. rester dans sa chambre

12. faire ses devoirs

d. Répondez aux questions selon le modèle en employant *il y a*.

Modèle: Est-ce que Pierre va aller à Montréal demain? (deux jours)
Il est allé à Montréal il y a deux jours.

1. Tes amis rentrent-ils de voyage bientôt? (une semaine)

2. Vas-tu retourner à Vancouver l'été prochain? (un mois)

3. Est-ce que Claire part pour Chicago cet après-midi? (dix heures)

4. L'avion arrive bientôt? (une demi-heure)

5. Est-ce que notre train entre en gare bientôt? (cinq minutes)

6. Quand est-ce que ta sœur revient de vacances? (trois jours)

e. Demandez à votre voisin(e) où il / elle est allé(e) hier soir? avant-hier? il y a trois jours? la semaine dernière? le mois dernier? l'été / l'hiver dernier?

9.2 L'accord du participe passé des verbes conjugués avec *avoir*

When **avoir** is used as an auxiliary verb in compound tenses, the past participle is invariable. However, if the direct object *precedes* the verb, then the past participle must agree in gender and number with the direct object. Here are the main cases when the direct object may precede the verb:

1) When the direct object is a pronoun:

 J'ai acheté cette valise.   ⟶   Je *l'*ai achet*ée*.

 Ils ont attendu les enfants.   ⟶   Ils *les* ont attend*us*.

2) When the direct object is the relative pronoun **que** (the past participle agrees with its antecedent):

 La leçon *qu'*il a appri*se*

 Les fruits *que* j'ai achet*és*

3) In an interrogative sentence with the adjective **quel**:

 Quelle valise as-tu achet*ée?*

 Quels CD as-tu chois*is?*

Though the agreement of the past participle is of concern mainly in written French, it affects pronunciation whenever the feminine ending **-e** (or **-es**) is added to a past participle ending in a consonant, since the consonant must then be pronounced. Compare:

Le chandail qu'il a mis	/	La robe qu'elle a mi*se*
Les exercices que j'ai faits	/	Les erreurs que j'ai fait*es*
Le cadeau qu'il m'a promis	/	La récompense qu'il m'a promi*se*

 EXERCICES ORAUX

a. Répondez affirmativement aux questions selon le modèle.

 Modèle: As-tu fait la vaisselle?

 Oui, je l'ai faite.

1. As-tu compris la leçon?
2. As-tu compris ce livre?
3. Avez-vous compris les exercices?
4. Avez-vous compris les questions?
5. As-tu appris la leçon?
6. As-tu appris les règles du jeu?
7. As-tu fait le ménage?
8. Avez-vous fait la cuisine hier?
9. Avez-vous fait la composition?
10. As-tu mis le livre sur la table?
11. As-tu mis ta serviette sur la table?
12. As-tu soumis ta demande au directeur?

b. Transformez les phrases selon le modèle.

> *Modèle:* Elle a mis une jolie robe.
> *La robe qu'elle a mise est jolie.*

1. Il a appris une leçon difficile.
2. J'ai fait une longue composition.
3. Elle a soumis une demande intéressante.
4. Il a promis une récompense généreuse.
5. Ils ont pris une voiture neuve.

c. Posez la question selon le modèle.

> *Modèle:* Il a soumis une demande.
> *Quelle demande a-t-il soumise?*

1. Il a mis une chemise.
2. Elle a mis une jupe.
3. Vous lui avez promis une récompense.
4. Nous avons appris des règles.
5. Elle a compris la lecture.
6. Ils ont pris des fleurs.

9.3 Les pronoms *en* et *y*

En

En replaces

1) **de** as a preposition of place (from) plus its object:

Est-il revenu *de Trois-Rivières?* — Oui, il **en** est revenu hier.

2) the partitive article (**du, de la, de l', des, de**) plus a noun:

Il a *de l'argent.*	⟶	Il **en** a.
Elle n'a pas *d'argent.*	⟶	Elle n'**en** a pas.
Je mange *des fruits.*	⟶	J'**en** mange.

3) a noun preceded by a number or an expression of quantity. The number or expression is retained and placed after the verb:

As-tu *une voiture?*	⟶	Oui, j'**en** ai une.
Combien *de cours* as-tu?	⟶	J'**en** ai cinq.
J'ai trop *de travail.*	⟶	J'**en** ai trop.
Il a beaucoup *d'amis.*	⟶	Il **en** a beaucoup.

4) **de** as a preposition required by a verb plus the noun following it if the noun represents a thing:

Joues-tu *du piano?*	⟶	Oui, j'**en** joue.
Elle a besoin *de solitude?*	⟶	Elle **en** a besoin.
Il est content *de ses notes.*	⟶	Il **en** est content.

If the noun refers to a person, the stress pronoun is used:

Ils sont fiers de *leur fils?*   ⟶   Ils sont fiers de **lui**.

Y

Y replaces

1) a preposition of place (**à, dans, devant, sur,** etc.) plus its object:

Il va *à Montréal.*   ⟶   Il **y** va.

Elle reste *dans sa chambre.*   ⟶   Elle y reste.

2) **à** as a preposition required by a verb plus the noun following it if the noun represents a thing:

Je réfléchis *à mes problèmes.*   ⟶   J'y réfléchis.

Il répond *aux questions.*   ⟶   Il **y** répond.

If the noun refers to a person, the indirect object pronoun is used:

Il répond *au professeur.*   ⟶   Il **lui** répond.

✴ Note

1) Both *en* and *y* precede the verb. They precede the auxiliary verb in compound tenses. They precede the infinitive when it is preceded by another conjugated verb:

Vas-tu à la banque?   ⟶   **Y** vas-tu?

Je suis allé(e) à la banque.   ⟶   J'y suis allé(e).

Je n'ai pas de stylo.   ⟶   Je n'**en** ai pas.

Elle veut acheter une robe.   ⟶   Elle veut **en** acheter une.

2) *En* may be used with the expression *il y a*:

Y a-t-il des absents? — Oui, il y **en** a. / Non, il n'y **en** a pas.

Y a-t-il un film à la télé? — Oui, il y **en** a un. / Non, il n'y **en** a pas.

3) With *en*, there is no agreement of the past participle of verbs using *avoir* in compound tenses:

As-tu acheté des chemises? — Oui, j'en ai achet**é**.

Compare with

As-tu jeté tes chemises? — Oui, je les ai jet**ées**.

EXERCICES ORAUX

a. Répondez aux questions affirmativement en employant *en*.

1. Le café vient-il de Colombie?
2. Manges-tu de la viande?
3. Aimes-tu manger de la viande tous les jours?
4. Vas-tu prendre des précautions en voyage?
5. As-tu acheté des billets d'avion?
6. Tes parents parlent-ils de leurs voyages?
7. As-tu besoin de vacances?
8. Es-tu satisfait(e) de ta nouvelle voiture?

b. Répondez aux questions selon le modèle.

Modèle: As-tu trop d'argent? (assez)
Non, je n'en ai pas trop. J'en ai assez.

1. As-tu plusieurs voitures? (une)
2. As-tu fait assez de voyages? (trop peu)
3. As-tu acheté deux billets d'avion? (un seul)
4. Vas-tu emporter beaucoup de valises? (deux)
5. Y a-t-il trop de passagers dans l'avion? (pas assez)
6. Avons-nous trop de temps libre? (trop peu)

c. Répondez aux questions en employant soit *en*, soit un pronom objet direct.

1. Est-ce que tu emportes *ton passeport* en voyage?
2. As-tu *un visa?*
3. As-tu déjà visité *l'aéroport de Mirabel?*
4. Est-ce que tu aimes bien prendre *l'autobus?*
5. As-tu pris *des vacances* cette année?
6. Est-ce qu'il faut *de l'argent* pour voyager?
7. Est-ce que tu donnes *un pourboire* au chauffeur de taxi?
8. Est-ce que tes amis te racontent *leurs voyages?*
9. Est-ce que tu parles *de tes voyages* à tes amis?

d. Remplacez les mots en italique par *y*.

1. Luc est entré *dans le jardin*.
2. Nous sommes allés *à la gare*.
3. Il est resté longtemps *en Colombie-Britannique*.
4. Il n'a pas répondu *à la question*.
5. Ils n'ont pas réfléchi *aux conséquences*.
6. Elle veut aller *au cinéma*.
7. Je dois rester *dans la classe*.
8. Il doit descendre *au terminus*.
9. Je vais chercher Jean *à l'aéroport*.
10. Nous pensons *à une croisière*.

e. Répondez affirmativement en employant *y, lui* ou *leur* selon le cas.

1. As-tu réfléchi *à ce problème?*
2. Est-ce que tu réponds *aux questions?*
3. As-tu répondu *au professeur?*
4. As-tu répondu *à la lettre de l'agence de voyages?*
5. As-tu parlé *aux autres passagers?*

f. Répondez à la question.

> *Modèle:* Combien y a-t-il de cours avant l'examen?
> *Il y en a cinq (dix, beaucoup, pas assez, etc.)*

Combien y a-t-il...

1. de sièges dans une voiture ordinaire?
2. de sièges dans un 747?
3. de provinces au Canada?
4. d'états aux États-Unis?
5. de planètes autour du soleil?
6. de pages dans ce livre?

9.4 Les verbes irréguliers *dire, écrire, lire, rire* et *sourire*

Présent de l'indicatif

	dire (to say)	écrire (to write)	lire (to read)
je, j'	dis	écris	lis
tu	dis	écris	lis
il / elle / on	dit	écrit	lit
nous	disons	écrivons	lisons
vous	dites	écrivez	lisez
ils / elles	disent	écrivent	lisent

✳ Note

These verbs follow a similar pattern of conjugation except for the form *vous dites* (compare with *vous faites*).

Présent de l'indicatif

rire (to laugh)

je	ris	nous	rions
tu	ris	vous	riez
il / elle / on	rit	ils / elles	rient

Sourire (to smile) is conjugated like **rire**.

Participes passés:

dire → dit   rire → ri   écrire → écrit   sourire → souri   lire → lu

EXERCICES ORAUX

a. Répondez selon le modèle.

> *Modèle:* Qui écrit des articles dans les journaux? (journalistes)
> *Les journalistes écrivent des articles dans les journaux.*

1. Qui vous dit bonjour en classe? (vous)
2. Qui me dit bonjour? (nous)
3. Qui dit qu'il va faire beau demain? (les météorologues)
4. Qui écrit des cartes postales? (les touristes)
5. Qui écrit des compositions en français? (nous)
6. Qui lit vos compositions? (vous)
7. Qui lit ce livre? (nous)
8. Qui lit vos lettres? (mes amis)
9. Qui vous sourit dans un magasin? (les vendeurs / les vendeuses)
10. Qui sourit à un bébé? (ses parents)
11. Qui rit devant des clowns? (les enfants)

b. Mettez les phrases suivantes au passé composé.

1. Tu lui dis de téléphoner.
2. Il écrit une carte postale.
3. Nous lisons le journal.
4. Elles disent la vérité.
5. Vous lisez beaucoup.
6. Pourquoi rit-il?
7. Pourquoi souriez-vous?
8. Nous n'écrivons pas de lettres.

c. Répondez aux questions.

1. À qui dis-tu bonjour le matin?
2. Dis-tu toujours la vérité?
3. À qui écris-tu régulièrement?
4. As-tu écrit une composition cette semaine?
5. Qui a écrit *Hamlet*?
6. Est-ce que tu lis beaucoup?
7. Est-ce que tu lis les journaux? Quels journaux?
8. Qu'est-ce que vous lisez en vacances?
9. Qu'est-ce que tu aimes lire?
10. À qui souris-tu généralement?
11. Est-ce qu'on rit quand on va chez le dentiste?

9.5 Les prépositions avec les noms géographiques

Here is a list of types of geographical names with the prepositions, which must be used 1) when someone is going there or someone or something is located there; 2) when someone or something is coming from there.

Names of cities

1) going to/being there: use **à**.

   Je vais **à** Victoria.   Le Parlement est **à** Ottawa.

2) coming from/place of origin: use **de / d'**.

   Elle vient **de** Kingston.   Je reviens **d'**Halifax.

Names of countries and continents

1) going to/being there:
   a) before feminine names (ending: silent e): use **en**.
      en Afrique, en Amérique, en Asie, en Australie, en Europe, en Angleterre, en Chine, en France, en Russie
      (one exception: (le) Mexique is masculine, therefore use "au Mexique")

   b) before masculine names: use **au / aux**.
      au Brésil, au Canada, au Japon, aux États-Unis

2) coming from/place of origin:
   a) before feminine names: use **de / d'**.
      d'Allemagne, d'Australie, d'Espagne, d'Italie, de France

   b) before masculine names: use **du / des**.
      du Guatemala, du Japon, des États-Unis

Names of Canadian provinces

1) l'Alberta, la Colombie-Britannique, l'Ontario, la Nouvelle-Écosse, la Saskatchewan
   a) going to/being there: use **en**.
      en Ontario, en Saskatchewan

   b) place of origin: use **de la** or **de l'** (before a vowel).
      de l'Alberta, de la Colombie-Britannique

2) le Manitoba, le Nouveau-Brunswick, le Québec
   a) going to/being there: use **au**.
      au Manitoba, au Québec

   b) place of origin: use **du**.
      du Nouveau-Brunswick

3) Terre-Neuve, l'Ile-du-Prince-Édouard
   a) going to/being there: use **à**.
      à Terre-Neuve, à l'Ile-du-Prince-Édouard

   b) place of origin: use **de**.
      de Terre-Neuve, de l'Ile-du-Prince-Édouard

Names of states (U.S.)

1) names that have a French version:
   a) going to/being there: use **en**.
      en Californie, en Caroline du Nord, en Floride, en Louisiane

   b) place of origin: use **de** or **de la** (with compound names).
      de Californie, de Pennsylvanie, de la Caroline du Sud, de la Virginie de l'Ouest

2) other names:
   a) going to/being there: use **dans le** (except **au Texas**).
      dans le Maine, dans le Missouri

   b) place of origin: use **du** or **de l'** (before a vowel).
      du Minnesota, de l'Ohio

EXERCICES ORAUX

a. Répondez selon le modèle.

> *Modèle:* Où est l'Université de Montréal?
>
> *À Montréal, au Québec, au Canada, en Amérique du Nord.*

1. le Château Frontenac? (Québec)
2. le mont Royal? (Montréal)
3. la tour CN? (Toronto)
4. Terre des Hommes? (Montréal)
5. Marineland? (Niagara Falls)
6. la statue de la Liberté? (New York)
7. la Maison Blanche? (Washington)
8. le Kremlin? (Moscou)
9. le Parlement canadien? (Ottawa)
10. le Palais de Buckingham? (Londres)
11. la tour Eiffel? (Paris)
12. le Stampede? (Calgary)

b. Répondez selon le modèle.

> *Modèle:* D'où vient le cognac? (France)
>
> *Le cognac vient de France.*

D'où vient / viennent...

1. le Dixieland? (Louisiane)
2. le pétrole? (Alberta)
3. l'électricité? (Québec)
4. les cigares? (Cuba)
5. les ordinateurs? (États-Unis)
6. le gruyère? (Suisse)
7. le café? (Brésil)
8. le caviar? (Russie)
9. le baseball? (États-Unis)
10. le golf? (Écosse)
11. le tango? (Argentine)
12. le champagne? (France)
13. les pêches? (Ontario)
14. les pommes de terre? (l'Ile-du-Prince-Édouard)
15. la tequila? (Mexique)
16. le flamenco? (Espagne)
17. la Toyota? (Japon)
18. la Mercedes? (Allemagne)
19. la Rolls-Royce? (Angleterre)
20. l'Alfa Romeo? (Italie)

c. Substituez au nom en italique les noms entre parenthèses en employant la préposition appropriée.

1. Je vais aller en *Angleterre* l'an prochain. (Australie, Japon, Mexique, Espagne, Pérou)
2. Nous sommes allés aux *États-Unis* l'été dernier. (Portugal, Chine, Suisse, Chili, Afrique)
3. Je veux aller en *Alberta* pour les vacances. (Québec, Terre-Neuve, Colombie-Britannique)
4. Est-ce que ton cousin est au *Texas*? (Vermont, Virginie, Louisiane, Missouri, Floride)
5. Elle vient de *Chine*. (Japon, Suède, Brésil, États-Unis)
6. Je reviens de *Terre-Neuve*. (Québec, Saskatchewan, Manitoba, Colombie-Britannique, Nouveau-Brunswick)

9.6 Les noms de nationalité

Countries	Names of nationalities	
	Masculine	*Feminine*
l'Angleterre	un Anglais	une Anglaise
l'Allemagne	un Allemand	une Allemande
le Canada	un Canadien	une Canadienne
la Chine	un Chinois	une Chinoise
l'Espagne	un Espagnol	une Espagnole
les États-Unis	un Américain	une Américaine
la France	un Français	une Française
la Grèce	un Grec	une Grecque
l'Irlande	un Irlandais	une Irlandaise
l'Italie	un Italien	une Italienne
le Mexique	un Mexicain	une Mexicaine
le Portugal	un Portugais	une Portugaise
la Russie	un Russe	une Russe
la Suède	un Suédois	une Suédoise
la Suisse	un Suisse	une Suisse
la Turquie	un Turc	une Turque

Names of nationalities are capitalized when they are used as nouns to refer to people. Otherwise they are not capitalized:

C'est un Japonais.	He is a Japanese (citizen).
Il est japonais.	He is Japanese.
J'ai une voiture japonaise.	I have a Japanese car.
Il apprend le japonais.	He is learning Japanese.

 EXERCICES ORAUX

a. Répondez aux questions selon le modèle.

Modèle: Est-ce que Pierre est né en France?
Oui, c'est un Français.

1. Est-ce que Debby est née aux États-Unis?
2. Est-ce qu'Élizabeth est née au Canada?
3. Est-ce que Dimitri est né en Russie?
4. Est-ce que Spiros est né en Grèce?
5. Est-ce que Maria est née au Mexique?
6. Est-ce qu'Heidi est née en Suisse?
7. Est-ce qu'Erin est née en Irlande?
8. Est-ce que Klaus est né en Allemagne?

b. Répondez aux questions.

1. Es-tu canadien(ne)?
2. Est-ce que la Rolls-Royce est une voiture allemande?
3. Est-ce que la BMW est une voiture suisse?
4. Est-ce que l'Ohio est une province canadienne?
5. Est-ce que Dickens est un auteur américain?
6. Est-ce que Madrid est une ville grecque?
7. Quelles sont les langues officielles au Canada? en Italie? en Suisse?
8. Quelle est la langue officielle du Brésil? du Pérou? de la Suède?

9.7 Les moyens de transport

L'avion (**un avion** = a plane)

un aéroport	airport	**un pilote**	pilot
la douane	customs	**un(e) agent(e) de bord**	flight attendant
un passeport	passport	**décoller**	to take off
un visa	visa	**atterrir**	to land

Le train

une gare	train station	**un wagon**	car
un billet	ticket	**un wagon-restaurant**	diner
un aller simple	one-way (ticket)	**un aller-retour**	round trip (ticket)

Le bateau

un port	harbour	**une cabine**	cabin
une réservation	reservation	**une couchette**	bunk bed
une croisière	cruise	**un pont**	deck

Le métro

une station	station	**un ticket**	ticket
descendre à une station	to get off at a station	**une rame**	(subway) train

L'autobus

un terminus	bus station	**un conducteur /**	driver
un arrêt	bus stop	**une conductrice**	
un autobus	bus, coach	**un express**	express bus

Le taxi

un chauffeur	driver	**un pourboire**	tip
un client / une cliente	customer	**payer la course**	to pay the fare

L'automobile

un / une automobiliste	car driver	**descendre de voiture**	to get out of a car
un conducteur /	driver	**un chauffeur**	driver
une conductrice		**un passager /**	passenger
monter en voiture	to get in a car	**une passagère**	

À pied (on foot)

aller (à l'université) à pied	to go (to the university) on foot
marcher	to walk
faire une promenade	to take a walk
traverser la rue	to cross the street
le trottoir	the sidewalk

Note the following contrasts:

1) — **aller à... en** avion, **en** train, etc.

   — **prendre** l'avion (le train, etc.) **jusqu'à...**

   Je vais à Montréal en train.

   Je prends le train jusqu'à Montréal.

2) — **dans** l'avion, **dans** le train, **dans** l'autobus (on a plane, a train, or a bus);

   — **sur le bateau** (on a boat).

3) — **les passagers** is used for plane or boat passengers;

   — **les voyageurs** is used for train or bus passengers.

 EXERCICES ORAUX

a. Répondez par une phrase complète selon le modèle.

   Modèle: Comment es-tu allé(e) à New York?

   J'y suis allé(e) en avion / en train / en voiture.

   Comment es-tu allé(e) à Londres? à Paris? à la bibliothèque?

   à Cuba? au magasin? à l'Ile-du-Prince-Édouard?

   à Montréal? à Vancouver? en Chine? aux États-Unis?

   à Toronto? à Terre-Neuve? à la station Henri-Bourassa?

   au cinéma? au zoo?

b. Répondez aux questions.

1. À quel aéroport prenez-vous généralement l'avion?
2. As-tu peur quand l'avion décolle? quand il atterrit?
3. Que fait un(e) agent(e) de bord?
4. Où est-ce qu'on prend le train?
5. Faut-il faire une réservation pour prendre le bateau?
6. As-tu déjà fait une croisière en bateau?
7. Où peut-on acheter des tickets de métro?
8. Est-ce qu'un autobus express fait beaucoup d'arrêts?
9. Est-ce que tu donnes des pourboires aux chauffeurs de taxi?

c. Rendez-vous d'un endroit à un autre et utilisez le plus grand nombre de moyens de transport.

> *Exemple: J'ai pris l'avion jusqu'à Paris, ensuite j'ai pris le train jusqu'à Marseille, ensuite…*

EXERCICES ÉCRITS

a. Mettez les verbes au passé composé. Faites attention à l'accord du participe passé.

1. Hier soir, Ariane (sortir) _____ avec Frédéric. Ils (aller) _____ à une agence de voyages.
2. Lise (venir) _____ m'apporter un itinéraire de vacances.
3. Les enfants (arriver) _____ de l'école à quatre heures et ils (monter) _____ dans leur chambre pour changer de vêtements.
4. Après les cours, Rose (rester) _____ à la bibliothèque pour faire sa composition.
5. Mes parents (partir) _____ en vacances.
6. La grand-mère de Simon (mourir) _____ il y a deux jours.
7. Marguerite (naitre) _____ au Canada, mais elle (aller) _____ habiter aux États-Unis.
8. Il (tomber) _____ quand il (descendre) _____ du toit.
9. Nos amis (retourner) _____ au Manitoba.
10. Après leurs études, elles (devenir) _____ médecins.

b. Répondez aux questions affirmativement. Employez *y* ou *en*.

> *Modèles:* Vas-tu *à Montréal?*
>
> *J'y vais.*
>
> As-tu *un billet d'autobus?*
>
> *J'en ai un.*

1. Sont-ils allés *au cinéma* hier soir?
2. Est-il retourné *au Québec?*
3. Est-elle partie *de Vancouver?*
4. Est-ce qu'elles font *du ski?*
5. Est-il revenu *de voyage?*
6. Est-ce que René est *dans le jardin?*

7. A-t-elle répondu *aux questions?*

8. Est-ce qu'ils veulent réfléchir *à notre proposition?*

9. Est-ce qu'il a acheté *un vélo?*

10. As-tu beaucoup *de travail?*

11. Ont-elles apporté *des brochures?*

12. Est-ce qu'il pense acheter *deux bicyclettes?*

13. Est-ce qu'elle prend *des vitamines?*

14. Descends-tu *du train?*

15. Achètes-tu *des billets?*

16. Vont-ils *aux États-Unis?*

17. Êtes-vous resté(e)s longtemps *au Manitoba?*

18. Réfléchis-tu *à ce projet?*

19. Avez-vous *des réservations?*

20. Pensez-vous prendre *une couchette?*

c. Répondez aux questions par des phrases complètes.

1. Combien de compositions françaises as-tu écrites?

2. Quel livre lis-tu en ce moment?

3. À qui écris-tu des lettres?

4. Quel journal as-tu lu récemment?

5. Avec qui est-ce que tu ris?

6. À qui souris-tu généralement?

d. Répondez aux questions affirmativement selon le modèle. Employez un pronom personnel objet direct ou le pronom *en.* Faites attention à l'accord du participe passé.

Modèle: As-tu acheté cette voiture?

Oui, je l'ai achetée.

1. A-t-elle compris cette leçon?

2. As-tu écouté ce disque?

3. A-t-il fini sa croisière?

4. As-tu réservé la chambre?

5. A-t-il acheté des tickets de métro?

6. As-tu regardé des photos?

7. Ont-ils rapporté des souvenirs?

8. As-tu consulté l'horaire des trains?

9. As-tu appris la leçon?

10. As-tu lu ces dépliants publicitaires?

11. A-t-elle fait des voyages?

12. As-tu pris ma valise?

13. As-tu lu mes cartes postales?

e. Employez la préposition correcte.

1. Terre des Hommes est _____ Montréal, mais la tour CN est _____ Toronto.

2. L'Assemblée Nationale est _____ Québec, mais _____ Ottawa, _____ Ontario, il y a la colline parlementaire.

3. La Maison Blanche est _____ Washington, _____ États-Unis, mais _____ Moscou, _____ Russie, il y a le Kremlin.

4. Le stade olympique est _____ Montréal, mais le Stampede est _____ Calgary, _____ Alberta.

f. Transformez les phrases en mettant les verbes en italique au passé composé. (Attention à l'accord du participe passé.)

> *Modèle:* Quelle revue *lis*-tu?
> *Quelle revue as-tu lue?*

1. Quel cours *choisit*-il?
2. La voiture qu'il *achète* coûte cher.
3. Quels films *regardes*-tu?

4. Quel livre *écrit*-il?
5. C'est la chemise que j'*achète*.

g. Répondez affirmativement selon le modèle.

> *Modèle:* Est-ce qu'elle est née en Angleterre?
> *Oui, elle est anglaise.*

1. Est-ce qu'il est né au Canada?
2. Est-ce qu'il est né au Japon?
3. Est-ce qu'elle est née en Irlande?
4. Est-ce qu'il est né aux États-Unis?
5. Est-ce qu'elle est née en Italie?

6. Est-ce qu'elle est née en Espagne?
7. Est-ce qu'il est né au Mexique?
8. Est-ce qu'il est né en Allemagne?
9. Est-ce qu'elle est née en Russie?
10. Est-ce qu'il est né au Québec?

h. Indiquez les moyens de transport appropriés.

> *Modèle:* Comment peut-on aller à New York?
> *On peut aller à New York en avion, en train, en autobus et en automobile.*

Comment peut-on aller...

1. à Vancouver?
2. à l'université?
3. en Alaska?
4. en Angleterre?

5. à Montréal?
6. à Terre-Neuve?
7. au centre-ville?
8. en Louisiane?

Lecture

L'autre île du Prince-Édouard

© All Canada Photos/Alamy

[...]

Le doux et subtil appel de l'Île-du-Prince-Édouard est parfois inaudible dans le tintamarre promotionnel de destinations plus grandes. C'est dommage car l'île est plus intéressante que jamais. Voyage dans un passé postmodernisé.

Charlottetown — L'Île-du-Prince-Édouard est un mythe coloré. Ses plages rougeâtres, ses prés verts et mauves, ses homards écarlates et sa grande bleue sont imprimés dans notre imaginaire collectif. Pourtant, on en parle moins qu'avant. L'île a bien changé depuis quelques années, presque à notre insu.

La gastronomie, ancien point faible des Maritimes, est dorénavant active et innovante. Les nouveaux chefs font du homard bouilli un point de départ et non plus un point d'arrivée. Comme partout ailleurs en Amérique du Nord, la gastronomie marie les méthodes internationales aux meilleurs produits locaux. Et les produits d'ici sont très doués. La culture de la moule bleue, notamment, est une nouvelle spécialité.

L'Île-du-Prince-Édouard manquait aussi d'attraits, de curiosités et d'activités face à ses concurrentes balnéaires de la Nouvelle-Angleterre. On n'est pas encore à Old Orchard, heureusement, mais il y a de quoi occuper une petite famille ou un couple pour au moins une semaine. En effet, les parcs thématiques, les golfs et autres centres d'intérêt se sont multipliés aux abords de la grande plage de Cavendish.

Charlottetown, la capitale de poche, propose désormais des attraits historiques nombreux et importants (Province House et la Salle des fondateurs, entre autres), en tout cas pour qui est fasciné par la politique canadienne. La meilleure surprise, c'est le nightlife bonifié de Charlottetown l'été: la Victoria Row est une rue piétonne avec du jazz tous les soirs. Il y a aussi des microbrasseries, des terrasses bien [éclairées] et des spectacles de grande qualité, comme la comédie musicale qui met en vedette l'incontournable héroïne d'Anne aux pignons verts.

Les excursions de vélo constituent un autre attrait nouveau partout à l'Île-du-Prince-Édouard. Le terrain est plat mais magnifique, les paysages sont à couper le souffle, les pistes cyclables sont bien fléchées, il y a peu de circulation automobile et les conducteurs sont courtois. L'île est devenue un paradis de la princesse à deux roues.

L'Île-du-Prince-Édouard touristique, c'est son parc national éponyme, qui n'est devancé en popularité que par les parcs nationaux de Banff et de Jasper, dans les Rocheuses. C'est dire l'attrait de cette bande de 20 kilomètres de plages et de falaises le long de dunes magnifiques (un écosystème fragile, d'ailleurs menacé par tant de popularité).

Au total, l'île fait 280 kilomètres d'est en ouest et jusqu'à 64 du nord au sud. Le secteur le plus apprécié des insulaires eux-mêmes, c'est le comté de Kings, à l'est de l'île. Voici une région d'initiés aux plages immenses et peu fréquentées. Le comté de Kings est une région où on peut faire des expériences inhabituelles comme de la pêche en mer et de l'observation d'otaries. C'est aussi la région des parcours de classe internationale qui font la réputation golfique de l'île.

L'est, c'est aussi le site de Greenwich, une portion récente du Parc national de l'Île-du-Prince-Édouard qui affiche le visage sauvage des plages rougeâtres et de leurs dunes. Greenwich présente ce qu'était l'île avant que le tourisme de masse n'atteigne ses rivages. Ce coin magnifique est si isolé et si loin des services touristiques qu'il demeure un repaire de solitude et de nature intacte.

La région acadienne forme le sud du comté de Prince, à l'ouest. Il n'y a pas ici de grandes plages comme au nord, mais la chaleur et le patrimoine des francophones constituent un aimant émouvant. Le Musée acadien de l'Île-du-Prince-Édouard, à Miscouche, présente l'histoire héroïque des Acadiens de l'île, qui remonte à 1720.

Notre coup de cœur a été la grande église Notre-Dame-du-Mont-Carmel, dont les flèches font 130 mètres de haut. Ses briques rouges sont tirées de la glaise des plages toutes proches. L'église et son cimetière témoignent de la lutte séculaire des Acadiens pour la préservation de leur langue et de leur religion. [...]

Le College of Piping, près de Summerside, est une école de musique celtique si réputée qu'elle recrute des élèves jusqu'en Nouvelle-Zélande! Les amateurs de cornemuse et de danse écossaise seront touchés par le spectacle quotidien des élèves. La passion générée par cette musique est une véritable révélation. [...]

Article de Benoit Legault, extrait du journal *Le Devoir*

abords: aux — de	around	**écarlate**	scarlet
afficher	to display	**éclairé(e)**	lit
aimant (m.)	magnet	**écossais(e)**	Scottish
atteindre	to reach	**effet: en —**	indeed
attrait (m.)	attraction	**émouvant(e)**	moving
aussi	also	**encore: pas —**	not yet
avant	before	**entre autres**	among other things
balnéaire	seaside (resort)		
bande (f.)	strip	**éponyme**	eponymous
bien	a lot; well	**excursion** (f.)	ride, tour
bleue: grande —	(big blue) sea	**face à**	when compared to
bonifié(e)	improved	**faible**	weak
bouilli(e)	boiled	**falaise** (f.)	cliff
cas: en tout —	in any case	**flèche** (f.)	spire
chaleur (f.)	warmth	**fléché(e)**	signposted
circulation (f.)	traffic	**fréquenté(e): peu —**	quiet
coin (m.)	corner, place, spot	**glaise** (f.)	clay
coloré(e)	brightly coloured, colourful	**homard** (m.)	lobster
		ici	here
comme	as, like	**imaginaire** (m.)	imagination
comté (m.)	county	**imprimé(e)**	imprinted
concurrent(e) (m./f.)	competitor	**incontournable**	unavoidable
conducteur, conductrice (m./f.)	driver	**insu: à notre —**	without our being aware of it
cornemuse (f.)	bagpipes	**insulaire** (m./f.)	islander
coup de cœur (m.)	personal favourite	**jusque**	all the way
courtois(e)	courteous	**loin**	far
d'ailleurs	incidentally	**lutte** (f.)	struggle
depuis quelques années	over the last few years	**manquer de**	to lack
		marier	to blend
désormais	from now on	**meilleur(e)**	best
devancer	to overtake	**menacer**	to threaten
dommage: c'est —	it's a pity	**mer** (f.)	sea
dorénavant	henceforth	**microbrasserie** (f.)	microbrewery
doué(e)	blessed, gifted	**moins**	less

moins: au —	at least	**proche**	nearby
moule (f.)	mussel	**produit** (m.)	produce, foodstuff
non plus	not any longer	**quoi: il y a de —**	there is enough
notamment	especially	**quotidien**	daily
otarie (f.)	seal	**remonter à**	to date back to
parcours (m.)	course	**repaire** (m.)	den, lair, haunt
parfois	sometimes	**rivage** (m.)	shore
partout	everywhere	**Rocheuses** (f.pl.)	Rockies
partout ailleurs	elsewhere	**roue** (f.)	wheel
patrimoine (m.)	heritage	**rougeâtre**	reddish
pêche (f.)	fishing	**sauvage**	wild
piéton, piétonne	pedestrian	**secteur** (m.)	area
pignon (m.)	gable	**séculaire**	age-old
piste cyclable (f.)	bike path	**souffle: à couper le —**	breathtaking
plage (f.)	beach	**témoigner**	to bear witness
plat(e)	flat	**tintamarre** (m.)	din, hubbub
poche (f.)	pocket	**tirer**	to draw, to pull (out)
pourtant	yet		
pré (m.)	meadow	**vedette: qui met en —**	starring
presque	almost	**vélo** (m.)	bicycle

QUESTIONS

1. Pourquoi l'appel de l'Ile-du-Prince-Édouard est-il parfois inaudible?
2. Que signifie un "mythe coloré"?
3. Qu'est-ce qui a changé dans la gastronomie?
4. Qu'est-ce qui manquait avant par rapport à la Nouvelle Angleterre?
5. Comment cela a-t-il changé?
6. Qu'est-ce qu'on peut faire le soir à Charlottetown?
7. Quels sont les avantages des excursions à vélo sur l'ile?
8. Qu'est-ce qu'on peut trouver dans le parc national de l'ile?
9. Ce parc est-il populaire?
10. Quelles sont les particularités du comté de Kings?
11. Pourquoi est-ce que Greenwich est différent?
12. Où est le Musée acadien?
13. Que représente l'église Notre-Dame-du-Mont-Carmel? Qu'a-t-elle de remarquable?
14. Qu'est-ce qui montre que le College of Piping est très réputé? Qu'est-ce qu'on y enseigne?

SITUATIONS – CONVERSATIONS

1. Racontez un voyage que vous avez fait.

   Pourquoi êtes-vous allé(e) à cet endroit? Avec qui? Y êtes-vous allé(e) en avion, en train, en auto? Qu'est-ce que vous avez emporté? Qu'est-ce que vous avez visité? Quand êtes-vous parti(e) et revenu(e)? Qui avez-vous rencontré?, etc.

2. Qu'avez-vous fait pendant vos vacances, l'été dernier? l'hiver dernier?

   Réponses possibles: visiter un endroit, voir mes parents, faire du sport, aller à la mer, prendre du repos, faire du ski, faire un voyage, etc.

3. Quels pays ou quelles villes désirez-vous visiter, et pour quelles raisons?

   Raisons: la montagne, la mer, la plage, le climat, la nature, les sites, les monuments, les restaurants, les sports, les vestiges des différentes civilisations, l'héritage national, la langue, les coutumes, le paysage, etc.

4. Racontez un incident désagréable qui vous est arrivé en voyage.

   Quand est-ce arrivé? À quel endroit? À quel moment?
   Qu'est-ce que vous avez fait ou dit? Etc.

5. Avez-vous déjà voyagé en avion, en bateau, en train? Racontez votre premier voyage.

6. De tous les moyens de transport, lequel préférez-vous et pour quelles raisons?

7. Qu'est-ce qu'une automobile représente pour vous?

   Est-elle une nécessité? À quoi sert-elle? Est-elle à l'image de votre personnalité?

8. Présentez-vous au comptoir d'Air Canada, de WestJet, de l'Autobus Voyageur ou de Via Rail et achetez des billets pour un voyage. Un(e) étudiant(e) joue le rôle du / de la client(e); un(e) autre étudiant(e) le rôle de l'employé(e).

COMPOSITIONS

1. Racontez un voyage exceptionnel que vous avez fait. Comment avez-vous voyagé? Avec qui? Qu'est-ce que vous avez visité?

2. Existe-t-il un pays où vous souhaitez vivre? Pour quelles raisons?

3. Imaginez une conversation entre deux passagers d'un vol aérien.

4. Racontez un accident que vous avez eu dans le passé.

 # PRONONCIATION   ((•—[Listen on myfrenchlab

(Students and instructors can listen to the audio track for this exercise on MyFrenchLab.)

I. La voyelle nasale /ɛ̃/

The nasal vowel /ɛ̃/ is associated with the spellings **aim**, **ain**, **ein**, **eim**, **in**, **im**, **yn**, and **ym**.

Répétez:

pain	vin	saint	syndicat
rein	mince	ceinture	indécis
daim	impur	symbole	plainte

It is also associated with the spelling **-en** after **é, i,** or **y** and with the spelling **in** after **o**:

Répétez:

Européen	moyen	soin	tien
bien	loin	foin	sien
rien	coin	mien	citoyen

II. Contraste /ɛ̃/ – /ɛ/

Répétez:

plein / pleine	mien / mienne	musicien / musicienne
vain / vaine	canadien / canadienne	européen / européenne
chien / chienne	américain / américaine	

MyFrenchLab Visit MyFrenchLab to access additional resources such as audio exercises, the *Cahier de laboratoire*, and web destinations.

CHAPITRE 10

© Rus S./Shutterstock.com

Arts et spectacles

MyFrenchLab

Visit MyFrenchLab to access additional resources, including

- *Cahier de laboratoire*
- Self-grading assessments
- Audio exercises
- Grammar primers and tutorials

Thèmes

- Les arts et les spectacles
- Je décris une sortie en ville
- Mes activités quotidiennes
- Depuis quand et combien de temps je fais quelque chose

Grammaire

10.1 Les verbes pronominaux

10.2 Verbes pronominaux à sens idiomatique

10.3 Place et forme du pronom réfléchi

10.4 Place des pronoms objets avant le verbe

10.5 *Depuis* + présent de l'indicatif

10.6 Les adverbes

10.7 Les articles et la négation — rappel

Lecture

Totem: la mémoire animale

VOCABULAIRE UTILE

Noms

acteur, actrice	actor, actress
aquarelle (f.)	watercolour
art (m.)	art
artiste (m./f.)	artist
chanteur, chanteuse	singer
chef d'orchestre (m.)	conductor
chevalet (m.)	easel
chœur (m.)	choir
cinéma (m.)	cinema; movie theatre
cirque (m.)	circus
concert (m.)	concert
danse (f.)	dance
éloge (m.)	praise
exposition (f.)	exhibition, show
feu (m.)	traffic light
galerie (f.)	gallery
gout (m.)	taste
jumeau, jumelle	twin
musée (m.)	museum
musicien, musicienne	musician
œuvre d'art (f.)	work of art
opéra (m.)	opera
orchestre (m.)	orchestra; band
peintre (m./f.)	painter
peinture (f.)	painting; paint
pièce (f.)	play
pinceau (m.)	brush
public (m.)	audience, public
représentation (f.)	performance
rôle (m.)	role, part
salle (f.)	hall; theatre, cinema
sous-titre (m.)	subtitle
spectacle (m.)	show
succès (m.)	success
tableau (m.)	painting; board
talent (m.)	talent
théâtre (m.)	theatre
tournée (f.)	tour
variétés (spectacle de)	variety show
voisin(e)	neighbour

Adjectifs

faux, fausse	false, wrong
vrai(e)	true

Verbes

emprunter	to borrow
peindre	to paint
prêter	to lend
projeter (un film)	to project, to show
répéter	to rehearse

Préposition

au sujet de	about

Expressions

queue: faire la —	to stand in line
représentation: assister à une —	to attend a show
sortie: faire une — culturelle	to go on a cultural outing

GRAMMAIRE ET EXERCICES ORAUX

10.1 Les verbes pronominaux

Pronominal verbs

Pronominal verbs are used with a reflexive pronoun that represents the same person or thing as the subject. The reflexive pronoun is placed before the verb and must agree with the subject: **me, te, se, nous, vous** are reflexive pronouns.

Here are the present indicative forms of **se laver** (to wash). Note the correspondences between subject pronouns and reflexive pronouns:

je me lave	I wash (myself)
tu te laves	you wash (yourself)
il se lave	he washes (himself)
elle se lave	she washes (herself)
on se lave	one washes (oneself)
nous nous lavons	we wash (ourselves)
vous vous lavez	you wash (yourself/yourselves)
ils se lavent	they wash (themselves)
elles se lavent	they wash (themselves)

The reflexive pronouns **me, te,** and **se** become **m', t',** and **s'** before a vowel sound: **je m'habille** (I get dressed). The reflexive pronoun is placed immediately before the verb in the negative and interrogative constructions as well:

Elle ne s'habille pas.
Se lave-t-elle?

The reflexive pronoun may be either the direct object or the indirect object of the verb. Compare:

	Nonreflexive construction	*Reflexive construction*
Direct object	Elle regarde la fleur.	Elle se regarde.
Indirect object	Il parle à Jean.	Il se parle.

Meaning of pronominal verbs

Pronominal verbs indicate that the action of the verb is reflected back upon the subject. With a singular subject, the verb usually indicates *a reflexive* action:

Je me regarde.	I look at myself.
Il se parle.	He is talking to himself.

With a plural or compound subject, the verb may indicate *a reciprocal* action:

Alain et Suzanne se regardent.	Alain and Suzanne are looking at each other.
Nous nous parlons.	We talk to each other (one another).

Some regular -*er* pronominal verbs

s'arrêter	(to stop)	Il s'arrête au feu rouge.
se brosser	(to brush)	Elle se brosse les dents.
se coucher	(to go to bed)	Ils se couchent tôt.
s'habiller	(to dress)	Pierre s'habille bien.
s'inquiéter	(to worry)	Je m'inquiète parce qu'il est en retard.
se lever	(to get up)	Les enfants se lèvent tard le samedi.
se maquiller	(to put on make up)	Ma sœur se maquille beaucoup.
se peigner	(to comb)	Je me peigne.
se préparer	(to get ready)	Je me prépare pour le concert.
se promener	(to take a walk)	Nous nous promenons dans la Place-des-Arts.
se rencontrer	(to meet)	Vous vous rencontrez en face du cinéma.
se reposer	(to rest)	Il se repose après son spectacle.
se ressembler	(to look alike)	Les jumeaux se ressemblent.
se téléphoner	(to phone)	Ils se téléphonent souvent.

✳ Note

All of these verbs are used in nonreflexive constructions as well. Similarly, many other verbs that have been presented so far may also be used pronominally.

EXERCICES ORAUX

a. Remplacez les tirets par la forme correcte du verbe.

1. se lever tôt

Je _____.
Elle _____.
Vous _____.
Ils _____.

2. se coucher tard

Nous _____.
Elles _____.
Vous _____.
Tu _____.

3. s'habiller vite

Je _____.
Tu _____.
Ils _____.
Nous _____.

4. se peigner les cheveux

Vous _____.
Tu _____.
Il _____.
Elle _____.

5. se brosser les dents

Il _____.
Tu _____.
Nous _____.
Vous _____.

6. se préparer à partir

Je _____.
Ils _____.
Tu _____.
Vous _____.

b. Répondez aux questions.

1. Est-ce que tu te laves le matin?
2. Est-ce que nous nous reposons en vacances?
3. Vous préparez-vous pour l'examen?
4. Est-ce que les chats et les chiens s'aiment bien?
5. Est-ce que je me promène dans la classe?
6. Les étudiants se rencontrent-ils au cinéma?
7. Est-ce que nous nous téléphonons?
8. Est-ce que vous vous inquiétez à cause de l'examen?
9. Est-ce que Roméo et Juliette s'aiment?
10. Est-ce que tu te regardes souvent dans le miroir?
11. T'habilles-tu avec élégance?

c. Demandez à un(e) autre étudiant(e) s'il / si elle...

1. se lave.
2. se promène dans le parc.
3. s'habille chaudement.
4. se repose à midi.
5. s'arrête au feu rouge.
6. se prépare pour l'examen.
7. se promène avec vous.
8. se lève tôt.
9. s'inquiète au sujet de ses cours.
10. se maquille.

d. Répondez aux questions.

1. Où les étudiants se rencontrent-ils?
2. Pourquoi s'habille-t-on élégamment pour le concert?
3. Pourquoi se lave-t-on?
4. Quand est-ce que tu te laves?
5. Pourquoi t'inquiètes-tu?
6. Où te promènes-tu?
7. Quand est-ce que vous vous téléphonez, tes parents et toi?
8. Est-ce que tes parents s'inquiètent à cause de toi?
9. Est-ce que vous vous ressemblez, ton père et toi? ta mère et toi?
10. Est-ce que tu t'habilles à la mode?
11. Quand est-ce que tu te reposes?

10.2 Verbes pronominaux à sens idiomatique

A number of pronominal verbs do not indicate a reflexive or reciprocal action but have an idiomatic meaning. Some of these verbs only exist in the pronominal form, like **se méfier de** (to mistrust/to distrust) or **se souvenir de** (to remember). They may also be verbs whose pronominal form has a meaning that is different from their nonpronominal form:

aller	to go	**s'en aller**	to go away/to leave
appeler	to call	**s'appeler***	to be named

* **S'appeler** may also have a reciprocal meaning, i.e., "Ils s'appellent au téléphone." (They call each other on the phone.)

attendre	to wait	s'attendre à	to expect
entendre	to hear	s'entendre avec	to get along with
rendre	to give back	se rendre à	to go to
servir	to serve	se servir de	to use
trouver	to find	se trouver	to be located

 EXERCICES ORAUX

a. Répondez aux questions.

1. Est-ce que tu t'en vas après la classe?
2. Est-ce que tu t'appelles Marc?
3. Est-ce que tu t'appelles Sylvie?
4. Est-ce que je m'appelle Gaston?
5. Est-ce que tu t'entends avec tes professeurs?
6. Le chef d'orchestre s'entend-il bien avec les musiciens?
7. Les artistes s'entendent-ils bien ensemble?
8. Est-ce que vous vous rendez au théâtre après la classe?
9. Est-ce que tu te rends souvent à Montréal en train?
10. Est-ce que le public s'attend toujours à des miracles?
11. Est-ce que vous vous attendez à un spectacle intéressant?
12. Est-ce que tu te sers d'un pinceau?
13. Est-ce que je me sers du tableau?
14. Est-ce qu'on se sert de peinture pour une aquarelle?
15. Est-ce que l'acteur se sert de sa mémoire?
16. Est-ce que tu te souviens du chapitre un?
17. Est-ce que les vieux acteurs se souviennent de leur rôle?
18. Vous souvenez-vous de la première heure de cours?
19. Est-ce que tu te méfies de tout le monde?
20. Est-ce que les artistes se méfient des critiques?
21. Est-ce que le théâtre se trouve au centre-ville?

b. Demandez à un(e) autre étudiant(e) s'il / si elle…

1. s'entend bien avec les artistes.
2. se sert d'un ordinateur.
3. se souvient de sa première pièce de théâtre.
4. se rend chez lui / elle après la classe.
5. s'attend à un succès.
6. s'attend à avoir de bonnes notes.
7. s'appelle Honoré.
8. s'en va après la classe.
9. se rend au cinéma à pied.
10. se sert de son stylo.
11. se méfie des critiques.
12. s'attend à des éloges.
13. se souvient de la date de l'exposition.

c. Répondez aux questions.

1. De quoi te sers-tu pour peindre?
2. Où se trouve la bibliothèque?
3. Dans quelle ville se trouve la Place-des-Arts?
4. À quel genre de film est-ce que tu t'attends?
5. Avec qui t'entends-tu bien?
6. Avec qui est-ce que tu ne t'entends pas bien?
7. Est-ce que je me souviens de tous vos noms?
8. Comment s'appelle ton actrice favorite?
9. Comment est-ce que je m'appelle?
10. Comment t'appelles-tu?
11. De quoi nous servons-nous pour faire une aquarelle?
12. Où est-ce que tu te rends après la classe?

10.3 Place et forme du pronom réfléchi

When the pronominal verb is used in the affirmative imperative, the reflexive pronoun is placed after the verb. The reflexive pronoun **te** becomes **toi**. Compare:

Declarative	*Imperative*
Tu t'habilles.	Habille-toi.
Nous nous habillons.	Habillons-nous.
Vous vous habillez.	Habillez-vous.

When the verb is in the negative imperative, the reflexive pronoun remains before the verb:

Ne t'habille pas.   Ne nous habillons pas.   Ne vous habillez pas.

When the pronominal verb is used in the infinitive form after another conjugated verb, the reflexive pronoun must agree with the subject of that verb:

Je dois m'habiller.   Nous voulons nous promener.
Tu dois te laver.   Vous pouvez vous reposer.
Il aime se regarder.   Ils veulent se téléphoner.
Elle ne veut pas s'en aller.   Elles ne peuvent pas s'arrêter.
On doit se préparer.

 EXERCICES ORAUX

a. Dites à un(e) autre étudiant(e) de…

Modèles: s'en aller.   ne pas s'inquiéter.
Va-t'en.   *Ne t'inquiète pas.*

1. s'attendre à des difficultés.   3. ne pas s'arrêter.
2. se servir d'un microphone.   4. ne pas s'en aller.

5. se rendre au concert.

6. ne pas s'attendre à des miracles.

7. se mettre au travail.

8. se trouver au théâtre à six heures.

9. se préparer à une surprise.

10. ne pas se servir de vos pinceaux.

11. se promener avec son chien.

12. se reposer.

13. ne pas se laver maintenant.

b. Demandez à un(e) autre étudiant(e) s'il / si elle...

> *Modèle:* veut s'en aller.
>
> *Veux-tu t'en aller?*

1. doit se rendre au musée.

2. aime se servir d'un ordinateur.

3. déteste se costumer.

4. espère pouvoir se reposer.

5. doit se préparer pour un concert.

6. sait se servir d'un pinceau.

7. peut se souvenir de la date de l'anniversaire de son père.

8. compte se rendre à Regina bientôt.

9. aime s'habiller à la mode.

10.4 Place des pronoms objets avant le verbe

Direct and indirect object pronouns along with **y** and **en** may be used in various combinations before a verb. The sequence in which they are placed is the following:

me	+	le	+	lui	+	y	+	en
te		la		leur				
se		les						
nous								
vous								

Exemples:

Il me rend mon livre. ———————→	*Il me le rend.*
Il lui rend son livre. ———————→	*Il le lui rend.*
Il y a des livres ici. ———————→	*Il y en a ici.*
Je leur donne des livres. ———————→	*Je leur en donne.*

In the negative, **ne** precedes the pronouns that precede the verb:

> Il **ne** nous le donne pas.

In a question using inversion, the pronouns also precede the verb:

> **Vous les** donne-t-il?

When an infinitive follows another conjugated verb, the pronouns precede the infinitive:

> Elle veut **me les** donner.

When the verb is in the **passé composé**, the pronouns precede the auxiliary verb:

> Il ne **m'en** a pas donné.
>
> Nous **le lui** avons prêté.

 ## EXERCICES ORAUX

a. Répondez aux questions d'après le modèle.

Modèle: Est-ce que tu me rends *mon livre?*

Oui, je te le rends.

1. Est-ce que tu lui donnes *ton livre?*
2. Est-ce que tu lui donnes *le tableau?*
3. Est-ce que tu lui donnes *les billets de théâtre*
4. Est-ce que tu leur prêtes *ton violon?*
5. Est-ce que tu leur prêtes *ton ordinateur?*
6. Est-ce que tu leur prêtes *tes costumes?*
7. Est-ce que tu me rends *ma cravate?*
8. Est-ce que tu me rends *mon pinceau?*
9. Est-ce que tu me rends *mes CD?*
10. Est-ce que tu nous rends *nos magazines?*
11. Est-ce que tu nous rends *notre voiture?*
12. Est-ce que tu nous rends *nos photographies?*
13. Est-ce que tu le prêtes *à Serge?*
14. Est-ce que tu le donnes *à Monique?*
15. Est-ce que tu le vends *aux Archambault?*
16. Est-ce que tu la rends *aux danseurs?*
17. Est-ce que tu les donnes *aux musiciens?*

b. Même exercice.

Modèle: Est-ce que tu lui as prêté *la voiture?*

Oui, je la lui ai prêtée.

1. Est-ce que tu leur as prêté *le cahier?*
2. Est-ce que tu leur as prêté *le pinceau?*
3. Est-ce que tu leur as prêté *tes tambours?*
4. Est-ce que tu lui as donné *les billets?*
5. Est-ce que tu lui as donné *le CD?*
6. Est-ce que tu lui as donné *ta flute?*
7. Est-ce que tu m'as prêté *ta caméra?*
8. Est-ce que tu m'as prêté *tes disques?*
9. Est-ce que je t'ai emprunté *ton livre?*
10. Est-ce que je t'ai emprunté *tes pinceaux?*
11. Est-ce que tu les as prêtés *à Jean?*
12. Est-ce que tu les as donnés *aux chanteurs?*
13. Est-ce que tu les as empruntés *aux Brault?*
14. Est-ce que tu les as vendus *à Réjeanne?*

c. Même exercice.

   Modèle: Est-ce que tu leur donnes *beaucoup d'argent?*

   Oui, je leur en donne beaucoup.

   1. Est-ce que tu lui empruntes *de l'argent?*
   2. Est-ce que tu lui empruntes *beaucoup d'argent?*
   3. Est-ce que tu lui donnes *assez d'argent?*
   4. Est-ce que tu lui donnes *de l'argent?*
   5. Est-ce que tu lui sers *du vin?*
   6. Est-ce que tu lui sers *de la bière?*
   7. Est-ce que tu lui donnes *des plantes?*
   8. Est-ce que tu leur prêtes *des photographies?*
   9. Est-ce que tu lui empruntes *un livre?*
   10. Est-ce que tu lui vends *une sculpture?*
   11. Est-ce que tu lui prépares *deux sandwiches?*
   12. Est-ce que tu leur donnes *trois chèques?*
   13. Est-ce que tu lui parles *de tes problèmes?*
   14. Est-ce que tu leur parles *de tes projets?*
   15. Est-ce que tu lui as donné *des conseils?*
   16. Est-ce que tu leur as servi *du champagne?*
   17. Est-ce que tu lui as emprunté *de la peinture?*
   18. Est-ce que tu lui as prêté *un peu d'argent?*
   19. Est-ce que tu leur as acheté *un piano?*
   20. Est-ce que tu leur as acheté *une guitare?*
   21. Est-ce que tu leur as vendu *des tableaux?*
   22. Est-ce qu'il y a *de l'eau?*
   23. Est-ce qu'il y a *du vin?*
   24. Est-ce qu'il y a *des comédiens?*
   25. Est-ce qu'il y a *beaucoup de comédiennes?*
   26. Est-ce qu'il y a *trois représentations?*

d. Même exercice.

   Modèle: Veux-tu m'emprunter *de l'argent?*

   Oui, je veux t'en emprunter.

   1. Vas-tu me vendre *des CD?*
   2. Vas-tu me servir *du café?*
   3. Veux-tu me prêter *de l'argent?*
   4. Veux-tu lui donner *un tableau?*
   5. Dois-tu leur donner *des livres?*
   6. Dois-tu leur donner *de l'argent?*
   7. Peux-tu me prêter *un pinceau?*
   8. Peux-tu nous acheter *des journaux?*

e. Même exercice.

   Modèle: Veux-tu me donner *ta bicyclette?*

   Oui, je veux te la donner.

   1. Peux-tu me passer *ton stylo?*
   2. Veux-tu me prêter *tes souliers?*
   3. Vas-tu lui acheter *cette radio?*
   4. Est-ce que je vais vous rendre *vos devoirs?*
   5. Est-ce que tu peux me prêter *tes instruments?*
   6. Est-ce que vous devez me donner *vos compositions?*
   7. Est-ce que tu dois leur rendre *ces costumes?*
   8. Est-ce que tu veux me vendre *la sculpture?*
   9. Est-ce que tu vas nous vendre *tes pinceaux?*
   10. Est-ce que tu vas leur vendre *cette statue?*

10.5 *Depuis* + présent de l'indicatif

The present tense is used in conjunction with the preposition **depuis** to indicate that an action or condition began in the past and is still going on in the present. This corresponds to the use of the present perfect with "since" and "for" in English.

1) **Depuis quand?** (Since when/How long)

The preposition **depuis** may be followed by an expression that indicates the point in time when the action or condition began: It then has the meaning of "since." **Depuis quand** is used in a question that would elicit such an answer:

> **Depuis quand est-il malade? — Depuis mardi.**
> Since when has he been sick? — Since Tuesday.

> **Nous étudions le français depuis le mois de septembre.**
> We have been studying French since September.

2) **Depuis combien de temps?** (How long/For how long)

Depuis may also be followed by an expression indicating the length of time during which the action or condition has been going on. In this instance, its meaning corresponds to "for." **Depuis combien de temps** is used in the corresponding question:

> **Depuis combien de temps travaille-t-il?**
> **— Depuis deux ans.**
> How long has he been working?
> — For two years.

> **Il est malade depuis une semaine.**
> He has been sick for a week.

 EXERCICES ORAUX

a. Répondez aux questions d'après le modèle.

> *Modèle:* Depuis quand es-tu ici? (hier)
>
> *Je suis ici depuis hier.*

1. Depuis quand sommes-nous dans la salle de théâtre? (10 h 30)
2. Depuis quand étudies-tu la musique? (septembre)
3. Depuis quand fais-tu du piano? (2006)
4. Depuis quand est-ce que tu joues ce rôle? (l'an dernier)
5. Depuis quand est-il malade? (dimanche)
6. Depuis quand sortent-ils ensemble? (le début des cours)

b. Répondez aux questions d'après le modèle.

Modèle: Depuis combien de temps sommes-nous dans la classe? (une demi-heure)

Nous sommes dans la classe depuis une demi-heure.

1. Depuis combien de temps fait-il froid? (deux semaines)
2. Depuis combien de temps pleut-il? (trois jours)
3. Depuis combien de temps as-tu mal à la tête? (10 minutes)
4. Depuis combien de temps est-ce que je parle? (une heure)
5. Depuis combien de temps vas-tu à l'académie de danse? (six mois)
6. Depuis combien de temps est-ce que tu t'habilles? (une demi-heure)
7. Depuis combien de temps est-il dans la salle de bain? (20 minutes)
8. Depuis combien de temps est-ce qu'elle est pianiste? (3 mois)
9. Depuis combien de temps sont-ils là? (5 jours)

c. Voilà la réponse. Posez la question appropriée, soit avec *depuis quand*, soit avec *depuis combien de temps*.

1. Il a le rôle depuis trois jours.
2. Nous nous promenons depuis ce matin.
3. Elle se repose depuis dix minutes.
4. Ils s'aiment depuis dix ans.
5. Je fais de la fièvre depuis samedi.
6. Elle regarde la télé depuis cet après-midi.
7. Il fait de la danse depuis un mois.
8. Elle se prépare depuis deux heures.
9. Il est en tournée depuis l'an dernier.
10. Nous travaillons dans cette troupe depuis 2004.
11. Ils se promènent depuis dix heures du matin.
12. Il dort depuis hier soir.
13. Elle répète depuis une demi-heure.
14. Je joue aux échecs depuis six mois.
15. Nous étudions la comédie depuis septembre.

10.6 Les adverbes

Formation

1) Many adverbs are formed by adding **-ment** to adjectives according to the following rules:

Add **-ment** to the *feminine* form of the adjective if its masculine form ends in a consonant:

fier	fière	fière**ment**
général	générale	générale**ment**
habituel	habituelle	habituelle**ment**
heureux	heureuse	heureuse**ment**
long	longue	longue**ment**
réel	réelle	réelle**ment**

Add **-ment** to the *masculine* form of the adjective if it ends in a vowel:

facile	facile**ment**	pratique	pratique**ment**
ordinaire	ordinaire**ment**	vrai	vrai**ment**

If the masculine form of the adjective ends in **-ant** or **-ent**, replace those endings with **-amment** and **-emment**:

constant   ⟶   constamment   récent   ⟶   récemment

2) A number of frequently used adverbs are not formed from adjectives:

assez (*enough*)	là (*there*)	tard (*late*)
beaucoup (*a lot*)	mal (*badly*)	tôt (*early*)
bien (*well*)	même (*even*)	toujours (*always*)
déjà (*already*)	peu (*little*)	très (*very*)
encore (*still/yet*)	presque (*almost*)	trop (*too*)
enfin (*finally*)	quelquefois (*sometimes*)	vite (*quickly*)
ici (*here*)	souvent (*often*)	

Position in the sentence

1) When adverbs modify a verb in a simple tense, such as the present, the adverb immediately follows the verb (or **pas** in the negative):

> Il ne va pas **souvent** au cinéma.
> Il va **quelquefois** au théâtre.
> Elle parle **constamment** en classe.

When the verb is in a compound tense, such as the **passé composé**, short adverbs are placed between the auxiliary verb and the past participle, but adverbs in **-ment** may be placed after the past participle:

> Il a **presque** terminé.
> Nous sommes **déjà** allés chez eux.
> Elle a répondu **poliment**.

2) Adverbs modifying an adjective or another adverb are placed immediately before the word they modify:

> Il est **très** fatigué.

3) Adverbs modifying a whole sentence are placed at the beginning or at the end of the sentence:

> **Heureusement**, il ne nous a pas vus.

 **EXERCICES ORAUX**

a. Voici le masculin de l'adjectif. Formez l'adverbe correspondant.

actif; nouveau; malheureux; doux; rationnel; pénible; certain; énergique; grand; ancien; généreux; joli; sérieux; exceptionnel; attentif; constant; ardent

b. Formez les adverbes et insérez-les dans les phrases.

1. Jean-Louis joue au Grand Théâtre. (habituel)
2. Il a choisi de nouveaux acteurs. (final)
3. Vous jouez du piano. (merveilleux)
4. Ils ont oublié leur texte. (complet)
5. Elle parle de son spectacle. (abondant)
6. L'orchestre a acheté de nouveaux instruments. (heureux)
7. Charlotte aime le jazz. (réel)
8. Elle joue le même rôle. (constant)
9. Nous comprenons votre position. (absolu)
10. Nous apprécions votre critique. (véritable)

c. Insérez l'adverbe entre parenthèses dans la phrase, à la place appropriée.

1. Elle se lave le matin. (toujours)
2. Ils s'entendent avec leurs camarades. (bien)
3. Nous avons fini nos exercices. (presque)
4. Je suis allé(e) à la montagne. (souvent)
5. Est-ce que tu joues aux échecs? (encore)
6. J'ai dormi la nuit dernière. (trop)
7. Il compose une nouvelle pièce. (encore)
8. Je vais au théâtre (souvent)
9. Il vient à l'opéra. (quelquefois)
10. Il joue ce rôle. (mal)

10.7 Les articles et la négation — rappel

When a verb is in the negative, remember to apply the following rules concerning the articles that precede the direct object:

1) The definite articles **le, la, les** do not change:

Prends **la** serviette.	Ne prends pas **la** serviette.
Il écoute **les** musiciens.	Il n'écoute pas **les** musiciens.

2) The indefinite articles **un, une, des,** and the partitive articles **du, de la, de l', des** all become **de/d'**:

Il mange **un** sandwich.	Il ne mange pas **de** sandwich.
Elles vendent **des** livres.	Elles ne vendent pas **de** livres.
Il a apporté **du** vin.	Il n'a pas apporté **de** vin.
Il y a **de** l'eau ici.	Il n'y a pas **d'**eau ici.

This change does not occur after **être**:

C'est **un** acteur remarquable.	Ce n'est pas **un** acteur remarquable.
C'est **de la** folie.	Ce n'est pas **de la** folie.

 EXERCICES ORAUX

a. Mettez à la forme négative.

1. Elle m'a emprunté de l'argent.
2. Je pense acheter des billets pour cette pièce.
3. Tu vas nous apporter un tableau.
4. Mon père veut me payer un piano.

5. Elle fait du théâtre depuis un an.

6. Je connais une pièce moderne.

7. C'est un comédien célèbre.

8. Allons écouter un concert.

9. Elle admire l'ami de Pierre.

10. Marc m'a prêté un chevalet.

11. Il faut manger de la viande.

12. Ce sont des artistes bizarres.

13. Elle porte un costume du XVIIe siècle.

14. J'aime faire des cadeaux à mes amis.

EXERCICES ÉCRITS

a. Insérez le pronom réfléchi qui convient.

1. Nous _____ reposons pendant la fin de semaine.

2. Servez- _____ d'un ordinateur.

3. Nous _____ rencontrons à cinq heures.

4. Ne _____ inquiète pas!

5. Souviens- _____ de notre rendez-vous.

6. Elle _____ promène avec son chien.

7. Alain et Suzanne _____ entendent bien.

b. Répondez aux questions par des phrases complètes.

1. Est-ce qu'on s'arrête à un feu rouge?

2. Est-ce que tu t'inquiètes pour ton avenir?

3. Où est-ce que tu te promènes?

4. Comment t'appelles-tu?

5. Est-ce que tu te rends souvent à Calgary?

6. Où se trouve le cinéma?

7. Te sers-tu d'une calculatrice pour faire une addition?

8. Est-ce que tu t'attends à réussir à tes examens?

9. Est-ce que la trompette et le tuba se ressemblent?

10. Est-ce que tu te laves le matin?

c. Remplacez les tirets par le verbe pronominal approprié. Laissez le verbe à l'infinitif, mais mettez le pronom à la forme qui convient.

Verbes: se servir, se promener, se reposer, s'attendre, s'en aller, s'aimer, se rencontrer, s'habiller, s'entendre

1. Quand on est fatigué, on doit _____.

2. Pour peindre, j'aime _____ d'un pinceau.

3. Nous allons _____ demain pour en parler ensemble.

4. Elle veut _____ à la dernière mode.

5. As-tu envie de _____ dans le bois?

6. Si tu n'études pas, tu dois _____ à de fausses notes.

7. Je préfère _____ avec tout le monde, même avec des gens difficiles.

8. Comme tous les amoureux, vous espérez _____ toute votre vie.

9. Il est tard: je dois _____.

d. Remplacez les mots en italique par des pronoms.

Modèle: Il n'a pas prêté *sa voiture à Pierre.*
Il ne la lui a pas prêtée.

1. Mon ami m'a rendu *deux livres.*
2. Il offre *un cadeau à ses parents.*
3. Elle achète *ses costumes à Montréal.*
4. Je vous ai prêté *ma caméra.*
5. Lui as-tu emprunté *de l'argent?*

6. Il n'a pas répondu *à son maitre.*
7. Elles doivent me rendre *ma voiture.*
8. Tu dois la rendre *à Jean* demain.
9. Mon père va m'acheter *une flute.*
10. Ses amies lui donnent *le billet.*

e. Répondez aux questions par des phrases complètes.

1. Depuis quand étudiez-vous la trompette?
2. Depuis combien de temps allez-vous au Conservatoire?
3. Depuis quand habitez-vous dans cette ville?
4. Depuis combien de temps le jazz existe-t-il?

f. Complétez les phrases suivantes.

1. Depuis un an, je…
2. Je fais du ballet depuis…
3. Nous n'avons pas vu de bon film depuis…

4. Depuis une heure, la chanteuse…
5. Depuis six mois, je…

g. Formez un adverbe et mettez-le dans la phrase.

Modèle: Nous avons fini notre travail. (entier)
Nous avons entièrement fini notre travail.

1. Elle a oublié l'heure. (complet)
2. Nous nous sommes mis à la tâche. (rapide)
3. Il nous a parlé de son rôle. (fréquent)
4. Les émissions de télévision sont intéressantes. (exceptionnel)
5. Elle répète une pièce. (pénible)

6. Ce film nous a impressionnés. (réel)
7. Ils n'ont pas répété la pièce. (suffisant)
8. Elles lui en ont parlé. (long)
9. Ils se téléphonent. (continuel)
10. Sa carrière d'acteur a été difficile. (malheureux)

h. Mettez à la forme négative.

1. Il a pris la clarinette.
2. Le chat joue du piano.
3. Ce sont des émissions intéressantes.
4. Il y a des flutistes (flûtistes) dans l'orchestre symphonique.

5. Ma voisine a acheté une aquarelle.
6. Cet enfant a du talent.
7. Il fait du soleil depuis trois jours.
8. C'est un tableau fascinant.

Lecture

Totem: la mémoire animale

© Rex Features/AP Photo

Après Montréal, au tour de Québec de s'émerveiller devant le *Totem* de Robert Lepage, qui signe sa première mise en scène sous chapiteau par cette nouvelle collaboration avec le Cirque du Soleil. Lepage magnifie les performances par sa fabuleuse magie visuelle. Les artistes, eux, donnent à voir le cirque de manière inédite, en proposant des numéros absolument inhabituels, qui vont jusqu'à réinventer une discipline.

Totem est un spectacle sur l'évolution de l'espèce humaine, de son état primitif d'amphibien jusqu'à son désir ultime de s'envoler. Lepage s'intéresse à la mémoire que le corps humain a gardée de ses origines animales. Il s'intéresse aussi aux cultures du monde, par la danse et la musique, qui insufflent au spectacle beaucoup de joie et de rythme. Mais il s'intéresse aussi à l'amour, l'état de grâce qui différencie certainement l'homme de l'animal. Et cela donne à *Totem* ses plus beaux moments.

Y a-t-il en effet des instants plus prenants et plus émouvants que le duo de patins à roulettes, où un couple amérindien vêtu de blanc tourbillonne sur un tam-tam dans des spirales de la mort plus dangereuses que tout ce qu'il est possible d'imaginer? Comme pour dire que l'amour est plus fort que tout... Et quelle sensualité dans cette danse où les corps s'élancent et se courbent avec une grâce infinie!

Le numéro de trapèze fixe à la verticale touche aussi au sublime. Jamais avant, nous n'avions vu un couple partager ainsi l'espace aérien. Un homme, une femme, comme chien et chat, s'approchent et se fuient; les cordes comme des lianes, les pirouettes et les cascades comme

des défis. Et puis, passée la peur de l'autre, ils s'apprivoisent et s'aiment enfin. Instants magiques, remplis de fraîcheur, de vivacité, de vitesse et de témérité, de beauté et de danger.

Tout ce monde évolue sur une scène ondulée en forme de huit, sur laquelle les images de la mer, des volcans, du ciel, du sable ou de la terre servent de décor. Au-dessus de la scène, un grand totem se métamorphose au fil du spectacle en yacht ou en avion. Tant d'imagination force l'admiration.

Darwin, dont la théorie est au cœur du propos, apparaît jonglant avec des boules lumineuses qui roulent dans une gigantesque éprouvette. La science et l'art se rencontrent dans ce tableau moderne rempli de mystère.

La touche de modernité atteint aussi les clowns, dont l'humour n'a jamais été aussi varié. Le trio d'anneaux suspendus, dont la hauteur change à tout moment, est d'ailleurs présenté avec une belle touche d'humour.

Très réussi aussi le numéro de monocycles pendant lequel des femmes se lancent des bols avec une précision époustouflante. Et que dire des perchistes? Tenir sur son front une longue perche sur laquelle un autre homme se tient en équilibre sur la tête, jambes au ciel, c'est déjà pas mal. Mais quand l'homme du bas décide de jouer les funambules et de grimper une perche oblique en prime, ça laisse béat d'admiration...

J'avais vu *Totem* en avant-première à Montréal, en avril. Quelques ajustements mineurs ont été apportés depuis, pour augmenter l'efficacité du rythme, probablement. Après deux représentations, l'émerveillement reste intact, comme les émotions vives ressenties devant les instants sublimes. J'irais facilement une troisième fois sans jamais rencontrer l'ennui, j'en suis sûre. De tous les spectacles du Cirque du Soleil que j'ai pu voir, Totem occupe le haut de la liste.

Article de Valérie Lesage, extrait du journal *Le Soleil*

ainsi	so, in this way
amour (m.)	love
anneau (m.)	ring
apprivoiser: s'—	to grow closer
approcher: s'—	to come close to
après	after
atteindre	to affect, to reach
au-dessus de	above
augmenter	to increase
aussi	also
avant	before, previously
avant-première (f.)	preview
avion (m.)	plane
bas: du —	bottom
béat(e) d'admiration	awestruck
bol (m.)	bowl
boule (f.)	ball
cascade (f.)	stunt
chapiteau (m.)	circus tent
ciel (m.)	sky
cœur (m.)	heart
collaboration (f.)	partnership
comme pour dire	as if to say
corde (f.)	rope
courber: se —	to bend
d'ailleurs	for that matter
décor (m.)	(stage) set
défi (m.)	challenge
depuis	since
donner à voir	to show
duo (m.)	duet, pair
efficacité (f.)	effectiveness
élancer: s'—	to dash; to soar
émerveiller: s'—	to be filled with wonder
émouvant(e)	moving, stirring
enfin	eventually
ennui (m.)	boredom
envoler: s'—	to fly away
époustouflant(e)	stunning
éprouvette (f.)	test tube
espèce (f.)	species
état (m.)	state
fil: au — de	throughout
fois (f.)	time
forme (f.)	shape
fort(e)	strong
fraîcheur (f.)	freshness
fuir: se —	to run away from
funambule (m.)	tightrope walker
garder	to keep
grimper	to climb
haut (m.)	top
hauteur (f.)	height
inédit(e)	unprecedented
inhabituel, inhabituelle	unusual
instant (m.)	moment
insuffler	to inject
jongler	to juggle
jusqu'à	all the way to, up to
laisser	to leave
lancer	to throw
liane (f.)	liana
magie (f.)	magic
mal: pas —	not bad, pretty good
manière (f.)	manner, way
mémoire (f.)	memory
mer (f.)	sea
mise en scène (f.)	stage production
monde (m.)	world; people
mort (f.)	death
numéro (m.)	circus act
ondulé(e)	wavy
passé(e)	past
patins à roulettes (m.pl.)	roller skates
pendant	during
perche (f.)	pole
peur (f.)	fear
premier, première	first
prenant(e)	gripping
prime: en —	what's more, on top of that
propos (m.)	subject
puis	then
rempli(e)	filled
rencontrer	to meet
rester	to stay
réussi(e)	well done, a success
rouler	to roll around
sable (m.)	sand
scène (f.)	stage
tam-tam (m.)	(sound of a) tom-tom
témérité (f.)	daring

tenir	to hold	**tourbillonner**	to spin, to twirl
tenir: se — en équilibre	to balance	**tout**	all, everything, anything
terre (f.)	earth	**trapèze fixe** (m.)	static trapeze
toucher à	to come close to	**vêtu(e)**	dressed
tour: au — de	it's (someone's) turn	**vitesse** (f.)	speed
		vivacité (f.)	liveliness

QUESTIONS

1. Totem est le produit d'une collaboration entre qui et qui?
2. Qu'est-ce que Robert Lepage apporte au Cirque du Soleil?
3. Qu'est-ce que les artistes du Cirque proposent de particulier?
4. Quel est le sujet du spectacle Totem?
5. Quels sont les trois thèmes qui intéressent Lepage?
6. Qu'est-ce qui est remarquable dans le duo de patins à roulettes?
7. Qu'est-ce qui se passe dans le numéro de trapèze fixe?
8. En quoi consiste le décor de la scène?
9. Comment Darwin est-il représenté?
10. Quelles particularités présente le numéro de monocycles? Et celui des perchistes?
11. Combien de fois l'auteure a-t-elle vu le spectacle?
12. Quelle est son opinion sur le spectacle?

SITUATIONS – CONVERSATIONS

1. Vous voulez sortir en groupe. L'un(e) de vous veut aller au cinéma, un(e) autre veut aller à un concert de musique classique, un(e) autre encore veut aller au théâtre ou dans un club de jazz ou dans une discothèque, etc. Présentez des arguments pour justifier votre choix (les qualités uniques du spectacle que vous choisissez, la médiocrité des autres, etc.).

2. Parlez d'un film récent que vous avez aimé: la mise en scène; le jeu des acteurs; la photographie; l'histoire; les qualités comiques, dramatiques, sentimentales; l'imagination; la valeur psychologique, sociologique ou simplement humaine.

3. Décrivez votre tableau préféré. Qui est le peintre? Parlez de la composition, des couleurs, du sujet.

4. Vous êtes dans un bar, un café, une discothèque. Vous faites la connaissance d'une jeune femme ou d'un jeune homme qui vous intéresse. Faites la conversation.

5. Vous êtes à Montréal en visite. Vous ne connaissez pas la ville, mais vous y avez un(e) ami(e). Demandez-lui des conseils: où aller pour visiter des expositions, écouter de la musique, danser?

Exemple:	TON AMI(E):	Qu'est-ce que tu veux faire?
	TOI:	Je veux écouter de la musique.
	TON AMI(E):	Quel genre de musique?

TOI:	Du jazz. Tu connais un bon club où il y en a?
TON AMI(E):	Oui, j'en connais certains.
TOI:	Je cherche un endroit où il n'y a pas trop de monde et où ce n'est pas trop cher.
TON AMI(E):	Alors, va dans ce petit bar qui se trouve rue Saint-Denis.
TOI:	Est-ce que c'est loin?
TON AMI(E):	Non, tu peux y aller à pied.

COMPOSITIONS

1. Vous avez visité un musée d'art. Racontez votre visite et parlez des œuvres que vous avez admirées et qui vous ont impressionné(e).

2. Êtes-vous amateur de théâtre? de ballet? de cinéma? de musique? Exposez vos gouts, vos préférences. Allez-vous souvent au spectacle?

3. Décrivez un bar, un café ou une discothèque que vous aimez: le décor, la clientèle, l'ambiance.

PRONONCIATION

((•—Listen on **myfrenchlab**

(Students and instructors can listen to the audio track for this exercise on MyFrenchLab.)

I. Le son a (/a/)

Répétez d'après le modèle:

amour	arme	patte	voyage	banal
ami	appeler	rate	visage	final
adolescent	amener	date	arabe	terminal
agacer	année	chatte	salade	rural
abri	assis	latte	macabre	festival

II. Le r final

Répétez d'après le modèle:

1. bar	fard	mare	retard
car	part	gare	départ
dard	lard	rare	hasard
2. partir	finir	choisir	ouvrir
sortir	réfléchir	offrir	jaunir
3. mort	dors	port	encore
bord	sors	tort	adore

4. mur   dur   bure   parure
   pur   sur   cure   hachure

5. pour   jour   amour   détour
   tour   sourd   toujours   rebours

6. peur   sœur   laideur   rameur
   cœur   beurre   horreur   chanteur

MyFrenchLab   Visit MyFrenchLab to access additional resources such as audio exercises, the *Cahier de laboratoire*, and web destinations.

CHAPITRE 11

© WavebreakmediaMicro/Fotolia.com

Les jeunes et la vie

MyFrenchLab

Visit MyFrenchLab to access additional resources, including

- *Cahier de laboratoire*
- Self-grading assessments
- Audio exercises
- Grammar primers and tutorials

Thèmes

- Les jeunes et l'avenir
- J'exprime mon opinion sur la vie
- L'éducation, l'amour, le mariage et les enfants

Lecture

Une expérience éclairante

Grammaire

11.1 Le comparatif de l'adjectif

11.2 Le superlatif de l'adjectif

11.3 Le verbe irrégulier *voir*

11.4 Le verbe irrégulier *croire*

11.5 Le passé composé des verbes pronominaux

11.6 Quelques autres verbes pronominaux

VOCABULAIRE UTILE

Noms

bonheur (m.)	happiness
ciel (m.)	sky
campagne (f.)	countryside
conquête (f.)	conquest
dauphin (m.)	dolphin
dieu (m.)	god
enfance (f.)	childhood
être humain (m.)	human being
femme d'affaires (f.)	businesswoman
guerre (f.)	war
homme d'affaires (m.)	businessman
lune (f.)	moon
mari (m.)	husband
pays (m.)	country
pays en voie de développement (m.)	developing country
pêche (f.)	fishing; peach
pièce (f.)	room
préparatifs (m.pl.)	preparations
remède (m.)	medication, remedy
vie (f.)	life

Adjectifs

cassé(e)	broken
fatigant(e)	tiring; arduous
haut(e)	high
impressionnant(e)	impressive
malchanceux, malchanceuse	unlucky
mondial(e)	worldwide
musclé(e)	muscular
myope	short-sighted
nombreux, nombreuse	numerous; large
nourrissant(e)	nutritious
pollué(e)	polluted
rose	pink
sage	wise

Verbe

couter	to cost

Expressions

coup de foudre (m.)	love at first sight
avenir: considérer l'—	to look at the future
rose: voir la vie en —	to see life through rose-coloured glasses

GRAMMAIRE ET EXERCICES ORAUX

11.1 Le comparatif de l'adjectif

Comparative of superiority

The comparative of superiority in English is formed by using "more" before the adjective or by adding the suffix **-er** to the adjective (warmer). In French, only one structure is used: The adverb **plus** is placed before the adjective and **que/qu'** follows it:

> Paul est un garçon **plus** gentil **que** René.
> Un chimpanzé est **plus** intelligent **qu'**un chien.

Bon (good) has an irregular comparative form that is the equivalent of "better": **meilleur, meilleure, meilleurs, meilleures**.

> Le champagne est **meilleur que** la bière.
> Suzanne a une **meilleure** voiture **que** Lucie.

Bon marché (inexpensive) also has an irregular comparative form that is invariable: **meilleur marché**.

> Cette robe est **meilleur marché que** ton pantalon.

Comparative of equality: *aussi… que* (as … as)

> Il est devenu **aussi** grand **que** son père.
> La politique est-elle **aussi** importante **que** l'économie?

Comparative of inferiority: *moins… que* (less … than)

> Les enfants sont **moins** inhibés **que** les adultes.
> Le français est **moins** difficile **que** le chinois.

✳ Note

The comparative occupies the same position as the adjective normally would, either before or after the noun modified:

> Jean est un **bel** homme.   C'est un garçon **sympathique**.
> Jean est un **plus bel** homme que René.   C'est un garçon **plus sympathique** que son frère.

Stress pronouns may be used in comparisons after *que*:

> Hélène est meilleure que **moi** au tennis. Elle est plus intelligente que **lui**.

 EXERCICES ORAUX

a. Faites des comparaisons (supériorité et infériorité) d'après le modèle.

> *Modèle:* Je suis aimable. Henri est plus aimable.
> *Henri est plus aimable que moi.*
> *Je suis moins aimable qu'Henri.*

1. Il est sportif. Elle est plus sportive.
2. Le train est rapide. L'avion est plus rapide.
3. Arthur est sympathique. Lucie est plus sympathique.
4. Tu es timide. Elle est plus timide.

5. Nous sommes dynamiques. Nos parents sont plus dynamiques.

6. Le lilas est joli. Les roses sont plus jolies.

7. Je suis jeune. Tu es plus jeune.

8. Vous êtes actives. Elles sont plus actives.

9. Juillet est chaud. Aout est plus chaud.

b. Faites des comparaisons. Employez *meilleur* et *moins bon* d'après le modèle.

   Modèle: Un bon trait de caractère: la patience — l'impatience
   La patience est un meilleur trait de caractère que l'impatience.
   L'impatience est un moins bon trait de caractère que la patience.

1. Une bonne viande: le bœuf — le veau.

2. Un bon sport: la course — le golf.

3. Un bon investissement: une course — une voiture de sport.

4. Une bonne solution: un compromis — une dispute.

5. Un vêtement bon marché: un pantalon — une robe de soirée.

c. Faites la comparaison appropriée (supériorité, infériorité ou égalité) avec un des adjectifs suivants: *jeune, long, bon marché, intellectuel, grand, riche, ambitieux, sentimental, malchanceux.*

   Modèle: Elle a douze ans. Tu as douze ans.
   Elle est aussi jeune que toi.
   Tu es aussi jeune qu'elle.

1. Alain lit dix livres par mois. Catherine en lit deux par an.

2. Henri mesure 1 mètre 75. Gilbert mesure 1 mètre 75.

3. Février a 28 jours. Janvier a 31 jours.

4. Une radio coute 50 dollars. Une télévision coute 500 dollars.

5. M. Brault est millionnaire. Mme Proulx est millionnaire.

6. Jean veut devenir plombier. Sylvie veut devenir premier ministre.

7. Hélène a une jambe cassée. Lucien est dans le coma.

8. Arthur attend la femme de sa vie. Marcel veut faire beaucoup de conquêtes.

d. Répondez aux questions.

1. Es-tu moins grand(e) que ton père?

2. Es-tu plus petit(e) que ta mère?

3. Le chien est-il aussi intelligent que l'être humain?

4. Sommes-nous aussi intelligents qu'Einstein?

5. Les chats sont-ils plus affectueux que les chiens?

6. Es-tu meilleur(e) en maths que moi?

7. Est-ce que le professeur est plus terrifiant que Dracula?

8. Sommes-nous plus sages que nos ancêtres?

9. Le jazz est-il moins dynamique que le rock?

10. Un être humain est-il moins intelligent qu'un ordinateur?

11. Les pays en voie de développement sont-ils aussi riches que les pays industrialisés?

12. Est-ce que l'avion est plus dangereux que la voiture?

13. Les Adirondacks sont-ils aussi impressionnants que les Rocheuses?

14. Les dauphins sont-ils plus intelligents que les chimpanzés?

15. Es-tu aussi musclé(e) qu'un gorille?

16. La campagne est-elle aussi polluée que la ville?

17. Les montagnes Rocheuses sont-elles plus hautes que l'Himalaya?

18. La viande est-elle meilleur marché que les fruits?

19. Est-ce que le vin est plus cher que la bière?

20. Est-ce que les Canadiens sont aussi nombreux que les Américains?

e. Donnez votre avis selon le modèle.

Modèle: l'argent / la santé / important

À mon avis, l'argent est aussi (plus, moins) important que la santé.

1. l'hiver / l'été / agréable
2. la cuisine italienne / la cuisine chinoise / délicat
3. un chien / un dauphin / intelligent
4. un ordinateur / un stylo / utile
5. le Canada / la France / diversifié
6. la crème glacée / la mousse au chocolat / bon
7. la moto / la voiture / dangereux
8. la viande / le poisson / bon pour la santé
9. la réussite professionnelle / la vie familiale / important
10. les livres / les voyages / enrichissants

11.2 Le superlatif de l'adjectif

1) Adjectives are made superlative by using the following constructions:

le / la / les plus... de   { the most . . . in
                              { the . . . -est . . . in

le / la / les moins... de   the least . . . in

2) If the adjective precedes the noun, the construction is

le / la / les + plus / moins + adjective + noun + **de**

C'est la plus grande pièce de la maison.

It is the largest room in the house.

Ce sont les plus belles fleurs du jardin.

Those are the most beautiful flowers in the garden.

3) If the adjective follows the noun, the construction is

le / la / les + noun + **le / la / les** + **plus / moins** + adjective + **de**

Paul est l'étudiant le plus intelligent de la classe.
Paul is the most intelligent student in the class.
C'est le chapitre le moins difficile du livre.
It is the least difficult chapter in the book.

4) The superlative form of superiority of **bon** is **le meilleur / la meilleure / les meilleurs / les meilleures:**

Agathe est la meilleure étudiante de la classe.
Agatha is the best student in the class.

The superlative form of **bon marché** is **le / la / les meilleur marché** (invariable):

J'ai acheté la cravate la meilleur marché du magasin.
I bought the cheapest tie in the store.

 EXERCICES ORAUX

a. Répondez aux questions.

1. Qui est le plus grand étudiant de la classe?
2. Quelle est la voiture la plus chère du monde?
3. Quelle est la plus grande ville du Canada?
4. Qui est l'homme le plus important du pays?
5. Qui est la femme la plus importante du pays?
6. Quelle est l'émission de télévision la plus stupide de toutes?
7. Qui est le meilleur boxeur du monde?
8. Qui est le meilleur acteur du cinéma américain?
9. Quel est ton cours le moins difficile?
10. Comment s'appelle ta meilleure amie? ton meilleur ami?
11. Quel est le sport le moins fatigant?
12. Qui est la personne la plus importante de ta vie?
13. Qui est le politicien le moins intéressant?
14. Quel est le plus haut bâtiment du campus?

b. Faites une phrase avec un superlatif d'après le modèle.

> *Modèle:* le chien — fidèle — tous les animaux
> *Le chien est le plus fidèle de tous les animaux.*

1. la rose — élégant — toutes les fleurs
2. Muhammed Ali — connu — tous les boxeurs
3. février — froid — tous les mois
4. la bombe atomique — terrifiant — toutes les armes
5. le bonheur — bon — tous les remèdes
6. Gandhi — pacifique — tous les hommes

c. Faites des phrases d'après le modèle (attention à la place de l'adjectif).

> *Modèle:* peuplé / la Chine / le pays / la planète
> *La Chine est le pays le plus peuplé de la planète.*

1. beau / les Rocheuses / les montagnes / l'Amérique du Nord
2. joli / Suzanne / la fille / la famille
3. sincère / Henri Dupont / le politicien / le pays
4. vieux / l'école / le bâtiment / la ville
5. drôle / cette comédie / la pièce / le festival
6. courageux / Martin / le joueur / l'équipe de football
7. chaud / aout / le mois / l'année
8. grand / le Saint-Laurent / le fleuve / le Canada

11.3 Le verbe irrégulier *voir*

	Présent de l'indicatif			*Participe passé*
je	vois	nous	voyons	vu
tu	vois	vous	voyez	
il / elle / on	voit	ils / elles	voient	

Voir means "to see":

> Il porte des lunettes parce qu'il ne *voit* pas bien.
> Nous avons *vu* Nicole la semaine dernière.
> Venez me *voir* la semaine prochaine.

EXERCICES ORAUX

a. Répondez aux questions.

1. Est-ce que tu vois des arbres par la fenêtre?
2. Est-ce que tu vois un médecin régulièrement?
3. Est-ce que vous me voyez parfois à la bibliothèque?
4. Est-ce que vous voyez vos amis à la cafétéria?
5. Est-ce que nous voyons des films dans la classe de français?
6. Est-ce que nous voyons la lune le soir?
7. Est-ce qu'on voit l'ultraviolet?
8. Est-ce que je vois dans l'avenir?
9. Est-ce que les politiciens voient dans l'avenir?

b. Répondez aux questions.

1. Quand as-tu vu un film pour la dernière fois?
2. Où peut-on voir des tableaux d'Emily Carr?
3. Est-ce que les adolescents voient la vie en rose?
4. Où est-ce qu'on voit des animaux exotiques?
5. Qu'est-ce qu'on voit dans un musée d'art?
6. Voit-on souvent le premier ministre à la télévision?
7. Est-ce que vous me voyez quelquefois faire du sport?
8. Est-ce que vous m'avez vu(e) arriver à l'université?
9. As-tu déjà vu une girafe?

11.4 Le verbe irrégulier *croire*

	Présent de l'indicatif			*Participe passé*
je	**crois**	**nous**	**croyons**	**cru**
tu	**crois**	**vous**	**croyez**	
il / elle / on	**croit**	**ils / elles**	**croient**	

Croire means "to believe":

Tu ne me dis pas la vérité: je ne te *crois* pas.

It is used with the preposition **en** before a noun that refers to a deity, a person, or a thing when it means "to have faith in," "to believe in":

Elle *croit en* Dieu.

Elle *croit en* son mari.

Les jeunes *croient en* l'avenir.

It is used with the preposition **à** before an abstract noun when it means "to believe in the reality or validity of something":

> Je ne *crois* pas *à* la parapsychologie.
> Il *croit à* l'existence de Dieu.
> Il *croit à* l'amour.

 EXERCICES ORAUX

a. Répondez aux questions d'après le modèle.

> *Modèle:* Je te crois. Et lui?
> *Il te croit aussi.*

1. Je la crois. Et toi? Et lui? Et nous?
2. Elle me croit. Et toi? Et lui?
3. Vous me croyez. Et eux? Et elles? Et toi?

4. Nous te croyons. Et lui? Et toi?
5. Ils nous croient? Et elles? Et lui? Et vous?

b. Répondez aux questions.

1. Est-ce que tu crois les politiciens?
2. Est-ce que tu crois à la théorie de l'évolution?

3. Est-ce que tu crois en l'avenir?
4. Est-ce que tu crois au progrès?
5. Est-ce que les athées croient en Dieu?

c. Faites une phrase d'après le modèle à partir des éléments donnés, au choix.

> *Modèle:* mes amis / le sport le plus excitant
> *Mes amis croient que le sport le plus excitant, c'est le hockey.*

1. je / la meilleure équipe de baseball
2. nous / le cours le plus intéressant
3. mon (ma) meilleur(e) ami(e) / le plus beau film
4. mes parents / l'acteur / l'actrice le / la plus charismatique

5. le professeur / la plus belle ville
6. les étudiants / le plus grand musicien
7. les enfants / le repas le plus savoureux
8. les personnes âgées / l'activité la plus satisfaisante

11.5 Le passé composé des verbes pronominaux

Être is the auxiliary verb used in the formation of the **passé composé** of all pronominal verbs. The past participle of a pronominal verb having a *reflexive* or *reciprocal* meaning agrees in gender and number with the direct object if this object precedes the verb.

1) If the reflexive pronoun is the direct object of the verb, the past participle agrees with the reflexive pronoun.

se laver

je me suis	**lavé(e)**	**nous nous**	**sommes lavé(e)s**
tu t'es	**lavé(e)**	**vous vous**	**êtes lavé(e)(s)**
il s'est	**lavé**	**ils se**	**sont lavés**
elle s'est	**lavée**	**elles se**	**sont lavées**
on s'est	**lavé**		

2) If the reflexive pronoun is not the direct object of the verb, three situations may occur:

a) The verb has no direct object, hence the past participle does not agree:

Ils se sont parlé.
Elles se sont téléphoné.

Note that in these examples the reflexive pronoun is the indirect object of the verb.

b) The verb has a direct object but this object follows the verb, hence there is still no agreement of the past participle:

Ils se sont dit des insultes.   Elle s'est lavé les mains.

In this last sentence **les mains** is the direct object and the reflexive pronoun is considered to be the indirect object.

c) The verb is preceded by a direct object, in which case the past participle agrees with that object:

Est-ce que tu t'es lavé *les mains*? — Oui, je me *les* suis *lavées*.
Les lettres *qu'*ils se sont écri*tes* sont très belles.

The past participle of a pronominal verb having an idiomatic meaning normally agrees with the subject of the verb:

Elles se sont bien entendues.
Ils se sont rendus à New York.

 EXERCICES ORAUX

a. Épelez la terminaison du participe passé.

1. Ils se sont (aimer).
2. Elles se sont (rencontrer).
3. Elle s'est beaucoup (reposer).
4. Il s'est (laver).
5. Elles se sont bien (amuser).
6. Ils se sont (promener).

b. Même exercice.

1. Elle s'est (brosser) les cheveux.
2. Elle s'est (laver) les mains.
3. Ils se sont (dire) des insultes.
4. Elles se sont (écrire).
5. Ils se sont (téléphoner).
6. Elles se sont (parler).

c. Même exercice.

1. Elle s'est (attendre) à un examen difficile.

2. Ils se sont (rendre) au bureau du directeur.

3. Il s'est (mettre) au travail.

4. Elles se sont (mettre) au travail.

5. Ils s'en sont (aller).

6. Elles se sont (servir) d'un ordinateur.

d. Mettez les phrases au passé composé.

Modèle: Je me couche tard.
Je me suis couché(e) tard.

1. Henri se lève à sept heures.

2. Madeleine se maquille soigneusement.

3. Mes parents se promènent sur le campus.

4. Nous nous rencontrons à la bibliothèque.

5. Les étudiants se préparent pour l'examen.

6. Nous nous téléphonons à midi.

7. Ils s'entendent bien avec leur professeur.

8. Mes amis se rendent à Toronto en train.

9. Je me sers d'un ordinateur.

10. Les enfants s'amusent bien au zoo.

11.6 Quelques autres verbes pronominaux

Here is a list of some additional pronominal verbs:

se baigner (to take a dip/to bathe)	Je me baigne dans le lac tous les matins.
se cacher (to hide)	Le chat se cache sous la table.
s'ennuyer (to be bored)	On s'ennuie quand on est malade.
s'habituer à (to get used to)	Elle s'est habituée à son nouveau travail.
se marier (avec) (to marry/to get married)	Il s'est marié avec son amie d'enfance.
se raser (to shave)	Il se rase avec un rasoir électrique.
se rendre compte de (to realize)	Je me rends compte des erreurs que j'ai faites.

 EXERCICES ORAUX

a. Répondez aux questions.

1. Quand tu vas à la mer, est-ce que tu te baignes?

2. Aimes-tu te baigner dans l'eau très froide?

3. Est-ce que tu te peignes?

4. Est-ce que les acteurs se maquillent?

5. Est-ce que je me maquille?

6. À quelle heure t'es-tu levé(e) ce matin?

7. Est-ce que je m'habille à la mode?

8. Est-ce que toi et tes amis, vous vous voyez régulièrement?

9. Est-ce que tu vas te marier bientôt?

10. Avec qui vas-tu te marier?

11. Où les enfants se cachent-ils après un film d'épouvante?

12. Est-ce que tu t'ennuies dans la classe de français?

13. Est-ce que les enfants s'ennuient à l'école?

14. Est-ce que tu t'habitues à la vie universitaire?

15. Est-ce qu'on peut s'habituer à tout?

EXERCICES ÉCRITS

a. Faites des comparaisons avec *plus... que, moins... que* et *aussi... que*.
Faites l'accord de l'adjectif.

> *Modèle:* la lune — grand — la terre
> *La lune est moins grande que la terre.*

1. le soleil — chaud — la lune
2. les clowns — amusant — les hommes d'affaires
3. les femmes — agressif — les hommes
4. la natation — dangereux — l'alpinisme
5. le train — rapide — l'avion
6. l'eau — nécessaire — la nourriture
7. les banquiers — riche — les secrétaires

b. Répondez aux questions par des phrases complètes.

1. À votre avis, quelle est la meilleure actrice de cinéma?
2. À votre avis, qui est le meilleur joueur de hockey du monde?
3. Quelle est la plus grande université au Canada?
4. Quelle est la voiture la moins chère?
5. Est-ce qu'une voiture est meilleur marché qu'une bicyclette?
6. Quelle est la plus grande planète du système solaire?
7. Est-ce que la France est aussi grande que le Canada?
8. Est-ce que New York est moins grand que Toronto?
9. Quel fruit est plus nourrissant, la banane ou la pêche?

c. Remplacez les tirets par la forme appropriée de *voir* ou de *croire*, au présent.

1. Je ne _____ pas de nuage dans le ciel.
2. Elle ne _____ pas au coup de foudre.
3. Vous _____ vos amis tous les jours.
4. Il _____ que je ne dis pas la vérité.
5. Nous _____ des films à la télévision.
6. _____ -tu qu'il va faire froid ce soir?
7. Les amoureux _____ la vie en rose.
8. _____ -vous à la télépathie?
9. Les myopes _____ mal sans lunettes.

d. Mettez les phrases au passé composé. Attention à l'accord du participe passé.

1. Pierre et Jean se regardent.
2. Elles se mettent au travail.
3. Elle se lève.
4. Brigitte se lave le visage.
5. Ils s'habituent à leur nouvelle vie.
6. Michel se brosse les cheveux.
7. Ils se marient.
8. Elles se téléphonent.
9. Elle se peigne les cheveux.
10. Quelle voiture s'achète-t-il?
11. Mes mains, je me les lave.
12. Elle s'ennuie.
13. Elles se maquillent.
14. Elles se brossent les dents.

e. Répondez aux questions par des phrases complètes.

1. Avec quoi te rases-tu?
2. À quelle heure t'es-tu levé(e) ce matin?
3. Quand est-ce que tu t'ennuies?
4. Avec qui est-ce qu'on se dispute généralement?
5. Avec qui la reine Élisabeth II s'est-elle mariée?
6. Est-ce que tu t'habilles à la mode?
7. Est-ce que vous vous écrivez, tes amis et toi?
8. Est-ce que toutes les femmes se maquillent?

Lecture

Une expérience éclairante

© Axel Fassio/Aurora Photos/GetStock.com

La recherche d'un étudiant canadien contribuera à lutter contre la cécité infantile en Inde.

Il y a deux ans, alors qu'il parcourait les villages situés le long du fleuve Niger, au Mali, pour le compte d'une ONG humanitaire, Seung-Ho (Charles) Baik a été conquis par les sourires des enfants. "Cela m'a incité à quitter mon emploi d'entraîneur personnel dans un centre de conditionnement physique, à accélérer mes études et à entreprendre une majeure en santé mondiale à l'Université de Toronto?," raconte-t-il.

Au cours de l'été 2010, Charles a vécu une autre expérience marquante, qui a éclairé son choix de carrière: un stage de trois mois dans un hôpital ophtalmologique en Inde, effectué dans le cadre du programme Étudiants pour le développement. Géré par l'Association des universités et collèges du Canada avec le soutien financier de l'Agence canadienne de développement international, ce programme permet aux étudiants de niveau supérieur de passer jusqu'à trois mois dans un pays en développement.

"Nous recevons chaque année de 40 à 50 demandes de stages dans le cadre de ce pro-gramme, souligne Miranda Cheng, directrice du Centre for International Experience de l'Université de Toronto. Ces stages peuvent transformer la vie des étudiants et les conduire à poursuivre leurs études dans une optique internationale."

C'est un fait: le bref séjour de Charles en Inde l'a convaincu d'entreprendre une maîtrise.

Coréen d'origine arrivé au Canada il y a environ 12 ans, Charles a fait équipe avec le docteur Ashwin Mallipatna, un ophtalmologiste spécialiste du rétinoblastome, une tumeur oculaire rare, mais mortelle. À partir de l'hôpital Narayana Nethralaya, situé à Bengaluru (Bangalore), le tandem a mis sur pied un nouveau volet d'un projet communautaire pour déceler la cécité, baptisé "Find the Blind?"

À l'aide de photos et de descriptions simples, Charles et le docteur Mallipatna ont enseigné à quelque 100 élèves de septième année et à des tra-vailleurs en santé communautaire comment déceler les maladies oculaires génétiques susceptibles de conduire à la cécité, voire à la mort. "Les premiers élèves qui sont venus à l'hôpital étaient si embal-lés qu'ils réclamaient des autographes du 'Docteur Ashwin'?," raconte Charles. "Ils ont incroyablement appris en une heure et demie. Ils voulaient à tout prix aider d'autres enfants."

Sur son blogue, Charles écrivait alors ce qui suit: "Aujourd'hui, j'ai vu 42 visages d'enfants souriants. C'est tout ce dont j'avais besoin : constater que je peux les aider à apporter la preuve de leur valeur dans ce monde et à changer les choses plus que je ne pourrai jamais le faire."

À l'instar des groupes environnementaux qui transmettent des messages aux familles par l'intermédiaire des enfants, l'équipe souhaitait faire en sorte que les jeunes participants au projet contribuent à briser les tabous culturels qui persistent au sein des familles au sujet des troubles oculaires. "Pour certaines familles, un enfant qui louche est une honte. Pour d'autres, il est béni par la chance?," explique Charles. "Dans l'un et l'autre cas, ces familles sont réticentes à faire traiter l'enfant."

Une fois formés, les jeunes participants au projet sont rentrés dans leurs villages, pour ensuite signaler les enfants susceptibles d'être atteints de troubles oculaires. L'équipe a assuré le suivi des cas potentiels après avoir trouvé leurs familles avec l'aide des travailleurs communautaires. D'après une évaluation préliminaire, il semble que les jeunes participants soient aussi efficaces que les travailleurs communautaires pour repérer les enfants atteints de maladies oculaires.

"J'ai trouvé en Charles quelqu'un capable de gérer le projet communautaire et de recueillir les données nécessaires?," se réjouit le docteur Mallipatna. "Mon travail clinique ne m'aurait jamais laissé le temps de le faire. Son action a été digne d'un projet de maîtrise, malgré le fait qu'il ait à peine eu le temps de cerner le contexte dans lequel elle s'inscrivait. C'est pourquoi il sera le principal auteur de notre rapport."

Le stage qui a conduit ce brillant étudiant à travailler avec lui, a en quelque sorte permis au docteur Mallipatna de boucler la boucle: après sa formation en ophtalmologie à Bengaluru, il avait en effet suivi une formation clinique et étudié diverses techniques de traitement avant-gardistes à l'Université de Toronto et à l'Hospital for Sick Children.

"Je crois énormément en l'éducation transculturelle?," souligne le docteur Mallipatna. "Selon moi, la curiosité permet aux chercheurs de donner le meilleur d'eux-mêmes. Les gens sont très curieux de découvrir des cultures et des situations nouvelles. Charles a accompli un travail formidable en matière de collecte de données et de résolution de problèmes. Je pense que cela tient à sa personnalité et à ses origines coréennes, qui l'ont aidé à comprendre les valeurs familiales asiatiques."

"J'ai fait le choix de consacrer ma vie à aider ces enfants?," affirme Charles. "[...] Je sais désormais ce que je dois faire pour aider ces enfants, à l'échelle locale et internationale. J'espère que j'y parviendrai."

Article de Mark Foss, extrait du site Web www.aucc.ca (Association des universités et collèges du Canada)

aide (f.)	help	**consacrer**	to dedicate
alors	then	**constater**	to note
alors que	while	**contribuer à**	to help
atteint(e)	affected	**convaincre**	to convince
avant-gardiste	cutting-edge	**croire**	to believe
béni(e)	blessed	**déceler**	to detect
boucler la boucle	to come full circle	**désormais**	henceforth
briser	to break	**digne**	worthy
cadre: dans le —	through, within	**données** (f.pl.)	data
cécité (f.)	blindness	**échelle** (f.)	scale
cerner	to figure out	**éclairant(e)**	eye-opening
chance (f.)	luck	**éclairer**	to make it clearer
compte: pour le —	on behalf of	**effectuer**	to do, to complete
conduire à	to lead to	**efficace**	efficient
(être) conquis(e) par	to fall in love with	**élève** (m./f.)	student

emballé(e)	enthusiastic	**passer**	to spend
ensuite	later, then	**peine: à —**	barely
entreprendre	to pursue	**permettre à**	to enable
environ	about	**preuve** (f.)	proof
équipe (f.)	team	**quelque**	about
fait (m.)	fact	**raconter**	to tell
fois: une —	once	**recherche** (f.)	research
formé(e)	trained	**réclamer**	to ask for
gérer	to manage	**recueillir**	to gather
honte (f.)	shame	**réjouir: se —**	to rejoice
inciter	to spur	**repérer**	to identify
incroyablement	incredibly	**sein: au — de**	within
inscrire: s'—	to appear	**séjour** (m.)	stay, stint
instar: à l'— de	just as	**selon**	according to
intermédiaire: par l'— de	through	**sembler**	to seem
jamais	ever	**signaler**	to report
jusqu'à	up to	**sorte: en quelque —**	so to speak
laisser	to leave	**sorte: faire en —**	to ensure
loucher	to be cross-eyed	**souhaiter**	to want, to wish
lutter contre	to combat	**souligner**	to stress
malgré	despite	**sourire** (m.)	smile
marquant(e)	profound	**soutien** (m.)	support
meilleur (m.)	best	**stage** (m.)	internship
mettre sur pied	to develop	**suivi: assurer le —**	to follow up
monde (m.)	world	**suivre**	to follow
mondial(e)	global	**sujet: au — de**	about
mort (f.)	death	**tenir à**	to be due to
mortel, mortelle	fatal	**trouver**	to find
oculaire	eye (adj.)	**valeur** (f.)	worth
ONG (f.)	NGO	**vécu(e)**	lived, experienced
parcourir	to travel through	**vie** (f.)	life
partir: à — de	from	**voire**	or even
parvenir: y —	to get there, to succeed	**volet** (m.)	component

QUESTIONS

1. Qu'est-ce qui a conquis Seung-Ho (Charles) Baik quand il était au Mali?
2. Qu'est-ce qu'il a fait à son retour?
3. Quelle autre expérience marquante Charles a-t-il eue en 2010?
4. En quoi consiste le programme *Étudiants pour le développement*?
5. Qu'est-ce que Charles a décidé de faire à son retour d'Inde?
6. Qui est le docteur Mallipatna et qu'est-ce qu'il a mis sur pied avec Charles?
7. Qu'est-ce que le tandem a enseigné et à qui?
8. Comment les élèves ont-ils manifesté leur enthousiasme?
9. Qu'est-ce que Charles a constaté?
10. Pourquoi adopter cette stratégie d'enseigner à des jeunes élèves et pas directement aux familles?

11. Qu'est-ce que les élèves ont fait ensuite?
12. Qui a assuré le suivi et comment?
13. Qu'est-ce que le docteur Mallipatna pense du travail de Charles?
14. Comment le docteur Mallipatna a-t-il "bouclé la boucle"?
15. Quel est le bénéfice de l'éducation transculturelle selon le docteur Mallipatna?
16. De quels avantages Charles a-t-il bénéficié?

SITUATIONS – CONVERSATIONS

1. Racontez vos préparatifs du matin: se lever, s'habiller, se laver, se brosser les dents, se maquiller, etc. Employez le passé composé.

2. Racontez vos activités avec votre ami(e) préféré(e). Employez des expressions comme: se promener, se téléphoner, se rencontrer, se parler, se dire, se disputer, etc. Dites ce que vous faites et ce que vous ne faites pas ensemble.

3. Formez un groupe de trois ou quatre personnes. Faites des comparaisons entre vous. Employez beaucoup d'adjectifs divers: grand(e), petit(e), timide, intellectuel(le), actif(ive), sportif(ive), élégant(e), agressif(ive), etc.

4. Posez-vous des questions les uns aux autres. Employez des superlatifs.

    Qui est le meilleur acteur de cinéma?
    Quelle est la plus belle ville du monde?
    Quels sont les animaux les plus doux? les plus féroces?
    Quel est le moyen de transport le plus pratique?

5. À quoi croyez-vous? À quoi ne croyez-vous pas? Posez-vous ces questions les uns aux autres à propos des thèmes suivants et apportez des arguments:

    la télépathie, les fantômes, les maisons hantées, les extra-terrestres, la vie dans l'univers, la magie, le triangle des Bermudes, les miracles, le progrès de la science, le progrès de l'humanité, la Troisième Guerre mondiale, l'intelligence des ordinateurs

6. Répondez aux questions suivantes selon vos convictions.

    Que pensez-vous de vos études? Quelles sont vos ambitions? Que voulez-vous faire dans la vie? Êtes-vous satisfait(e) de vos relations avec vos camarades? À qui confiez-vous vos problèmes? Pourquoi étudiez-vous? Quelle est votre attitude au sujet du mariage et des enfants?

COMPOSITIONS

1. Racontez au passé composé vos activités du matin depuis le moment où vous vous levez jusqu'au moment où vous partez de chez vous. Employez, entre autres, des verbes pronominaux.

2. Faites des comparaisons entre vous et vos parents, du point de vue physique et du point de vue psychologique.

3. Donnez votre opinion sur les sujets abordés dans la lecture.

PRONONCIATION

(((•⁃[Listen on **myfrenchlab**

(Students and instructors can listen to the audio track for this exercise on MyFrenchLab.)

Le son l (/l/)

Répétez d'après le modèle:

1. lit   loupe   l'œuf   long   l'espoir   l'aide   lent   lin
   lutte   large   l'homme   lézard   l'heure   lime   laine   Luc

2. mal   tulle   bile   boule   molle
   pèle   belle   seul   sale

3. un nouvel étudiant   une nouvelle auto
   un nouvel arbre   un nouvel outil
   une nouvelle odeur   un nouvel incident
   une nouvelle idée   une nouvelle encre

4. nous cherchons le chien   nous voyons le parc
   nous trouvons le pont   nous mangeons le gâteau
   nous jouons le jeu   nous finissons le travail
   nous prenons le train   nous regardons le film

5. je le̸ crois   je le̸ dis   tu le̸ prends   tu le̸ finis
   je le̸ vois   je le̸ mange   tu le̸ gardes   tu le̸ prépares

6. c'est de̸ l'eau   c'est de̸ la monnaie   il y a de̸ la place   il a de̸ l'appétit
   c'est de̸ la bière c'est de̸ la salade   il y a de̸ l'ombre   il a de̸ la chance
                                             il y a de̸ la lumière   il a de̸ l'ambition

MyFrenchLab Visit MyFrenchLab to access additional resources such as audio exercises, the *Cahier de laboratoire*, and web destinations.

© Ditty_about_summer/Shutterstock.com

CHAPITRE 12

Bon appétit

MyFrenchLab

Visit MyFrenchLab to access additional resources, including

- *Cahier de laboratoire*
- Self-grading assessments
- Audio exercises
- Grammar primers and tutorials

Thèmes

- La vie d'autrefois
- Différences entre l'an dernier et cette année
- La nourriture – les boissons – les aliments
- Testez vos connaissances en nutrition

- Lunch à la cantine *Midi Express*
- Faire un compliment sur un repas
- Plainte au restaurant
- Recette: salade de légumes

Lecture

Les arnaques de la malbouffe

Grammaire

12.1 L'imparfait

12.2 Le pronom interrogatif *lequel*

12.3 Le verbe irrégulier *boire*

VOCABULAIRE UTILE

Noms

aile (f.)	wing
aliment (m.)	food
arachide (f.)	peanut
assiette (f.)	plate
bec fin (m.)	picky eater
blanc d'œuf (m.)	egg white
blé (m.)	wheat
bonbon (m.)	candy
bonhomme (m.) de neige	snowman
champignon (m.)	mushroom
charcuterie (f.)	delicatessen
confiserie (f.)	candy store, confectionery
course (f.)	shopping
cuisse de grenouille (f.)	frog leg
dé (m.)	dice
ébullition (f.)	boiling
épicerie (f.)	grocery store
façon (f.)	way
foie (m.)	liver
four (m.)	oven
fringale (f.)	craving
fromage (m.)	cheese
gens (m.pl.)	people
gourmand(e)	someone very fond of food
jour de l'An (m.)	New Year's Day
langue (f.)	language
loisir (m.)	leisure
malbouffe (f.)	junk food
mari (m.)	husband
miel (m.)	honey
minceur (f.)	slimness
partie de cartes (f.)	card game
poids (m.)	weight
poitrine (f.)	breast
poivron (m.)	pepper
recette (f.)	recipe
régime (m.)	diet
réveillon (m.)	Christmas Eve
saucisson (m.)	sausage
tire-bouchon (m.)	corkscrew
tisane (f.)	herb tea

Adjectifs

aigre-doux, -douce	sweet and sour
cuit(e)	cooked
équilibré(e)	balanced
court(e)	short
détendu(e)	relaxed
dur(e)	hard
frit(e)	fried
saignant(e)	rare

Verbes

afficher	to put up
arroser	to sprinkle
bouffer	to stuff oneself
(se) cacher	to hide
chauffer	to heat
clavarder	to chat
commander	to order
congeler	to freeze
couper	to cut
cuisiner	to cook
diminuer	to reduce
égoutter	to drain
émincer	to chop
manquer	to lack
mélanger	to mix
peler	to peel
perdre	to lose
popoter	to cook
ranger	to put away
(se) réunir	to gather, to meet
trancher	to slice

Adverbe

partout	everywhere

Expressions

mettre: — le couvert, la table	to set/lay the table
main: — à la pâte	hands on

GRAMMAIRE ET EXERCICES ORAUX

12.1 L'imparfait

The **imparfait** is a simple (one-word) past tense.

Formation

The **imparfait** is formed by dropping -ons from the nous form of the present tense and adding the endings -ais, -ais, -ait, -ions, -iez, -aient. All verbs, whether regular or irregular, follow this pattern, except **être**, whose stem in the **imparfait** is ét-.

finir		être		avoir	
je	finissais	j'	étais	j'	avais
tu	finissais	tu	étais	tu	avais
il / elle / on	finissait	il / elle / on	était	il / elle / on	avait
nous	finissions	nous	étions	nous	avions
vous	finissiez	vous	étiez	vous	aviez
ils / elles	finissaient	ils / elles	étaient	ils / elles	avaient

Other examples:

chanter (nous *chant*ons)	⟶	je chantais
attendre (nous *attend*ons)	⟶	j'attendais
prendre (nous *pren*ons)	⟶	je prenais
lire (nous *lis*ons)	⟶	je lisais

With verbs in **-ger**, the letter **e** is inserted between **g** and the endings that begin with **a** (see Chapitre 6, p. 101):

je man**ge**ais   *but*   nous man**gi**ons

With verbs in **-cer**, the **cédille** is used with **c** before the endings that begin with **a** (see Chapitre 6, p. 101):

ils commen**ç**aient   *but*   vous commen**ci**ez

Uses of the imparfait

The **imparfait** is used to express *continuous* past actions or states of affairs and *habitual* past actions.

a) *Continuous past actions or states of affairs*

The **imparfait** indicates an action or state of affairs that was continuous or in progress in the past without indicating whether that action or state has ended:

Ce matin-là, il travaillait.   He was working that morning.

Il pleuvait hier.   It was raining yesterday.

The action and state in the above examples are presented as being in progress. This is often expressed in English by the continuous past, as in the translations above.

b) Since it expresses continuity, the **imparfait** is used to describe situations, persons, or things:

Il faisait très froid.	It was very cold.
Il y avait du soleil.	It was sunny.
Elle avait l'air affamée.	She looked like she was starving.

c) Verbs expressing mental states or activities in the past most often appear in the **imparfait**:

Il aimait ses parents.	He loved his parents.
Elle avait peur des orages.	She was afraid of storms.
Je voulais devenir cuisinier.	I wanted to become a cook.

d) *Habitual past actions*

The **imparfait** may express that a past action occurred on a regular basis or was repeated an unspecified number of times:

Le samedi, il dinait en ville.	On Saturdays, he would dine downtown.
Quand j étais enfant, je popotais	When I was a child, I used to cook
avec ma mère.	with my mother.

Certain time expressions are often used with the imparfait:

autrefois	in the past, long ago
à cette époque-là	in those days
chaque jour / mois / année	every day / month / year
d'habitude	generally / usually
tous les jours / mois	every day / month
souvent	often

🔊 EXERCICES ORAUX

a. Mettez les verbes à l'imparfait.

faire
Tous les dimanches…
je _____ le pain.
tu _____ le café au lait.
il _____ des gâteaux.
nous _____ la cuisine.

manger
Autrefois…
je _____ avec mes camarades le midi.
vous _____ souvent de la malbouffe.
ils _____ ensemble, le soir.
elle _____ tous les chocolats.

vouloir
Souvent…
il _____ me surprendre.
elles _____ diner à la maison.
nous _____ acheter des provisions.

pouvoir
D'habitude…
je _____ aller faire les courses.
elles _____ apprendre la recette.
vous _____ vous préparer des repas.

réfléchir

Souvent…

je _____ à mes problèmes.

vous _____ à vos vacances.

elle _____ aux conséquences.

elles _____ à leur départ.

aller

Chaque semaine…

j' _____ à l'église.

tu _____ chez tes parents.

il _____ préparer le déjeuner.

ils _____ à la campagne.

finir

À cette époque-là…

nous _____ la soirée chez nos cousins.

ils _____ leur partie de cartes tard.

tu _____ de préparer le réveillon.

elles _____ leur danse à minuit.

mettre

Le dimanche matin…

je _____ un rôti au four.

vous _____ la main à la pâte.

ils _____ du café à chauffer.

elle _____ son mari au régime.

b. Mettez à l'imparfait.

1. C'est dimanche.
2. Il y a de la neige.
3. C'est l'hiver.
4. J'ai mal à la tête.
5. Il est fatigué.
6. Tu as toujours faim.
7. Ils sont heureux.
8. Il y a des gens partout.
9. Nous sommes toujours en retard.
10. Vous n'avez pas la recette.
11. Ils ont soif après le repas.
12. Il y a du vin.
13. C'est le jour de l'An.
14. Tu es joyeuse.
15. Il n'y a pas de bière.
16. C'est une fête religieuse.
17. Il n'a pas d'amis.
18. Ils ont envie d'un bon repas.

c. Grand-mère, quand tu étais petite, est-ce que / qu'…

1. il neigeait beaucoup l'hiver?
2. tu allais à l'école en autobus scolaire?
3. il y avait des cours de langues?
4. tu sortais avec tes amis la fin de semaine?
5. tu regardais la télévision tous les jours?
6. tu habitais la campagne?
7. tu aimais les bonbons?
8. tu faisais des bonshommes de neige en hiver?
9. tu patinais sur la glace?
10. tu mangeais tous tes légumes?
11. il y avait des automobiles?

d. Que faisaient-ils, hier soir, quand on a coupé le courant?

1. Georges (étudier) dans sa chambre.
2. Kim (finir) de laver ses vêtements.
3. Louis (écouter) de la musique rock dans le salon.
4. Fido (dormir) sur le plancher de la cuisine.
5. Marie (être) encore au téléphone avec son ami.
6. Papa (ranger) des choses dans le garage.
7. Maman (mettre) le couvert sur la table.
8. Le chat (se cacher) sous le lit de ma chambre.

e. Différences entre cette année et l'an dernier.

Cette année...   L'an dernier...

1. j'étudie à l'université.   je / j' _____.
2. j'habite sur le campus universitaire.   je / j' _____.
3. je sors tous les samedis avec mes amis.   je / j' _____.
4. je joue dans l'équipe de soccer.   je / j' _____.
5. je mange au resto le dimanche.   je / j' _____.
6. je fais souvent du sport au gymnase.   je / j' _____.
7. je téléphone à mes parents chaque semaine.   je / j' _____.

f. *Mes activités favorites.* Regardez les activités de la liste ci-dessous. Quand vous aviez douze ans, qu'est-ce que vous préfériez comme activités?

faire du sport / jouer à _____ des jeux vidéo / clavarder sur Internet / lire des romans d'aventures / manger chez McDo / aller au chalet de mes parents / bouffer des sucreries / faire du ski / aller à la pêche, etc.

Moi, quand j'avais douze ans, je _____.

La nourriture

Les repas

1) **Le déjeuner / le petit déjeuner** (breakfast)

un jus de fruit	du pain (bread)	un œuf (egg)
un café	du beurre (butter)	du jambon (ham)
un thé	de la confiture (jam)	des céréales (cereal)

2) **Le diner / le déjeuner** (lunch)

une soupe	une omelette	du fromage (cheese)
un sandwich	une quiche	un biscuit (cookie)
une salade	un fruit	un gâteau (cake)

3) **Le souper / le diner** (dinner)

un hors-d'œuvre	des pâtes (f.) (pasta)	une entrée
des légumes (m.pl.) (vegetables)	de la viande (meat)	un dessert

Les boissons

1) **non-alcoolisées** (non-alcoholic)

l'eau (f.) (water)
le chocolat chaud (hot chocolate)
le lait (milk)
la limonade (lemonade)
un jus de fruit (fruit juice)
le thé
le café
la tisane (herbal tea)
les boissons gazeuses (soft drinks)

2) **alcoolisées** (alcoholic)

la bière
un cocktail
une liqueur (alcoholic drink)
le vin (blanc, rouge, rosé)
un apéritif
un digestif
le champagne
le cognac

Les aliments

1) **Les fruits**

les bleuets (m.pl.) (blueberries)   **une poire** (pear)

les cerises (f.pl.) (cherries)   **une pêche** (peach)

les fraises (f.pl.) (strawberries)   **un melon**

les framboises (f.pl.) (raspberries)   **les raisins** (m.pl.) (grapes)

2) **Les fruits de mer et les poissons**

une crevette (shrimp)   **un saumon** (salmon)

un homard (lobster)   **une truite** (trout)

un crabe   **un filet de sole**

3) **Les légumes**

une carotte (carrot)   **une pomme de terre** ou **une patate** (potato)

un concombre (cucumber)   **un ognon (oignon)** (onion)

un chou (cabbage)   **une tomate** (tomato)

un chou-fleur (cauliflower)   **une patate douce** (sweet potato)

4) **Les pâtes**

des nouilles (f.pl.) (noodles)   **des macaronis** (m.pl.)

des spaghettis (m.pl.)   **des lasagnes** (f.pl.)

5) **La viande**

de l'agneau (m.) (lamb)   **du porc** (pork)

du bœuf (beef)   **du veau** (veal)

6) **La volaille** (poultry)

de la dinde (turkey)   **du canard** (duck)   **du poulet** (chicken)

 EXERCICES ORAUX

a. Mes préférences.

1. Qu'est-ce que vous mangez généralement au déjeuner?
2. Quel est votre fruit préféré? votre légume favori?
3. Quelle est la viande que tu préfères?
4. Préfères-tu les carottes aux pommes de terre?
5. Aimes-tu le poisson? Quel genre de poisson?
6. Est-ce que vous mettez du sucre et du lait dans votre café?

b. Qu'est-ce qu'on mange quand on est végétarien?

quand on fête un anniversaire?   quand on est malade?

quand on va piqueniquer?   quand on a un rhume?

quand on n'a pas d'appétit?   quand on veut maigrir?

quand on a la fringale?   quand on veut grossir?

c. Qu'est-ce qu'on mange à l'Action de grâces? pour la fête d'Eid? de Diwali? de Hanouka? à Noël? au jour de l'An? au Séder? à Pâques? à la fête des Mères?

d. Comment désigne-t-on une personne qui ne mange que des légumes? que de la viande? qui aime bien manger? qui mange avec excès? qui mange tout le temps? qui aime la cuisine raffinée? (un(e) bec fin, carnivore, glouton, végétarien, gourmet, gourmand)

e. De quelle couleur? Répondez selon le modèle.

 Modèle: De quelle couleur sont les bananes?
 Les bananes sont jaunes.

 1. De quelle couleur sont les framboises? les pêches? les pommes? les fraises? les pommes de terre? les choux? les concombres? les carottes? les homards?
 2. De quelle couleur est le lait? le beurre? le jambon? le café? le sucre?

f. Maintenant et avant. (Attention aux pronoms.)

 Modèle: Maintenant, je mange des légumes, mais avant, je n'en mangeais pas.
 1. Maintenant, je choisis mes aliments, mais avant, je…
 2. Maintenant, je bois du vin, mais avant, je…
 3. Maintenant, je sais faire la cuisine, mais avant, je…
 4. Maintenant, j'apprécie les plats raffinés, mais avant, je…
 5. Maintenant, je vais dans les grands restaurants, mais avant, je…
 6. Maintenant, j'adore les pâtes italiennes, mais avant, je…
 7. Maintenant, je connais beaucoup de recettes, mais avant, je…

Testez vos connaissances en nutrition

1. Une pomme de terre peut remplacer une portion de…
   a) pain.
   b) légumes.
   c) viande.
   d) pain ou légumes.

2. Lequel (lesquels) de ces aliments est (sont) riche(s) en calcium?
   a) Le fromage
   b) Le brocoli
   c) Le saumon en conserve (avec les arêtes)
   d) Tous ces aliments

3. Quel est le meilleur choix dans un restaurant si vous suivez un régime pauvre en cholestérol?
   a) Spaghetti-sauce tomate
   b) Foie de veau à l'orange
   c) Omelette aux champignons
   d) Crevettes grillées

4. Lequel (lesquels) de ces suppléments nutritifs devez-vous acheter si vous manquez d'énergie?
   a) Des multivitamines
   b) Du ginseng
   c) Les deux (a et b)
   d) Aucune de ces réponses

5. La date indiquée sur les viandes et volailles fraiche (fraîche) est la date:

    a) de fraicheur (fraîcheur).   c) d'emballage.

    b) de conservation.   d) d'entreposage.

6. Le lait 2%...

    a) est enrichi en vitamine A.   c) est enrichi en vitamines A et D.

    b) est enrichi en vitamine D.   d) n'est pas enrichi en vitamines.

7. De quelle façon doit-on faire une activité physique pour perdre du poids?

    a) De façon intensive durant une   c) De façon modérée durant une
       courte période de temps   courte période de temps
       (15-20 minutes)   (15-20 minutes)

    b) De façon intensive durant une   d) De façon modérée durant une longue
       longue période de temps   période de temps
       (45-60 minutes)   (45-60 minutes)

8. Lequel de ces aliments ne se congèle pas?

    a) Le lait   c) La gélatine aux fruits

    b) Le blanc d'œuf   d) Aucun de ces aliments ne se congèle

9. Lequel de ces aliments peut se conserver à température ambiante?

    a) Les œufs   c) Le beurre

    b) Les fromages   d) Aucune de ces réponses

10. Pour diminuer les calories d'une recette, on peut remplacer la crème par...

    a) de la crème 15%.   c) du fromage à la crème "léger".

    b) du yogourt nature.   d) aucune de ces réponses.

11. Un régime nutritif équilibré doit contenir un minimum de...

    a) 500 calories.   c) 1000 calories.

    b) 800 calories.   d) 1500 calories.

12. Quel diner est le plus équilibré pour la santé?

    a) Sandwich aux œufs + yogourt   c) Sandwich au beurre d'arachides
       + pomme   + muffin aux carottes

    b) Salade de saumon + jus de   d) Tous ces repas sont équilibrés
       légumes + raisins

(Extrait du magazine *Fermières*)

Réponses au test à la page 246.

12.2 Le pronom interrogatif *lequel*

The interrogative pronoun **lequel** is used to distinguish between several persons or things. It corresponds to "which one" or "which ones."

	Singular	*Plural*
Masculine	**lequel**	**lesquels**
Feminine	**laquelle**	**lesquelles**

Laquelle des entrées as-tu choisie?

Lesquels des serveurs étaient absents?

Lequel may be used instead of the interrogative adjective **quel** + noun:

Je préfère un fruit.	— Quel fruit?
	— Lequel?
J'ai acheté des légumes.	— Quels légumes?
	— Lesquels?

Contractions occur when used with **à** or **de**, except for **laquelle**:

à + lequel	⟶	**auquel**	de + lequel	⟶	**duquel**
à + laquelle	⟶	**à laquelle**	de + laquelle	⟶	**de laquelle**
à + lesquels	⟶	**auxquels**	de + lesquels	⟶	**desquels**
à + lesquelles	⟶	**auxquelles**	de + lesquelles	⟶	**desquelles**

J'ai besoin d'un livre. — **Duquel** as-tu besoin?

Auxquelles des étudiantes a-t-il parlé?

 EXERCICES ORAUX

a. Remplacez les mots en italique par une forme de *lequel*.

1. *Quels livres de recettes* avez-vous lus?
2. *Quelle tarte* vas-tu faire ce soir?
3. *Quelles pommes* as-tu achetées?
4. *Quel bouillon* prends-tu?
5. *À quel banquet* es-tu allé(e)?
6. *De quelle assiette* te sers-tu?
7. *De quelles épices* as-tu besoin?
8. *À quelle surprise* t'attendais-tu?
9. *À quelle cantine* déjeunes-tu?

b. À la cafétéria, votre ami vous demande de faire des choix. Utilisez une forme de *lequel*.

1. Alors, _____ de ces sandwiches choisis-tu?
2. _____ de ces fruits?
3. _____ de ces bières?
4. _____ de ces pizzas?
5. _____ de ces légumes?
6. _____ de ces jus?
7. _____ de ces plats de nouilles?
8. _____ de ces salades?

12.3 Le verbe irrégulier *boire*

	Présent de l'indicatif			Participe passé	Imparfait
je	bois	nous	buvons	bu	je buvais
tu	bois	vous	buvez		nous buvions
il / elle / on	boit	ils / elles	boivent		

Boire means "to drink."

 EXERCICES ORAUX

a. Remplacez le sujet par les mots entre parenthèses.

   1. Pierre boit du jus de tomate.
     (nous, ils, on, je)

   2. Je bois du café. (tu, elles, vous, il)

   3. Elles ont bu de la bière.
     (je, elle, nous, tu)

   4. Il buvait du vin. (tu, vous, elles, nous)

b. Répondez aux questions.

   1. Est-ce que tu bois du vin au diner?

   2. Est-ce que les enfants boivent
     du cognac?

   3. Est-ce que les athlètes doivent
     boire du lait?

   4. Où est-ce que tu bois de la bière?

   5. Quand est-ce que tu buvais un
     cocktail?

   6. Qu'est-ce que tu bois au déjeuner?
     au diner? au souper?

   7. Qu'est-ce que tu bois quand il fait
     chaud? quand il fait froid?

   8. Qu'est-ce qu'on boit quand on a un
     rhume?

   9. Quand est-ce que tu as bu (pris)
     une liqueur?

Expressions utiles

Pour offrir une consommation

Voulez-vous boire quelque chose? Un verre de vin, un verre d'eau, une bière, un jus, un
   café, un thé, une tisane?

Est-ce que je peux t'offrir un verre?

En réponse

Je veux bien.   Non, merci.

Volontiers.

Avec plaisir.   Non, merci, je ne bois pas.

S'il vous plait.

Pour porter un toast	**En réponse**
À votre santé!	À la vôtre!
Santé!	
À ta santé!	À la tienne!
À notre santé!	À la nôtre!

EXERCICES ÉCRITS

a. Mettez les phrases suivantes à l'imparfait.

1. Nous apprécions les fromages.
2. Elle choisit des cuisses de grenouille.
3. Il vend des fruits et des légumes.
4. Je prends une tisane.
5. Ils écrivent un nouveau menu.
6. Tu bois du champagne.
7. Vous voulez aller chez Maxim's.
8. Mon cousin s'attend à un banquet.
9. Je m'entends bien avec les végétariens.
10. Ma mère adore le homard.
11. Le chat dort après son repas.
12. Ils se souviennent des recettes anciennes.
13. Il y a des œufs pour le déjeuner.
14. Ma sœur attend son repas.
15. Nous mangeons de la dinde tous les jours.
16. Vous commandez souvent à ce resto.
17. Tu dois t'ennuyer de la cuisine de ta mère.
18. Elle sert des liqueurs à ses invités.
19. Mon frère commence à bien cuisiner.

b. Remplacez l'adjectif interrogatif et le nom par un pronom interrogatif.

Modèle: Quelle nappe as-tu achetée?
Laquelle as-tu achetée?

1. Quel cours de cuisine préférez-vous?
2. Quels livres lisez-vous?
3. Quel film regardes-tu?
4. Quelles étudiantes savent faire la cuisine?
5. Quelle sauce as-tu choisie?
6. À quel restaurant allons-nous?
7. De quelle boisson parles-tu?
8. À quelles serveuses avez-vous parlé?
9. De quels fruits as-tu besoin?

c. Le verbe *boire*. Conjuguez.

au présent

1. Je _____ un expresso.
2. Nous _____ du jus.
3. Ils _____ du thé.

à l'imparfait

4. Je _____ du vin rouge.
5. Tu _____ un coca.
6. Vous _____ du thé glacé.

au passé composé

7. Le bébé _____ du lait.
8. Il _____ du chocolat chaud.
9. Elles _____ de la bière.

Lecture

Les arnaques de la malbouffe

Nous sommes en droit de savoir d'où vient notre bouffe et surtout de savoir comment elle est fabriquée.

Facile pour des entreprises peu scrupuleuses de tromper les consommateur non avertis. Les pouvoirs publics encouragent un laxisme qui ne protège pas vraiment les proies faciles que nous sommes. Souvent, les inspecteurs des fraudes en connaissent moins que ceux qui fabriquent les produits à valeur ajoutée. Bernés par une publicité à la limite de l'arnaque, les consommateurs achètent des messages souvent lourds à digérer.

L'effet marketing, dont les publicitaires usent à souhait, a pour but de faire croire au public que les traditions et les valeurs ancestrales auxquelles leurs produits prétendent, offrent une garantie de qualité supérieure aux produits d'aujourd'hui. On use abondamment de paysages respirant la fraîcheur, de fermes bucoliques où on laisse brouter les vaches, de papier à carreaux sur les pots de confiture ou de slogans qui n'ont plus rien à voir avec l'original! Peu importe, cela fait vendre et donne bonne conscience aux consommateurs.

Stop, cela suffit! Voici un guide qui vous permettra de reconnaître les produits suspects et facilement imitables. La liste pourrait être longue et prendre plus de pages. Il faut suivre ce vieil adage, qui s'avère de plus en plus d'actualité : "Dis-moi ce que tu manges et je te dirai qui tu es. " Sans tomber dans le cliché bio à outrance, ou grano-écolo, le choix judicieux des ingrédients qui entrent dans notre alimentation est le reflet d'une société qui évolue.

Voici donc la liste des produits offrant le plus de risques, et ceux qui sont susceptibles d'être falsifiés. Les appellations qui portent à confusion : à l'ancienne, maison, champêtre, original, style fermier, label rouge, cinq étoiles, comme autrefois, frais du jour, maman, tradition etc.

Les produits d'épicerie:

Jambon et charcuterie, café, poulet, viandes, pains, produits préparés: rien à voir, souvent, avec le produit d'origine. Le jambon qu'il devrait être, se confectionne à partir de gros morceaux de muscles, salés et cuits par la suite. Aucun rapport avec le pseudo jambon pressé et compacté qui laisse s'échapper l'eau du barattage à l'ouverture du paquet.

Saucisses de toutes sortes: on peut y trouver de tout – viandes mélangées, chapelure de pain, ajouts aromatiques –, c'est à la limite de l'acceptable. On retrouve même sur les tablettes des merguez qui ne contiennent que du porc, alors qu'elles devraient (religion oblige) être confectionnées avec de l'agneau.

Pâtés: comme pour les saucisses, on nous vend la gélatine ou les fausses truffes au prix du pâté. Cher pour des mousses.

Café: achetez du café en grains, quitte à le moudre sur place. Certains cafés contiennent un pourcentage de pois chiches torréfiés.

Poulet: un des produits les plus faciles à modifier. Du poulet de batterie, élevé en quelques jours avec moulées et farine, est refroidi à l'eau, puis arrive sur les marchés, peu cher et pas bon. Les morceaux apprêtés et assaisonnés ont la faveur du public. Pourtant, ces morceaux sont barattés et l'on achète au prix du poulet jusqu'à 60% d'eau injectée aux saveurs de citron, de fumée ou d'épices, qui donne l'impression que le poulet fond dans la bouche.

Viandes: malheureuement, là aussi, la réglementation ne protège guère des faussaires. Viandes décongelées non identifiées, délicatisées ou piquées qui permettent aux mauvais bouchers, sans que cela ne soit réglementé, de vendre de la vache pour du boeuf et des morceaux à braiser pour des morceaux qui, comme par enchantement, sont devenus tendres.

Pain: l'aliment de base de notre civilisation. Le bon pain chaud aux odeurs attirantes est en fait un leurre; il est bourré de levure, n'importe qui peut le faire cuire sans être boulanger. Il faut s'assurer, pour être sûr de sa qualité, de choisir un pain alvéolé, cuit sur une sole avec des ingrédients de base aussi simples et natures que : farine, eau, sel, levure. Il faut exclure tout sucre et arôme artificiel,

de même que tous ces agents de conservation qui donnent au pain une durée de vie qui n'en finit plus.

Produits préparés: la mode est à la vitesse, et les consommateurs pressés veulent acheter des plats précuisinés et presque prémâchés. Bien lire les composantes, qui peuvent parfois amener des surprises. Attention aux allergies dans ce type de préparation où une contamination croisée peut se produire.

Il est désormais possible de s'éduquer pour mieux acheter. Apprendre à dire non serait bénéfique pour notre société, et découragerait les faussaires d'essayer de nous refiler leur malbouffe.

Philippe Mollé – *Le Devoir* – Libre de penser – 29 juin 2002.

adage (m.)	saying	**leurre** (m.)	lure
ajout (m.)	addition	**levure** (f.)	yeast
alvéolé (e)	honeycombed	**lourd (e)**	heavy
appellation (f.)	designation	**morceau** (m.)	pieces
apprêter	to prepare	**moudre**	to grind
arnaque (f.)	cheat	**moulée** (f.)	mash
s'avérer	prove to be	**outrance** (f.)	excess
barrater	churned	**à partir de**	starting from
berner	to fool	**paysage** (m.)	scenery
bourrer	to stuff	**piquer**	to prick
brouter	to graze	**pois chiche** (m.)	chick peas
bucolique	pastoral	**porter à**	to bring
carreau (m.)	small squared paper	**précuisiné(e)**	precooked
champêtre	country style	**prémâché(e)**	prechewed
chapelure (f.)	breadcrumbs	**publicitaire** (m.)	publicist
confectionner	to make	**quitte à**	at the risk of
droit (m.)	right	**rapport** (m.)	relation
s'échapper	to leak	**respirer**	to breathe
élever	to raise	**rien à voir**	nothing to do with
farine (f.)	flour	**sole** (f.)	brick oven
faussaire (m.)	falsifier	**tablette** (f.)	shelf
fondre	to melt	**tromper**	to fool
guère	hardly	**vache** (f.)	cow
laxisme (m.)	permissiveness	**vitesse** (f.)	speed

QUESTIONS

1. Quelle conviction soutient l'auteur de cette chronique?
2. Que signifie d'après Mollé, "l'effet marketing " pour le public?
3. Que nous propose-t-il pour reconnaitre les produits suspects?
4. Quels articles d'épicerie sont à risque d'être modifiés ?
5. Qu'est-ce que l'auteur pense des appellations en alimentation?
6. Que contiennent les saucisses, les pâtés et le café, d'après le chroniqueur?
7. Comment modifie-t-on le poulet et les viandes?
8. Quelle sorte de pain nous vend-on maintenant?
9. Pour les plats précuisinés, que recommande-t-il?
10. Que suggère-t-il pour mieux acheter?

Lunch à la cantine

MIDI EXPRESS

POTAGE DU JOUR

Au brocoli

SANDWICHES

Au poisson ou poulet rôti. (Pain blanc ou de blé entier ou croissant)
Saucisson sur baguette (servi avec salade verte)
Guédille (salade de chou, carottes, sauce crémeuse) sur petit pain
Salade au poulet ou œufs (pain pita)
Sous-marin végétarien
Poulet rôti (quart – demi – cuisse – poitrine)
Croquettes de poulet
Ailes de poulet (sauce: aigre-douce ou miel)
Doigts de poulet
(Avec riz ou pommes de terre au four ou frites ou poutine et salade de chou)

DESSERTS

Crème glacée (plusieurs saveurs)
Gâteau (pommes-caramel)

BOISSONS

Eau (plate ou gazeuse)
Jus de légumes ou de fruits
Vin maison: demi-litre – quart de litre (blanc ou rouge)

Au restaurant

LE SERVEUR:	Le menu est affiché au mur.
LA CLIENTE:	Merci.
LE SERVEUR:	Êtes-vous prête à commander?
LA CLIENTE:	Oui, je suis prête. Je prends _____.
LE SERVEUR:	Avec frites ou _____.
LA CLIENTE:	Avec _____.
LE SERVEUR:	Vous avez choisi un breuvage?
LA CLIENTE:	Oui, je prends _____.
LE SERVEUR:	Comme dessert, nous avons _____.
LA CLIENTE:	Je vais prendre _____, s'il vous plait.
LE SERVEUR:	Très bien. Bon appétit.

Pour faire un compliment sur un repas

Ce plat, ce gâteau, ce diner est succulent, délicieux, savoureux.
Merci pour le repas, c'était délicieux.

Plainte au restaurant

Ce n'est pas ce que j'ai commandé.
Pouvez-vous le changer, s'il vous plait.
La viande est trop (pas assez) cuite, saignante, dure.
Mon plat est froid.
Ce n'est pas frais.
Il y a une erreur dans l'addition.

SITUATIONS – CONVERSATIONS

1. Qu'est-ce que vous prenez pour le déjeuner, le diner et le souper généralement?

2. En quoi consistait un repas typique dans votre famille? (Quelles viandes, quels légumes, quels desserts vos parents servaient-ils généralement?)

3. Quel était votre plat favori quand vous étiez enfant et de quoi était-il composé?

4. Nommez un mets typiquement américain; russe; français; belge; allemand; suisse; grec; anglais; canadien; québécois; espagnol; mexicain; chinois; japonais; hawaïen.

5. Composez un menu équilibré pour une journée.

6. Imaginez un menu pour un piquenique, un brunch, un diner en tête-à-tête.

7. Dans quel établissement trouve-t-on des beignes? de la viande? du fromage? des chocolats? du vin? des épices? du café? du poisson? des saucissons? du lait? (À la fromagerie, confiserie, pâtisserie, fruiterie, épicerie, poissonnerie, charcuterie, brulerie (brûlerie), laiterie).

8. Quel plat traditionnel servait-on dans votre famille? Quels en étaient les ingrédients?

9. Racontez un souvenir d'enfance qui vous est cher.

10. Comment étiez-vous quand vous étiez enfant? Étiez-vous sensible, délicat(e), détendu(e)? Obéissiez-vous à vos parents? à vos enseignants? Quels étaient vos loisirs? Quelle sorte d'élève étiez-vous?

11. Donnez-moi votre recette favorite et les ingrédients qui la composent.

Recette: Salade de légumes

125 ml (1/2 tasse) de brocoli en bouquets
125 ml (1/2 tasse) de chou-fleur en bouquets
60 ml (1/4 de tasse) de poivron en dés
1 carotte tranchée
250 ml (1 tasse) de champignons en quartiers
125 ml de concombre tranché
60 ml d'oignon haché
1 chou rouge émincé

Vinaigrette: (250 ml = 1 tasse)

1/2 tasse de sucre blanc
250 ml de vinaigre
180 ml (3/4 de tasse) d'huile végétale
15 ml (1 c. à soupe) de moutarde
5 ml (1 c. à thé) de graines de céleri
5 ml (1 c. à thé) de sel

Dans une petite casserole, combinez les ingrédients de la vinaigrette; amenez à ébullition; laissez tiédir 30 minutes. Réservez. Dans une casserole d'eau bouillante, faites blanchir 1 minute le brocoli, le chou-fleur, le poivron et la carotte. Égouttez; laissez tiédir. Dans un saladier, mélangez tous les légumes et arrosez de vinaigrette.

Réponses au test:

1. b	4. d	7. d	10. b
2. d	5. c	8. c	11. c
3. a	6. c	9. d	12. a

COMPOSITIONS

1. Faites la critique d'un restaurant où vous avez mangé récemment et du plat qu'on vous y a servi.

2. Racontez un repas extraordinaire que vous avez fait.

3. Préparez votre menu pour la semaine prochaine.

4. Racontez vos vacances pendant les fêtes quand vous étiez enfant.

PRONONCIATION

((•─Listen on **myfrenchlab**

(Students and instructors can listen to the audio track for this exercise on MyFrenchLab.)

Les sons eu fermé et eu ouvert (/ø/ - /œ/)

I. Eu fermé (/ø/)

The sound /ø/ is a closed vowel. It is associated with the spellings **eu** and **œu** and only occurs in an open syllable or in a closed syllable ending in /z/.

Répétez:

eux, peu, deux, jeu, bleu, bœufs, œufs, peut-être, généreux, généreuse, heureux, heureuse, curieux, curieuse, sérieux, sérieuse, précieux, précieuse, furieusement, peureusement, somptueusement, malheureusement

II. Eu ouvert (/œ/)

The sound /œ/ is an open vowel. It is associated with the spellings **eu** and **œu** and only occurs in closed syllables (not ending in /z/).

Répétez:

jeune, seul, aveugle, neuf, peuvent, veulent, intérieur, extérieur, voyageur, plusieurs, faveur, menteur, neuve, peuple, œuf, bœuf, feuille, œuvre

MyFrenchLab   Visit MyFrenchLab to access additional resources such as audio exercises, the *Cahier de laboratoire*, and web destinations.

CHAPITRE 13

© Monkey Business Images/Shutterstock.com

La famille

MyFrenchLab

Visit MyFrenchLab to access additional resources, including

- *Cahier de laboratoire*
- Self-grading assessments
- Audio exercises
- Grammar primers and tutorials

Thèmes

- Les membres de ma famille
- Les étapes de la vie (les fréquentations — les fiançailles — le mariage — l'union libre — la mort)
- Raconter des événements du passé

Lecture

Sainte famille

Grammaire

13.1 Contrastes entre l'imparfait et le passé composé

13.2 L'imparfait avec *depuis*

13.3 Le verbe irrégulier *recevoir*

13.4 Les pronoms démonstratifs

13.5 Le comparatif et le superlatif de l'adverbe

VOCABULAIRE UTILE

Noms

alliance (f.)	wedding ring
attaches (f.pl.)	ties
auberge (f.)	inn
avortement (m.)	abortion
bague (f.)	ring
bagnole (f.)	car
bixi (m.)	rented bicycle
blonde (f.)	girlfriend
chandelle (f.)	candle
chien, chienne	dog
comportement (m.)	behaviour
convive (m.)	guest
conjoint(e) de fait	common-law: husband/wife
courses (f.pl.)	shopping
deuil: être en —	mourning
devoir (m.)	homework
étape (f.)	stage
faire-part (m.)	wedding announcement
félicitations (f.pl.)	congratulations
fiançailles (f.pl.)	engagement
gaffe (f.)	blunder
gerbe (f.)	bouquet
larmes (f.)	tears
maladresse (f.)	clumsiness
mari (m.)	husband
ménage (m.)	housecleaning
naissance (f.)	birth
noces (f.pl.)	wedding
nounou (f.)	nanny
orage (m.)	storm
valise (f.)	luggage
vernissage (m.)	inauguration
veuf, veuve	widower, widow
vœu (m.)	wish

Adjectifs

célibataire	single
dispendieux, dispendieuse	expensive
enceinte	pregnant
ému(e)	touched
fiancé(e): être — à	to be engaged to

Verbes

accoucher	to give birth
apparaitre	to appear
attendre un enfant	to expect
avorter: se faire —	to have an abortion
clavarder	to chat
déménager	to move
dépenser	to spend
éclater	to break out, to burst
élever un enfant	to bring up a child
(s')engueuler	to have a row, a quarrel
(s')entendre avec	to get along with
parcourir	to travel
rêver	to dream
réagir	to react
sentir	to smell
(se) sentir	to feel
(s')ennuyer	to be bored
(s')impliquer	to involve
(se) rencontrer	to meet
ressentir	to feel

Préposition

sauf	except

Expressions

tout à coup	suddenly
tomber amoureux, amoureuse de	to fall in love with

		Proverbe	
habiter avec	to live with		
vivre en concubinage ou en union libre	to live common-law	**Qui se ressemble, s'assemble.**	Birds of a feather flock together.

Les membres de ma famille

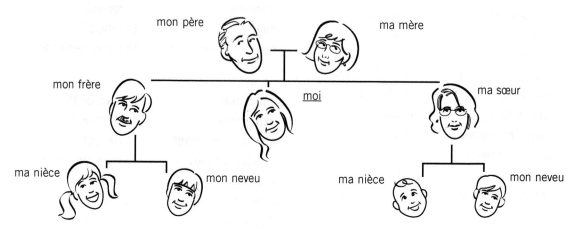

Mon père et ma mère sont **mes parents**.

Mon père est **le mari*** de ma mère.

Ma mère est **la femme*** de mon père.

Mon frère est **le fils** de mes parents.

Ma sœur est **la fille** de mes parents.

Le fils de mon frère / ma sœur est **mon neveu**.

La fille de ma sœur / mon frère est **ma nièce**.

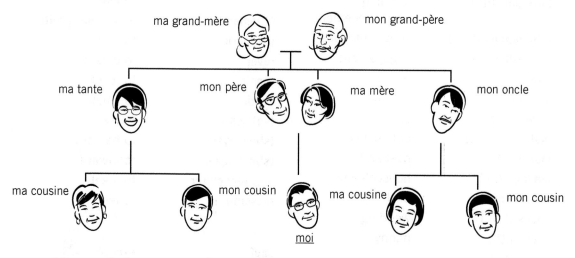

Mon grand-père et ma grand-mère sont **mes grands-parents**.

Le frère de mon père / ma mère est **mon oncle**. Sa sœur est **ma tante**.

Le fils de mon oncle / ma tante est **mon cousin**.

La fille de ma tante / mon oncle est **ma cousine**.

Je suis **le petit-fils** / **la petite-fille** de mes grands-parents.

* ou: l'ex-mari, l'ex-femme

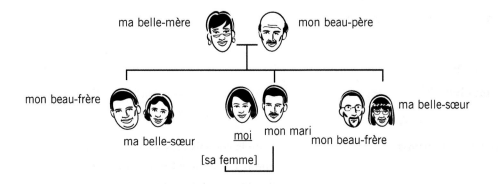

ma belle-mère — mon beau-père

mon beau-frère — ma belle-sœur — moi — mon mari — mon beau-frère — ma belle-sœur

[sa femme]

Les parents de mon mari / ma femme sont **mes beaux-parents**.

Les frères et les sœurs de ma femme / mon mari sont **mes beaux-frères** et **mes belles-sœurs**.

Le mari de ma sœur est aussi **mon beau-frère** et la femme de mon frère est aussi **ma belle-sœur**.

✱ Note

Belle-mère and *beau-père* can also mean stepmother and stepfather. *Belle-fille* and *beau-fils* mean stepdaughter and stepson, or daughter-in-law and son-in-law. *Cousin germain* and *cousine germaine* mean first cousin.

 EXERCICES ORAUX

a. Complétez les phrases d'après le modèle.

Modèle: Le mari de ma mère…
Le mari de ma mère est mon père.

1. La femme de mon père…
2. La sœur de mon père…
3. Le frère de ma mère…
4. Le fils de ma sœur…
5. La fille de mon frère…
6. Le fils de mon oncle…
7. La fille de mon oncle…
8. Le mari de ma sœur…
9. Le frère de ma femme…
10. Le père de mon mari…
11. La mère de ma femme…
12. La sœur de ma femme…

b. Répondez aux questions.

1. Combien de frères et de sœurs as-tu?
2. Combien de neveux et de nièces as-tu?
3. As-tu des cousins? De qui sont-ils les fils?
4. As-tu des cousines? De qui sont-elles les filles?
5. Où habitent tes grands-parents maternels et paternels?
6. Combien d'enfants tes grands-parents maternels ont-ils?
7. Est-ce que tes frères et tes sœurs sont mariés?
8. Où habitent tes oncles et tes tantes?

Les étapes de la vie

Les fréquentations — les fiançailles — le mariage — l'union libre — la mort

L'état civil	Être célibataire — marié(e) — divorcé(e) — veuf(ve) — conjoint(e) de fait
Les fréquentations	Faire la connaissance de quelqu'un Tomber amoureux(se) de quelqu'un Fréquenter quelqu'un
Les fiançailles	Se fiancer à quelqu'un Porter une bague de fiançailles
Le mariage	Épouser quelqu'un Se marier avec quelqu'un Faire un mariage religieux ou civil Célébrer les noces Porter une alliance Assister au mariage
Le concubinage ou **l'union libre**	Vivre ensemble Conjoints de fait qui cohabitent sans liens légaux
La séparation ou **le divorce**	Divorcer de quelqu'un Se séparer de quelqu'un Se réconcilier avec quelqu'un
La famille recomposée ou **reconstituée**	Deux familles qui vivent ensemble
La famille monoparentale	Famille avec un seul parent
La naissance	Être enceinte Attendre un enfant Donner naissance à un enfant Élever ses enfants
La mort	Une personne est morte ou décédée. Un veuf / Une veuve est en deuil. Assister aux funérailles L'enfant est orphelin / orpheline de père ou de mère.

EXERCICES ORAUX

a. Racontez les étapes de la vie de votre grand-père et de votre grand-mère.

1. D'abord, mes grand-parents _____ .
2. Ensuite, ils _____ .
3. Après, ma grand-mère _____ .
4. Plus tard, ils _____ .
5. Finalement, _____ .

GRAMMAIRE ET EXERCICES ORAUX

13.1 Contrastes entre l'imparfait et le passé composé

When using the **imparfait**, one presents an event in its duration, without indication of beginning or end (for instance, a state of mind free of time limits, or an action repeated an indeterminate number of times). The **passé composé**, on the other hand, presents an event in its completeness, ascribed to a particular moment or to a definite period of time. These contrasts may be best brought out by comparing the two tenses in similar sentences.

Passé composé	*Imparfait*
1) **Completed event**	1) **Incomplete event**
Hier, il a plu à Vancouver.	**Il pleuvait à Vancouver quand j'ai pris l'avion.**
It rained yesterday in Vancouver. *(The implication is that it stopped raining at some point.)*	It was raining in Vancouver when I boarded the plane. *(Whether it stopped raining or not is not at issue here.)*
2) **Single occurrence**	2) **Repetition or habitual action**
L'an dernier, elle a fréquenté un Italien.	**L'an dernier, elle fréquentait souvent un Italien.**
Last year she dated an Italian.	Last year she used to date an Italian.
3) **Discontinuous event**	3) **Continuous event**
Quand j'ai vu le chien, j'ai eu peur.	**Quand j'étais enfant, j'avais peur des chiens.**
I got scared when I saw the dog. *(At that moment, I started being scared.)*	When I was a child, I was *(continuously)* scared of dogs.

Several observations should be added to these comparisons:

1) **Completed/Incomplete event**

When using the **passé composé**, one is automatically ascribing a definite time limit to the past event. When using the **imparfait**, on the contrary, one is not concerned whether the event stopped or not, usually because it provides the continuous background, or context for other events narrated in the **passé composé**:

> **Hier, il *faisait* chaud quand nous *sommes partis*.**
> (The warm weather is the context within which our departure took place.)
> **Nous *allions partir* quand le téléphone *a sonné*.**
> (In this last sentence, our departure is the background against which the telephone rang.)

On the other hand, one automatically uses the **passé composé** when specifying the duration of a single event (with **pendant**, during, or **longtemps**, for a long time, for instance), its end (**jusqu'à**, until), or its beginning (**à partir de**, from):

> Sa femme *a eu* mal à la tête *pendant* trois jours.
> Le mariage *a longtemps constitué* la norme.
> Ils *sont restés* mariés *jusqu'à* l'été dernier.
> Ce couple *a habité* Hamilton *à partir de* 1985.

2) **Single occurrence/Repetition**

By contrast with the **passé composé**, the **imparfait** indicates that an action occurred several times or on a repetitive basis during an indeterminate period of time. However, if one specifies the number of times the event occurred or mentions a definite period of time, the **passé composé** must be used:

> L'hiver dernier, *ils se sont engueulés* seulement *trois fois*.
> *L'hiver dernier, ils se sont engueulés souvent.*

3) **Discontinuity/Continuity**

Verbs used to describe situations or denoting states of being, states of mind or mental processes are usually in the **imparfait** (in a past context) since their very meaning is associated with continuity. They are used in the **passé composé** to indicate that a situation or a state of mind *began* at a particular moment, which one usually specifies in the sentence:

> Autrefois, *je voulais* une *vie* libre sans attache.
> *but*
> Le jour où j'ai rencontré Madeleine, *j'ai voulu* fonder une famille.

EXERCICES ORAUX

a. *Le grand jour!* Décrivez la cérémonie de mariage de votre ami.

1. Ils se sont mariés le 7 aout. Il (faire) _____ beau. Le soleil (briller) _____. Tout le monde (être) _____ joyeux.

2. La mariée est arrivée à l'heure. Elle (sourire) _____ de bonheur. Ses sœurs (porter) _____ de jolies robes. Sa mère (admirer) _____ ses filles.

3. L'officiant s'est placé devant l'autel. Il (tenir) _____ une chandelle à la main. Les parents (suivre) _____ les mariés. L'église (sentir) _____ l'encens.

4. Les fiancés se sont avancés. Ils (se regarder) _____ dans les yeux. Il (avoir) _____ les larmes aux yeux. Elle (être) _____ émue.

5. La célébration a commencé. La chorale (chanter) _____ un cantique. Les invités (écouter) _____ religieusement. Les enfants (s'assoir [s'asseoir]) _____ sagement.

6. À la fin de la cérémonie, alors que les nouveaux mariés (sortir) _____, tout à coup un orage (éclater) _____ et il (se mettre) _____ à pleuvoir. Quel beau mariage!

b. Une fois ou souvent?

1. Mardi dernier, il (aller) _____ à un rendez-vous.
2. Quand il était ado, il (sortir) _____ souvent avec des amis.
3. La semaine dernière, nous (discuter) _____ deux fois.
4. Julie (tomber) _____ enceinte l'été dernier.
5. Giselle (habiter) _____ chez ses grands-parents pendant trois mois.
6. Quand il était adolescent, il (penser) _____ devenir architecte, mais à l'âge de vingt ans, il (choisir) _____ la carrière de journaliste.
7. Je (vouloir) _____ construire ma maison mais, quand je (avoir) _____ un accident, je (devoir) _____ abandonner mes projets.
8. Il (écrire) _____ à ses parents toutes les semaines, puis il (se marier) _____ et ses lettres (devenir) _____ moins fréquentes.

c. L'histoire d'Yvette et de Marcel.

Quand Yvette et Marcel (se rencontrer) _____, ils (avoir) _____ vingt ans. D'abord, ils (sortir) _____ ensemble pendant un an, puis ils (décider) _____ de vivre en concubinage parce qu'ils (vouloir) _____ faire l'expérience du mariage.

Yvette et Marcel (être) _____ heureux, ils (ne pas avoir) _____ de difficulté à vivre ensemble et ils (s'entendre) _____ bien. Après deux ans de vie commune, comme ils (désirer) _____ avoir des enfants, ils (choisir) _____ de se marier.

13.2 L'imparfait avec *depuis*

To indicate that an action or a state of affairs has been going on in the past until some other event took place, the **imparfait** is used with **depuis** (for/since). The verb describing the other event is in the **passé composé**.

In French, **depuis** is used with the present tense (Chapter 10), whereas "for" and "since" are used with the present perfect in English. Likewise, the **imparfait** is used in French, whereas the pluperfect is used in English.

Exemples:

1) **Elle fréquentait Jim depuis trois ans quand elle l'a quitté.**
   She had been going out with Jim for three years when she left him.
2) **Elle était enceinte depuis janvier quand elle a perdu son bébé.**
   She had been pregnant since January when she lost her baby.

Note the questions corresponding to 1 and 2:

1) *Depuis combien de temps* **fréquentait-elle Jim quand elle l'a quitté?**
   How long had she been going out with Jim when she left him?
2) *Depuis quand* **était-elle enceinte quand elle a perdu son bébé?**
   Since when had she been pregnant when she lost her baby?

 EXERCICES ORAUX

a. Posez la question avec *depuis quand* ou *depuis combien de temps*.

   Modèle: Il la connaissait depuis deux ans quand ils se sont mariés.
   Depuis combien de temps la connaissait-il quand ils se sont mariés?

   1. Jim et Lucy sortaient ensemble depuis un an quand ils se sont fiancés.
   2. Elle était partie depuis six mois quand son mari a demandé le divorce.
   3. Ils habitaient Montréal depuis l'année 2000 quand ils ont déménagé.
   4. Ils étudiaient à l'université depuis deux ans quand ils se sont rencontrés.
   5. Ils vivaient ensemble depuis le mois de mars quand ils se sont mariés.
   6. Paul et Jane étaient séparés depuis l'année 2014 quand ils se sont réconciliés.

b. Répondez aux questions.

> *Modèle:* Depuis combien de temps attendais-tu quand je suis arrivé(e)? (un quart d'heure)
> *J'attendais depuis un quart d'heure quand tu es arrivé(e).*

1. Depuis combien de temps était-il parti quand elle est allée voir un avocat? (six mois)
2. Depuis combien de temps étais-tu marié(e) quand tu as divorcé? (cinq ans)
3. Depuis quand était-il malade quand il a consulté un médecin? (deux mois)
4. Depuis combien de temps attendais-tu son appel quand le téléphone a sonné? (une demi-heure)
5. Depuis combien de temps vivait-elle à Montréal quand elle a dû partir? (un an)
6. Depuis quand travaillait-il quand il a abandonné ses études? (l'année 2014)
7. Depuis combien de temps étais-tu amoureuse quand tu as fait ta déclaration? (deux jours)
8. Depuis quand vivaient-ils ensemble quand ils ont eu un enfant? (l'année 2013)
9. Depuis combien de temps la connaissais-tu quand elle s'est fiancée? (deux ans)
10. Depuis combien de temps habitait-elle Ottawa quand tu l'as aperçue au bar? (trois mois)

13.3 Le verbe irrégulier *recevoir*

Présent de l'indicatif				Participe passé	Imparfait	
je	reçois	nous	recevons	reçu	je	recevais
tu	reçois	vous	recevez		nous	recevions
il / elle / on	reçoit	ils / elles	reçoivent			

Recevoir means "to receive." **Apercevoir** (to catch a glimpse of), **s'apercevoir de** (to realize/to become aware of), and **décevoir** (to disappoint) are conjugated using the same pattern as **recevoir**. Note the **cédille** under **c** before **o** and **u**.

As-tu reçu mon faire-part? J'ai aperçu son beau-père au mariage.

Quand j'étais enfant, je recevais Ne décevez pas vos conjoints.
beaucoup d'amour. Le cadeau de noces qu'il a reçu le déçoit.

On aperçoit la mariée parmi les invités. Il s'est aperçu de son indifférence.

 EXERCICES ORAUX

a. Remplacez le sujet par les mots entre parenthèses.

1. Je reçois plusieurs invitations à dîner. (Solange, nous, tu, ils)
2. Elle recevait des marques de sympathie. (je, nous, tu, mes parents)
3. Nous avons reçu une gerbe de fleurs. (il, je, vous)

4. Il l'aperçoit qui traverse la rue. (nous, tu, je, elles)

5. Vous me décevez. (il, tu, elles)

6. Elle s'aperçoit de sa gaffe. (tu, je, ils, vous)

b. Demandez à un(e) autre étudiant(e) s'il / si elle…

1. reçoit souvent des félicitations.

2. déçoit ses parents.

3. aperçoit la lumière au bout du tunnel.

4. reçoit des bons voeux pendant les fêtes.

5. déçoit quelquefois son copain / sa copine.

6. aperçoit son flirt à la cafétéria quelquefois.

7. reçoit souvent des lettres d'amour.

c. Répondez aux questions.

1. Qu'est-ce que tu as reçu à ton anniversaire de mariage?

2. Qu'est-ce qui te déçoit dans ta relation de couple?

3. Est-ce qu'on aperçoit des changements dans la famille?

4. Est-ce que ses remarques te déçoivent?

5. Est-ce que tu recevais souvent des amis autrefois?

6. Est-ce que tu t'aperçois vite de ses maladresses?

7. As-tu aperçu une de tes cousines au pub?

13.4 Les pronoms démonstratifs

	Singular	*Plural*
Masculine	**celui**	**ceux**
Feminine	**celle**	**celles**

The demonstrative pronouns refer to persons or things and agree in gender and number with the nouns they stand for. They are never used alone but are followed by

1) a relative clause:

Quelle robe voulez-vous? — **Celle** qui est dans la vitrine.

Quelles vidéos as-tu apportées? — **Celles** que tu voulais regarder.

2) **de** + noun:

Derrière la maison, il y a ma voiture et **celle de** mon copain.

3) **-ci** or **-là** (this one/that one):

Tu vois ces maisons: J'habite **celle-ci** et ma mère habite **celle-là**.

Followed by **-ci** and **-là**, the demonstrative pronouns may mean "the latter" and "the former":

J'ai connu ces deux personnes à l'université. **Celle-ci** est devenue architecte; **celle-là** est devenue médecin.

J'organise ces deux mariages. **Celui-ci** est plus dispendieux que **celui-là**.

Ceci and cela (this/that) are also demonstrative pronouns. They are mostly used to refer to facts, ideas, or situations. **Ceci** is often used to present some further idea:

Je peux te dire **ceci**: je ne te comprends pas.

Cela is used to refer to an idea or a fact that has been previously mentioned:

Je lui ai dit que j'étais indécis. **Cela** l'a inquiété.

Il ne veut pas changer d'attitude. Je ne comprends pas **cela**.

In spoken usage, **cela** is replaced by **ça**. **Ce** usually replaces **cela** or **ça** as the subject of **être**:

Cela devient monotone.

Ça va bien.

Ce sont des évènements (événements) importants.

C'était une belle journée.

 EXERCICES ORAUX

a. Remplacez les mots en italique par le pronom démonstratif approprié.

1. C'est *le condo* que nous avons acheté.
2. C'est *l'église* où je me suis mariée.
3. Veux-tu *l'album* que je viens de regarder?
4. As-tu vu *la vidéo* de nos noces?
5. J'ai jeté *les meubles* qui étaient usés.
6. Elle a envoyé *le faire-part* qui restait.
7. Il a mangé son dessert et *le dessert* de son frère.
8. Avez-vous pris votre voiture ou *la voiture* de vos amis?
9. Il m'a parlé de ses problèmes et *des problèmes* de ses parents.

b. Que choisissez-vous?

Modèle: Je vais voir ce film-ci, et toi?
Moi, je vais voir celui-là.

1. J'aime cette auberge-ci, et toi?
2. J'ai envie de ce fromage-ci, et toi?
3. J'ai apporté ces CD-ci, et toi?
4. Je veux entrer dans ce restaurant-ci, et toi?

5. Je prends ce bixi-ci, et toi?
6. J'ai besoin de cet accessoire-ci, et toi?
7. Je vais emporter cette valise-ci, et toi?

c. On regarde la photo de votre mariage et on vous pose des questions. Répondez avec un pronom démonstratif.

1. Qui est ton grand-père?   C'est _____ qui a les cheveux blancs.
2. Qui est ta cousine?   C'est _____ qui porte la robe rouge.
3. Qui sont tes amis?   Ce sont _____ qui se trouvent derrière moi.

4. Qui sont tes nièces?   Ce sont _____ qui portent les fleurs.
5. Qui est ta mère?   C'est _____ qui est placée près de la mariée.
6. Qui est ton père?   C'est _____ qui sourit le plus.
7. Qui est cette beauté?   C'est moi, bien sûr.

13.5 Le comparatif et le superlatif de l'adverbe

The comparative and superlative of adverbs are similar to those of the adjectives.

1) *Comparative*

— superiority: Il réagit **plus vite** que moi.
— inferiority: Il pleut **moins souvent** ici qu'à Vancouver.
— equality: Mon père cuisine **aussi bien** que ma mère.

2) *Superlative*

— superiority: C'est Marie qui a travaillé **le plus dur.**
— inferiority: Celui qui est resté **le moins longtemps**, c'est Léon.

With an adverb, only the masculine singular form of the definite article **le** is used.

3) *Bien*

The comparative and superlative of superiority of **bien** (well) are irregular: **mieux** (better) and **le mieux** (the best):

Il s'adapte **mieux** que moi.
Suzanne est l'étudiante qui a **le mieux** réussi.

4) *Mal*

The comparative and superlative of inferiority of **mal** (bad) have two forms: **plus mal** (worse) or **pire** (worse) and **le plus mal** (the worst) or **le pire** (the worst).

David parle **plus mal** que Rose.
C'est Estelle qui parle **le plus mal / le pire.**

EXERCICES ORAUX

a. Transformez les phrases selon le modèle.

Modèle: Pierre s'ennuie vite. (Francine, +)
Pierre s'ennuie plus vite que Francine.

1. Vous avez attendu longtemps. (nous, −)   3. Ma tante parle fort. (eux, =)
2. Mon amie écrit bien. (moi, +)   4. Tu apprends facilement. (ta sœur, +)

5. Il élève bien ses enfants. (son frère, −)

6. Nous sommes arrivés tôt. (eux, +)

7. Mon cousin dépense mal son argent. (moi, =)

b. Répondez aux questions.

Dans ton couple...

1. qui travaille le plus dur?

2. qui dort le plus longtemps?

3. qui regarde la télévision le plus souvent?

4. qui fait le moins de courses?

5. qui participe le moins souvent au ménage?

Dans la classe...

6. qui est le plus souvent absent?

7. qui est le moins souvent absent?

8. qui parle le plus souvent?

9. qui répond le mieux aux questions?

10. qui écoute le plus attentivement?

EXERCICES ÉCRITS

a. *Scène entre fiancés.* Répondez aux questions avec les mots dans la colonne de droite. Mettez les verbes à l'imparfait ou au passé composé.

Pourquoi...

1. as-tu refusé de déjeuner avec moi?

2. n'as-tu pas répondu au téléphone hier?

3. n'as-tu pas ouvert la porte?

4. n'es-tu pas venu(e) me parler?

5. t'es-tu couché(e) si tôt?

6. t'es-tu fiancé(e) avec moi?

Parce que je...

(avoir) un cours.

(être) absent(e).

(parler) au téléphone.

(manquer) de temps.

(se sentir) pas très bien.

tu (sembler) compréhensif(ve).

b. Répondez aux questions par des phrases complètes.

1. Depuis combien de temps l'attendais-tu quand il est apparu?

2. Depuis combien de temps travaillait-elle quand elle a changé de carrière?

3. Depuis quand la connaissait-il quand ils se sont mariés?

4. Depuis combien de temps étudiait-il le français quand il est allé habiter Montréal?

5. Depuis quand vivaient-ils ensemble quand il est décédé?

c. Mettez les verbes à l'imparfait ou au passé composé.

1. Quand je (faire) mes études, je (fréquenter) le gym toutes les semaines.

2. Mon fils (avoir) une pneumonie quand il (avoir) dix ans.

3. Tous les jours, je (rêver) de changer de vie.

4. Ce jour-là, je (changer) de vie.

5. Il (ressentir) souvent de l'insécurité quand il (être) adolescent.

6. Elle (parcourir) deux fois le marathon.

7. Nous (écrire) trois cartes à nos parents pendant les vacances.

8. Elle (détester) les sports, puis elle (rencontrer) Pierre et elle (apprendre) la natation et le tennis.

9. Quand je (être) jeune, les pères (s'impliquer) moins dans l'éducation des enfants.

10. Le mois dernier, l'équipe de hockey (perdre) cinq parties.

d. Employez le verbe qui convient (apercevoir, s'apercevoir de, décevoir, recevoir) au présent.

1. Son attitude _____ sa partenaire.
2. Quand l'enfant _____ sa nounou, il devient joyeux.
3. Son comportement à l'école _____ ses parents.
4. Ce soir, ils _____ des membres de leur famille au vernissage.
5. Vous _____ enfin des problèmes de votre fils!
6. De mon siège, j' _____ le fils de mon voisin.
7. Nous _____ ce magazine tous les mois.

e. Remplacez les mots en italique par un pronom démonstratif.

1. Le mariage à l'hôtel de ville est-il plus cher que le *mariage* à l'église?
2. Mon vélo et le *vélo* de ma blonde sont dans le garage.
3. Votre devoir est sur mon bureau. Le *devoir* de Pierre est dans son sac à dos.
4. Racontez-moi vos expériences et les *expériences* de vos amis.
5. Quelle activité préférez-vous? L'activité à la plage ou *l'activité* au gym?
6. Laquelle des deux versions est la plus crédible? La version de Pierre ou la *version* de Robert?

f. Faites des comparaisons selon le modèle.

Modèle: Pierre / rire facilement / Lucie (+)
Pierre rit plus facilement que Lucie.

1. Ce garçon / travailler bien / sa sœur (−)
2. Paul / s'exprimer lentement / Louise (+)
3. Il / lire vite / moi (=)
4. Vous / Regarder souvent la télé/ nous (−)
5. Le bébé / parler bien / son frère (+)

g. Répondez aux questions selon le modèle.

Modèle: Martin parle fort. (le groupe)
C'est Martin qui parle le plus fort du groupe.

1. Isabelle répond vite. (l'équipe)
2. Grégoire sourit souvent. (les enfants)
3. Henri parle beaucoup. (la classe)
4. Ma belle-sœur joue bien du piano. (la famille)
5. André m'écrit souvent. (mes frères et sœurs)

Lecture

Sainte famille

© Sergey Peterman/Shutterstock.com

Avec lui, tout a commencé dans un taxi. C'était au Manitoba, juste avant Noël. Des collègues de travail avaient organisé une fête, un vendredi soir, dans la maison toute neuve de l'un d'eux. Cette maison était située dans un coin reculé de Saint-Boniface. Les rues de ce quartier en développement n'étaient pas encore pavées. Aucun livreur de pizza n'aurait pu repérer l'endroit sur la carte, parce qu'il n'y figurait pas. Une fête au milieu de nulle part, un soir de tempête de neige.

Il y avait du monde partout dans le bungalow, tous pas mal éméchés. Passé minuit, personne n'était plus en état de conduire. J'ai dit à Raoul qu'il devait se décider. Il me flirtait depuis quelques semaines. Mais Raoul n'est jamais pressé, sauf pour aller au cinéma voir James Bond ou un film européen. Je m'impatientais. On n'allait pas se tourner autour pendant cent ans! On allait chez lui ou chez moi?

Mais encore fallait-il sortir de là.

On a essayé d'appeler un taxi. Peine perdue: ou bien la ligne était occupée, ou bien le répartiteur – un anglophone – ne comprenait pas le nom français que portait la rue. "*Where?*" criait-il dans l'appareil... Alors on a fait une folie, si l'on considère qu'au Manitoba, quand il neige, c'est à plein ciel et quand il fait nuit, c'est à plein ciel aussi, un noir grandiose et étoilé. Raoul et moi summes partis en catimini, à pied, à l'aventure. Deux silhouettes dans la plaine battue par le vent.

Je me suis accrochée à son bras. Il portait un paletot en laine grise très laid. On a marché longtemps, jusqu'au boulevard. Rien d'autre à l'horizon que des millions de flocons. Puis une voiture s'est approchée et alors, on n'en a pas cru nos yeux: un taxi! Il a fallu se mettre au milieu de la chaussée pour que le conducteur nous voie. On est montés dans sa voiture sans lui demander son avis. C'était un grand sikh avec un turban et un accent plein de grésillements. On a dit Winnipeg en montrant le pont. Quand il a accéléré, la voiture a zigzagué un peu.

La chaufferette ne suffisait pas à dégivrer les vitres. On s'est calés dans la banquette en cuirette, semblable à celle des modèles américains que mon père conduisait quand j'étais petite. Raoul avait de la buée dans ses lunettes. J'étais bien. J'aime les tempêtes de neige.

Nous roulions en silence quand, tout à coup, le sikh s'est rangé le long du trottoir en s'excusant. "*I must put my Christmas cards in the mail,*" qu'il a dit en empoignant un paquet d'enveloppes carrées et blanches, toutes timbrées. Et il est sorti pour mettre ses cartes de Noël dans la boîte aux lettres rouge vif qui flamboyait dans ce désert blanc. Un sikh, avec un turban, qui souligne l'arrivée du petit Jésus par des cartes qu'il envoie en pleine nuit Dieu sait où! "Elles n'arriveront jamais à temps", a murmuré Raoul. Dans l'auto, on s'est mis à rire. On était encore pliés en deux quand il est revenu. "*Sorry, sorry*", qu'il faisait tout en repartant dans un bruit de pneus qui dérapent.

Je pense que je suis tombée amoureuse à ce moment-là. Pas du sikh. De Raoul.

Ah Raoul. S'il avait su... Les deux enfants, les chroniques, les rénovations, Bobonne avec dix kilos en plus dans sa chemisette saumon, s'il avait su, Raoul, il serait peut-être sorti précipitamment du taxi. Mais, en homme confiant, il est resté. En homme pragmatique aussi: ce soir-là à Winnipeg, il faisait trop froid pour revenir à pied.

Texte extrait du livre *Sainte Famille* d'Anne-Marie Lecomte

s'accrocher	to hang on	**grésillement** (m.)	crackling
appareil (m.)	phone	**homme** (m.)	man
avis (m.)	opinion	**laid(e)**	ugly
banquette (f.)	seat	**laine** (f.)	wool
battu(e)	lashed	**livreur** (m.)	delivery boy
bobonne (f.)	old woman	**lunettes** (f.pl.)	glasses
boîte (f.)	box	**murmurer**	to whisper
bruit (m.)	noise	**nulle part**	nowhere
buée (f.)	mist	**paletot** (m.)	coat
caler: se —	to settle	**peine perdue**	wasted effort
carré(e)	square	**pleine nuit**	full night
catimini: en	discreetly	**plié(e) en deux**	doubled over with
chaufferette (f.)	heater		laughter
chaussée (f.)	road	**pneu** (m.)	tire
chemisette (f.)	short-sleeved	**ranger: se —**	to pull over
	blouse	**reculé(e)**	remote
coin (m.)	corner	**répartiteur** (m.)	dispatcher
confiant(e)	confident	**repérer**	to locate
cuirette (f.)	leather	**rester**	to stay
dégivrer	to defrost	**rire**	to laugh
déraper	to skid	**semblable à**	similar to
Dieu sait où	God knows where	**souligner**	to underline
éméché(e)	tipsy	**suffire**	to be enough
empoigner	to grab	**timbré(e)**	stamped
endroit (m.)	place	**tout à coup**	suddenly
étoilé(e)	starry	**trottoir** (m.)	sidewalk
figurer	to appear	**vif, vive**	bright
flamboyer	to blaze	**vitre** (f.)	window
flocon (m.)	flake		

QUESTIONS

1. Quand et où a commencé la relation de la narratrice avec Raoul?
2. Dans quelle ville et dans quelle province travaillait-elle alors?
3. Que s'est-il passé vers minuit ce soir de fête?
4. Quel temps faisait-il cette nuit-là?
5. Quelle heureuse surprise les attendait au cours de leur marche?
6. À quel souvenir de son enfance l'auteure se réfère-t-elle?
7. Pourquoi le couple est-il étonné de la démarche du sikh?
8. À quelle extraordinaire conclusion en est-elle arrivée?
9. Pourquoi pense-t-elle que Raoul serait sorti du taxi "s'il avait su"?
10. Et pourquoi, à son avis, ne l'a-t-il pas fait?

SITUATIONS – CONVERSATIONS

1. D'après vous, la vie de famille est-elle en train de disparaitre (disparaître)? Qu'en pensez-vous?

2. Avez-vous l'intention de vous marier et de fonder une famille? Pour quelles raisons? Quels avantages y voyez-vous?

3. Quel genre de vie familiale avez-vous connu? Avez-vous l'intention de conserver le même type de vie? Pourquoi? Qu'allez-vous y changer?

4. Êtes-vous pour ou contre: le mariage, la vie commune, la cohabitation sans liens légaux, l'avortement?

5. Comment sera d'après vous la vie familiale en l'an 2050?

6. Quel rôle ont joué vos grands-parents dans votre vie? Comment étaient-ils?

7. Racontez une sortie intéressante que vous avez faite (à la discothèque, au restaurant, au cabaret, au théâtre).

8. Décrivez vos activités de la fin de semaine dernière.

9. Vous rencontrez un(e) ami(e) d'enfance que vous n'avez pas vu(e) depuis longtemps. Posez-lui des questions sur sa vie.

10. Décrivez une activité que vous avez toujours détestée.

11. Décrivez votre famille. Avez-vous un père, une mère, des grands-parents, des frères, des sœurs, des tantes, des cousins, etc?

12. Vous nous montrez un album de famille et nous posons des questions.

    Exemple: Qui est à côté de toi sur la photo? (C'est ma sœur.) Quel âge a-t-elle?
    Que fait ton grand-père sur la photo? Etc.

13. À qui ressemblez-vous physiquement et intellectuellement?

14. Quel membre de votre famille vous fascinait beaucoup quand vous étiez enfant et pourquoi?

COMPOSITIONS

1. Racontez l'histoire de votre vie. (Où êtes-vous né(e)? Où avez-vous vécu? Quelles écoles avez-vous fréquentées? Où avez-vous habité? Comment étiez-vous à l'école? Où avez-vous travaillé? Etc.)

2. *Sondage.* Indiquez sur une feuille:

   — *votre matière préférée à l'université;*   — *votre plus grande ambition;*
   — *votre loisir favori;*   — *comment vous vous voyez dans 20 ans.*

   En comparant les réponses des garçons et celles des filles, vous pourrez noter les ressemblances et les différences et même des remarques concernant les rôles masculins et féminins.

3. Dressez une liste d'activités qui ont été associées à la virilité masculine et une liste d'activités associées à la féminité.

4. Quels sont les plus grands problèmes auxquels doit faire face la famille moderne?

 **PRONONCIATION**   ((•—Listen on **myfrenchlab**

(Students and instructors can listen to the audio track for this exercise on MyFrenchLab.)

E caduc (/ə/)

The vowel /ə/ is called "unstable" (caduc) because it is sometimes pronounced, sometimes silent, and sometimes its pronunciation is optional.

When is unstable *e* silent?

1) At the end of an isolated word or at the end of a rhythmic group:

Regardę.   Tu parlęs.   As-tu l'heurę?

One exception: /ə/ is retained in the pronoun **le** after an imperative form:

Regardez-**le**.   Attendons-**le**.   Finis-**le**.

2) Whenever it is preceded by a single pronounced consonant, within a word or within a rhythmic group:

samędi, bouchęrie, épicęrie, bravęment

Il n'y a pas dę vent. Va chez lę médecin.

When is unstable *e* pronounced?

1) At the beginning of a rhythmic group, when it is preceded by two pronounced consonants:

Prenons un café.

2) Within a word or a rhythmic group, when it is preceded by two pronounced consonants:

mercredi, vendredi, bergerie, justement
Il est sur le toit.
Pierre me fatigue.

When is the pronunciation of /ə/ optional?

At the beginning of a rhythmic group, when it is preceded by a single pronounced consonant:

Reviens!   Je parlę.   Le verrę est vidę.

Répétez:

1. il n'a pas dę livre   il n'y a pas dę vent
    il n'a pas dę peigne   il n'y a pas dę cours
    il n'a pas dę veston   il n'y a pas dę soleil
    il n'a pas dę voiture   il n'y a pas dę professeur

2. j'ai beaucoup dę chance   j'ai trop dę peine
    j'ai beaucoup dę temps   j'ai trop dę problèmes
    j'ai beaucoup dę travail   j'ai un peu dę pain
    j'ai trop dę patience   j'ai un peu dę vin

3. il vient de chez lui   va chez le dentiste
    il vient de Toronto   va chez le médecin
    il vient de partir   va chez le marchand
    il vient de manger   va chez le coiffeur

4. passe-moi le sel   donne-lui ce gâteau
    passe-moi le pain   donne-lui ce marteau
    passe-moi le vin   donne-lui ce livre
    passe-moi le cahier   donne-lui ce crayon

Donnez l'adverbe correspondant: (brave ⟶ bravement)

bête	dernier	gracieux	long
clair	franc	facile	premier
complet	grand	heureux	sincère

MyFrenchLab   Visit MyFrenchLab to access additional resources such as audio exercises, the *Cahier de laboratoire*, and web destinations.

CHAPITRE 14

© Barrett & MacKay/Age Fotostock

L'Acadie et la mer

MyFrenchLab

Visit MyFrenchLab to access additional
resources, including

- *Cahier de laboratoire*
- Self-grading assessments
- Audio exercises
- Grammar primers and tutorials

Thèmes

- Parler de mes projets futurs
- Voyage dans les Maritimes
- Exprimer la négation

Lecture

Il y a 390 ans, Port Royal

Grammaire

14.1 Le futur

14.2 Le futur avec *quand, dès que, tant que*

14.3 *Quelqu'un / personne — quelque chose / rien*

14.4 Les pronoms objets et l'impératif

14.5 Place des pronoms après l'impératif

14.6 Le verbe irrégulier *tenir*

14.7 Le verbe irrégulier *vivre*

14.8 Le pronom relatif *dont*

VOCABULAIRE UTILE

Noms

appel (m.)	call	**riverain** (m.)	lakeside resident
auberge (f.)	inn	**rocher** (m.)	rock
bateau (m.)	boat	**sable** (m.)	sand
bazou (m.)	clunker (used car)	**sac à dos** (m.)	briefcase
berge (f.)	riverbank	**souci** (m.)	worry
blague (f.)	joke	**tablette** (f.)	digital tablet, ex. iPad™
biens (m.pl.)	goods	**timbre** (m.)	stamp
bouleversement (m.)	upset	**traversier** (m.)	ferry
clair de lune (m.)	moonlight	**type** (m.)	guy
concours (m.)	competition	**vague** (f.)	wave
confiance (f.)	confidence	**vent** (m.)	wind
escalier (m.)	staircase	**vérité** (f.)	truth
façon (f.)	way	**voiture** (f.)	car
gare (f.)	train station		
gars (m.)	guy		

Adjectifs

cher, chère	costly
comptant: payer	to pay in cash
coupé(e)	cut
grave	serious

gite (gîte) touristique (m.)	bed and breakfast
histoire (f.)	story
homard (m.)	lobster
jeunesse (f.)	youth
jumelles (f.pl.)	binoculars
marée (f.)	tide
matière (f.)	subject
mensonge (m.)	lie
monde (m.)	people
montant (m.)	amount
mouette (f.)	seagull
ouragan (m.)	hurricane
outil (m.)	tool
pêche (f.)	fishing
pêcheur (m.)	fisherman
pétoncle (m.)	scallop
plage (f.)	beach
poisson (m.)	fish
poste (m.)	position
quai (m.)	wharf
règlement (m.)	rule
relâche (f.)	break
rivière (f.)	river

Verbes

accorder	to grant
bouder	to sulk
cacher	to hide
confier	to confide
déprimer	to depress
grignoter	to nibble
inscrire	to register
louer	to rent
prévenir	to warn
raconter	to tell
réconforter	to comfort
veiller	to spend the evening

Adverbes

aussi longtemps que	as long as
déjà	already
ensemble	together
plus tard	later
tant que	as long as

Prépositions

pendant	during, for	**carte blanche**	freehand
près de	close to	**Ce n'est pas la mer à boire!**	It's not difficult!
Expressions		**de tout et de rien**	of this and that
Dis donc!	Look!, by the way, how about that?	**faire la bise**	to kiss somebody on the cheeks

GRAMMAIRE ET EXERCICES ORAUX

14.1 Le futur

The future tense of regular verbs is formed by adding to the infinitive the endings **-ai, -as, -a, -ons, -ez, -ont**.

	marcher	finir	répondre
je	marcherai	finirai	répondrai
tu	marcheras	finiras	répondras
il / elle / on	marchera	finira	répondra
nous	marcherons	finirons	répondrons
vous	marcherez	finirez	répondrez
ils / elles	marcheront	finiront	répondront

The final **e** of infinitives in **-re** is dropped before the endings are added:

attendre → j'attendrai   vendre → je vendrai

Regular verbs in -er with spelling changes

The spelling changes occurring in the present tense are retained in the stem of *all* the forms of the future tense (see also pp. 418–419):

acheter:	achèterai, achèteras, achètera, achèterons, achèterez, achèteront
jeter:	jetterai, jetteras, jettera, jetterons, jetterez, jetteront
payer:	paierai, paieras, paiera, paierons, paierez, paieront

The **accent grave** used in the present tense is retained in verbs whose infinitive ends in **é** + consonant + **er**:

espérer:*	espèrerai, espèreras, espèrera, espèrerons, espèrerez, espèreront

Verbs with irregular stems in the future

The endings of the future tense are the same for all verbs. Among irregular verbs, some follow the regular pattern in the formation of the future tense (that is, their infinitive form is used as

* See the appendix on "La nouvelle orthographe".

the future stem), for example, **connaitre, dire, dormir, prendre**, etc. Other irregular verbs*
have irregular future stems:

aller	j'irai	pouvoir	je pourrai
avoir	j'aurai	recevoir	je recevrai
devoir	je devrai	savoir	je saurai
être	je serai	venir	je viendrai
faire	je ferai	voir	je verrai
falloir	il faudra	vouloir	je voudrai

 EXERCICES ORAUX

a. Mettez les verbes à l'infinitif à la personne du futur qui est indiquée.

1. je mangerai   parler, réfléchir, répondre, se promener
2. tu finiras   terminer, bâtir, vendre, s'ennuyer
3. elle descendra   marcher, choisir, attendre, se laver
4. nous achèterons   appeler, punir, jeter, se raser
5. vous réussirez   regarder, remplir, payer, se disputer
6. ils rendront   commencer, précéder, obéir, se fatiguer

b. Mettez les verbes au futur selon le modèle.

AUJOURD'HUI   *DEMAIN*

Modèle: Il arrive à l'heure.   Il arrivera à l'heure.

1. Elle répond au message.
2. Tu réfléchis à ce problème.
3. Nous nous disputons.
4. Les enfants obéissent aux règlements.
5. Je te rends tes jumelles.
6. Vous insistez sur ce point.
7. J'écoute une émission culturelle.
8. Hubert réussit au concours.
9. Nous déjeunons tôt le matin.
10. Elles s'amusent de tout et de rien.
11. Tu t'entends avec tes amis.
12. Il me vend son bazou.
13. Je le rencontre à l'Ile aux puces.
14. Nous vous donnons carte blanche.
15. Tu leur souhaites bon succès.

c. Vos projets pour l'an prochain.

1. L'année prochaine, seras-tu à la même université?
2. Serons-nous dans les mêmes classes?
3. Partiras-tu en voyage pendant la relâche?
4. Visiteras-tu les Maritimes pendant les vacances?

---

* **Envoyer**, otherwise a regular -er verb, has an irregular stem in the future (as in the conditional):
j'enverrai.

5. Voudras-tu faire partie d'une équipe sportive?

6. Ira-t-on travailler bénévolement?

7. Sortirons-nous ensemble en fin de semaine?

8. Feras-tu encore du français?

d. Racontez votre prochain voyage dans les Maritimes et mettez les verbes au futur.

1. Pour mes vacances, je (aller) dans les Maritimes (au Nouveau-Brunswick, en Nouvelle-Écosse, à l'Ile-du-Prince-Édouard).

2. Je me (rendre) à Moncton en train (en autobus, en autocar, en avion, en auto).

3. Je (descendre) dans un hôtel chic (une auberge de jeunesse, un gite touristique).

4. Je (se promener) sur la plage (près des dunes, sur le quai, sur les rochers).

5. Je (se baigner) dans la mer (dans l'océan, sur une petite plage isolée, dans les vagues).

6. Je (visiter) les vieux quartiers des villes (les musées, le vieux port, les galeries d'art, les antiquaires).

7. Je (aller) même à la pêche (en haute mer, sur les quais).

8. Le soir, je (sortir) dans les bars (les discothèques, au théâtre, au concert public).

9. Je (faire) des marches au clair de lune (sur le sable fin, sur la berge, au vieux port).

10. Je (dormir) au son des vagues (des mouettes, du vent, de la tempête).

e. Voici quelques conseils de votre professeur. Mettez les verbes au futur.

Pour réussir ce cours, vous…

(devoir) _____ travailler beaucoup.

(étudier) _____ trois heures minimum par jour.

(ne pas sortir) _____ le soir pendant les examens.

(apprendre) _____ votre matière suffisamment.

(se reposer) _____ huit heures par nuit.

(ne pas boire) _____ d'alcool avant les examens.

(manger) _____ légèrement, sans abus.

(ne pas téléphoner) _____ à vos amis pendant le cours.

(remettre) _____ vos travaux par courriel.

Et alors, peut-être _____ -vous (réussir) ce cours!

f. Dis-moi, plus tard, est-ce que…

1. tu iras vivre près de la mer?

2. tu visiteras les Maritimes?

3. tu voudras venir me voir à Shippagan?

4. tu écriras un livre sur tes voyages?

5. tu achèteras une auto électrique?

6. tu termineras tes études universitaires?

7. tu te marieras et tu auras une famille?

8. tu achèteras une villa sur l'Île Ste-Croix?

14.2 Le futur avec *quand, dès que, tant que*

Quand and **lorsque** mean "when."

Dès que and **aussitôt que** mean "as soon as."

Tant que and **aussi longtemps que** mean "as long as."

In the future context in French, the future tense is used after these conjunctions, whereas in English, the present tense is used after the corresponding expressions.

> **Je le verrai quand il reviendra de la pêche.**
> I will see him when he comes back from fishing.

> **Nous lui téléphonerons lorsqu'il sera à Bouctouche.**
> We will call him when he is in Bouctouche.

> **Nous partirons dès que la marée remontera.**
> We will leave as soon as the tide comes up.

> **Elles m'enverront un courriel aussitôt qu'elles arriveront.**
> They will send me an e-mail as soon as they arrive.

> **Tu devras rester au lit tant que tu auras de la fièvre.**
> You will have to stay in bed as long as you have a fever.

> **Aussi longtemps qu'elle boudera, elle restera seule.**
> As long as she sulks, she will remain alone.

 EXERCICES ORAUX

a. Que ferez-vous plus tard?

1. Aussitôt que les cours finiront, je...
2. Quand j'aurai du temps libre, je...
3. Dès que j'aurai du travail, je...
4. Je me marierai quand je...
5. J'aurai une famille aussitôt que...
6. Je m'achèterai une maison quand...

b. *Un rendez-vous... peut-être!* Répondez en utilisant les mots entre parenthèses. Je veux savoir...

1. quand tu me téléphoneras. (Quand — revenir — vacances)
2. quand tu m'inviteras. (Quand — être — chez moi)
3. combien de temps je devrai t'attendre. (Tant que — être occupé(e))
4. quand je pourrai espérer ton appel. (Aussitôt — être libre)
5. quand nous irons au cinéma ensemble. (Quand — pleuvoir)
6. quand tu viendras voir ma collection de timbres. (Dès que — être possible)
7. quand ce sera possible. (Quand — tu me inviter)

14.3 *Quelqu'un / personne — quelque chose / rien*

These are indefinite pronouns that are invariable. (Their form never varies. For the purpose of agreement with the past participle of verbs conjugated with **être**, they are considered masculine singular.)

1) **Quelqu'un** (somebody) / **personne** (nobody/not . . . anybody)

> **Quelqu'un** s'est servi de mon bateau.

> **Personne** n'est venu.

Il a parlé à **quelqu'un**.

Elle ne rencontrera **personne**.

J'ai vu **quelqu'un** à la porte.

Nous n'avons besoin de **personne**.

✳ Note

Personne is used with *ne*, which is placed immediately before the verb. When *personne* is the direct object of a verb in the *passé composé* or in the infinitive, it is placed after the past participle or the infinitive:

Je n'ai vu **personne**.

Il ne veut voir **personne**.

2) **Quelque chose** (something) / **rien** (nothing/not ... anything)

Quelque chose est tombé du toit.

Rien ne l'amuse quand il est préoccupé.

J'ai entendu **quelque chose**.

Tu n'as **rien** mangé.

As-tu envie de **quelque chose**?

Ils ne m'ont parlé de **rien**.

Rien is used with **ne**, which is placed immediately before the verb. When **rien** is the direct object of a verb in the **passé composé** or in the infinitive, it is placed between the auxiliary verb and the past participle or between the conjugated verb and the infinitive:

Je n'ai **rien** vu.

Il ne veut **rien** voir.

3) **Quelqu'un, quelque chose, personne, rien** + **à** + infinitive

Je m'ennuie: je n'ai **rien à faire**.

Est-ce qu'il y a **quelque chose à manger**?

Il est seul: il cherche **quelqu'un à aimer**.

Je **ne** connais **personne à inviter**.

4) **Quelqu'un, quelque chose, personne, rien** + **de** + adjective

In this construction, the adjective remains invariable.

Elle a rencontré **quelqu'un de fantastique**.

Y a-t-il **quelque chose d'intéressant** à la télé?

Je n'ai **rien** acheté **de cher**.

Je n'ai rencontré **personne de sympathique**.

EXERCICES ORAUX

a. Répondez aux questions affirmativement et négativement d'après les modèles.

Modèles: Qu'est-ce que tu vois? Qui attendais-tu?

Je vois quelque chose. *J'attendais quelqu'un.*
Je ne vois rien. *Je n'attendais personne.*

1. Qu'est-ce que tu fais?
2. Qui regardes-tu?
3. Qui a-t-il rencontré?
4. Qu'est-ce qu'elle veut faire?
5. Qui est arrivé?
6. De quoi parleras-tu?
7. De quoi as-tu besoin?
8. Qu'est-ce qu'il y a?

9. À qui pensais-tu?
10. Qu'est-ce que tu as lu?
11. Qui espères-tu rencontrer?
12. Qu'est-ce qu'elle a pu faire?
13. Qu'est-ce qui se passera?
14. De qui parles-tu?
15. De quoi avais-tu envie?
16. À quoi penses-tu?

b. Répondez négativement: Dis donc! Cette fin de semaine…

1. as-tu quelque chose à faire? Non, _____.
2. dois-tu rencontrer quelqu'un? Non, _____.
3. as-tu quelque chose d'important à étudier? Non, _____.
4. as-tu quelqu'un d'intéressant à me présenter? Non, _____.
5. est-ce qu'il y a quelque chose à voir au cinéma? Non, _____.
6. amèneras-tu quelqu'un veiller samedi soir? Non, _____.
7. prépareras-tu quelque chose de bon à grignoter? Non, _____.
8. as-tu quelque chose de passionnant à lire? Non, _____.

14.4 Les pronoms objets et l'impératif

When the verb is in the affirmative imperative, the direct and indirect object pronouns, as well as **y** and **en**, are placed after the verb and are joined to it by a hyphen:

Regarde le professeur.	Regarde-**le**.
Prends la voiture.	Prends-**la**.
Parlez à vos amis.	Parlez-**leur**.
Apportez deux sandwichs.	Apportez-**en** deux.
Allez au cinéma.	Allez-**y**.

The direct and indirect pronoun **me** becomes **moi** after the verb:

Regarde-**moi**.	Parlez-**moi**.

Before **y** and **en**, the letter **s** (pronounced /z/) is added to the second person singular form of the imperative of **-er** verbs (including **aller**):

Manges-**en**.   Achètes-**en**.   Vas-**y**.

When the verb is in the negative imperative, the pronouns precede the verb:

Ne **me** regarde pas.   Ne **leur** téléphone pas.
N'**en** prenez pas.   N'**y** allez pas.

 EXERCICES ORAUX

a. Remplacez le nom par un pronom objet.

1. Amène *ton ami.*
2. Mangeons *la pizza.*
3. Téléphone *à Marcel.*
4. Écrivons *à nos amis.*
5. Achète *du vin.*
6. Amenez beaucoup *de monde.*
7. Apporte *trois films d'action.*
8. Embrassez *vos cousins.*
9. Parle *à un agent de sécurité.*
10. Réponds *au message.*
11. Fais *du sport nautique.*
12. Prends *de l'argent.*
13. Mange *des pétoncles frais.*
14. Va dans *le jardin.*

b. Votre ami(e) est déprimé(e). Essayez de le / la réconforter et dites-lui de…

1. vous regarder dans les yeux.
2. vous parler de ses problèmes.
3. vous téléphoner pour discuter.
4. vous répondre franchement.
5. ne pas s'inquiéter pour rien.
6. ne pas vous raconter de mensonges.
7. vous confier ses soucis.
8. vous dire toute la vérité.
9. vous accorder sa confiance.
10. vous informer de sa décision.
11. ne rien vous cacher.

14.5 Place des pronoms après l'impératif

When two pronouns are used with the affirmative imperative, they both follow the verb and are joined by a hyphen. Direct object pronouns must always precede indirect object pronouns. The order in which pronouns are placed is

le	+	me*	+	en
la		lui		
les		nous		
		leur		

* **Me** becomes **moi** when placed in the last position; it becomes **m'** before **en**.

Rends-**nous** ce document.	Rends-**le-nous**.
Donne-**moi** la réponse.	Donne-**la-moi**.
Achète-**leur** des homards.	Achète-**leur-en**.
Emprunte-**lui** dix dollars.	Emprunte-**lui-en** dix.
Lis-**leur** la lettre.	Lis-**la-leur**.
Loue-**moi** un bixi.	Loue-**m'en** un.

When the verb is in the negative imperative, the order of the pronouns before the verb is the same as with all the other forms of the verb (see Chapitre 10):

Ne **m'en** parle pas.	Ne **la lui** donnons pas.
Ne **lui en** parle pas.	Ne **les leur** prête pas.

 EXERCICES ORAUX

a. Suivez le modèle. Dites à un(e) autre étudiant(e) de…

Modèle: vous prêter *ses notes de cours*.
Prête-les-moi.

1. vous payer *une bière*.
2. vous donner *son adresse courriel*.
3. vous passer *son vélo*.
4. vous vendre *son ordinateur*.
5. vous fournir *la réponse*.
6. vous prévenir *de son départ*.
7. vous apporter *beaucoup d'informations*.
8. vous présenter *ses amis*.
9. vous dire *la vérité*.
10. vous écrire *une carte*.

b. Suivez le modèle. Dites à plusieurs étudiants de…

Modèle: nous donner *de l'argent*.
Donnez-nous-en.

1. nous accorder *leur attention*.
2. nous acheter *des billets*.
3. nous inscrire *donner le numéro*.
4. nous répéter *l'adresse*.
5. nous parler *de leurs projets*.
6. nous expliquer *leurs raisons*.
7. nous trouver *un appartement*.
8. nous servir *des liqueurs*.

c. Remplacez les noms par des pronoms objets.

Modèle: Donne *le crayon à Pierre*.
Donne-le-lui.

1. Prêtez *de l'argent à vos amis*.
2. Vends *ton vélo à Sylvie*.
3. Passe *la serviette à Marc*.
4. Donne *les clés à tes voisins*.
5. Parlons *de nos difficultés à Gaston*.
6. Servez *du vin à vos invités*.
7. Donnez *beaucoup de temps à vos amis*.

d. Remplacez le nom par un pronom.

Modèle: Ne me raconte pas *d'histoires.*

Ne m'en raconte pas.

1. Ne lui donne pas *ta bicyclette.*
2. Ne leur prête pas *ta voiture.*
3. Ne la prête pas *à Thomas.*
4. Emprunte-le *à Marie.*
5. Donne-leur *les cadeaux.*

6. Écris-lui *la bonne nouvelle.*
7. Ne leur sers pas *trop d'alcool.*
8. N'en donne pas trop *aux enfants.*
9. Prête-nous *un livre.*

14.6 Le verbe irrégulier *tenir*

	Présent de l'indicatif			*Participe passé*	*Futur*	*Imparfait*
je	tiens	nous	tenons	tenu	je tiendrai	je tenais
tu	tiens	vous	tenez			
il / elle / on	tient	ils / elles	tiennent			

tenir (to hold):
Il **tient** un stylo entre ses doigts.
Elle **tenait** son chien dans ses bras.

tenir à (to hold dear/to cherish):
Je **tiens** à toi.
Elle **tient** à ce souvenir de son père.
Nous **tenons** à la vérite.

se tenir (to hold oneself/to stay):
Tiens-toi droit!
Il **se tiendra** tranquille.

contenir (to contain):
Ma sac à dos **contient** mon ordi et ma tablette.
Ce verre **contenait** du cognac.

 EXERCICES ORAUX

a. Répondez aux questions.

1. Je tiens une rose dans ma main.
   Et toi? Et lui? Et elle?
2. Est-ce que nous tenons à l'argent?
3. Est-ce que tu tiens à la vie?
4. Est-ce que les gens en général tiennent à leurs biens?
5. Est-ce que tu tiens à tes amours?

6. Est-ce que tes amis tiennent à toi?
7. Est-ce que Gabriel tenait à Évangéline?
8. Qu'est-ce que ton sac à dos contient?
9. Est-ce que tu as déjà tenu un poisson dans tes mains?
10. Est-ce que tu te tiens debout pour l'hymne national?

14.7 Le verbe irrégulier *vivre*

	Présent de l'indicatif			*Participe passé*	*Futur*	*Imparfait*
je	vis	nous	vivons	vécu	je vivrai	je vivais
tu	vis	vous	vivez			
il / elle / on	vit	ils / elles	vivent			

Vivre means "to live"; **survivre (à)** means "to survive" and "to outlive":

> Ce vieil homme **a vécu** jusqu'à cent ans.
>
> Il **vit** à Halifax depuis quinze ans.
>
> Elle est heureuse, elle a de l'argent: Elle **vit** bien.
>
> Il a **survécu** à son accident.
>
> Les riverains ont-ils survécu à l'ouragan?

 EXERCICES ORAUX

a. Questions indiscrètes.

1. Je vis sur la plage. Et toi? Et lui? Et elle?
2. Est-ce que tu vis ici depuis longtemps?
3. Dans quelle ville vivras-tu plus tard?
4. As-tu déjà vécu dans un autre pays? Dans une autre ville?
5. Est-ce que l'humanité survivra à une guerre nucléaire?
6. Est-ce que tu survis depuis ton divorce?
7. Est-ce qu'on peut survivre sans amour?

14.8 Le pronom relatif *dont*

Dont (whose/of which), like **qui**, **que**, and **où**, is a relative pronoun. It stands for the preposition **de** + noun and is used in a relative clause that contains a construction with **de**. This occurs in three cases:

1) The verb in the relative clause requires the preposition **de** (parler de, avoir besoin de, avoir envie de, avoir peur de, être content(e) de, être sûr(e) de, être amoureux(se) de, être conscient(e) de, être satisfait(e) de, discuter de, jouer de (un instrument), rire de, se souvenir de, se servir de):

> Tu as un livre. J'ai besoin **de ce livre**.
>
> ——————➤ Tu as un livre **dont** j'ai besoin.

Compare with

> Tu as un livre. Je ne connais pas **ce livre**.
>
> ——————➤ Tu as un livre **que** je ne connais pas.

2) **Dont** replaces **de** + noun when **de** links that noun to another noun to indicate possession or connection:

> Je connais un garçon. Le père **de ce garçon** est pêcheur.
>
> ——————➤ Je connais un garçon **dont** le père est pêcheur.

> Je lui sers des poissons. Elle aime le gout **de ces poissons**.
>
> ——————➤ Je lui sers des poissons **dont** elle aime le gout.

3) **Dont** also replaces **de** + noun when **de** links that noun to an adjective:

Il a un bateau. Il est fier **de ce bateau**.

———————→ Il a un bateau **dont** il est fier.

🗣 EXERCICES ORAUX

a. Transformez les phrases selon le modèle.

Modèle: Il a emprunté l'argent. Il avait besoin *de cet argent.*
Il a emprunté l'argent dont il avait besoin.

1. Elle veut faire une robe. Elle a envie *de cette robe.*
2. As-tu vu le film? Je t'ai parlé *de ce film.*
3. C'est une blague. Tout le monde rit *de cette blague.*
4. Jacques a un piano. Il ne joue pas souvent *de ce piano.*
5. Je ne connais pas type. Tu as peur *de ce type.*
6. Il félicite cette étudiante. Les notes *de cette étudiante* sont excellentes.
7. Je connais cette jeune fille. Tu as rencontré le père *de cette jeune fille.*
8. Mes cousins ont un chien. Les oreilles *de ce chien* sont coupées.
9. Elle aime les hommes. Les vêtements *de ces hommes* sont élégants.
10. Il a rencontré une femme. Il est tombé amoureux *de cette femme.*
11. C'est une tradition. Les Acadiens sont fiers *de cette tradition.*
12. Elle a fait des études. Elle est contente *de ces études.*
13. Voilà une théorie. Je suis sûr *de cette théorie.*
14. Cette jeune fille a un certain talent. Elle n'est pas consciente *de ce talent.*

b. Remplacez les tirets par *que / qu'* ou par *dont.*

1. La femme _____ il aime est anglaise.
2. L'homme _____ elle admire est un ami de son père.
3. Cet homme, _____ j'admire l'intelligence, est un ami de mon frère.
4. Je n'ai pas les outils _____ tu as besoin.
5. J'aime bien les livres _____ tu m'as prêtés.
6. Elle déteste le musicien _____ je lui ai parlé.
7. Il fait les choses _____ il aime.
8. Je connais bien le garçon _____ elle est amoureuse.
9. Elle vit avec un homme _____ je connais.
10. Philippe habite une chambre _____ les fenêtres sont trop petites.
11. J'ai trouvé le livre _____ tu m'as recommandé.
12. J'ai acheté un condo _____ le propriétaire était américain.

EXERCICES ÉCRITS

a. Mettez les verbes au futur.

1. Tu (recevoir) de l'argent à ta fête.
2. Je (aller) à la gare chercher Paul.
3. Elles (choisir) des vacances à la mer.
4. Vous (s'ennuyer) de votre famille.
5. Nous (payer) comptant le voyage.
6. Nous (appeler) l'agence de voyages.
7. Vous (acheter) des souvenirs pour nous.
8. Il (se rendre) compte de ses erreurs.
9. Tu (obéir) au code de la route.
10. Nous (apprendre) le français plus vite.
11. Ils (envoyer) un chèque au bon montant.
12. Vous (attendre) une réponse positive.
13. Je (prendre) le train pour Charlottetown.
14. Tu (boire) trop en voyage.
15. Nous (voir) les rochers et les dunes.
16. Tu (dire) la vérité avant de quitter ton poste.

b. Complétez les phrases avec votre imagination. Employez le futur.

1. En l'an 2050, nous…
2. Quand j'aurai trente ans, je…
3. Dès qu'il fera soleil, les fleurs…
4. Aussi longtemps qu'il neigera, nous…
5. Lorsque les cours finiront, les étudiants…
6. Pendant mes vacances, je…
7. Quand tu viendras me voir, je…
8. Quand j'aurai assez d'argent, je…
9. Tant que tu seras étudiant(e), tu…
10. Aussitôt que je rentrerai chez moi, je…

c. Donnez la réponse négative.

1. Est-ce que quelqu'un est venu?
2. As-tu acheté quelque chose?
3. Est-ce que quelque chose de grave est arrivé?
4. Fais-tu quelque chose d'intéressant?
5. As-tu rencontré quelqu'un?
6. Est-ce qu'il y avait quelqu'un d'amusant chez Irène?
7. Est-ce qu'elle avait quelque chose à faire?
8. Avez-vous vu quelqu'un dans l'escalier?
9. Ont-ils mangé quelque chose?

d. Dites à quelqu'un de…

Modèle: vous comprendre.

Comprends-moi.

1. vous parler.
2. vous apporter des informations.
3. ne pas vous insulter.
4. ne pas vous attendre.

e. Remplacez tous les noms par des pronoms objets.

1. Fais la bise à ton ami(e).
2. Passe ta tablette à Hélène.
3. Parle de tes problèmes au directeur.
4. N'emprunte pas d'argent à tes copains.
5. Vendez votre auto à Henri.
6. Apportons beaucoup de cadeaux aux enfants.
7. Ne sers pas de malbouffe aux invités.
8. Prête ton ordi à ta sœur.

f. Mettez le verbe entre parenthèses au présent.

1. Elle (vivre) à Caraquet depuis longtemps.
2. Nous (tenir) à garder nos distances.
3. Ils (se tenir) debout pendant la procession.
4. Cette bouteille (contenir) de l'eau.
5. Vous (vivre) à Grand-Pré.

g. Remplacez les tirets par le pronom relatif approprié (*qui, que / qu', dont, où*).

1. Elle ne veut pas me rendre l'argent _____ elle me doit.
2. Elle a acheté la voiture _____ elle avait envie.
3. Prends le temps _____ tu as besoin.
4. Je connais la ville _____ tu vis.
5. Je connais le gars _____ tu parles.
6. Elle a rencontré l'architecte _____ a dessiné les plans de ma maison.
7. C'est le médecin _____ la fille sort avec Alain.
8. Tu as mangé le sandwich _____ ta mère a préparé.

Library and Archives Canada, e010764738

Lecture

Il y a 390 ans, Port-Royal

C'est sur la côte acadienne qu'en 1605, Champlain établissait la première colonie en Nouvelle-France. Jardin expérimental, chasse et pêche, gastronomie, théâtre... on faisait bombance à Port-Royal.

Pourquoi diable Samuel de Champlain a-t-il choisi Port-Royal pour y installer le premier établissement de la France en Amérique? Il aurait pu planter sa tente – ou sa croix – sur les côtes sablonneuses de Cape Cod d'où il revenait. Ou remonter le Saint-Laurent jusqu'à Québec, qui renfermait toutes les fourrures dont un explorateur pouvait rêver et qu'il allait fonder trois ans plus tard. Peut-être eut-il l'impression d'entrer au paradis terrestre en apercevant la côte acadienne? Comme son compagnon Marc Lescarbot, avocat parisien venu s'établir en Nouvelle-France avec sa femme et ses filles, qui s'étonna qu'un lieu pareil "le plus beau que Dieu ait formé sur la terre, avec ses montagnes sur lesquelles bat le soleil tout le jour, demeurait désert alors que tant de gens languissaient au monde... "

Toujours est-il que Champlain décida en 1605, d'y construire une "abitation ". La terre lui sembla riche et la pêche, miraculeuse. Contrairement aux explorateurs de son temps, il n'avait pas traversé l'océan pour faire fortune mais pour fonder une colonie. Il faut dire que la France avait bien ri des déboires de Jacques Cartier, qui en rentrant chez lui, avait brandi des pépites d'or et des diamants qui en fait n'étaient que de la pyrite et de la silice. D'où l'expression "faux comme un diamant du Canada ".

Un bon vivant que ce Champlain, qui a affronté les mers déchaînées, traversé des hivers rigoureux et fut souvent menacé du scorbut, sans jamais perdre le moral. Son remède: le vin et la bonne chère, "plus profitables que toutes les médecines ". L'explorateur saintongeais a 35 ans lorsqu'il arrive à Port-Royal (aujourd'hui Annapolis Royal en Nouvelle-Écosse). Né à Brouage, un port voisin de La Rochelle, ce fils de marin sillonne les mers à titre de cartographe avant d'accompagner Pierre de Monts, chargé par le roi de France d'explorer la côte américaine.

A l'approche de l'hiver, ils installent leur campement sur l'île Sainte-Croix, face au continent, mais le site est balayé de violentes rafales qui obligent les hommes à s'enfermer dans leurs cabanes. L'île est pauvre en eau potable et ils en sont réduits à boire de la neige fondue. Certains souffrent d'un curieux mal, le scorbut. Leurs jambes deviennent noires comme du charbon, la chair de leurs gencives pourrit, leur haleine est fétide et leurs dents se déchaussent. Les Indiens leur préparent une décoction de feuilles "d'annedda ", mais ils se méfient de cette "diablerie " et 35 des 85 nouveaux colons succombent. Le printemps de 1605 venu, Champlain déménage le campement sur la rive méridionale de la baie Française (baie de Fundy). Ils vont nommer le lieu Port-Royal.

On construit des maisons, un magasin, des logements pour les ouvriers. Le reste du temps, ils le passent au bord de la mer à pêcher des moules, des homards et des crabes, qui abondent sous les pierres. Pour soutenir le moral de sa petite communauté, Champlain a créé l'ordre de Bon Temps. Chaque soir, un convive différent, serviette sur le bras, fait office de maître d'hôtel. Il lui revient d'aller à la chasse ou à la pêche et de rapporter quelque chose de rare. On y mange aussi bien qu'à Paris et à moins de frais, tout est arrosé de vin. Les chefs indiens sont invités et leurs couverts mis en permanence. Champlain s'attache aux "sauvages" qu'il traite avec équité. Il se désole de les voir manger jusqu'à se rendre malades, quitte à mourir de faim en hiver puisqu'ils ne font jamais de provisions. "Je leur fis donner des fèves, mais ils n'eurent pas la patience [d'attendre] qu'elles fussent cuites pour les manger... "

Le premier jardin de la Nouvelle-France prend bientôt forme. On sème orge, avoine, fèves, pois... L'apothicaire Louis Hébert, qui est resté comme le premier Européen à récolter du blé en Amérique du Nord, débarque à son tour. On fait pousser des légumes dans des potagers. Champlain arpente lui-même la terre. Il se construit un cabinet avec de beaux arbres pour prendre la fraîcheur et creuse des fossés pour garder ses truites de mer.

Mais Champlain a la bougeotte. Comme ses descendants bien plus tard, il décide d'aller passer l'hiver en Floride. Il n'ira pas plus loin que Nantucket, où il tombe dans une embuscade indienne. Il rebrousse chemin, pressé de rentrer à Port-Royal. Eût-il continué jusqu'au fleuve Hudson, il aurait sans doute pris possession de la pointe de terre qu'est aujourd'hui New York, au nom des Français et avant les Hollandais.

Donc tout est en place pour que Port-Royal devienne prospère. Les colons ont la bonne idée d'ériger des digues pour contenir les marées et de cultiver les terres alluviales. Côté commerce, les côtes acadiennes sont accessibles aux bateaux européens toute l'année, ce qui constitue un avantage sur la vallée du Saint-Laurent, dont les eaux sont envahies par les glaces l'hiver. En 1607, Champlain monte à bord du Don de Dieu et navigue jusqu'à Québec qu'il s'en va fonder. Il est convaincu que le Saint-Laurent ouvre le chemin vers la Chine. Pour un temps, l'Acadie continue de prospérer et, des années après, alors que Québec n'est qu'une bourgade, Port-Royal fournit plus de blé que tout le reste de la colonie et possède des salines réputées pour la salaison de la morue.

Mais le bonheur tranquille tire à la fin. Attaquée par les Virginiens, Port-Royal est détruite. Et ainsi la colonie passe aux Anglais puis redevient française jusqu'à la tragédie finale au printemps de 1710. Port-Royal capitule et devient anglaise pour de bon.

Extrait de "Il y a 390 ans, Port Royal," par Micheline Lachance – from Micheline Lachance, magazine *L'actualité* – 1e septembre, 1995.

advenir	to come out of	lieu (m.)	place
affronter	to face	mal (m.)	ache
arpenter	to survey	marée (f.)	tide
arroser	to drink	(se)méfier	to be suspicious of
avoine (f.)	oats	morue (f.)	cod
balayer	to sweep	or (m.)	gold
blé (m.)	wheat	orge (f.)	barley
bombance (f.)	feast	pareil (le)	the same
brandir	to wave	pépite (f.)	nugget
bougeotte (f.)	to be always on the move	potable	drinkable
		potager (m.)	vegetable garden
charbon (m.)	coal	pourrir	to rot
chair (f.)	meat	préconiser	to recommend
convive (m.)	guest	pressé(e)	in a hurry
creuser	to dig	pyrite (f.)	fool's gold
déboires (m.pl.)	streak of bad luck	quitte à	at the risk of
déchainé (e)	destructive	rafale (f.)	gust
déchausser	to come loose	rapporter	to bring back
diablerie (f.)	devilry	rebrousser	to turn back
digue (f.)	dyke	renfermer	to contain
embuscade (f.)	ambush	sablonneux (euse)	sandy
(se) étonner	to be amazed	salaison (f.)	salting
fétide	foul	salin(e)	salty
feuille (f.)	leaf	scorbut (m.)	scurvy
fondu(e)	melted	serviette (f.)	towel
fossé (m.)	ditch	semer	to sow
fourrure (f.)	fur	sillonner	to roam
frais (m.pl.)	cost	soleil (m.)	sun
gencive (f.)	gum	tirer	to draw
haleine (f.)	breath	tour (m.)	turn
languir	long for		

QUESTIONS

1. Où et quand Samuel de Champlain a-t-il établi la première colonie en Nouvelle-France?
2. Quel but poursuivait l'explorateur français?
3. Pour garder le moral de ses troupes, que préconise Samuel de Champlain?
4. Que s'est-il passé à l'Ile Sainte-Croix pour forcer l'explorateur et ses hommes à déménager?
5. Quel ordre Champlain a-t-il créé pour tenir sa communauté?
6. Comment fonctionne le premier jardin de la nouvelle colonie?
7. Champlain repart en expédition, comment se passera-t-elle?
8. Qu'est-ce qu'il advient de Port-Royal après le départ de Champlain pour fonder Québec?

SITUATIONS – CONVERSATIONS

1. Qu'est-ce que vous ferez dès que les cours se termineront? Partirez-vous en vacances? Travaillerez-vous? Où irez-vous? Parlez de vos projets pour l'été prochain.

2. Connaissez-vous le Canada? Alors dites où on trouve les plus beaux parcs, le plus grand lac, les plus belles plages, la ville la plus étendue, la ville la plus pittoresque, les meilleurs restaurants, le jardin zoologique le plus original, le musée le plus fascinant, les montagnes les plus hautes, etc.

3. Vous voulez faire un voyage en Acadie. Vous allez dans une agence de voyages pour demander des renseignements. Un(e) autre étudiant(e) vous informe. Posez des questions et répondez-y.

4. L'an 2050 approche… Qu'est-ce qui changera d'ici là dans la vie quotidienne? Pensez-vous qu'il y aura des progrès scientifiques et technologiques importants? des bouleversements dans les relations internationales? des transformations sociales?

5. À *tour de rôle*. Vous êtes dans la politique et vous devez convaincre un petit groupe de gens de voter pour vous. Parlez des changements que vous apporterez, de la façon dont vous résoudrez divers problèmes, des priorités que vous établirez. Les autres étudiants vous posent des questions. Employez le futur pour les questions et pour les réponses.

6. Imaginez qu'il y aura une guerre nucléaire. La vie sera-t-elle encore possible? Qui survivra? Qu'est-ce qui survivra? Qu'est-ce qui se passera selon vous?

COMPOSITIONS

1. Vous organisez un voyage dans les Maritimes. Où irez-vous d'abord? Passerez-vous le long des côtes? Prendrez-vous le bateau ou le traversier? Quelles villes visiterez-vous? Quels sites historiques? Qu'est-ce que vous mangerez?, etc. Préparez votre composition à l'aide de brochures touristiques et employez le futur.

2. Imaginez votre vie dans dix ans. Employez le futur pour parler de vos activités, de votre situation, de l'endroit où vous vivrez, de vos diverses activités, des gens que vous connaitrez.

PRONONCIATION

((•—[Listen on **myfrenchlab**

(Students and instructors can listen to the audio track for this exercise on MyFrenchLab.)

E caduc (suite)

I. Deux consonnes prononcées + /ə/

At the beginning of or within a rhythmic group, /ə/ is pronounced when preceded by two pronounced consonants.

Répétez:

1. il le voit   il le mange   elle le sait   elle le vend
    il le prend   il le croit   elle le tient   elle le paie
    il le fait   elle le sert

2. pour le professeur   pour le boucher   par le train   par le jardin
    pour le médecin   pour le mineur   par le chemin   par le sentier

3. le héros   le haut   le hall   le hollandais
    le haricot   le hors-d'œuvre   le hangar   le hareng

4. passe le sel   apporte le CD   il me parle   il me déteste
    ferme le livre   donne le cahier   il me connait   il me cherche

Give the corresponding adverb:

autre	large	simple
correct	manifeste	sensible
fort	pénible	visible

II. Contraste: e caduc prononcé / non prononcé

Répétez:

1. je me lave   /   il se lave
    je me promène   /   il se promène
    je me rase   /   il se rase
    tu te laves   /   il se lave
    tu te peignes   /   elle se peigne
    tu te prépares   /   elle se prépare

2. je me suis caché(e)   /   ils se sont cachés
    je me suis regardé(e)   /   elles se sont regardées
    je me suis maquillé(e)   /   elles se sont maquillées
    je me suis marié(e)   /   ils se sont mariés

3. fais le travail   /   fais-le
    tiens le fil   /   tiens-le
    prends le biscuit   /   prends-le
    mets le veston   /   mets-le

4. tu le fais   /   il le fait
    tu le bois   /   il le boit
    tu le connais   /   il le connait
    tu le vends   /   il le vend

MyFrenchLab   Visit MyFrenchLab to access additional resources such as audio exercises, the *Cahier de laboratoire*, and web destinations.

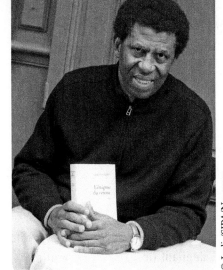

CHAPITRE 15

© Lydie/SIPA/Newscom

Un auteur francophone

MyFrenchLab

Visit MyFrenchLab to access additional resources, including

- *Cahier de laboratoire*
- Self-grading assessments
- Audio exercises
- Grammar primers and tutorials

Thèmes

- Quel genre de littérature préfères-tu?
- Quel(le) est ton auteur(e) favori(te)?
- Exprimer la nécessité, la probabilité, l'obligation
- S'exprimer avec politesse
- Exprimer la possession

Lecture

Un écrivain primitif

Grammaire

15.1 Le conditionnel présent

15.2 La phrase conditionnelle

15.3 Le verbe *devoir* (imparfait, passé composé, futur, conditionnel présent)

15.4 Les pronoms possessifs

15.5 Le verbe irrégulier *suivre*

VOCABULAIRE UTILE

Noms

affiche (f.)	poster	**représentation** (f.)	performance, rendering
bouquin (m.)	book	**reportage** (m.)	coverage
chef-d'œuvre (m.)	masterpiece	**revue** (f.)	magazine
chronique (f.)	column	**roman** (m.)	novel
courses (f.pl.)	shopping	**romancier, romancière**	novelist
conte (m.)	story, tale	**rubrique** (f.)	column
dépliant (m.)	leaflet	**scénario** (m.)	film script
dissertation (f.)	essay	**sou** (m.)	penny
don (m.)	gift	**vedette** (f.)	star
écrivain(e)	writer	**volonté** (f.)	will
émission (f.)	program	**volume** (m.)	book
épreuve (f.)	ordeal, proof		

feuilleton (m.)	soap opera (TV)
fermeture (f.)	closure
lecture (f.)	reading
machin (m.)	whatnot
métier (m.)	trade
milieu (m.)	circle
nouvelle (f.)	short story
œuvre (f.)	work
ouvrage (m.)	work
panne (f.)	breakdown, to have run out of
parution (f.)	publication
pièce de théâtre (f.)	play
pigiste (m./f.)	freelance journalist
récompense (f.)	reward
récit (m.)	tale
recueil de poésie (m.)	collection of poems
rédaction (f.)	composition

Adjectifs

doué(e)	gifted
inédit(e)	unpublished
paresseux, paresseuse	lazy

Verbes

agir	to act
dépenser	to spend
(se) lancer	to launch
pondre	to produce
rayer	to cross out
rédiger	to write

Expressions

à la queue leu leu	single file
le fil de la pensée	train of thought
Les jours se suivent et ne se ressemblent guère.	There's no telling what tomorrow might bring.

GRAMMAIRE ET EXERCICES ORAUX

15.1 Le conditionnel présent

The conditional, like the indicative and the imperative, is a mood. It has two tenses: the present and the past.

The present conditional is formed by adding to the future stem of the verb the endings **-ais, -ais, -ait, -ions, -iez, -aient**. (These are also the endings of the **imparfait**.)

Remember that the future stem of most verbs is their infinitive form. Irregular future stems must be memorized.

	marcher	être (ser-)	pouvoir (pourr-)
je	marcherais	serais	pourrais
tu	marcherais	serais	pourrais
il / elle / on	marcherait	serait	pourrait
nous	marcherions	serions	pourrions
vous	marcheriez	seriez	pourriez
ils / elles	marcheraient	seraient	pourraient

The present conditional is mostly used to express a hypothetical action or event, that is an action or event that would take place under some specific circumstances, and to express a wish or what someone else has said.

> **Peu de gens seraient doués pour la poésie.**
>
> Few people would be gifted for poetry.
>
> **Un jour, j'aimerais être journaliste.**
>
> One day, I would like to be a journalist.

It may also be used instead of the present indicative to make a request more polite, especially with the verbs **vouloir** and **pouvoir**, but with other verbs as well:

> Pourriez-vous finir ce chapitre? / Could you finish this chapter?
>
> Viendrais-tu avec moi à la librairie? / Would you come with me to the bookstore?

 ### EXERCICES ORAUX

a. Substituez au sujet les mots entre parenthèses.

1. J'attendrais la fin de la pièce. (elle, vous, ils)
2. Nous finirions nos lectures. (tu, il, je)
3. Elle écrirait un article. (vous, tu, nous)
4. Il irait au théâtre. (je, nous, elles)
5. Je ferais une visite à la bibliothèque. (vous, il, tu)
6. Tu gagnerais un prix littéraire. (je, nous, ils)
7. Il voudrait devenir pigiste. (tu, vous, elles)
8. Vous regarderiez ce reportage. (il, tu, elles)

b. Les verbes des phrases suivantes sont au futur. Mettez-les au conditionnel présent.

1. Je voudrai le voir jouer au théâtre.
2. J'aurai du travail comme comédien(ne).
3. Tu seras une célébrité.
4. Vous pourrez dédicacer votre livre.
5. Il faudra y aller avant la fermeture.
6. Ils transcriront le texte.
7. Elle viendra te voir répéter.
8. Nous verrons des scènes superbes.
9. Tu correspondras avec elle.
10. Elle appellera l'éditeur.
11. Il copiera l'article.
12. Nous publierons un journal local.

c. Que ferais-tu à ma place?

Modèle: Voudrais-tu reprendre la scène cinq fois?
Oui, à ta place, je la reprendrais cinq fois.

1. Voudrais-tu devenir écrivain?
2. Voudrais-tu refaire ce spectacle?
3. Voudrais-tu écrire un nouveau roman?
4. Voudrais-tu publier un poème futuriste?
5. Voudrais-tu travailler avec ce vieux comédien?
6. Voudrais-tu relire la biographie de Molière?
7. Voudrais-tu jouer une pièce musicale de Michel Tremblay?
8. Voudrais-tu envoyer le manuscrit à une maison d'édition?

d. *À la bibliothèque.* Adressez-vous poliment au préposé à l'aide du conditionnel.

Pardon Monsieur,

est-ce que vous (avoir) le dernier roman de... ? J'ai oublié le titre. Est-ce que vous (pouvoir) le trouver?

Je ne sais pas utiliser l'ordinateur, (vouloir)-vous m'indiquer comment faire?

Dans quelle section est-ce que je (pouvoir) trouver le volume?

Dans quelle direction est-ce que je (devoir) me rendre?

Est-ce que vous (pouvoir) me passer une autre œuvre de... ?

Si vous ne l'aviez pas, (vouloir)-vous me téléphoner?

Quand est-ce que je (pouvoir) venir la chercher?

Merci, Monsieur.

e. *Les prévisions.* Mettez les verbes au conditionnel présent.

J'ai lu dans le journal... que la saison de théâtre commence demain.

qu'il y aura deux représentations.

que le concert aura lieu vendredi.

que le nouveau film arrivera la semaine prochaine.

que l'auteur signera son roman.

que la chronique de cette vedette ne paraîtra (paraîtra) plus.

qu'on présentera une nouvelle pièce de Françoise Loranger.

qu'un récital de piano se tiendra à la Place-des-Arts.

f. Qu'aimeriez-vous faire, plus tard, dans la vie?

Je... (poursuivre) mes études (ou arrêter d'étudier) — (trouver) un travail intéressant (ou rémunérateur) — (habiter) la campagne (ou la ville) — (apprendre) à jouer d'un instrument de musique — (avoir) une grande (ou petite) maison — (écrire) des romans (ou une biographie ou un recueil de poèmes) — (aider) les autres — (être) riche et célèbre (ou demeurer simple et modeste).

15.2 La phrase conditionnelle

A conditional sentence is made up of two clauses: a **si** (if) clause stating the condition and a main clause stating the result. **Si** becomes **s'** before **il** or **ils**. The **si** clause may come before or after the main clause.

1) When the **si** clause is in the *imparfait*, the main clause is in the *present conditional*:

   Si j'avais de l'imagination, j'écrirais un chef-d'œuvre.
   If I had imagination, I would write a masterpiece.

2) When the **si** clause is in the *present indicative*, the main clause is usually in the *future*:

   Si je termine ce roman, j'irai en vacances.
   If I finish this novel, I will go on holidays.

   The main clause may also be in the *present indicative* or in the *imperative*:

   Si tu t'ennuies, tu peux lire ce scénario fantastique.
   If you are bored, you may read this fantastic film script.

   Écris ton journal si tu le désires.
   Write in your journal if you like.

Summary

Si Clause	Main Clause
present indicative	present indicative
	future
	imperative
imparfait	present conditional

EXERCICES ORAUX

a. Répondez selon le modèle.

   Modèle: Quelle langue écrirais-tu si tu étais américain(e)?
   Si j'étais américain(e), j'écrirais en anglais.

   Quelle langue écrirais-tu si tu étais chinois(e)? allemand(e)? russe? espagnol(e)? italien(ne)? mexicain(e)? portuguais(e)? brésilien(ne)? belge? japonais(e)? marocain(e)? vietnamien(ne)? suisse?

b. Répondez aux questions selon le modèle.

    Modèle: Que ferais-tu si tu avais du talent pour les arts? (s'y lancer)
    Si j'avais du talent pour les arts, je m'y lancerais.

1. Que ferais-tu si tu allais en
   France? (aller à l'opéra)
2. Que ferais-tu ce soir si tu avais
   le temps? (aller à un concert)
3. Que ferais-tu si tu étais en vacances?
   (écrire une chronique)
4. Que ferais-tu si tu n'étais pas
   étudiant(e)? (travailler)

5. Que ferais-tu si tu étais déprimé(e)?
   (se promener dans la nature)
6. Que ferais-tu si tu avais un don pour
   la littérature? (devenir écrivain)
7. Que ferais-tu si tu étais célèbre?
   (signer des autographes)

c. Que feriez-vous si / s'...

1. il pleuvait toute la fin de semaine?
2. vous étiez malade?
3. vous perdiez votre portemonnaie
   (porte-monnaie)?
4. vous ratiez l'examen?
5. votre auto était en panne?
6. votre téléphone ne marchait pas?
7. votre ami(e) vous insultait?

8. il y avait une tempête de neige?
9. vous receviez une lettre mystérieuse?
10. vous étiez très fatigué(e)?
11. vous rencontriez votre amoureux(euse)
    avec quelqu'un d'autre?
12. vous vouliez devenir comédien(ne)?
    acteur / actrice? architecte? missionnaire?

d. Si j'avais le choix aujourd'hui, je...

1. (dormir) toute la matinée.
2. (téléphoner) à mes amis.
3. (manger) au restaurant végétarien.
4. (lire) le journal au complet.
5. (regarder) un bon film à la télévision.

6. (prendre) une bière au pub.
7. (aller) me promener dans un parc.
8. (inviter) un homme / une femme
   charmant(e) à diner.
9. (écouter) de la musique.

e. Complétez les phrases.

1. S'il fait beau demain, je...
2. Si j'ai le temps ce soir, je...
3. Si je réussis à tous mes examens, je...
4. Si je n'ai rien à faire cette fin de
   semaine, je...
5. Si je peux partir en voyage cet été, je...

6. J'aurai de l'argent si...
7. Je lirai un roman si...
8. J'aurai un bon poste si...
9. Je me marierai si...
10. Je prendrai l'avion si...

15.3 Le verbe *devoir* (imparfait, passé composé, futur, conditionnel présent)

The verb **devoir** was presented in the present tense (Chapitre 6) when it may express necessity, obligation, probability, or expectation. When it is used in other tenses and moods, what it expresses may vary:

1) **imparfait**

   — necessity:

   Quand j'habitais Montréal, je devais prendre le métro tous les matins.

   When I lived in Montreal, I had to take the subway every morning.

   — probability:

   Il devait être huit heures quand je suis rentré(e).

   It must have been eight o'clock when I came back.

   — expectation:

   Je devais lui envoyer un message texte, mais j'ai oublié.

   I was supposed to text him but I forgot.

2) **passé composé**

   — obligation:

   Il a dû rayer tout un paragraphe du texte.

   He had to cross out a whole paragraph from the text.

   — probability:

   Il a dû oublier le nom de l'auteur.

   He must have forgotten the author's name.

3) **futur**

   — obligation:

   Nous devrons remettre la dissertation demain.

   We will have to hand in the essay tomorrow.

4) **conditionnel présent**

   — moral obligation or suggestion:

   Je devrais corriger mes fautes d'orthographe.

   I should correct my mistakes.

   Tu devrais écrire un drame et non une comédie.

   You ought to write a drama and not a comedy.

   — probability:

   Le volume devrait paraitre bientôt.

   The book should come out soon.

EXERCICES ORAUX

a. Conseils à un(e) ami(e).

> *Modèle:* Je suis fatigué(e). (Tu devrais…)
> *Tu devrais te reposer.*

1. J'ai mal agi avec lui. Tu devrais…
2. J'ai fait des erreurs grammaticales. Tu devrais…
3. Je suis découragé(e) de mes notes. Tu devrais…
4. Je ne me sens pas bien. Tu devrais….
5. J'ai une rédaction à finir. Tu devrais…

b. Répondez aux questions avec votre imagination.

> *Modèle:* Que feras-tu s'il neige?
> *S'il neige, je devrai rester à la maison.*

1. Que feras-tu si l'autobus est en retard?
2. Que feras-tu si tu perds ton livre?
3. Que feras-tu si tu as un accident?
4. Que feras-tu si tu perds tes clés?
5. Que feras-tu si tu n'as plus un sou?

c. Obligation, nécessité ou probabilité? Mettez le verbe *devoir* à l'imparfait ou au passé composé selon le contexte.

1. Je _____ téléphoner au libraire, mais j'ai perdu son numéro.
2. Il est minuit et Charles n'est pas rentré. Il _____ avoir un accident.
3. Quand elle vivait chez ses parents, elle _____ faire les courses tous les jours.
4. Je _____ dormir quand tu es rentré hier soir parce que je ne t'ai pas entendu.
5. Après son accident, elle _____ rester trois semaines à l'hôpital.
6. Pierre _____ m'appeler, mais je n'ai pas eu de nouvelles, alors il _____ oublier.
7. Quand j'étais au journal, je _____ rédiger un article tous les jours.

d. *Faire ou ne pas faire.* Qu'est-ce que…

1. vous deviez faire hier soir? (mais que vous n'avez pas fait)
2. vous avez dû faire? (et que vous avez fait)
3. vous devrez faire demain? (et que vous ferez)
4. vous devriez faire? (si vous étiez malade)

15.4 Les pronoms possessifs

| | Singular | | Plural | |
	Masculine	*Feminine*	*Masculine*	*Feminine*
mine	le mien	la mienne	les miens	les miennes
yours	le tien	la tienne	les tiens	les tiennes
his/hers/its	le sien	la sienne	les siens	les siennes
ours	le nôtre	la nôtre	les nôtres	les nôtres
yours	le vôtre	la vôtre	les vôtres	les vôtres
theirs	le leur	la leur	les leurs	les leurs

A possessive pronoun replaces a possessive adjective + noun; it must agree in gender and number with the noun it replaces (what is possessed):

Bertrand écrit son autobiographie. ⟶ Bertrand écrit *la sienne.*
Bertrand writes his autobiography. ⟶ Bertrand writes his.

Lucie rédige un article. ⟶ Lucie rédige *le sien.*
Lucie writes an article. ⟶ Lucie writes hers.

Le nôtre and le vôtre are pronounced with a closed o (/o/); the adjectives notre and votre with an open o (/ɔ/).

The usual contractions occur when à or de precede le or les: au mien, aux tiens, aux siennes, du nôtre, du vôtre, des leurs, etc.

Other constructions used to express possession are être à + noun or stress pronoun, and appartenir à + noun (or indirect object pronoun + appartenir):

Ce livre est à Paulette.   Ce livre appartient à Paulette.
Ce livre est à elle.   Ce livre lui appartient.

In summary, the following structures are all used to express possession:

— de + noun: C'est le manuscrit de Justine.
— possessive adjective + noun: C'est son manuscrit.
— possessive pronoun: C'est le sien.
— être + à + noun: Le manuscrit est à Justine.
— appartenir à + noun: Le manuscrit appartient à Justine.

EXERCICES ORAUX

a. Remplacez l'adjectif possessif + nom par un pronom possessif.

1. mon bouquin	9. ma chronique	17. ma création	25. mon article
2. ton volume	10. ta lettre	18. ta pièce	26. ton traité
3. ses ouvrages	11. sa parution	19. sa nouvelle	27. ses livres
4. sa revue	12. son conte	20. ses rédactions	28. ses romans
5. notre manuscrit	13. notre rubrique	21. notre publication	29. notre dictée
6. votre essai	14. votre feuilleton	22. votre fiction	30. votre recueil
7. leurs journaux	15. leur histoire	23. leurs mémoires	31. leur métier
8. leur biographie	16. leurs œuvres	24. leurs textes	32. leur éditeur

b. Employez un pronom possessif pour remplacer les mots en italique.

1. J'ai relu ton roman et *son roman*.
2. Il a envoyé sa chronique et *ta chronique.*
3. Elle a contacté ses lecteurs et *mes lecteurs.*
4. J'ai participé à ta publication et à *leur publication.*
5. Il a besoin de tes conseils et de *nos conseils.*
6. J'ai consulté ses rédacteurs et *vos rédacteurs.*
7. Compare ta composition et *sa composition.*
8. Apporte tes copies et moi, j'apporterai *mes copies.*

c. Répondez aux questions selon le modèle.

Modèle: À qui appartient ce vélo? (moi)
Il est à moi.

1. À qui appartient ce stylo? (Pierre)
2. À qui appartient ce dépliant? (lui)
3. À qui appartient ce machin? (nous)
4. À qui appartiennent ces dictionnaires? (eux)
5. À qui appartiennent ces textes inédits? (elles)

d. Répondez aux questions selon le modèle.

Modèle: À qui est cette copie? (moi)
C'est la mienne.

1. À qui sont ces notes? (elle)
2. À qui est cette lettre? (lui)
3. À qui est cet ordinateur? (nous)
4. À qui est cette dictée? (eux)
5. À qui sont ces devoirs? (toi)
6. À qui sont ces bouquins? (elles)

e. Indiquez la possession de cinq manières différentes.

1. À qui est ce volume?
2. À qui sont ces textes?
3. À qui est cette composition?

15.5 Le verbe irrégulier *suivre*

	Présent de l'indicatif			*Participe passé*	*Futur*
je	suis	nous	suivons	suivi	je suivrai
tu	suis	vous	suivez		
il / elle / on	suit	ils / elles	suivent		

Imparfait	*Conditionnel*
je suivais	je suivrais

Suivre means

— to follow:

Nous avons suivi les instructions.

— to take (a course):

L'an prochain, je suivrai un cours de littérature.

Poursuivre is conjugated like **suivre** and means "to pursue" or "to carry on (with)":

Le lecteur a poursuivi sa lecture.

Je poursuivrai mes études jusqu'au doctorat.

 EXERCICES ORAUX

a. Substituez au sujet les mots entre parenthèses.

1. Je suis des cours de littérature.
   (tu, nous, vous, ils)
2. Nous suivrons à la queue leu leu.
   (elles, je, il)

3. Elle suivait l'écrivain partout.
   (je, vous, ils)
4. J'ai suivi ses conseils. (il, nous, elles)
5. Il poursuit ses efforts. (je, ils, vous)

b. Répondez aux questions.

1. Quels cours suis-tu en ce moment?
2. Quels cours as-tu suivis l'an dernier?
3. Quels cours suivras-tu l'an prochain?
4. Suis-tu toujours le fil de ta pensée?

5. Est-ce que tu suis un feuilleton à la télé?
6. Est-ce que vous me suivez?
7. Est-ce que tu poursuivras tes études jusqu'au doctorat?

EXERCICES ÉCRITS

a. Mettez les verbes des phrases suivantes à l'imparfait et au conditionnel présent, selon le cas.

1. Si vous (avoir) le temps, (commencer) vous un nouveau roman?
2. Je (devenir) historien si je (étudier) l'histoire.
3. Si tu (être) moins paresseux(euse), tu (pouvoir) peut-être pondre un texte.
4. Si vous (vouloir) composer un récit de voyage, vous le (pouvoir).
5. Nous ne (pouvoir) pas gagner un prix littéraire si nous n'(écrire) rien.
6. Qu'est-ce que tu (dire) si je te (demander) de lire mon manuscrit?
7. Est-ce que tu (accepter) si nous (traduire) ton essai?
8. (Savoir)-tu faire les exercices si tu (apprendre) mieux tes leçons?
9. Si j'(être) talentueuse, j'(avoir) du travail comme pigiste.

b. Mettez les verbes au conditionnel pour faire des phrases plus polies.

1. Peux-tu me prêter ton ordi?
2. Pouvez-vous me contacter demain?
3. Veux-tu me passer ce livre?
4. Nous voulons vous parler.
5. Qu'est-ce que vous aimez lire?
6. Je souhaite transformer cet essai.

c. Complétez les phrases.

1. Si j'avais beaucoup de volonté, je...
2. Si j'étais en vacances maintenant, je...
3. Si les gens étaient plus intelligents, ils...
4. Je vivrais dans une autre culture, si...
5. Il n'y aurait pas d'écrivains si...
6. Je serais plus heureux(euse) si...
7. Si je suis encore à l'université l'an prochain, je...
8. S'il fait beau la fin de semaine prochaine, je...
9. S'il y a un bon film à la télé ce soir, je...
10. Je deviendrai connu(e) dans le milieu si...
11. Tu tomberas en panne d'inspiration si...
12. Je poursuivrai mon récit si...

d. Nommez deux choses que...

1. vous deviez faire quand vous étiez enfant.
2. vous avez dû faire hier.
3. vous devrez faire demain.
4. vous devriez faire si vous étiez raisonnable.

e. Remplacez les mots entre parenthèses par un pronom possessif.

1. J'ai dépensé toutes mes économies. Mon ami a investi toutes (ses économies) dans les arts.
2. Voilà mon affiche, mais où est (ton affiche)?
3. L'éditeur a répondu à la lettre de Jacques, mais pas (à ma lettre).
4. Serge a jeté toutes ses vieilles revues, mais moi, je n'ai pas jeté (mes vieilles revues).
5. Louise a présenté son projet, mais Pierre n'a pas présenté (son projet).
6. Il a invité tous ses amis à son lancement, mais elle n'a pas invité (ses amis).
7. Nous corrigerons nos erreurs si vous corrigez (vos erreurs).
8. Je crois que votre fille est plus talentueuse que (leur fille.)
9. Si vous me rendez mon livre, je vous rendrai (votre livre).
10. Il a fait une présentation plus originale que (notre présentation).

f. Employez le verbe *suivre* au temps et au mode appropriés.

1. Cette année, je _____ seulement cinq cours à l'université parce que, l'an dernier, j'en _____ dix.
2. Est-ce que tu _____ l'émission régulièrement?
3. Quand j'étais enfant, je _____ toujours les conseils de mes parents.
4. Si vous _____ mes recommandations, vous réussiriez.
5. Elle le _____ s'il allait travailler au Brésil.
6. _____-moi si tu m'aimes.
7. Les jours se _____ mais ne se ressemblent guère.
8. Madame _____ moi, s.v.p.
9. Est-ce que vous me_____ ?

Lecture

Un écrivain primitif

© chayathon2000/Fotolia.com

Il y a longtemps que j'attends ce moment : pouvoir me mettre à ma table de travail (une petite table bancale sous un manguier, au fond de la cour) pour parler d'Haïti tranquillement, longuement. Et ce qui est encore mieux : parler d'Haïti en Haïti. Je n'écris pas, je parle. On écrit avec son esprit. On parle avec son corps. Je ressens ce pays physiquement. Jusqu'au talon. Je reconnais, ici, chaque son, chaque cri, chaque rire, chaque silence. Je suis chez moi, pas trop loin de l'équateur, sur ce caillou au soleil auquel s'accrochent plus de sept millions d'hommes, de femmes et d'enfants affamés, coincés entre la mer des Caraïbes et la République dominicaine (l'ennemie ancestrale).

Je suis chez moi dans cette musique de mouches vertes travaillant au corps ce chien mort, juste à quelques mètres du manguier. Je suis chez moi avec cette racaille qui s'entredévore comme des chiens enragés. J'installe ma vieille Remington dans ce quartier populaire, au milieu de cette foule en sueur. Foule hurlante. Cette cacophonie incessante, ce désordre permanent – je le ressens aujourd'hui – m'a quand même manqué ces dernières années. Je me souviens qu'au moment de quitter Haïti, il y a vingt ans, j'étais parfaitement heureux d'échapper à ce vacarme qui commence à l'aube et se termine tard dans la nuit. Le silence n'existe à Port-au-Prince qu'entre une heure et trois heures du matin. L'heure des braves. La vie ne peut être que publique dans cette métropole étonnamment surpeuplée (une ville construite pour à peine deux cent mille habitants qui se retrouve aujourd'hui avec près de deux millions d'hystériques).

Il y a vingt ans, je voulais le silence et la vie privée. Aujourd'hui, je n'arrive pas à écrire si je ne sens pas les gens autour de moi, prêts à intervenir à tout moment dans mon travail pour lui donner une autre direction. J'écris à ciel ouvert au milieu des arbres, des gens, des cris, des pleurs. Au cœur de cette énergie caraïbéenne. Avec une cuvette d'eau propre, pas trop loin, pour me rafraîchir le corps (le visage et le torse) quand l'atmosphère devient insoutenable. L'air irrespirable. L'eau gicle partout. Denrée rare. Après cette brève toilette, je retourne à grandes enjambées vers ma table bancale pour me remettre à taper comme un forcené sur cette machine à écrire qui ne m'a jamais quitté depuis mon premier bouquin. Un vieux couple. On a connu des temps durs, ma vieille. Des jours avec. Des jours sans. Des nuits fébriles.

Curieusement, c'est une machine qui m'a permis d'exprimer ma rage, ma peine ou ma joie. Je ne crois pas que ce soit uniquement une machine. Des fois, je l'entends gémir quand elle sent que je suis triste, ou grincer des dents quand elle entend gronder ma colère. J'écris tout ce que je vois, tout ce que j'entends, tout ce que je sens. Un vrai sismographe. Subitement, je lève la Remington à bout de bras vers le ciel net et dur de midi. Écrire plus vite, toujours plus vite. Non que je sois pressé. Je m'active comme un fou alors que, autour de moi, tout va si lentement. Je finis à peine une histoire

qu'une autre déboule. Le trop-plein. J'entends la voisine expliquer à ma mère qu'elle connaît ce genre de maladie.

— Oui, chère, depuis qu'il est arrivé, il passe son temps à taper sur cette maudite machine.

— Il paraît, dit la voisine, que cette maladie ne frappe que les gens qui ont vécu trop longtemps à l'étranger.

— Est-ce qu'il est devenu fou? demande anxieusement ma mère.

— Non. Il lui faut simplement réapprendre à respirer, à sentir, à voir, à toucher les choses différemment.

La voisine ajoute qu'elle connaît un remède qui pourrait m'aider à retrouver un rythme normal. Je ne veux pas de thé calmant. Je veux perdre la tête. Redevenir un gosse de quatre ans. Tiens, un oiseau traverse mon champ de vision. J'écris : oiseau. Une mangue tombe. J'écris : mangue. Les enfants jouent au ballon dans la rue parmi les voitures. J'écris : enfants, ballon, voitures. On dirait un peintre primitif. Voilà, c'est ça, j'ai trouvé. Je suis un écrivain primitif.

Extrait de : Un pays sans chapeau par Dany Laferrière

Pays sans chapeau, c'est ainsi qu'on appelle l'au-delà en Haïti parce que personne n'a jamais été enterré avec son chapeau.

Pays sans chapeau de Dany Laferrière, Éditions du Boréal, 2006, p. 13–15.

s'accrocher	to hold on to	corps (m.)	body
s'activer	to hurry up	cri (m.)	shout
affamé (e)	starving	cuvette (f.)	basin
arriver à écrire	to manage to	débouler	to come hurtling
aube (f.)	dawn	désordre (m.)	disorder
autour	around	denrée (f.)	rare commodity
bancal (e)	shaky	dur (e)	hard
bouquin (m.)	book	échapper	escape
bout de bras	at arm's length	enjambée (f.)	stride
caillou (m.)	rock	enterrer	to bury
champ de vision (m.)	field of vision	s'entredévorer	to devour
chapeau (m.)	hat	étranger : à l'—	abroad
ciel ouvert (m.)	open sky	fébrile	restless
coincé (e)	stuck	forcené (e)	madman
colère (f.)	anger	foule (f.)	crowd

frapper	to hit	**peintre** (m.)	painter
gémir	to moan	**perdre**	to lose
genre (m.)	kind	**pleurs** (m. pl.)	tears
gens (f.)	people	**racaille** (f.)	riffraff
gicler	splash	**réapprendre**	to learn again
gosse (f.m.)	kid	**redevenir**	to become again
grincer des dents	to grind your teeth	**ressentir**	to feel
gronder	to reprimand	**rire**	to laugh
guérir	to cure	**sentir**	to smell
hurlant (e)	screan	**sismographe**	seismograph
incessant (e)	ceaseless	**souvenir**	to remember
insoutenable	unsustainable	**sueur** (f.)	sweat
irrespirable	unbreathable	**surpeuplé (e)**	overpopulated
loin	far	**talon** (m.)	heel
manguier (m.)	mango tree	**taper**	to type
manquer	to miss	**toilette : faire sa —**	to have a wash
maudit (e)	wretched	**trop-plein** (m.)	outpouring
mouche (f.)	fly	**vacarme** (m.)	racket
peine (f.)	sorrow		

QUESTIONS

1. Pourquoi Dany Laferrière est-il si anxieux de se mettre à sa table de travail?
2. Où s'installe-t-il avec sa vieille Remington?
3. Pourquoi l'écrivain a-t-il quitté Haïti, il y a vingt ans?
4. Comment décrit-il sa manière d'écrire?
5. Quelle conscience prête l'auteur à sa machine à écrire?
6. Que veut-il dire quand il se compare à un sismographe?
7. De quelle maladie serait-il atteint selon la voisine et que suggère-t-elle pour le guérir?
8. Pourquoi l'écrivain refuse-t-il le remède?
9. Que signifie pour l'auteur être un écrivain primitif?

SITUATIONS – CONVERSATIONS

1. Connaissez-vous la littérature française et la littérature canadienne-française?

   Qui a écrit:

   a) *Le Médecin malgré lui* b) *Une Saison dans la vie d'Emmanuel* c) *Bonheur d'occasion*
   d) *À la recherche du temps perdu* e) *Les Anciens Canadiens* f) *Le Cid* g) *Les Mémoires*
   h) *La Sagouine* i) *Les Fleurs du mal* j) *Prochain épisode* k) *Les Songes en équilibre* l) *Madame Bovary* m) *Le Lac* n) *Agaguk* o) *L'Avalée des avalées* p) *Le Bateau ivre* q) *La Femme de trente ans*
   r) *Candide* s) *Phèdre* t) *Les Belles-sœurs* u) *Le Deuxième sexe* v) *François le Champi?*
   (Voir réponses plus bas).

   Racine, Corneille, Hugo, Rousseau, Balzac, Proust, Verlaine, Rimbaud, Prévert, Baudelaire, Flaubert, Lamartine, Voltaire, St-Simon, Molière, de Beauvoir, Sand, Philippe Aubert de Gaspé, Émile Nelligan, Gabrielle Roy, Anne Hébert, Réjean Ducharme, Yves Thériault, Michel Tremblay, Hubert Aquin, Marie-Claire Blais, Antonine Maillet.

2. Création collective. Chaque étudiant(e) compose une phrase pour former une histoire. Choisissez un héros ou une héroïne, définissez le décor, trouvez une mission, des épreuves et une récompense si la mission est accomplie. N'oubliez pas la morale de l'histoire.

Réponses à l'exercice 1:

1. a) M. b) M.-C.B. c) G.R. d) Pr. e) P.A.-G. f) C. g) ST-S. h) A.M. i) Ba. j) H.A. k) A.H. l) F. m) L. n) Y.T. o) R.D. p) E.N. q) Bal. r) Vo. s) Ra t) M.T. u) de Be. v) S.

COMPOSITIONS

((•—|Listen on **myfrenchlab**

1. Composez un court poème et commencez par: Si j'avais le choix...
2. Connaissez-vous un auteur haïtien? Parlez de ses œuvres et dites pourquoi vous les aimez.

 # PRONONCIATION

(Students and instructors can listen to the audio track for this exercise on MyFrenchLab.)

I. Le son s (/s/)

The sound /s/ is associated with the following letters:

1) **s**: savant, danser, autobus

2) **ss**: masse, brosser

3) **c** or **sc** before vowels other than **a, o,** and **u**: cirer, cinq, cendre, ce, cette, céder, ceux, science, scène, scie

4) **ç**: before **a**, **o**, and **u**: façade, maçon, déçu

5) **t** in the endings **-tie, -tiel, -tier, -tial, -tiaux, -tieux, -tion**: démocratie, confidentiel, initier, partial, impartiaux, ambitieux, nation

II. Contraste /s/ – /z/

1) The sound /z/ is associated with
   a) the letter **z**: zone, bronze, douze
   b) the letter **s** between two oral vowels and between an oral vowel and a silent **e**.

Répétez:

base	heureuse	loisir	désert
rose	église	saisir	cuisine
chose	refuse	raison	jalousie
mise	avise	présent	télévision
muse	arrose	viser	fusil

2) The letter **s** is pronounced /s/ when it is placed at the beginning of a word, after a nasal vowel and before or after a consonant.

Répétez:

sa	se	chanson	consoler	ustensile
si	sous	insister	vaste	université
son	anse	insuffisant	disque	bourse

3) Contraste /s/ – /z/

Répétez:

a) basse / base   chausse / chose   douce / douze   acé / rasé   rossée / rosée
   casse / case   crisse / crise   lisse / lise   embrasser / embraser   visser / visée

b) elles s'attendent / elles attendent   sont / ils ont
   ils s'oublieront / ils oublieront   elles sont / elles ont
   elles s'écoutaient / elles écoutaient   ils s'aident / ils aident
   ils s'accompagnent / ils accompagnent   ils s'aiment / ils aiment
   elles s'offriront / elles offriront   ils s'usent / ils usent

MyFrenchLab Visit MyFrenchLab to access additional resources such as audio exercises, the *Cahier de laboratoire*, and web destinations.

© lightpoet/Fotolia.com

Les nouvelles technologies

MyFrenchLab

Visit MyFrenchLab to access additional resources, including

- *Cahier de laboratoire*
- Self-grading assessments
- Audio exercises
- Grammar primers and tutorials

Thèmes

- Le rôle de la technologie dans ma vie
- Mes actions hypothétiques au passé
- Des conseils d'amis
- Exprimer le passé dans le passé
- Exprimer des regrets
- Exprimer l'enchainement logique d'évènements
- La routine; la négation
- Les bonnes résolutions

Grammaire

16.1 Le conditionnel passé

16.2 Le plus-que-parfait

16.3 La phrase conditionnelle au passé

16.4 Les adjectifs indéfinis *chaque* et *aucun*

16.5 Verbes suivis de *à* ou *de* + infinitif

16.6 Expressions d'enchainement logique

Lecture

Injuste le progrès

VOCABULAIRE UTILE

Noms

achat (m.)	shopping	**clavarder**	to chat on the computer
apport (m.)	contribution	**corriger**	to correct
autoroute (f.)	highway	**effacer**	to delete
citoyen, citoyenne	citizen	**enregistrer**	to save
clé USB (f.)	USB flash drive, pen drive	**envoyer**	to send
comptabilité (f.)	accounting	**éviter**	to avoid
copain, copine	buddy	**inquiéter**	to worry
données (f.pl.)	data	**interrompre**	to abort, to interrupt, to terminate
dossier (m.)	folder		
fiche technique (f.)	technical data sheet	**naviguer**	to browse
fichier (m.)	file	**partager**	to share
fric (m.)	dough (money)	**rater**	to fail
image (f.)	picture	**sauvegarder**	to save (on computer)
imprimante (f.)	printer		
informaticien, informaticienne	computer scientist	**sélectionner**	to select
		souhaiter	to wish
internaute	internet user	**utiliser**	to use
logiciel (m.)	software	**télécharger**	to download
manette (f.)	controller	**visionner**	to view
mensonge (m.)	lie		
réseaux sociaux (m.pl.)	social networking sites		

Adverbe

ensemble	together

réseautage (m.)	networking
salle (f.)	room
toile (f.)	web
traitement de texte (m.)	word processor
vélo (m.)	bicycle

Conjonctions

ainsi	thus, this way
cependant	nevertheless
enfin	finally
mais	but
néanmoins	nevertheless
pourtant	however
puis	then

Adjectifs

crevé(e)	exhausted
malhonnête	dishonest
moche	ugly

Expression

technologie de pointe	high-tech

Verbes

(se) brancher	to connect up

GRAMMAIRE ET EXERCICES ORAUX

16.1 Le conditionnel passé

The past conditional is a compound tense. It is formed by using the present conditional of the auxiliary verb (**avoir** or **être**) and the past participle of a verb.

penser

j'	aurais **pensé**	nous	aurions **pensé**
tu	aurais **pensé**	vous	auriez **pensé**
il / elle / on	aurait **pensé**	ils / elles	auraient **pensé**

aller

je	serais **allé(e)**	nous	serions **allé(e)s**
tu	serais **allé(e)**	vous	seriez **allé(e)(s)**
il / on	serait **allé**	ils	seraient **allés**
elle	serait **allée**	elles	seraient **allées**

se promener

je	me serais **promené(e)**	nous	nous serions **promené(e)s**
tu	te serais **promené(e)**	vous	vous seriez **promené(e)(s)**
il / on	se serait **promené**	ils	se seraient **promenés**
elle	se serait **promenée**	elles	se seraient **promenées**

The past conditional expresses an action or event that *would have* taken place in the past under some appropriate set of circumstances:

> **Dans ce cas-là, je ne serais pas venu(e).**
> In that case, I would not have come.

> **Sans l'ordinateur, je n'aurais pas réussi.**
> Without the computer, I would not have succeeded.

Whereas the present conditional expresses a possibility in the present or the future and may be used to indicate a wish, the past conditional expresses a possibility that no longer exists and may be used to express regret. Compare:

> **J'aimerais acheter des logiciels.**
> I would like to buy some software.

> **J'aurais aimé acheter des logiciels.**
> I would have liked to buy some software.

EXERCICES ORAUX

a. Répondez selon le modèle.

> *Modèle:* Il a suivi ce cours difficile. (moi)
>
> *Moi, je ne l'aurais pas suivi.*

1. Nous avons réussi à l'examen. (eux)
2. Elle a attendu toute la soirée. (lui)
3. J'ai jeté mes vieux appareils photos. (nous)
4. Il lui a prêté son ordinateur. (moi)
5. Elles sont sorties du site de réseautage. (nous)
6. Papa est monté sur le toit. (moi)
7. Ils sont allés en Alaska. (toi)
8. Josette est revenue de Floride. (lui)
9. Il s'est baigné dans un lac pollué. (nous)
10. Elle s'est inquiétée parce que son mari était en retard. (moi)
11. Ils se sont bien entendus avec leurs correspondants. (nous)

b. *Ah! Tu aurais dû...* Répondez selon le modèle (Attention aux pronoms!).

> *Modèle:* Le prof est furieux contre moi.
>
> *Ah! Tu aurais dû lui parler.*

1. Mon ordinateur ne fonctionne pas.
2. Je n'avais pas de clé USB.
3. Je n'avais pas d'argent.
4. Mon dernier logiciel est inadéquat.
5. J'ai raté mon examen d'informatique.
6. J'ai attendu le technicien toute la journée.

c. *Des regrets!* Dis-moi:

1. Où aurais-tu préféré naitre?
2. Dans quels pays aurais-tu aimé voyager?
3. Dans quelle ville aurais-tu voulu habiter?
4. Quel personnage aurais-tu souhaité connaitre?
5. Combien d'argent aurais-tu espéré gagner?
6. Avec qui aurais-tu désiré passer la fin de semaine?
7. À quel restaurant aurais-tu voulu prendre un lunch?
8. À quelle activité aurais-tu souhaité participer?

16.2 Le plus-que-parfait

The **plus-que-parfait** (pluperfect) is a compound tense in the indicative mood. It is formed using the **imparfait** of the auxiliary verb (**avoir** or **être**) and the past participle of the verb:

Il était arrivé en retard.
He had arrived late.

J'avais déjà répondu.
I had already answered.

The pluperfect is used to indicate that a past action or event occurred before another past event, or in the remote past. (This aspect will be detailed in Chapitre 21.) It is also used in **si** clauses in conditional sentences when the past conditional is used in the main clause.

attendre

j'	avais **attendu**	nous	avions **attendu**
tu	avais **attendu**	vous	aviez **attendu**
il / elle / on	avait **attendu**	ils / elles	avaient **attendu**

venir

j'	étais **venu(e)**	nous	étions **venu(e)s**
tu	étais **venu(e)**	vous	étiez **venu(e)(s)**
il / on	était **venu**	ils	étaient **venus**
elle	était **venue**	elles	étaient **venues**

se reposer

je	m'étais **reposé(e)**	nous	nous étions **reposé(e)s**
tu	t'étais **reposé(e)**	vous	vous étiez **reposé(e)(s)**
il / on	s'était **reposé**	ils	s'étaient **reposés**
elle	s'était **reposée**	elles	s'étaient **reposées**

 EXERCICES ORAUX

a. *Trop tard!* Quand je suis arrivé(e)...

> *Modèle:* Le train est parti.
> *Quand je suis arrivé(e), le train était parti.*

1. Il a déjà lu son message.
2. Il est rentré depuis longtemps.
3. Vous avez déjà visionné le DVD.
4. Elles ont vu le film sur la toile.
5. Il a déjà fini son travail.
6. Paul est parti.
7. Ils n'ont pas répondu à mon texte.

b. Pourquoi est-ce que / qu'...

> *Modèle:* tu n'as pas voulu régler le problème?
> *J'avais déjà réglé le problème.*

1. tu n'as pas voulu le texter?
2. il n'a pas voulu aller au café Internet?
3. elle n'a pas voulu voir cet agenda électronique?
4. ils n'ont pas voulu se brancher?
5. tu n'as pas voulu clavarder au café?
6. elles n'ont pas voulu suivre ce cours?
7. il n'a pas voulu acheter ce logiciel?
8. il n'a pas voulu envoyer ton message texte?

16.3 La phrase conditionnelle au passé

When a conditional sentence refers to the past, the **plus-que-parfait** is used in the **si** (if) clause and the past conditional in the main (result) clause:

> **S'il avait plu, nous ne serions pas sortis.**
> If it had rained, we would not have gone out.

> **Il aurait déjà répondu s'il avait reçu le message.**
> He would have answered already if he had received the message.

The conditional sentence may be formed using the following patterns:

Si Clause	Main Clause
indicatif présent	indicatif présent
	futur
	impératif
imparfait	conditionnel présent
plus-que-parfait	conditionnel passé

 EXERCICES ORAUX

a. Mettez les phrases au passé selon le modèle.

Modèle: S'il *neigeait*, je (faire) du ski.
S'il avait neigé, j'aurais fait du ski.

1. S'il *faisait* mauvais, je ne (sortir) pas.
2. Si je le *voyais*, je lui (parler).
3. Si nous n'*avions* pas de devoirs, nous (aller) au cinéma.
4. Il te (prêter) ses CD si tu en *avais* besoin.
5. Il t'(écouter), si tu *voulais* lui expliquer tes problèmes.
6. Si vous *veniez* plus tôt, nous (avoir) le temps de clavarder.
7. Il me (texter), s'il *voulait* me voir.
8. Tu (avoir) des notes moches, si tu *remettais* ce travail.
9. Si tu *utilisais* un bon logiciel de traitement de texte, il (corriger) tes erreurs.

b. Qu'aurais-tu fait...

1. si tu avais eu mal à la tête? Je...
2. si tu étais devenu(e) millionnaire? Je...
3. si tu avais économisé de l'argent? Je...
4. si tu avais eu du talent? Je...
5. si tu étais né(e) en Afrique? Je...
6. si tu n'étais pas entré(e) à l'université? Je...

c. Nommez...

1. une chose que vous n'auriez pas dû faire
2. une chose que vous n'auriez pas dû dire
3. une injustice qui n'aurait pas dû exister
4. un voyage que vous n'auriez pas dû entreprendre
5. un personnage qui n'aurait pas dû être au pouvoir
6. un instrument duquel vous auriez aimé jouer
7. un film que vous auriez voulu voir
8. un pays que vous auriez voulu visiter
9. un monument que vous auriez voulu voir

16.4 Les adjectifs indéfinis *chaque* et *aucun*

Chaque and **aucun** are indefinite adjectives (like **tout, quelques,** and **plusieurs**).

1) **Chaque** means "each" and is invariable:

Chaque jour, il va clavarder avec des amis.	Each day, he will chat with friends.
Chaque internaute est différent.	Each internet user is different.

* Note

Note the expression **chaque fois que** (each time that/whenever):

Chaque fois qu'il boit, il est malade.

Each time he drinks, he is sick.

2) **Aucun** means "not one." It agrees in gender with the noun modified: Its feminine form is **aucune. Aucun(e)** is always used with **ne** that precedes the verb:

Aucun étudiant n'est venu.	Not one student came.
Il n'a aucun ami sur le réseau social.	He does not have a single friend on the social network.
Je ne joue d'aucun instrument.	I do not play a single instrument.

 EXERCICES ORAUX

a. La routine.

1. Qu'est-ce que tu fais chaque matin? chaque soir?
2. Avec qui est-ce que tu clavardes chaque jour?
3. Est-ce que tu viens chaque jour à l'université?
4. Vas-tu chaque semaine sur les réseaux sociaux?
5. Parles-tu à chaque type que tu rencontres?
6. T'intéresses-tu à chaque article du forum?
7. Réussis-tu à chaque examen?

b. Chaque fois...

1. Chaque fois que je vais en voyage...
2. Chaque fois que j'ai mal à la tête...
3. Chaque fois que je réussis à un examen...
4. Chaque fois que je tombe amoureux(euse)...
5. Je fais du ski chaque fois que...
6. Je travaille beaucoup chaque fois que...
7. Chaque fois que je bois du vin, je...
8. Je perds la tête chaque fois que...

c. L'ordinateur ne fonctionne pas. Répondez en employant *aucun... ne* ou *ne... aucun*.

Modèle: Quel film as-tu regardé hier soir?

Je n'ai regardé aucun film.

1. Quel logiciel as-tu utilisé?
2. À quel technicien as-tu parlé?
3. A-t-il résolu le problème?
4. As-tu branché l'imprimante?
5. As-tu enregistré un document?
6. Quel fichier as-tu effacé?
7. Le CD est-il sorti?
8. As-tu aperçu l'image à l'écran?

d. Vrai ou pas vrai?

Modèle: Tu as fait une erreur.

Ce n'est pas vrai. Je n'ai fait aucune erreur.

1. Ce blogueur a dit un mensonge.
2. Tous les programmes sont difficiles.
3. Ce cours a déçu plusieurs étudiants.
4. Il y a des virus sur mon ordi.
5. Beaucoup d'informaticiens sont riches.
6. Ce chef du syndicat a quelques ennemis.

16.5 Verbes suivis de *à* ou *de* + infinitif

A number of verbs require no preposition when followed by an infinitive. Other verbs require the prepositions **à** or **de**.

Verbs requiring *de* before an infinitive

accepter de (to accept)	Il a accepté de nous enseigner l'informatique.
cesser de (to stop)	J'ai cessé de travailler il y a un an.
décider de (to decide)	Nous avons décidé de partir plus tôt.
demander à quelqu'un de (to ask)	Il me demande de devenir son ami.
dire à quelqu'un de (to tell)	Elle lui a dit de vous texter.
essayer de (to try)	Ils essaient de parler français.
finir de (to finish)	Il finit de travailler à trois heures.
permettre à quelqu'un de (to allow)	Son père leur permet de clavarder sur internet.
promettre à quelqu'un de (to promise)	J'ai promis à ma copine de rentrer tôt.
oublier de (to forget)	J'ai oublié de fermer l'ordi.
regretter de (to regret)	Je regrette d'être en retard.
refuser de (to refuse)	Il refuse de répondre à mon texte.

Verbs requiring *à* before an infinitive

apprendre à (to learn)	Nous apprenons à utiliser un logiciel de traitement de texte.
aider quelqu'un à (to help)	Mon ami m'aide à me familiariser avec les jeux vidéo.
commencer à (to begin)	Il commence à comprendre sa tablette numérique.
continuer à (to continue)	Continuez à faire des progrès.
hésiter à (to hesitate)	Elle n'a pas hésité à se brancher sur Internet.
inviter quelqu'un à (to invite)	Nous les avons invités à clavarder chez nous.
se mettre à (to start)	Elle s'est mise à étudier l'informatique.
réussir à (to succeed)	J'ai réussi à effacer le virus.

 ## EXERCICES ORAUX

a. Répondez selon le modèle. Employez le passé composé dans la réponse.

Modèle: Est-ce qu'il va venir? (non, refuser)
Non, il a refusé de venir.

1. Est-ce que tu joues de la guitare? (oui, apprendre)
2. Est-ce qu'ils travaillent plus tard? (non, finir)
3. Est-ce qu'elle fait du ski? (oui, se mettre)
4. Est-ce que tu travailles chez Tecknika? (non, cesser)
5. Est-ce qu'il télécharge le guide d'installation? (oui, commencer)
6. Est-ce qu'elles vont rentrer tôt? (oui, promettre)
7. Est-ce qu'il a une tablette électronique? (oui, acheter)
8. Est-ce que tu apportes un ordinateur portatif? (non, oublier)
9. Est-ce que tu fais de la comptabilité? (oui, essayer)
10. Est-ce que vous achetez une console portable de jeux vidéo? (oui, décider)

b. Répondez selon le modèle. Employez *je* et le passé composé dans la réponse.

Modèle: Est-ce que Jean va téléphoner? (dire)
Oui, je lui ai dit de téléphoner.

1. Est-ce que ton petit frère écoute ton baladeur? (permettre)
2. Est-ce que ta sœur apprend le piano? (aider)
3. Est-ce que Simon et Chantal vont venir dîner? (inviter)
4. Est-ce que tes copains te donnent des conseils? (demander)
5. Est-ce que tes amis vont t'attendre? (dire)

c. *Les bonnes résolutions.* À partir d'aujourd'hui, je vais...

1. essayer de _____.
2. décider de _____.
3. ne pas oublier de _____.
4. me mettre à _____.
5. réussir à _____.
6. commencer à _____.
7. promettre de _____.
8. cesser de _____.

16.6 Expressions d'enchainement logique

When speaking or writing, one tries to order events and ideas into logical sequences. A number of words and expressions are used in making explicit connections between clauses and sentences to achieve that purpose. Here are a few common ones:

1) Chronological sequence

d'abord (first) **ensuite / puis** (then/next) **enfin** (finally)

D'abord, il s'est levé, **puis** il s'est lavé et s'est habillé.

Ensuite, il est sorti et il est allé prendre l'autobus.

Enfin, il est arrivé au bureau.

2) Logical consequences

ainsi (thus/this way) **donc** (thus/hence)

par conséquent (therefore/consequently)

c'est pourquoi (that is why)

Il étudiait très fort. **Ainsi**, il a réussi brillamment.

On ne peut pas changer cette situation. Il faut **donc** l'accepter.

Tu n'études pas, tu ne vas pas aux cours et tu n'aimes pas l'université. **Par conséquent** tes résultats sont très mauvais.

J'étais crevé; **c'est pourquoi** je n'ai pas pu venir au rendez-vous.

3. Opposition

mais (but) **cependant / pourtant** (however/yet)

néanmoins (nevertheless)

Il l'aime, **mais** elle, elle ne l'aime pas.

Elle est intelligente, jolie, sportive, et **pourtant** elle est timide.

Vous avez probablement raison, **cependant** je ne partage pas votre avis.

Ce n'est pas un travail très agréable; il faut **néanmoins** le faire.

 EXERCICES ORAUX

a. La chronologie.

> *Modèle:* As-tu imprimé le document tout de suite après?
> *Non, d'abord je l'ai enregistré, ensuite je l'ai imprimé.*

1. As-tu sélectionné une fonction tout de suite après? (consulter le fichier)
2. Es-tu allé(e) au centre de documentation tout de suite après? (téléphoner)
3. As-tu répondu au message tout de suite après? (réfléchir)
4. As-tu acheté la console de jeux vidéo tout de suite après? (essayer)
5. As-tu appelé le serveur tout de suite après? (consulter le guide)

b. Les conséquences logiques.

> *Modèle:* J'ai raté l'autobus. Je suis en retard.
> *J'ai raté l'autobus; c'est pourquoi je suis en retard.*

1. Pierre clavarde trop tard. Il est toujours fatigué.
2. Ce logiciel est facile. Jean le comprend bien.
3. Jim ne pratique pas assez. Il n'est pas un expert.
4. Elle a un téléphone portable. Elle est très satisfaite.
5. On ne peut pas changer la fiche technique. Il faut l'accepter.

c. L'opposition.

> *Modèle:* Jeanne étudie beaucoup. Elle ne réussit pas.
> *Jeanne étudie beaucoup, pourtant elle ne réussit pas.*

1. C'est un type intelligent. Il a de graves défauts.
2. Vous ne voulez pas vous marier. Vous voulez des enfants.
3. C'est une figuration difficile. Il faut la faire.
4. Elle l'aime. Elle est désagréable avec lui.
5. Mon ordinateur est efficace. Il ne fonctionne pas très bien.

 EXERCICES ÉCRITS

a. Mettez le verbe au conditionnel passé (attention à l'accord du participe passé).

1. Tu (réussir) à naviguer sur la toile.
2. Il (prendre) l'avion pour New York.
3. Nous (se promener) dans les bois.
4. Vous (faire) du ski de fond.
5. Ils (préférer) interrompre la communication.
6. Je (ne pas savoir) répondre à cette question.
7. Elles (revenir) en train.
8. Tu (avoir) un moniteur gratuit.
9. Je (ne pas être) heureux(euse) dans cette classe.
10. Elles (se rencontrer) pour en parler.
11. Suzanne (s'habituer) à cette console de jeux vidéo sans manette.
12. Ils (se rendre) à Montréal tout de suite.

b. Changez les temps des verbes: mettez-les au plus-que-parfait et au conditionnel passé, selon le cas.

1. Si j'étais impatient(e), je ne réussirais pas.
2. Je voyagerais plus souvent si j'avais un peu de fric.
3. S'il pleuvait, je prendrais ma voiture.
4. Si je savais la réponse, je ne te la demanderais pas.
5. Je prendrais un café si je n'étais pas en retard.
6. Personne ne l'écouterait s'il n'était pas un expert.
7. Si Simone devenait internaute, elle aurait un réseau d'amis.
8. Tu t'ennuierais si tu ne possédais pas d'ordi.

c. Transformez les phrases selon le modèle: une phrase avec *chaque*, une phrase avec *aucun(e)*.

   Modèle: Je connais quelques étudiants dans la classe.

   Je connais chaque étudiant dans la classe.
   Je ne connais aucun étudiant dans la classe.

   1. Il a répondu à quelques textes.
   2. Quelques jeux sont intéressants.
   3. Quelques universités ont plusieurs salles d'informatique.
   4. Elle a réussi à quelques examens.

d. Complétez les phrases.
   1. Pour trouver un emploi, il faut d'abord...
   2. Il possède une tablette numérique, c'est pourquoi...
   3. J'ai mis mon profil sur le site de réseautage, ainsi...
   4. Tu devrais d'abord terminer tes études, ensuite...
   5. Je n'aime pas les jeux vidéo, et pourtant...
   6. Les cours finissent la semaine prochaine; enfin...
   7. Je n'ai pas assez d'argent pour avoir une voiture, par conséquent...
   8. Cet informaticien n'a pas un talent extraordinaire, néanmoins...

e. Remplacez les tirets par les prépositions *à* ou *de / d'*.
   1. Il m'a demandé _____ communiquer avec lui.
   2. Je continue _____ suivre des cours de multimédia.
   3. Elle a refusé_____ faire des achats en ligne.
   4. Il n'aurait pas réussi _____ faire ce travail sans toi.
   5. Essayez _____ ne pas fumer.
   6. N'oubliez pas_____ apporter vos téléphones portables.
   7. Il n'a pas commencé _____ utiliser le traitement de texte.
   8. N'hésite pas _____ me texter.
   9. Mon père ne me permettra pas _____ travailler dans un bar.
   10. Tu devrais cesser _____ perdre tes données.
   11. Nous les inviterons _____ clavarder.

Lecture

Injuste le progrès!

© Gareth Boden, Pearson Education Ltd.

Nous sommes des animaux dénaturés. Dé-naturés, devrais-je écrire pour mieux signifier que nous sommes "sortis" de la nature. Complètement et depuis longtemps.

Et comment nous sommes-nous ainsi "extraits" de notre condition animale? En apprenant à parler et à penser, bien sûr. Mais aussi – et – beaucoup – en fabriquant des outils et, très tôt dans notre histoire, des machines. Si notre appartenance à l'espèce *Homo sapiens* n'est pas toujours évidente, une chose est sûre: nous sommes de plus en plus de l'espèce *homo technologicus*.

C'est que la technologie, comme du reste sa grande soeur la connaissance, se nourrit d'elle-même pour progresser. C'est sa première force. Les outils et les machines servent à fabriquer d'autres outils et d'autres machines. Les inventions s'additionnent et se combinent entre elles. Vous avez le moteur à explosion, et vous permettez la panoplie des moyens de transport. Vous mettez au point le transistor ou le circuit imprimé, et l'électronique explose en tous sens. Vous trouvez comment brancher l'ordinateur sur les réseaux de communication avec ou sans fils, et vous obtenez l'internet.

En se développant, la technologie accélère son développement. C'est une autre de ses forces. Les paysans du 19ᵉ siècle vivaient et travaillaient grosso modo comme ceux des siècles précédents. Dans la première moitié du 20ᵉ, la mécanisation de l'agriculture et l'électrification des campagnes ont commencé à changer le métier. Aujourd'hui, un producteur agricole est à la tête d'une entreprise quasi industrielle où la technologie est omniprésente. Et plus complexe qu'il y a 30 ans, ou même seulement 15 ans. Les champs sont passés au microscope. Les bêtes sont devenues des machines à produire du lait ou des côtelettes. L'informatique et la génétique ont remplacé le bucolique.

Santé, transports, communications, alimentation, travail, loisirs, vie quotidienne, tâches domestiques... tout est ou sera frappé de la baguette magique de l'innovation technologique. Dans 10 ou 15 ans, la génétique aura changé en profondeur la médecine et la pharmacologie. Les ordinateurs seront devenus vraiment intelligents. Le frigo tiendra l'inventaire de son contenu et passera la commande à l'épicerie. Nous serons sur le point de nous installer sur la Lune ou de nous envoler pour Mars. La technologie, surtout quand on la regarde avec la lorgnette de la prospective, est une puissante machine à faire rêver. Cela aussi, c'est une de ses grandes forces.

La technologie progresse à un rythme fulgurant dans certains domaines, par exemple la puissance et la miniaturisation des puces d'ordinateur. Mais elle avance à pas de tortue dans d'autres. Rappelons-nous le pari du président Nixon en 1971: vaincre le cancer en cinq ans. Plus de 30 ans après, le cancer est encore un coriace adversaire. Aujourd'hui être un illettré d'internet, un non-branché, ne doit pas être agréable: dans les médias, on n'en a plus que pour les sites Web et ce sont des populations entières qui sont oubliées par les avancées de la technologie. Les médicaments contre le sida ne se rendent pas ou si peu, en Afrique. Plusieurs milliards de personnes n'ont pas d'eau potable. On a encore faim dans de nombreux coins de la planète. Décidément, la technologie n'est pas la chose la mieux partagée: elle carbure à l'argent et ne sert bien que ceux qui en ont beaucoup. Elle n'a ni coeur ni morale. Lui insuffler de l'humanité est un défi constant, de plus en plus difficile à relever à mesure qu'elle étend et resserre son emprise sur nos sociétés.

Il y a aussi les effets pervers du progrès technologique. La révolution industrielle a permis une amélioration fabuleuse des conditions de vie dans les pays qu'elle a touchés. Mais elle a entraîné son lot de misère ouvrière, de gaspillage de ressources et de pollution. La voiture est un moyen pratique, mais elle joue un rôle de premier plan dans la crise des changements climatiques.

Les nouvelles technologies de l'information, du son et de l'image nous ont familiarisés avec le concept de réalité virtuelle. Mais ce que celles-ci permettent en manière de surveillance de la vie privée n'a rien de virtuel. Pourtant, la vraie faiblesse de la technologie me semble être dans son incapacité de nous aider à répondre aux questions qui nous préoccupent le plus profondément – les fameuses "Qui suis-je? D'où viens-je? Où vais-je? " Elle n'est pas faite pour cela. Quel ordinateur pourrait nous permettre de comprendre le sens de la vie? Quel logiciel pourrait nous aider à mieux orchestrer nos relations avec les autres et, surtout avec l'autre? Et le mystère têtu et absurde de la mort, quelle machine pourrait nous le faire percer?

La technologie change nos vies, parfois pour le meilleur et parfois pour le pire. Et même quand elle est une machine à beaux rêves comme dans l'aventure de la conquête spatiale, elle peut en un instant se transformer en machine à cauchemars. Comme avec Challenger en janvier 1986 et Columbia en février 2003.

De Yannick Villedieu – L'Actualité - Sept. 2003

amélioration (f)	improvement	**omniprésent,e**	ever present
carburer	to work	**oublié,e**	forgotten
cauchemar (m.)	nightmare	**outil** (m.)	tool
champ (m.)	field	**ouvrier,ère**	labourer
connaissance (f.)	knowledge	**panoplie** (f.)	variety
coriace	tenacious	**pari** (m.)	bet
défi (m.)	challenge	**partager**	to share
emprise (f.)	hold	**percer**	to penetrate
entraîner	to drag	**potable**	drinkable
étendre	to increase	**premier plan** (m.)	high profile
faim (f.)	hunger	**puce** (f.)	chip
frigo (m.)	fridge	**puissance** (f.)	power
fulgurant,e	dazzling	**relever**	to rise
gaspillage (m.)	waste	**reserrer**	to tighten
insuffler	to inspire	**rêve** (m.)	dream
lorgnette (f.)	spyglasses	**sida** (m.)	aids
métier (m.)	trade	**têtu,e**	stubborn
moyen (m.)	means	**tortue** (f.)	turtle

QUESTIONS

1. Comment, d'après le chroniqueur, les êtres humains sont-ils devenus des animaux dénaturés?
2. Quelles sont les grandes forces de la technologie, selon lui?
3. Comment les changements technologiques ont-ils transformé l'agriculture?
4. Que se passera-t-il d'ici 10 ou 15 ans d'après Villedieu?
5. Pourquoi la technologie progresse-t-elle de manière contradictoire?
6. Que signifie que la technologie n'a ni coeur, ni morale?
9. Enfin, quelle est la vraie faiblesse de la technologie selon l'auteur de l'article?

SITUATIONS – CONVERSATIONS

1. *Max le robot.*

   Max le robot aime les travaux ménagers. Remplissez les espaces vides avec les verbes et les mots choisis dans la liste.

   a) Max _____ le plancher de la cuisine avec une _____ et de l'_____ .

   b) Il _____ les vêtements dans la _____ .

   c) Il _____ le lave-vaisselle et _____ les plats dans l'_____ .

   d) Il _____ les lits le matin et _____ le déjeuner.

   e) Il _____ de bons petits plats et _____ la table pour le diner.

   f) Il _____ les tapis avec un _____ .

   g) Finalement, il _____ sur un _____ et _____ jusqu'à cinq heures.

   • nettoyer, cuisiner, se reposer, laver, vider, faire, dresser, s'assoir, mettre, ranger, préparer
   • brosse, commode, aspirateur, fauteuil, eau, armoire

2. Quels hommes ou femmes célèbres auriez-vous aimé connaitre?

3. Racontez un accident qui vous est arrivé et que vous auriez pu éviter.

4. Quelles qualités auriez-vous aimé posséder? Quels défauts vous auraient été utiles dans la vie?

5. Si vous aviez eu le pouvoir grâce à la réalité virtuelle, de changer quelque chose de votre passé, qu'auriez-vous changé?

6. Quel serait le rôle de la réalité virtuelle dans la vie d'un(e) étudiant(e), d'un(e) comptable, d'un(e) secrétaire, d'un médecin, d'un(e) simple citoyen / citoyenne?

7. L'informatique est-elle un apport important ou négligeable pour la société en général?

COMPOSITIONS

1. Si vous aviez vécu au XIXe siècle, comment aurait été votre vie? Racontez.

2. La technologie peut-elle être nuisible pour la société? Comment?

PRONONCIATION

((•─┤Listen on myfrenchlab

(Students and instructors can listen to the audio track for this exercise on MyFrenchLab.)

Les semi-voyelles oué et ué (/w/ – /ɥ/)

I. Le son oué (/w/)

The semi-vowel /w/ always precedes a vowel sound and is written **ou**:

> oui, bouée, louer, avouer

The letter sequences **oi** and **oy** are pronounced /wa/:

> roi, toi, soi, soyons, endroit, voyage

The sequence **oin** is pronounced /wa/:

> soin, lointain, foin, moindre

II. Le son ué (/ɥ/)

The semi-vowel /ɥ/ always precedes a vowel sound and is written **u**:

> buis, fui, muer, ruée, nuage, ruelle

Répétez:

bu / buée	rue / ruer	lu / lui	fu / fui
su / suer	mu / muer	pu / puis	nu / nuit

III. Contraste /w/ – / ɥ /

Répétez:

1. bouée / buée   nouée / nuée
   enfouir / enfuir   oui / huit
   louis / lui   rouée / ruée

2. Louez-lui celui-ci.
   Puisque Louis conduit la nuit.

MyFrenchLab   Visit MyFrenchLab to access additional resources such as audio exercises, the *Cahier de laboratoire*, and web destinations.

CHAPITRE 17

L'environnement

© Peter Christopher/Masterfile

MyFrenchLab

Visit MyFrenchLab to access additional resources, including

- *Cahier de laboratoire*
- Self-grading assessments
- Audio exercises
- Grammar primers and tutorials

Thèmes

- Les mesures à prendre pour protéger l'environnement
- Mon avenir: les choses que j'aurai accomplies
- Exprimer la manière de faire les choses et deux actions simultanées, et faire des recommandations
- Exprimer la négation et la restriction

Grammaire

17.1 Le futur antérieur

17.2 Les verbes irréguliers *ouvrir, offrir, souffrir*

17.3 Le participe présent

17.4 La négation

17.5 *Ne... que* (la restriction)

Lecture

La forêt qui chante

VOCABULAIRE UTILE

Noms

aliment (m.)	food
berge (f.)	riverbank
bouteille (f.)	bottle
bruit (m.)	noise
cabaret (m.)	tray
chanson (f.)	song
connaissance (f.)	knowledge
coupe à blanc (f.)	clear-cutting
course (f.)	shopping
déchet (m.)	waste
entorse (f.)	sprain
feu d'artifice (m.)	pyrotechnics, fireworks
herbe à puce (f.)	poison ivy
journal (m.)	newspaper
linge (m.)	clothes
loyer (m.)	rent
maringouin (m.) (Can.)	mosquito
ménage (m.)	housecleaning
moustique (f.)	mosquito
mort (f.)	death
nid (m.)	nest
nuage (m.)	cloud
oiseau (m.)	bird
orignal (m.)	moose
patte (f.)	animal leg, paw
pelle (f.)	shovel
pénurie (f.)	shortage
potager (m.)	kitchen garden
poubelle (f.)	garbage can

randonneur, randonneuse	hiker
rive (f.)	shore
savoir-faire (m.)	know-how
toit (m.)	roof
vêtement (m.)	clothing
vieillard(e)	old man/woman

Adjectifs

cassé(e)	broken
triste	sad

Verbes

apercevoir	to catch sight of
courir	to run
déboiser	to deforest
déverser	to unload
geler	to freeze
monter un projet	to design
nettoyer	to clean
rouler	to roll

Adverbes

beaucoup	a lot, a great deal
seulement	only

Préposition

contre	against

Expressions

en avoir assez, —marre (familier)	to have had enough

GRAMMAIRE ET EXERCICES ORAUX

17.1 Le futur antérieur

The **futur antérieur** (the future perfect tense) is a compound tense that consists of the future tense of the auxiliary verb (**avoir** or **être**) and the past participle of the verb.

finir

j'	aurai fini	nous	aurons fini
tu	auras fini	vous	aurez fini
il / elle / on	aura fini	ils / elles	auront fini

devenir

je	serai devenu(e)	nous	serons devenu(e)s
tu	seras devenu(e)	vous	serez devenu(e)(s)
il / on	sera devenu	ils	seront devenus
elle	sera devenue	elles	seront devenues

se laver

je	me serai lavé(e)	nous	nous serons lavé(e)s
tu	te seras lavé(e)	vous	vous serez lavé(e)(s)
il / on	se sera lavé	ils	se seront lavés
elle	se sera lavée	elles	se seront lavées

The future perfect indicates that a future action will have occurred before some other future action or some future moment.

> **J'*aurai fini*** de faire les courses quand tu rentreras.
> I will have finished shopping when you return.

> **Lorsque tu *seras arrivé(e)*** chez toi, tu me téléphoneras.
> When you have arrived at home, you will call me.

> **L'année prochaine, on *aura nettoyé*** les rivières.
> Next year, we will have cleaned the rivers.

> **J'*aurai terminé*** ma recherche avant cinq heures.
> I will have finished my research before five o'clock.

✱ Note

The future perfect, like the future tense, is used after *quand, lorsque, dès que, aussitôt que, tant que,* whereas the present perfect is used in English after the corresponding conjunctions:

> **Dès que tu auras cessé de fumer, tu iras mieux.**
> As soon as you quit smoking, you will feel better.

Il ne se reposera pas tant qu'il n'*aura* pas *terminé.*

He will not rest as long as he has not finished.

If the time lapse between both actions is minimal, the future tense rather than the future perfect is used after **dès que** and **aussitôt que**:

Il me textera dès qu'il *arrivera.*

He will text me as soon as he arrives.

 ## EXERCICES ORAUX

a. Répétez les phrases en employant les sujets entre parenthèses.

1. Nous (Marcel, mes parents, je) aurons produit des légumes bio.
2. Tu (il, vous, les étudiantes) auras appris à économiser l'eau.
3. Elle (nous, je, mes amis) aura nettoyé les rives de la rivière.
4. Je (tu, vous, Albert) serai parti(e) en expédition.
5. Vous (elle, je, nous) aurez fait des recherches sur le climat.
6. Ils (tu, Karine, vous) se seront impliqués en agriculture.

b. Qu'est-ce que vous aurez accompli dans dix ans?

1. Je (obtenir) mon diplôme en…
2. Je (quitter) cette ville.
3. Je (prendre) de longues vacances.
4. Je (acheter) un vélo.
5. Je (trouver) un emploi régulier.
6. Je (rencontrer) un(e) ami(e) sérieux(se).
7. Je (se marier) probablement.
8. Je (avoir des enfants).

c. Que fait-on après…

Modèle: Il apprendra le français, ensuite il ira au Québec. (quand)
Il ira au Québec quand il aura appris le français.

1. Je rencontrerai les spécialistes, ensuite je monterai un projet. (lorsque)
2. J'écrirai ce texte, ensuite nous irons au gym. (aussitôt que)
3. Elle achètera les aliments, ensuite elle préparera le repas. (quand)
4. Nous finirons notre discussion, ensuite je partirai. (dès que)
5. Il vendra sa technologie, ensuite il sera riche. (lorsque)
6. Tu gagneras assez d'argent, ensuite tu achèteras une tablette numérique. (dès que)

d. Complétez les phrases suivantes. Employez le futur antérieur.

1. Je te téléphonerai dès que…
2. Nous partirons en vacances aussitôt que…
3. Le jury prendra une décision dès que…
4. Je ne partirai pas tant que…
5. Vous viendrez me voir quand…
6. Tu me rendras ta réponse lorsque…

17.2 Les verbes irréguliers *ouvrir, offrir, souffrir*

Ouvrir means "to open" and is conjugated like regular **-er** verbs in the present indicative and the imperative.

	Présent de l'indicatif	*Impératif* *(2ᵉ personne)*	*Participe passé*	*Futur*	*Futur antérieur*
j'	**ouvre**	**ouvre**	**ouvert**	**j'ouvrirai**	**j'aurai ouvert**
tu	**ouvres**				
il / elle / on	**ouvre**				
nous	**ouvrons**				
vous	**ouvrez**				
ils / elles	**ouvrent**				

Plus-que-parfait	*Conditionnel présent*	*Conditionnel passé*
j'avais ouvert	**j'ouvrirais**	**j'aurais ouvert**

Offrir (to offer/to present someone with something) and **souffrir** (to suffer) are conjugated in the same way, and so are **couvrir** (to cover) and **découvrir** (to discover).

> Il fait chaud: "**Ouvre** la fenêtre!"
>
> Elle **a couvert** le toit de sa maison de plantes.
>
> Le ciel **se couvrait** de nuages.
>
> Nous **découvrirons** la solution au problème du déboisement.
>
> Il **offrait** des fleurs à toutes les femmes.
>
> Cet animal a eu la patte cassée: il **souffre** beaucoup.

 EXERCICES ORAUX

a. Répondez aux questions.

1. Comme il faisait chaud, j'ai ouvert la fenêtre de ma chambre. Et toi? Et vous?
2. Quand j'aurai allumé la télé, je regarderai la météo. Et elle? Et eux? Et vous?
3. Elle a offert un thé vert à ses invités. Et toi? Et tes parents?
4. Si vous aviez mieux cherché, vous auriez découvert la source du problème. Et moi? Et lui? Et elles?
5. Je me couvre chaudement quand on gèle. Et toi? Et lui? Et nous?

b. D'après vous...

1. Est-ce qu'il y a beaucoup d'oiseaux qui souffrent de la pollution de l'air?
2. Est-ce qu'on souffre de plus d'allergies aussi?
3. Est-ce qu'on découvrira un remède contre le SIDA d'ici dix ans?
4. Est-ce qu'on ouvre souvent des produits toxiques à la maison?
5. Est-ce que le ciel se couvre de nuages quand il y a un accident nucléaire?
6. Est-ce que les écologistes découvrent toujours les pollueurs?
7. Est-ce que l'air sain entrerait dans la classe si nous ouvrions les fenêtres?
8. Est-ce que nous offrirons une planète polluée à nos enfants?

17.3 Le participe présent

The present participle is formed by adding **-ant** to the stem of the first person plural form of the present indicative.

Infinitive (infinitif)	*Present tense* (*1st person plural*) (présent)	*Present participle* (participe présent)
appeler	nous **appel**ons	appelant
choisir	nous **choisiss**ons	choisissant
attendre	nous **attend**ons	attendant
aller	nous **all**ons	allant
faire	nous **fais**ons	faisant

Only three verbs do not conform to this pattern:

être ⟶ étant   **avoir** ⟶ ayant   **savoir** ⟶ sachant

The present participle is most often used after the preposition **en** to indicate

1) the means by which an end is achieved or the manner in which the action of the main verb is performed (**manière**):

   Elle a appris à respecter la nature en imitant sa mère.
   She learned to respect nature by imitating her mother.

2) the moment when the action described by the main verb occurs (**moment**):

   En voyant l'orignal, elle a eu peur.
   Upon seeing the moose (the moment she saw the moose), she got scared.

3) the background action during the performance of which the action described by the main verb occurs (**simultanéité**):

   Il chante en roulant à vélo.
   He sings while bicycling.

✳ Note

   In the negative, *ne* precedes the present participle and *pas* (or any other negative word) follows it:

   En *ne* respectant *pas* la nature, on provoque des catastrophes.

   An object pronoun is placed directly before the present participle:

   Le gouvernement a aidé ces petites compagnies en *leur* donnant des subventions.

The present participle without **en** is most often used in writing and usually indicates a causal connection:

Ne connaissant personne dans cette ville, il s'ennuyait.

As he did not know anybody…

Étant très occupé(e), je n'ai pas pu prendre de vacances.

Since I was very busy…

 EXERCICES ORAUX

a. Dites comment ça s'est passé (la manière). Utilisez *en* + *participe présent*.

> *Modèle:* Comment a-t-on pollué les plages? (On y a jeté des déchets.)
> *On a pollué les plages en y jetant des déchets.*

1. Comment a-t-on contaminé la mer?
   (On a déversé du pétrole.)
2. Comment a-t-on causé la mort des oiseaux?
   (On a détruit les nids.)
3. Comment a-t-on pollué l'atmosphère?
   (On a rejeté des gaz toxiques.)
4. Comment a-t-on déboisé les forêts?
   (On a coupé les arbres.)
5. Comment a-t-on tué certaines espèces animales?
   (On les a chassées sans restriction.)
6. Comment a-t-on dénaturé le paysage? (On a construit des autoroutes.)
7. Comment a-t-on sauvé des espèces végétales? (On a créé des parcs nationaux.)
8. Comment a-t-on protégé les ressources océaniques? (On a organisé des campagnes de sensibilisation.)

b. Quelle est la meilleure manière…

> *Modèle:* de conserver la nourriture? (la réfrigérer)
> *En la réfrigérant.*

1. de découvrir la solution? (utiliser un ordinateur)
2. de sauver les oiseaux? (protéger leurs nids)
3. de dépolluer les rivières? (nettoyer les berges)
4. de reboiser une forêt? (planter des arbres)
5. de rester en bonne santé? (bien manger)
6. de sauvegarder les animaux menacés?
   (créer des parcs nationaux)
7. de faire quelque chose d'utile pour sauvegarder notre environnement?
   (conserver l'énergie)

c. Des recommandations. *En + participe présent.*

> *Modèle:* Tu me texteras quand tu arriveras là-bas.
> *Tu me texteras en arrivant là-bas.*

1. Tu mangeras quand tu rentreras.
2. Tu me téléphoneras quand tu recevras la réponse.
3. Tu penseras à moi quand tu entendras cette chanson.
4. Tu lui parleras quand tu marcheras près de lui.
5. Tu te reposeras quand tu reviendras ce soir.
6. Tu prendras une pilule quand tu te coucheras.

d. Un mauvais moment.

> *Modèle:* Il est parti. Il a oublié ses clés.
> *Il a oublié ses clés en partant.*

1. Il est entré. Il ne m'a pas salué.
2. Je l'ai vue. Je ne l'ai pas reconnue tout de suite.
3. Il m'a vu. Il n'a pas souri.
4. Elle a quitté Toronto. Elle a eu de la peine.
5. Il a perdu son emploi. Il a été triste.
6. Je l'ai aperçu(e). J'ai été surpris de son apparence.

e. *En + participe présent* (simultanéité). Comment et quand?

> *Modèle:* Il s'est cassé la jambe pendant qu'il faisait du ski.
> *Il s'est cassé la jambe en faisant du ski.*

1. J'ai attrapé le bus pendant que je courais.
2. Le vieillard est tombé pendant qu'il traversait la rue.
3. Nous avons découvert ce restaurant pendant que nous nous promenions.
4. J'ai vu une photo de l'explosion nucléaire. Je lisais le journal.
5. Il a eu un accident. Le chien descendait la côte.
6. Il a appris la nouvelle. Il parlait avec des amis.
7. Je me suis fait une entorse. Je rentrais chez moi à pied.
8. Elle l'a rencontré(e). Renée voyageait.

17.4 La négation

Adverbs

1) **ne... jamais** (never) ≠ **parfois, quelquefois** (sometimes), **une fois** (once), **toujours** (always), **souvent** (often)

Je n'ai **jamais** vu de lion.   J'ai vu un lion **une fois**.

2) **ne... pas encore** (not yet) ≠ **déjà** (already)

Il n'a **pas encore** de voiture.   Il a **déjà** une voiture.

3) **ne... pas non plus** (neither)   ≠   **aussi** (also/too)

Je n'irai **pas** en train **non plus**.   J'irai en train **aussi**.

4) **ne... plus** (no more/no longer)   ≠   **encore** (still)

Nous **ne** te verrons **plus**.   Nous te verrons **encore**.

Il **ne** boit **plus** d'alcool.   Il boit **encore** de l'alcool.

5) **ne... nulle part** (nowhere)   ≠   **quelque part** (somewhere), **partout** (everywhere)

Il **ne** veut aller **nulle part**.   Il veut aller **quelque part**.

On n'en trouve **nulle part**.   On en trouve **partout**.

✳ Note

1) After these negative expressions, just as after *ne... pas*, the forms of the indefinite and partitive articles all become *de*.

2) With *ne... non plus* stress pronouns are frequently used:

   Moi non plus, je ne mange plus de malbouffe.

   Ils n'ont pas mis de produits chimiques, **eux** non plus.

The conjunction *ni*

Ni means the opposite of **et** and **ou** and is most often used in the structure **ne** + verb + **ni... ni** to connect two expressions having the same grammatical function, that is, two direct or indirect objects, two predicate adjectives, etc.

Je **ne** suis **ni** malade **ni** fatigué(e).

Il **n'**est allé **ni** dans la jungle **ni** à la montagne.

Il **n'**y a **ni** maringouins **ni** moustiques ici.

Elle **n'**a parlé **ni** au guide **ni** aux randonneurs.

After **ni... ni**, no indefinite or partitive article is used. Compare the following sentences:

Il mange **des** fruits et **des** légumes.   Elle boit **du** vin et **de la** bière.

Il ne mange **ni** fruits **ni** légumes.   Elle ne boit **ni** vin **ni** bière.

As-tu **un** frère et **une** sœur?

Je n'ai **ni** frère ni sœur.

EXERCICES ORAUX

a. Dites le contraire des phrases suivantes.

1. Je suis déjà allé(e) aux manifestations.
2. J'ai déjà mangé des algues.
3. Il veut aller quelque part.
4. Nous nettoierons partout.
5. Il y avait des pesticides partout.
6. J'ai aperçu des bixis quelque part.
7. Jean-Paul et Simone s'occupent souvent de problèmes écologiques.
8. Elle m'a quelquefois offert des fleurs de son jardin.

9. Je le vois toujours à la plage.

10. Vous écoutez souvent le chant des oiseaux.

11. Ils feront encore des coupes à blanc.

12. Tu feras encore des erreurs.

13. Toi aussi, tu es allergique.

14. Je prendrai un café aussi.

15. On voit le ciel et les étoiles.

16. Nous irons à la montagne et en forêt.

17. Elle l'a dit à Pierre et à Suzanne.

18. Elle a acheté une pelle et une fontaine.

19. Il a du courage et de l'ambition.

20. Je veux cette chemise et ce pantalon.

21. Paul n'aime pas la malbouffe, et toi?

b. Votre amie se plaint de sa colocataire. Complétez les phrases. *J'en ai marre...*

1. Moi, je fais *toujours* la vaisselle, mais elle _____.

2. Elle laisse son linge *partout,* mais moi _____.

3. J'ai *déjà* payé le loyer, mais elle _____.

4. Elle mange tous *les fruits et les légumes,* alors que moi _____.

5. Elle reçoit *souvent* ses amis, mais moi _____.

6. Je prends *quelquefois* ses messages, mais elle _____.

7. J'ai *encore* sorti la poubelle, mais elle _____.

8. J'ai *déjà* essayé de discuter, mais elle _____.

9. Elle boit *du vin et de la bière,* mais moi _____.

10. J'ai essayé d'arrêter de fumer *une fois,* mais elle _____.

11. Je fais *parfois* les courses, mais elle _____.

12. Elle veut *encore* habiter avec moi, mais moi _____.

17.5 *Ne... que* (la restriction)

Ne... que has the same meaning as **seulement** (only). **Ne** is placed before the verb and **que** before the expression that is modified by the restriction:

Il a **seulement** seize ans.

Elle est ici depuis **seulement** six mois.

J'achète **seulement** des produits écologiques.

Il **n**'a **que** seize ans.

Elle **n'**est ici **que** depuis six mois.

Je **n'**achète **que** des produits écologiques.

Ne... que is not a negative but a restrictive expression. Therefore, the indefinite and definite articles do not change to **de** when they follow **ne... que**:

Nous n'avons mangé que **des** fruits.

Elle n'a utilisé qu'un pesticide.

EXERCICES ORAUX

a. Substituez *ne... que* à *seulement.*

1. Il fait seulement les sciences bio.
2. Je le reverrai seulement s'il s'excuse.
3. Cette bouteille contient seulement des produits toxiques.
4. J'achèterai seulement des aliments bio.
5. Il y a seulement des fermes dans cette région.
6. Je l'ai invité seulement parce que c'est ton ami.
7. Ouvre seulement une fenêtre.
8. Elle dort seulement cinq heures par nuit.
9. Cet arbre a seulement dix mètres de haut.
10. Cette moto coûte seulement mille dollars.
11. Il est seulement dix heures du soir.

b. Demandez à votre voisin(e):

> *Modèle:* Combien as-tu d'ordinateurs?
> *Je n'en ai que deux.*

1. Combien as-tu de légumes bio dans ton frigo?
2. Combien de fruits as-tu?
3. Combien de langues parles-tu?
4. Combien d'étudiants y a-t-il dans la classe?
5. Combien de cours as-tu?
6. Combien de jours de vacances as-tu?
7. Combien de langues officielles y a-t-il au Canada?
8. Combien de temps reste-t-il avant la fin de la classe?
9. Combien de semaines reste-t-il avant la fin des cours?
10. Depuis combien de mois étudies-tu le français?

 EXERCICES ÉCRITS

a. Mettez les verbes entre parenthèses au futur antérieur.

1. J'espère que nous nous reverrons quand tu (revenir) de l'écovillage.
2. Nous pourrons partir dès qu'il (cesser) de pleuvoir.
3. Je donnerai au chien la nourriture que nous (acheter).
4. Je suis sûr(e) que tu la trouveras sympathique quand tu la (rencontrer).
5. Rends-moi ce livre aussitôt que tu le (lire).

b. Mettez les verbes entre parenthèses au présent de l'indicatif et puis au futur antérieur.

1. Henri (offrir) un composteur à son père.
2. Est-ce que vous (souffrir) du bruit?
3. La pluie (entrer) dans la pièce quand on (ouvrir) la fenêtre.
4. Elle (se couvrir) le visage de crème solaire.
5. Nous (découvrir) de nouvelles technologies.

c. La simultanéité — le moment.

> *Modèle:* Il est tombé. (monter l'escalier)
> *Il est tombé en montant l'escalier.*

1. On développe ses muscles. (faire de la natation)
2. Chantal a souri. (me regarder)
3. Je l'ai aperçu(e). (entrer dans la classe)
4. Nous mangeons. (regarder le feu d'artifice).
5. Frédéric est devenu riche. (vendre des produits bio.)
6. J'ai appris la nouvelle. (lire le journal)
7. Tu as trouvé cet oiseau mort. (te promener)
8. Madeleine a trouvé un emploi. (rentrer de voyage)

d. La manière. Employez *en* + *participe présent*.

> *Modèle:* Comment as-tu appris cette information?
> *Je l'ai apprise en lisant le journal.*

1. Comment a-t-on attrapé l'herbe à puces?
2. Comment es-tu resté en forme?
3. Comment les enfants ont-ils appris à respecter la nature?
4. Comment a-t-on réussi à éliminer la pollution?
5. Comment a-t-on appris les nouvelles récentes?

e. Donnez le contraire des phrases suivantes.

1. Je veux voyager partout.
2. Fernande a encore des allergies.
3. Je pratique parfois des sports.
4. Ils sont déjà rentrés du camping.
5. Louis a aussi acheté un ordinateur.
6. Elle utilise la technologie et le savoir-faire.
7. Nous mangeons des fruits et des légumes.
8. Il a cultivé des concombres et des fines herbes.
9. Je vais quelquefois à la plage polluée.

f. Substituez *ne... que / qu'* à *seulement*.

1. On analyse seulement la qualité de l'eau.
2. Elle veut seulement faire un relevé.
3. On compte seulement les polluants.
4. On peut ouvrir seulement une fenêtre.
5. Il y a des fleurs seulement devant la maison.
6. Nous aurons les résultats seulement dans deux mois.
7. J'ai lu cet article seulement parce que tu me l'as recommandé.
8. Il va suivre seulement l'évolution du traitement.

Lecture

La forêt qui chante

© Sergio Boccardo/123rf.com

FRÉDÉRIC, FRÉDÉRIC... Ce sifflement mélodieux émerge du mur de feuillages qui borde un (îlot) du lac Besnard, en Saskatchewan. Ce chant solitaire, tout le monde le connaît: *frédéric, frédéric...,* c'est le leitmotiv de la forêt boréale canadienne.

Le petit chanteur est invisible dans les arbres, mais son identification est facile. C'est un bruant à gorge blanche. [...] Au bout du lac nous attend une petite rivière, qui nous mènera jusque dans le Churchill...

Des milliards d'oiseaux fréquentent la forêt boréale depuis que les arbres ont remplacé les grands glaciers, il y a environ 10 000 ans. Cette forêt couvre plus de la moitié de la superficie du Canada. [...]

Les oiseaux de la forêt boréale sont pour la plupart des espèces migratrices. En fait, [...] 186 espèces de 35 familles différentes qui nichent dans la forêt nous viennent de climats plus doux, et [...] si on ajoute 41 espèces de passage, on arrive au total de 227, soit près de 80% de toutes les espèces d'oiseaux que l'on trouve au Canada et le tiers de toutes celles d'Amérique du Nord! [...]

Les maringouins, les moustiques et les taons [...] forment une véritable manne dont les oiseaux nicheurs nourrissent leurs petits. Parce que la belle saison est très courte, en effet, tous ces insectes éclosent presque simultanément, fournissant [...] une source d'alimentation quasi illimitée. [...]

Mais la forêt boréale leur offre un autre grand avantage: son immensité et sa continuité. [...]

On se représente mal l'étendue de la forêt boréale. Le Canada est sans doute le seul pays au monde que l'on pourrait traverser à pied, de l'Atlantique au Pacifique, sans la quitter. Elle y forme un grand arc du Labrador au Yukon, en touchant les Grands Lacs au sud, et couvre une partie importante de sept des dix provinces et des trois territoires. Au total, cinq fois la superficie de l'Europe de l'Ouest. Elle représente le quart des dernières grandes forêts vierges de la planète.

Ce paysage austère est devenu l'image typique du Canada, mais a aussi été le moteur essentiel de son développement. Il y a d'abord eu les pelleteries, puis les minéraux, l'énergie hydroélectrique, le bois, la pâte à papier, le pétrole et le gaz. [...]

Toute la frange australe de cet écosystème boréal a été lourdement transformée par le développement industriel, mais [...] sa plus grande partie est encore intacte, conservant toute sa capacité de filtrer et de nettoyer les eaux, et d'abriter un ensemble faunique et floristique complexe. Dans un monde où trois espèces disparaissent chaque heure, il s'agit d'une rareté, voire d'un miracle. En effet, la forêt boréale canadienne est une immense volière, qui produit des milliards et des milliards d'oiseaux tous les printemps.

Géographica de Candace Savage, extrait de *L'actualité*

abriter	to shelter	**moustique** (m.)	mosquito
ampleur (f.)	vastness	**nicher**	to nest
austral(e)	southern	**nuée** (f.)	cloud
boréal(e)	northern	**pelleterie** (f.)	fur trade
bruant (m.)	bunting	**quitter**	to leave
éclore	to hatch	**sifflement** (m.)	whistle
feuillage (m.)	foliage	**superficie** (f.)	surface
frange (f.)	fringe	**taon** (m.)	horsefly
îlot (m.)	islet	**volière** (f.)	nursery
leitmotiv (m.)	motive	**voire**	indeed
mener	to lead		

QUESTIONS

1. Quel est le leitmotiv de la forêt boréale canadienne?
2. Quelle est l'ampleur de la forêt boréale au Canada?
3. Combien d'espèces d'oiseaux y nichent-ils?
4. Qu'est-ce qui attire tous ces oiseaux?
5. Qu'est-ce que la forêt boréale a de plus à nous offrir?
6. Quelles parties du pays couvre-t-elle?
7. Pourquoi dit-on que la forêt a été un moteur de développement au Canada?
8. Qu'est-ce qui explique qu'on considère la forêt boréale comme un miracle?
9. D'après vous, quels dangers menacent la forêt boréale canadienne?

SITUATIONS – CONVERSATIONS

1. Vous représentez votre pays ou votre province au COMITÉ DE LA DÉFENSE DE L'ENVIRONNEMENT.

   Préparez un bref discours de présentation dans lequel vous...

   a) exposez la situation environnementale qui existe dans votre pays (pollution de l'air, des eaux, du sol) et signalez les sources de pollution.

   b) décrivez les mesures entreprises pour améliorer la situation.

   c) vous préparez à répondre aux questions des autres membres du comité.

2. Faites des questions et répondez-y d'après le modèle suivant.

   Modèle: Quelle est la première chose que tu fais en te levant le matin?
   En me levant le matin, j'écoute la radio / je me prépare un café / je me lave / je lis le journal.

   Quelle est la première chose que tu fais en rentrant chez toi le soir?
   Quelle est la première chose que tu fais en arrivant en classe? en entrant dans une discothèque? dans un autobus? dans un avion? en roulant à vélo?, etc.

3. Posez des questions et répondez-y en employant *en + participe présent* pour exprimer la manière.

   Modèles: Comment est-ce qu'on devient écologiste?

   On améliore ses connaissances sur la nécessité de protéger la planète en général en lisant beaucoup.

   Comment est-ce qu'on protège la nature?

   On protège la nature en éliminant les herbicides, etc.

   Comment est-ce qu'on reste en bonne santé?

   On reste en bonne santé en prenant des habitudes saines.

4. Posez des questions qui demandent des réponses négatives.

   Modèles: Est-ce que tu es *déjà* allé(e) en forêt?

   Non, je ne suis jamais allé(e) en forêt.

   Est-ce que tu as *déjà* fait un potager?

   Non, je n'ai pas encore fait de potager.

   Est-ce que tu apportes ton ordinateur *partout*?

   Non, je ne l'apporte nulle part.

5. Posez des questions et répondez-y en employant le futur antérieur.

   Modèles: Qu'est-ce que tu feras quand tu auras fini tes études?

   Quand j'aurai fini mes études, je ferai un voyage autour du monde.

   Voudras-tu avoir des enfants après que tu te seras marié(e)?

   Oui, après que je me serai marié(e), j'aurai trois enfants.

6. Êtes-vous pour ou contre l'exploitation de l'énergie nucléaire? des gaz naturel? l'énergie éolienne? du pétrole?

7. Est-il important de faire tous les efforts possibles pour protéger toutes les espèces d'animaux en voie de disparition, même si, pour cela, il faut supprimer des projets technologiques importants? À la limite, est-ce que les intérêts humains justifient la disparition d'un bon nombre d'espèces animales?

8. On prévoit, au XXIᵉ siècle, une pénurie de nombreuses ressources naturelles et un manque de nourriture pour une population de plus en plus considérable. Que va-t-il se passer selon vous? Vers quoi les efforts humains devraient-ils être orientés pour faire face à ces problèmes?

9. Qu'aurez-vous accompli d'ici 5 ans sur le plan environnemental?

   Exemples: *J'aurai cessé de fumer.*

   J'aurai acheté une voiture électrique, etc.

COMPOSITIONS

1. Avez-vous une vision optimiste ou pessimiste de l'avenir? Réussira-t-on à trouver des solutions aux problèmes de pollution et de diminution des ressources naturelles? Quels genres de nouvelles technologies envisagez-vous?

2. Est-ce que l'avenir de l'humanité dépendra de la recherche médicale?

3. À l'aide de vos connaissances dans divers domaines, nommez les découvertes qui révolutionneront le monde sur le plan environnemental, psychologique, sociologique, philosophique et médical. Justifiez votre réponse.

4. Vous prenez de bonnes résolutions à l'occasion du Nouvel An: Qu'est-ce que vous allez faire que vous n'avez pas encore fait? Qu'est-ce que vous ne ferez plus? Qu'est-ce que vous ne ferez jamais? Employez beaucoup de négations diverses.

PRONONCIATION

((•─[Listen on **myfrenchlab**

(Students and instructors can listen to the audio track for this exercise on MyFrenchLab.)

La semi-voyelle /j/ (le yod)

The semi-vowel /j/ is written **i** or **y** in the following sequences of letters:

I. I ou y + voyelle prononcée

Répétez:

il y a	rayer	fier	mieux	confiant	rayon	mien
spécial	métier	miel	vieux	amiante	inspiration	viens
yaourt	parliez	pluriel	cieux	expérience	condition	maintien
immédiat	inquiet	assiette	sérieux	viande	omission	bientôt
racial	ennuyé	mièvre	dieu			

II. Voyelle + il ou ille

Répétez:

ail	soleil	feuille	fouille
maille	oreille	œil	houille
travail	veille	seuil	rouille
caillé	conseil	cueille	nouille
ailleurs	treille	deuil	douille

III. La combinaison de sons /ij/

The following sequences of letters are associated with /ij/:

1) consonant + **r** or **l** precedes the sound /ij/:
   crier, trier, sablier, plier, plia, plions

2) consonant + **ill** or **ille** + vowel:
   griller, grillon, briller, famille, fille

MyFrenchLab

Visit MyFrenchLab to access additional resources such as audio exercises, the *Cahier de laboratoire*, and web destinations.

CHAPITRE 18

© Luis Castaneda Inc./The Image Bank/Getty Images

Les Cajuns de la Louisiane

MyFrenchLab

Visit MyFrenchLab to access additional resources, including

- *Cahier de laboratoire*
- Self-grading assessments
- Audio exercises
- Grammar primers and tutorials

Thèmes

- Les Cajuns, le Mardi gras et la Louisiane
- Qu'est-ce que la diversité peut apporter à une société?
- Mes sentiments, mes émotions, mes désirs, mes doutes, mon opinion
- Exprimer la nécessité, l'incertitude, un souhait

Grammaire

Lecture

Les écrivains et la Louisiane

VOCABULAIRE UTILE

Noms

appareil (m.)	appliance
argent (m.)	money
beignet (m.)	doughnut
billet (m.)	ticket
blonde (f.)	girlfriend
bonheur (m.)	happiness
char (m.)	car
chicane (f.)	bickering
cœur (m.)	heart
colline (f.)	hill
comportement (m.)	behaviour
coutume (f.)	custom
crevette (f.)	shrimp
écrevisse (f.)	crayfish
enseignant(e)	teacher
entente (f.)	agreement
équipe (f.)	team
façon (f.)	way
fleuve (m.)	river
garçon (m.)	boy
gens (m.pl.)	people
guerre (f.)	war
humeur (f.)	mood
incendie (m.)	fire
jeu (m.)	game
jeune (m./f.)	young person, youth
loisirs (m.pl.)	leisure
loyer (m.)	rent
manière (f.)	manner
médicament (m.)	medication
mélodéon (m.)	accordion
milieu (m.)	environment
ouragan (m.)	hurricane
outil (m.)	tool
pauvreté (f.)	poverty
tableau (m.)	blackboard
tintamarre (m.)	din, racket
vague (f.)	wave

Adjectifs

étonné(e)	astonished
mauvais(e)	bad
sage	wise

Verbes

aboutir	to lead
agir	to act
atterrir	to land
(se) comporter	to behave
crier	to shout
déménager	to move
dépérir	to decline
(s')entendre	to get along
exiger	to demand
gouter	to taste
guérir	to cure
(s')habituer à	to get used to
(s')inquiéter	to worry
réagir	to react
(se) réjouir	to delight
(se) rendre compte	to realize
saisir	to grab
signifier	to mean
tendre	to reach out

Adverbes

couramment	fluently
près	near

Expressions

battre la mesure	to beat time
fais-dodo	a country dance or dancing party (also, "go to sleep" in baby talk)
Laissez les bons temps rouler.	Let the good times roll.

GRAMMAIRE ET EXERCICES ORAUX

18.1 Le subjonctif présent

The indicative mood is used by the speaker to report events factually. The subjunctive mood is used in subordinate clauses to relate an event that follows from a certain attitude or proviso. Specific instances in which the subjunctive forms are used will be detailed in this and the following chapters.

The present subjunctive of regular verbs

The present subjunctive of regular verbs is formed by dropping **-ent** from the third person plural form of the present indicative and adding to that stem the subjunctive endings, which are **-e, -es, -e, -ions, -iez, -ent.**

	regarder	finir	vendre
que je	regarde	finisse	vende
que tu	regardes	finisses	vendes
qu' il / elle / on	regarde	finisse	vende
que nous	regardions	finissions	vendions
que vous	regardiez	finissiez	vendiez
qu' ils / elles	regardent	finissent	vendent

Regular **-er** verbs with spelling changes in their stems in the present indicative retain these changes in the present subjunctive:

acheter: j'achète / nous achetions

espérer: j'espère / nous espérions

appeler: j'appelle / nous appelions

jeter: je jette / nous jetions

payer: je paie / nous payions

The present subjunctive expresses a *present* or *future* event.

Use of the subjunctive after certain verbs and verbal expressions

The subjunctive is used in subordinate clauses introduced by the conjunction **que** when the verb or verbal expression in the main clause expresses

1) an emotion or a feeling:

aimer	J'aimerais que vous assistiez au tintamarre.
avoir peur	Elle a peur que vous ne mangiez pas le gombo.
être content	Je suis content(e) que tu réussisses.
être désolé	Elle est désolée que je ne m'entende pas avec son ami.
être heureux	Elle est heureuse que nous fêtions le Mardi gras.
être triste	Il est triste que tu ne répondes pas à son invitation.
être surpris	Elle est surprise que nous dansions la samba.
regretter	Nous regrettons que vous abandonniez la musique cajun.

2) a wish, a desire, or a demand:

désirer	Elle désire que tu l'accompagnes au fais-dodo.
exiger	Il exige que je lui rende son mélodéon.
souhaiter	Je souhaite que vous lui jouiez une mélodie traditionnelle.
préférer	Je préfère que tu ne m'attendes pas avant demain.
vouloir	Ils veulent que nous chantions dans la chorale.

3) a doubt:

| douter | Je doute qu'il finisse son plat de beignets. |

4) an opinion: verbs like **croire, être sûr, penser, supposer**, etc., when used in the negative and the interrogative, imply doubt and are generally followed by the subjunctive.* However, when they are used in the affirmative, no doubt is implied and they are followed by the indicative. Compare the following sentences:

croire	Il croit que nous chantons bien.
	Il ne croit pas que nous **chantions** bien.
	Croit-il que nous **chantions** bien?
penser	Elle pense que nous l'attendons.
	Elle ne pense pas que nous l'**attendions**.
	Pense-t-elle que nous l'**attendions**?
être sûr	Tu es sûr(e) qu'il se nourrit bien.
	Tu n'es pas sûr(e) qu'il se **nourrisse** bien.
	Es-tu sûr(e) qu'il se **nourrisse** bien?
être certain	Elle est certaine que nous travaillons bien.
	Elle n'est pas certaine que nous **travaillions** bien.
	Est-elle certaine que nous **travaillions** bien?

Subjunctive versus infinitive

When the subject of the subordinate clause refers to the same person or thing as the subject of the main clause, avoid using the structure **que** + subjunctive. Instead, put the subordinate verb in the infinitive:

Nous préférons attendre.

(Rather than: **Nous** préférons que **nous** attendions.)

* When these verbs are used in a question about some *future* event, generally the future tense or the present conditional is used in the subordinate clause rather than the subjunctive:

Pensez-vous qu'elle **rentrera**?   Avez-vous cru que nous **réussirions**?

Je veux le rencontrer.

(Rather than: **Je** veux que **je** le rencontre.)

Je regrette de ne pas réussir.

(Rather than: **Je** regrette que **je** ne réussisse pas.)

Tu as peur d'oublier.

(Rather than: **Tu** as peur que **tu** oublies.)

As in the last two examples, remember to insert a preposition before the infinitive if required after the conjugated verb.

 EXERCICES ORAUX

a. Que veulent vos parents? Exprimez leurs désirs, selon le modèle.

Modèle: Je veux étudier dans une autre université.
Mes parents ne veulent pas que j'étudie dans une autre université.

1. Je veux choisir mes loisirs seul(e).
2. Je souhaiterais habiter en Louisiane.
3. Je désire agir à ma manière.
4. Je veux acheter un char de luxe.
5. Je voudrais étudier les arts.
6. Je souhaite laisser le bon temps rouler.
7. Je voudrais déménager dans le district historique.
8. Je veux jouer de la musique Zarico.
9. Je voudrais décider moi-même de mon avenir sans consulter personne.

b. Exprimez une opinion en employant *Je pense que* + indicatif ou *Je ne pense pas que* + subjonctif.

1. Est-ce que les Acadiens habitent tous au Nouveau-Brunswick?
2. Est-ce qu'on parle créole en Louisiane?
3. Est-ce qu'ils parlent français?
4. Est-ce que les trappeurs attrapent toujours des visons?
5. Est-ce qu'on ne mange que des crevettes en Louisiane?
6. Est-ce que le milieu rural présente plus d'intérêt que le milieu urbain?
7. Est-ce que les colons s'établissent près des bayous?

c. Votre copain / copine est de mauvaise humeur et rejette toutes vos suggestions.

1. Veux-tu qu'on écoute de la musique? Non, …
2. Veux-tu qu'on joue aux cartes? Non, …
3. Préfères-tu qu'on joue au Nintendo? Non, …
4. Aimerais-tu qu'on choisisse un bon film? Non, …
5. Désires-tu que nous mangions au restaurant? Non, …
6. Préfères-tu que nous parlions de tes problèmes? Non, …
7. Veux-tu que nous travaillions à l'ordinateur? Non, …

8. Veux-tu qu'on se promène dans le parc? Non, …

9. Qu'est-ce que tu veux alors? Je veux que…

d. Demandez à un(e) autre étudiant(e)…

Modèle: de vous répondre.

Je veux que tu me répondes.

1. de vous trouver la réponse.
2. de réfléchir.
3. de choisir une destination de voyage.
4. de se comporter comme il faut.
5. de vous attendre après la classe.

6. de cesser de crier.
7. de vous tendre la main.
8. de défendre son point de vue.
9. de finir son verre.
10. de se réjouir de son succès.

e. Exprimez vos sentiments.

Modèle: heureux — vous étudiez le français

Je suis heureux(euse) que vous étudiiez le français.

1. désolé — vous mangez mal à la cafétéria
2. surpris — vous arrivez des bayous
3. content — vous jouez du violon
4. heureux — vous vous entendez bien

5. furieux — il ne répond pas à mon courriel
6. étonné — elle grandit si vite
7. touché — vous me donnez ce cadeau
8. triste — tu agis de cette manière

f. Exprimez le doute.

Modèle: Il m'attend à Bâton-Rouge.

Je doute qu'il m'attende à Bâton-Rouge.

1. Nous cuisinerons un gombo.
2. Tu réagiras bien.
3. Elle correspondra avec nous.
4. Nous nous habituerons à cette nouvelle vie.

5. Il guérit rapidement.
6. Vous vous rendez bien compte de la difficulté.
7. Nous le retrouverons.

18.2 Emploi du subjonctif après des expressions impersonnelles

The subjunctive is also used in subordinate clauses introduced by **que** after impersonal expressions to express necessity, possibility, and probability:

il (ne) faut (pas)	Il faut que je réfléchisse.
il (n')est (pas) nécessaire	Il est nécessaire que vous restiez.
il (n')est (pas) important	Il est important que vous m'écoutiez.
il (n')est (pas) possible	Il est possible que je vende ma voiture.
il (n')est (pas) impossible	Il n'est pas impossible que nous réussissions.
il est peu probable	Il est peu probable qu'elle saisisse l'occasion.
il est improbable	Il est tout à fait improbable qu'il appelle ce soir.
il semble	Il semble qu'elle dépérisse de plus en plus.

However, after impersonal expressions expressing certainty, the indicative mood is used:

il est sûr / certain	Il est certain qu'il réussira.
il est clair / évident	Il est évident qu'elle perd son temps.
il est vrai	Il est vrai que nous mangeons trop.
il est probable	Il est probable que nous aboutissons à une entente.
il me semble que	Il me semble que cette négociation est cruciale.

 EXERCICES ORAUX

a. Qu'est-ce qu'il faut faire demain?

Il faut que je / j'...

1. _____(rencontrer) l'agent de voyages.
2. _____(organiser) mes vacances.
3. _____(finir) mes travaux.
4. _____(téléphoner) à mon copain / ma copine.
5. _____(laver) mes vêtements.
6. _____(réserver) un hôtel.
7. _____(avertir) mon ami(e) de mon départ.
8. _____(acheter) un cadeau pour mes amis.
9. _____(commander) mon passeport.
10. _____(établir) un itinéraire de voyage.
11. _____(emprunter) de l'argent à mon père.

b. Exprimez la possibilité, la probabilité ou la certitude.

1. Il est possible que ma cousine et moi (entrer) à l'université.
2. Il est peu probable que je (perdre) mon investissement.
3. Il est probable qu'elle (changer) de comportement.
4. Il n'est pas impossible que je (réussir) à rencontrer le principal.
5. Il est peu probable qu'elle (choisir) de devenir enseignante.
6. Il est sûr que cette équipe (gagner) le match de dimanche.
7. Il semble que Serge (réagir) moins bien que Nicole au stress.
8. Il est impossible que tu (agir) de cette façon.
9. Il est clair que nous (ne pas s'entendre).
10. Il est peu probable que nous (organiser) le bazar.
11. Il est évident que ça (dépendre) des circonstances.

18.3 Les pronoms relatifs *ce qui, ce que, ce dont*

Ce qui, ce que (what/that/which), and **ce dont** are relative pronouns without antecedents: They refer to ideas that have not been expressed or that are expressed later in the sentence.

1) **Ce qui**: subject

> **Je ne comprends pas ce qui t'inquiète.**
> I do not understand what worries you.

Ce qui, in this example, has no antecedent.

> **Ce qui l'intéresse, c'est l'histoire des Cajuns.**
> What interests him is the history of the Cajuns.

Here, **ce qui** stands for (anticipates) the idea "l'histoire des Acadiens."

2) **Ce que**: direct object

> **Je veux savoir ce que tu as trouvé.**
> I want to know what you found.
> **Ce qu'il veut, c'est aller en Louisiane.**
> What he wants is to go to Louisiana.

3) **Ce dont**: object of a verb requiring the preposition **de**

> **Je ne sais pas ce dont il a besoin.** (avoir besoin **de**)
> I do not know what he needs.
> **Ce dont il a peur, c'est de ne pas trouver d'emploi.** (avoir peur **de**)
> What he is afraid of is not finding a job.

 EXERCICES ORAUX

a. Vous ne comprenez pas l'attitude de votre amie. Employez *ce qui, ce que, ce dont* dans vos réponses.

> *Modèle:* Marie a besoin de quelque chose.
> *Je ne comprends pas ce dont elle a besoin.*

1. Il se passe quelque chose.
2. Elle me demande quelque chose.
3. Elle parle de quelque chose.
4. Elle a peur de quelque chose.
5. Elle dit quelque chose.
6. Quelque chose l'énerve.
7. Quelque chose la préoccupe.
8. Elle veut quelque chose.

b. Je me pose des questions. Employez *Je me demande* et *ce qui, ce que* ou *ce dont*.

> *Modèle:* Qu'est-ce qui provoque les ouragans?
> *Je me demande ce qui provoque les ouragans.*

1. Qu'est-ce qu'il a acheté?
2. Qu'est-ce que ça signifie?
3. Qu'est-ce qui l'amuse?
4. De quoi a-t-elle envie?
5. Qu'est-ce qui lui donne mal à la tête?
6. Qu'est-ce qu'ils ont fait?
7. De quoi discutent-ils?
8. Qu'est-ce qui l'irrite?
9. Qu'est-ce qu'il y a dans ce paquet?

18.4 Le verbe irrégulier *battre*

Présent de l'indicatif				Participe passé	Futur	Subjonctif présent
je	bats	nous	battons	battu	je battrai	que je batte
tu	bats	vous	battez			
il / elle / on	bat	ils / elles	battent			

Battre means "to beat," "to beat up," or "to defeat":

> Il bat la mesure quand il chante.
> Les vagues battent la levée.
> Son cœur battait très vite.

Se battre (avec/contre) means "to fight (with/against)":

> Les deux vagabonds se sont bien battus.
> L'équipe a été battue 2 à 0.

Combattre also means "to fight" but it is a transitive verb (it can take a direct object):

> Les troupes ont combattu pendant un mois.
> Il faut combattre la tyrannie.

Abattre means "to fell":

> Ils abattront tous les arbres qui sont sur cette colline.

 EXERCICES ORAUX

a. Répondez aux questions.

1. Est-ce que le politicien a battu son adversaire?
2. As-tu déjà battu un record sportif?
3. Est-ce qu'on bat des blancs d'œuf pour faire de la meringue?

4. Est-ce que tu bats les œufs pour faire une omelette?

5. Est-ce que tu me battrais si nous jouions au Nintendo?

6. Est-ce que tu connais un(e) athlète qui a battu un record?

7. Est-ce que les Canadiens ont déjà battu les Leafs?

8. Contre qui les Canadiens se sont-ils battus pendant la Deuxième Guerre mondiale?

9. Est-ce que tu te bats contre l'injustice?

10. Avec quels médicaments est-ce qu'on combat une infection?

11. Est-ce qu'on abat beaucoup d'arbres au Canada?

12. As-tu déjà abattu un arbre?

18.5 Les pronoms relatifs précédés d'une préposition

The relative pronouns used as objects of prepositions other than **de** are

1) **Qui** if the antecedent is a person:

Je connais ce Cajun. Paul est assis *à côté de ce Cajun*.

⟶ **Je connais le Cajun *à côté de qui* Paul est assis.**

I know the Cajun beside whom Paul is sitting.

J'ai rencontré la jeune femme *avec qui* tu es sorti.

I met the young lady with whom you went out.

Voilà les infirmières *à qui* j'ai parlé.

Here are the nurses to whom I spoke.

2) **Lequel (laquelle, lesquels, lesquelles)** if the antecedent is a thing:*

C'est un bayou. Nous nous sommes rencontrés *près de ce bayou*.

⟶ **C'est le bayou *près duquel* nous nous sommes rencontrés.**

This is the bayou near which we met.

Elle m'a parlé du projet *auquel* elle travaillait.

She told me about the project on which she was working.

C'est la pirogue *avec laquelle* je suis allé(e) sur le canal.

This is the dugout in which I went on the canal.

3) **Quoi** if the antecedent is an idea or if there is no antecedent:

Je ne sais pas *à quoi* il pense. (no antecedent)

I do not know what he is thinking about.

Mon oncle connaissait le directeur, grâce *à quoi* j'ai obtenu un emploi.

My uncle knew the director, thanks to which I got a job.

(**Quoi** refers to the fact: "Mon oncle connaissait le directeur.")

* The forms of **lequel** may also be used when the antecedent is a person. However, it is recommended for practice at this stage to use **qui** to refer to persons and the forms of **lequel** to refer to things.

Note that in French the preposition precedes the relative pronoun, which must always be mentioned, whereas in English the preposition is often placed at the end of the relative clause and the relative pronoun is frequently omitted.

 EXERCICES ORAUX

a. Transformez les phrases d'après le modèle.

> *Modèle:* Je n'ai pas revu cet homme. J'ai prêté de l'argent à *cet homme.*
> *Je n'ai pas revu cet homme à qui j'ai prêté de l'argent.*

1. Elle n'aime pas ces gens. Elle doit travailler avec *ces gens.*
2. Regarde le garçon. Sylvie est assise à côté de *ce garçon.*
3. Je dois rencontrer un client. Je vais vendre une maison à *ce client.*
4. Voici le professeur. J'ai préparé un travail pour *ce professeur.*
5. Connais-tu cette femme? Henri joue au tennis avec *cette femme.*
6. C'est l'architecte. J'ai parlé à *cet architecte.*

b. Même exercice.

> *Modèle:* C'est la rivière. Nous allons nous promener le long de *cette rivière.*
> *C'est la rivière le long de laquelle nous allons nous promener.*

1. Voici la plantation. J'habite en face de *cette plantation.*
2. Je ne connais pas le jeu. Vous voulez jouer à *ce jeu.*
3. Ce sont les outils. Je travaille avec *ces outils.*
4. C'est un problème. J'ai beaucoup réfléchi à *ce problème.*
5. Raconte-moi la discussion. Tu as participé à *cette discussion.*

c. Faites des phrases d'après le modèle. Employez *Je ne sais pas* + *préposition* + *quoi.*

> *Modèle:* Tu t'attendais à quelque chose.
> *Je ne sais pas à quoi tu t'attendais.*

1. Elle pense à quelque chose.
2. Je vais réparer mon vélo avec quelque chose.
3. Les jeunes jouent à quelque chose.
4. Ils se battent contre quelque chose.
5. Je vais commencer par quelque chose.

EXERCICES ÉCRITS

a. Exprimez un souhait, un désir. Employez le subjonctif.

    1. Elle veut. Tu lui (vendre) ta bicyclette.

    2. Il préfère. Tu (finir) le travail sans lui.

    3. Nous désirons. Elle (retourner) à la maison.

    4. Tu préfères. Je (choisir) un cadeau pour toi.

    5. Vous exigez. Il vous (rendre) votre argent.

    6. Elles souhaitent. Vous leur (répondre) bientôt.

    7. Je veux. Tu (rendre visite) à ton père malade.

    8. Il exige. Nous (attendre) son retour.

b. Exprimez des sentiments.

    1. Je regrette. Vous (ne pas aimer) ce film.

    2. Je ne suis pas content(e). Mon projet (ne pas aboutir).

    3. Nous avons peur. Il (ne pas guérir) de sa maladie.

    4. Joachim est étonné. Nous (parler) français.

    5. Ses amis sont tristes. Elle (agir) sans réfléchir.

    6. Je suis désolé(e). Ce médicament vous (rendre) malade.

c. Exprimez le doute.

    1. Je doute que Maxime (vendre) son condo.

    2. Nous doutons que l'argent (apporter) le bonheur.

    3. Tu doutes que l'avion (atterrir) dans les bayous.

    4. Il doute que je (saisir) cette occasion d'affaires.

    5. Vous doutez que Jim (dépenser) beaucoup d'argent.

    6. Elles doutent qu'on (unir) nos efforts.

d. Exprimez une opinion. Attention à l'indicatif présent ou au subjonctif.

    1. Elle est sûre que tu (réfléchir) avant.

    2. Croyez-vous qu'il (défendre) ses arguments.

    3. Elle n'est pas certaine que nous (chanter) juste.

    4. Je ne crois pas que vous (vous amuser) beaucoup.

    5. Mon beau-frère pense que nous (parler) toujours de lui.

e. Exprimez la possibilité ou la nécessité.

    1. Il est souhaitable. Nous (attendre) quelques jours.

    2. Il est nécessaire. Vous (arriver) à l'avance.

    3. Il est possible. Elle (dépendre) de quelqu'un.

    4. Il faut. Tu (réfléchir) longtemps.

    5. Il est probable. Elle (perdre) son temps.

    6. Il n'est pas impossible. Nous le (trouver) à Chitimacha.

f. Mettez les verbes entre parenthèses au présent de l'indicatif.

1. On (abattre) trop d'arbres.
2. Nous (se battre) contre l'injustice.
3. Les pompiers (combattre) l'incendie.
4. Je (ne pas battre) de record.
5. Elle (battre) ses amies au rugby.

g. Remplacez les tirets par *ce qui, ce que* ou *ce dont*.

1. Je voudrais bien savoir _____ tu as envie.
2. L'étudiant ne comprend pas _____ est écrit au tableau.
3. Dites-moi _____ vous avez besoin.
4. Savez-vous _____ il faut faire?
5. _____ l'inquiète, c'est d'avoir oublié ses livres chez elle.
6. Fais _____ tu veux.

h. Remplacez les tirets par le pronom relatif approprié. N'oubliez pas la contraction (*auquel, duquel,* etc.).

1. Il habite une maison derrière _____ il y a la réserve faunique.
2. Je ne sais pas avec _____ je vais réparer cet appareil.
3. Il veut que nous rencontrions la jeune femme avec _____ il va se marier.
4. La navigation est un sport pour _____ il faut beaucoup d'expérience.
5. C'est une discussion à _____ je refuse de participer.
6. L'homme devant _____ Hélène est assise, travaille avec mon père.
7. Ce sont des questions _____ je n'ai pas beaucoup réfléchi.
8. Il regardait les gens en face _____ il était assis.
9. Le lac près _____ j'habite est très grand.
10. Dis-moi contre _____ tu te bats.

Lecture

Les écrivains et la Louisiane

© Stephen Finn/Fotolia.com

La Louisiane a donné naissance et a inspiré quelques écrivains célèbres dont Solomon Northup, auteur de *Esclave pendant 12 ans*, le romancier contemporain Ernest Gaines, le dramaturge William Faulkner; Frank Scott Fitzgerald y a écrit *De ce côté du paradis* et Tennessee Williams, né Thomas Lanier, *Un tramway nommé Désir*.

Cependant, pour les Acadiens du Nord et les Cajuns du Sud, le poète qui a le plus marqué la conscience de cette collectivité est Henry Wadsworth Longfellow avec son long poème *Évangéline* qui dépeint la tragique odyssée vécue presque un siècle plus tôt par les populations acadiennes et résume bien tous les rêves évanouis.

Évangéline Bellefontaine a pour fiancé Gabriel Lajeunesse. Sa dot est formée de terre et de bétail. Leur avenir est fait d'enfants grandissant à l'ombre de l'église de Grand-Pré. Brusquement paraît l'Anglais. Les hommes attendent dans l'église, puis à bord des navires que leurs femmes les rejoignent. C'est ainsi, n'étant pas mariés,

que Gabriel et sa belle empruntent des directions différentes. Toute leur existence se déroule ensuite au rythme des retrouvailles qui n'ont jamais lieu.

Évangéline épuise sa jeunesse à parcourir les colonies où Gabriel pourrait avoir posé pied. Devenue vieille, l'espoir l'abandonne. Revêtant l'habit des religieuses qui se consacrent au soin des pauvres, des malades et des moribonds, elle a la douleur, vers la fin de sa vie, de reconnaître le beau Gabriel, sous les traits d'un vieillard grabataire qui meurt en la reconnaissant. La dernière rencontre se déroule en Louisiane, dans un hôpital de Saint-Martinville.

Pour tous, les personnages romanesques de Longfellow sont loin d'être fictifs et l'on ne doute pas un instant qu'ils aient vraiment existé sous les noms d'Emmeline Labiche et de Louis Arsenaux et on est sûr, en Acadie septentrionale et en Acadie louisianaise, qu'ils appartiennent tous deux à l'histoire.

Extrait de *Louisiane, Guide de voyage Ulysse* de Richard Bizier et Roch Nadeau

advenir	to happen	**s'évanouir**	to vanish
ainsi	in this manner	**grabataire**	bedridden
attirer	to attract	**habit: revêtir l'—**	to take the veil
bétail (m.)	livestock	**jeunesse** (f.)	youth
brusquement	abruptly	**lieu: avoir —**	to take place
collectivité (f.)	community	**marquer**	to mark
(se) consacrer	to devote	**moribond** (m.)	dying
dépeindre	to depict	**navire** (m.)	vessel
(se) dérouler	to take place	**ombre** (f.)	shadow
dot (f.)	dowry	**œuvre** (f.)	work
dramaturge (m./f.)	playwright	**paraître**	to appear
entasser	to cram	**parcourir**	to travel
épuiser	to wear out	**poser: — pied**	to set foot
espoir (m.)	hope	**reconnaître**	to recognize

rejoindre	to join	**rêve** (m.)	dream
religieux(se)	religious	**siècle** (m.)	century
rencontre (f.)	meeting	**soin** (m.)	care
résumer	to sum up	**terre** (f.)	land
retrouver	to find	**trait** (m.)	trait
retrouvailles (f.pl.)	reunion	**vieillard** (m.)	old man

QUESTIONS

1. Quels sont les écrivains connus qui sont nés ou ont vécu en Louisiane? Connaissez-vous d'autres œuvres de ces écrivains?
2. Quels sont le poète et le poème qui ont le plus marqué les Cajuns?
3. Qu'est-ce qu'une dot? De quoi se composait celle d'Évangéline?
4. Si vous connaissez l'histoire de la Déportation, dites pourquoi on a entassé les hommes dans l'église.
5. Qu'est-il advenu des fiancés Évangéline et Gabriel?
6. Comment s'est passée la jeunesse de l'héroïne?
7. Comment a-t-elle choisi de passer ses vieux jours?
8. Comment et où se sont retrouvés les éternels fiancés?
9. Les personnages de Longfellow sont-ils fictifs pour les descendants des Cajuns?

SITUATIONS – CONVERSATIONS

1. À l'aide des expressions connues et du subjonctif, exprimez…

   la nécessité: nommez deux choses que vous devez faire chaque matin.

   un souhait: nommez une qualité que vous souhaitez trouver chez votre ami(e).

   un sentiment: nommez deux choses que vous aimez chez vos parents.

2. Est-il important que les minorités linguistiques conservent leur langue maternelle et leur héritage culturel? Qu'est-ce que la diversité peut apporter à une société? Faut-il encourager l'enseignement des langues maternelles aux minorités?

3. À part la France, le Canada et certaines régions des États-Unis, connaissez-vous d'autres pays où on parle couramment le français? Chacun de vous devra recueillir des renseignements sur un pays particulier et parler du statut et de l'usage du français dans ce pays.

4. Connaissez-vous la Louisiane?

   La Louisiane est aux _____. La capitale de la Louisiane est _____.
   En Louisiane, on parle _____.
   Une autre grande ville dans cet État est _____. En Louisiane, il y a des
   _____ où nagent calmement des _____. Les États voisins de la
   Louisiane sont _____ et _____. Un grand fleuve se trouve en
   Louisiane: _____.

5. Vous avez visité la Louisiane. Dites quelle a été la plus mauvaise surprise, l'anecdote la plus drôle ou la plus étonnante, la situation la plus embarrassante, la mésaventure la plus déplaisante, les souvenirs les plus émouvants, les plus beaux paysages de cet État.

6. Quel est l'aspect de votre héritage national qui: a) est sans valeur, b) est de valeur limitée, c) est de valeur considérable, d) doit être protégé?

7. Utilisez ces expressions dans une phrase: avoir des caractères différents / opposés; avoir du caractère; avoir un caractère de chien / de cochon; avoir un sale caractère.

COMPOSITIONS

1. Racontez un voyage dans le sud des États-Unis.

2. Pensez-vous que la cuisine soit un aspect important d'une culture? de la vie en général? Quelles sont les préférences culinaires (...) des Cajuns? Les connaissez-vous?

 # PRONONCIATION

((•—Listen on myfrenchlab

(Students and instructors can listen to the audio track for this exercise on MyFrenchLab.)

I. Ch: le son /ʃ/ et le son /k/

Most of the time, the letters **ch** are pronounced /ʃ/.

Répétez:

chat	cher	chose	marche
charmant	achète	chocolat	mèche
chameau	chemise	chou	poche
champ	chimique	chute	bouche
chanter	chipie	fourchu	huche

In a few words borrowed from other languages, **ch** is pronounced /k/.

Répétez:

chaos, chianti, chœur, choléra
archaïsme, archange, archéologie, lichen, orchestre, orchidée, psychanalyse, psychologie, psychiatrie, écho

II. Gn: le son /ɲ/

Répétez:

agneau	compagne	digne	cognac
montagnard	Espagne	signal	Pologne
compagnie	Allemagne	consigne	Gascogne

III. Th: le son /t/

Répétez:

thé	sympathique	gothique
théâtre	mathématiques	pathétique
théorie	bibliothèque	luth
théologie	athéisme	vermouth

MyFrenchLab   Visit MyFrenchLab to access additional resources such as audio exercises, the *Cahier de laboratoire*, and web destinations.

CHAPITRE 19

© Paul Austring Photography/Getty Images

Les autochtones

MyFrenchLab

Visit MyFrenchLab to access additional resources, including

- *Cahier de laboratoire*
- Self-grading assessments
- Audio exercises
- Grammar primers and tutorials

Thèmes

- Les Amérindiens
- Les minorités
- Exprimer mon opinion, mes sentiments, la possibilité, la probabilité et le doute
- Donner des conseils

Grammaire

19.1 Le subjonctif des verbes irréguliers

19.2 La voix passive

19.3 Le verbe irrégulier *s'assoir*

Lecture

*Indignée avant l'heure —
Maude Watt*

VOCABULAIRE UTILE

Noms

amulette (f.)	charm	**plaidoyer** (m.)	plea
autochtone (m./f.)	native	**récompense** (f.)	reward
artisan(e)	artisan, craftsman, craftswoman	**vélo** (m.)	bicycle
		vérité (f.)	truth
bienfait (m.)	benefit		
chasse (f.)	hunting	### Adjectif	
chasseur, chasseuse	hunter	**nu(e)**	naked
chevreuil (m.)	deer		
droit (m.)	right	### Verbes	
étoile (f.)	star	**attribuer**	to grant
enseignement (m.)	lesson	**construire**	to build
fumoir (m.)	smoker (for smoking meat)	**convaincre**	to convince
		féliciter	to congratulate
genou (m.)	knee	**peindre**	to paint
guerrier, guerrière	warrior	**pelleter**	to shovel
jeu (m.)	game	**pleuvoir**	to rain
lecteur, lectrice	reader	**ramasser**	to pick up
mensonge (m.)	lie	**sécher**	to dry
nappe (f.)	tablecloth		
note (f.)	mark, grade	### Locution adverbiale	
orage (m.)	storm	**par terre**	on the floor
panier (m.)	basket		
pêche (f.)	fishing	### Proverbe	
phoque (m.)	seal	**La sagesse se trouve dans la souffrance et la solitude.**	Wisdom is found in suffering and solitude.

GRAMMAIRE ET EXERCICES ORAUX

19.1 Le subjonctif des verbes irréguliers

1) Many irregular verbs have regular forms in the present subjunctive: **connaitre, dire, dormir, écrire, lire, mentir, mettre, partir, sentir, servir**, etc. For example

connaitre:	connaisse, connaisses, connaisse, connaissions, connaissiez, connaissent
lire:	lise, lises, lise, lisions, lisiez, lisent

2) **Être** and **avoir** have irregular stems and they are also the only verbs that have irregular subjunctive endings:

avoir:	aie, aies, ait, ayons, ayez, aient
être:	sois, sois, soit, soyons, soyez, soient

3. **Faire, pouvoir,** and **savoir** have an irregular stem:

faire:	fasse, fasses, fasse, fassions, fassiez, fassent
pouvoir:	puisse, puisses, puisse, puissions, puissiez, puissent
savoir:	sache, saches, sache, sachions, sachiez, sachent

The subjunctive forms of **falloir** and **pleuvoir** are **il faille** and **il pleuve**.

4. **Aller** and **vouloir** have two irregular stems:

aller:	que j'aille, que tu ailles, qu'il / elle / on aille, qu'ils / elles aillent
	que nous allions, que vous alliez
vouloir:	que je veuille, que tu veuilles, qu'il / elle / on veuille, qu'ils / elles veuillent
	que nous voulions, que vous vouliez

5. Some irregular verbs have regular subjunctive stems in the **je, tu, il / elle / on,** and **ils / elles** forms. The subjunctive stem for the **nous** and **vous** forms is the same as the imperfect of the indicative:

boire:	boive, boives, boive, boivent
	buvions, buviez
devoir:	doive, doives, doive, doivent
	devions, deviez
prendre:	prenne, prennes, prenne, prennent
	prenions, preniez
recevoir:	reçoive, reçoives, reçoive, reçoivent
	recevions, receviez
tenir:	tienne, tiennes, tienne, tiennent
	tenions, teniez
venir:	vienne, viennes, vienne, viennent
	venions, veniez
voir:	voie, voies, voie, voient
	voyions, voyiez

 EXERCICES ORAUX

a. Exprimez vos sentiments.

1. Je suis content(e) qu'il ait de bonnes raquettes. (tu, nous, elles, vous)
2. Je suis heureux(euse) que tu veuilles venir au pow-wow. (vous, Mark, ils)
3. Il est bon que tu saches la vérité sur les Amérindiens. (elle, vous, mes amis)
4. Je suis surpris(e) que tu connaisses ces danses. (elle, vous, ces adolescents)
5. Il est désolé que tu n'ailles pas à la chasse avec lui. (elle, ses amis, vous)

b. Exprimez votre opinion à l'aide de *Je ne pense pas, Je ne crois pas* + *subjonctif.*

D'après moi,

1. les historiens ont toujours raison. Je _____.
2. les Amérindiens peuvent chasser partout au Canada. Je _____.
3. les Innus savent construire des iglous. Je _____.
4. ton ami Atondo va à Kuujjuaq. Je _____.
5. les autochtones tiennent beaucoup à nos valeurs. Je _____.
6. Tagoona est malade. Je _____.
7. ton cousin revient d'un voyage dans le Grand-Nord. Je _____.
8. la langue iroquoise est difficile à apprendre. Je _____.

c. Est-il possible ou probable que / qu'...?

1. Boirons-nous du champagne à la réception ce soir?
2. Viendras-tu avec ton ami Acharon?
3. Prendras-tu le train pour retourner à Inuvik la semaine prochaine?
4. Est-ce que vous voudrez venir avec nous à Métabechouan?
5. Prendrez-vous une décision au sujet de mon invitation?

d. Vous doutez de tout!

Modèle: Est-ce que les Inuits boivent surtout du thé?
Je doute qu'ils boivent surtout du thé.

1. Est-ce qu'un pow-wow est une danse funéraire?
2. Est-ce qu'on doit porter des mocassins pour la cérémonie?
3. Est-ce que Jaluk vient à la pêche au saumon?
4. Est-ce que ton frère apprend l'inuktitut?
5. Est-ce que Katari obtiendra de bonnes notes pour ce test de langue crie?
6. Est-ce qu'on doit suivre le guide pour participer aux activités traditionnelles?

e. Répondez.

1. Est-ce que nous devons écrire une lettre à l'Assemblée des Premières Nations?
   Oui, il faut que _____.
2. Devons-nous lire la réponse du Chef? Oui, il faut que _____.
3. Doit-on dire la vérité sur les conditions de vie des autochtones? Oui, il faut que

   _____.
4. Devons-nous soumettre un projet sur l'environnement? Oui, il faut que

   _____.
5. Dois-je lire ce livre sur les Abénaquis? Oui, il faut que _____.
6. Quand est-ce que les Amérindiens doivent partir pour la chasse? Il faut que

   _____.
7. Est-ce que les chasseurs doivent dormir sous la tente? Oui, il faut que _____.

19.2 La voix passive

The passive voice

A sentence in the passive voice is one in which the subject is acted upon ("Cholena is congratulated by her friends.") whereas in a sentence in the active voice, the subject performs the action ("Her friends congratulate Cholena.").

The French passive construction is similar to the English one to the extent that **être** followed by the past participle of the verb is substituted for the active form of the verb:

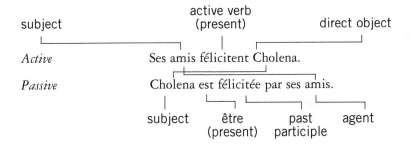

Note the changes that occur in this transformation:

1) the subject in the active construction becomes the agent in the passive, preceded by the preposition **par**;

2) the direct object in the active construction becomes the subject in the passive;

3) the tense of the verb in the active construction is the same as the tense of the auxiliary verb **être** in the passive;

4) the verb in the active construction becomes a past participle that agrees in gender and number with the subject in the passive.

With verbs indicating a feeling or a state more than an action, such as **accompagner**, **aimer**, **couvrir**, **précéder**, **respecter**, **suivre**, the agent is preceded by the preposition **de**:

> Il est aimé **de** ses amis algonquins.
> Elle était respectée **des** membres de la tribu.
> Ce repas est précédé **d**'une célébration.

Sometimes the agent is not expressed:

> Le poisson n'a pas été séché.
> Cet enfant sera puni.

Alternatives to the passive voice

1) It must be emphasized that in French, only the *direct object* of the verb in the active voice may become the subject of the verb in the passive voice. By contrast, in English it is possible to use as the subject of the passive sentence what would be the *indirect object* of the verb in the active voice. For instance, we may find in English a sentence such as

> Anaki was given a book by Natane.

The corresponding sentence in the active voice is

> Natane gave **Anaki** a book.

In the latter sentence, "Anaki" is the *indirect object* of the verb, a fact that may be made more apparent by using the equivalent prepositional phrase:

> Natane gave a book **to Anaki**.

In French, the indirect object of the verb in the active voice *cannot* become the subject of the verb in the passive voice. Hence, it would be impossible to create a sentence such as

> Anaki a été donné un livre par Natane.

2) The restriction just mentioned is one of the reasons why the use of the passive voice is more frequent in English than in French. Of course, it would be possible (referring to the above example) to use the following sentence in the passive voice:

> Un livre a été donné à Anaki par Natane.

Such a sentence, however, would sound as awkward in French as its equivalent in English ("A book was given to Anaki by Natane"). The tendency in French is to use instead the corresponding sentence in the active voice:

> Natane a donné un livre à Anaki.

Now, many sentences are created in English using the same pattern as "Anaki was given a book" without mentioning the agent:

> He was given a present.
> Chogan was told a lie.

The corresponding sentences in French use the active voice with the indefinite subject pronoun **on** as a subject:

> On lui a donné un cadeau.
> On a dit un mensonge à Chogan.

3) When the verb expresses a general or habitual fact, the pronominal form of the verb may be substituted for **on** + active voice:

> Inuktitut is spoken in Kuujjaq.   { On parle inuktitut à Kuujjuaq.
>   { L'inuktitut se parle à Kuujjuaq.

 EXERCICES ORAUX

a. Mettez les phrases suivantes à la voix passive selon le modèle.

> *Modèle:* Ses declarations m'ont irrité(e).
> *J'ai été irrité(e) par ses déclarations.*

1. Un grand Amérindien a écrit ce livre.
2. Henry Moore a exécuté cette sculpture.
3. Boris te battra au tennis.
4. L'orage a abattu plusieurs arbres.
5. Les étudiants n'ont pas compris cette légende.
6. Le chef prendra une décision.
7. Mes grands-parents m'ont offert ces mocassins.

b. Mettez les phrases à la voix passive en employant la préposition *de*.

> *Modèle:* Les membres de la tribu aiment ce chef.
> *Ce chef est aimé des membres de la tribu.*

1. Une réception suivra la Danse du soleil.
2. Ses ennemis la respectent.
3. Son ami accompagnait Acharo.
4. Des nuages couvraient le ciel.
5. Une discussion a précédé le vote.

c. Mettez les phrases suivantes à la voix active selon le modèle.

> *Modèle:* Ces raquettes m'ont été données par Jaluk.
> *Jaluk m'a donné ces raquettes.*

1. Les clés ont été oubliées par Ama.
2. Ces livres lui ont été prêtés par ses amis.
3. Les amulettes one été fabriquées par les Cayugas.
4. Cet article a été écrit par Tagoona.
5. Le kayak nous sera prêté par mon voisin.
6. Ma ligne à pêche est réparée par Cholena.
7. Le chevreuil était attendu par le coyote.

d. Mettez les phrases suivantes à la voix active selon le modèle.

> *Modèle:* Cette vieille maison longue va être démolie.
> *On va démolir cette vieille maison longue.*

1. Du pétrole a été découvert dans cette région.
2. Nous avions été invités au pow-wow.
3. Ce wigwam leur a été offert pour leur mariage.
4. Une réponse vous sera donnée la semaine prochaine.
5. Aucune solution n'a été trouvée.
6. Rien ne lui a été dit.

e. Transformez les phrases suivantes selon les modèles.

> *Modèle:* Le maïs est servi avec le poisson.
> *Le maïs se sert avec le poisson.*

1. Ces fruits sont cueillis près de la forêt.
2. Le fumoir peut être acheté dans les magasins autochtones.
3. Le huron est appris facilement.
4. Le phoque est mangé cru.
5. Cette construction langagière n'est pas employée en seneca.

> *Modèle:* On n'apprend pas le huron en un mois.
> *Le huron ne s'apprend pas en un mois.*

1. On ne dit pas cela en algonquin.
2. On comprend facilement son erreur.
3. On parle aussi l'iroquois à Kanasetake.
4. On sert le poisson avec la tête.
5. On porte le tikinagan pour bébé sur le dos.
6. On oublie difficilement une erreur historique.

19.3 Le verbe irrégulier *s'assoir*

Présent de l'indicatif	Participe passé	Futur
je **m'assois / m'assieds**	**assis**	**je m'assoirai / m'assiérai**
tu **t'assois / t'assieds**		
il / elle / on **s'assoit / s'assied**		
nous **nous assoyons / nous asseyons**		
vous **vous assoyez / vous asseyez**		
ils / elles **s'assoient / s'asseyent**		

The present subjunctive is regular:
que je m'asseye / m'assoie

S'assoir means "to sit down" and must not be confused with **être assis** (to sit/to be sitting):

> **Je m'assois sur une chaise. / Je suis assis(e) sur une chaise.**
>
> I sit down on a chair. / I am sitting on a chair.

 EXERCICES ORAUX

a. Remplacez le sujet par les mots entre parenthèses.

1. Je m'assois sur un hamac. (tu, elle, nous, les enfants)
2. Il s'est assis dans un toboggan. (je, tu, Cholena)
3. Nous nous assoirons par terre. (tu, Anaki, vous, elles)
4. Il faut que tu t'assoies. (je, nous, ils, vous)

b. Répondez aux questions.

1. Préfères-tu t'assoir par terre ou sur un coussin?
2. Où t'assois-tu généralement quand tu lis?
3. Est-ce que vous vous asseyez / assoyez souvent par terre? Quand?
4. Si tu voyageais en canot, t'assoirais-tu au milieu?
5. Est-ce que vous vous êtes déjà assis(e) dans un kayak?
6. Est-ce que tu t'assoyais sur les genoux de ton père quand tu étais enfant?
7. Est-ce qu'il faut que tu t'assoies pour pêcher?

EXERCICES ÉCRITS

a. Mettez le verbe au subjonctif à l'aide des différentes expressions.

> *Modèle:* Il fait beau. (je suis content(e))
> *Je suis content(e) qu'il fasse beau.*

1. Il pleut. (je regrette)
2. Le chef peut vous recevoir. (je ne pense pas)
3. Il neige fort. (il est possible)
4. Tu viens à la Danse du soleil. (je veux)
5. Elles sont au parc national. (il est peu probable)
6. Vous allez consulter un chaman. (il serait utile)
7. Vous savez ce qu'il faut faire. (il est bon)
8. Il faut préparer toute la cérémonie. (je ne crois pas)
9. Nous sommes déjà en hiver. (j'ai peur)
10. Vous voulez déjà partir. (je suis triste)
11. Tu ne vas pas à la cabane à sucre. (c'est dommage)

b. Remplacez le verbe *devoir* par l'expression *Il faut que / qu' + subjonctif*.

> *Modèle:* Tu dois partir avant l'hiver.
> *Il faut que tu partes avant l'hiver.*

1. Tu dois faire un feu.
2. Je dois écrire aux membres de l'Assemblée.
3. Les enfants doivent venir à la célébration.
4. Nous devons revenir demain.
5. Tu dois retenir cette date.
6. Vous devez ramasser l'eau d'érable.
7. Je dois mettre l'eau sur le feu.
8. Ils doivent pelleter la neige.
9. Tu dois me donner la recette.
10. Il doit apprendre le cri.

c. Mettez les phrases suivantes à la voix active.

1. La nouvelle a été communiquée à Akomalik.
2. Cet article a été écrit par une Amérindienne.
3. Elle est aimée de tous ses enfants.
4. Une récompense lui a été offerte.
5. Les criminels ne sont pas assez punis.
6. La conférence sera suivie d'une discussion.
7. Ce livre d'histoire m'a été prêté par des amis.
8. Ces documents rares ont été perdus.

d. Employez le verbe *s'assoir* au temps et au mode appropriés.

1. Hier, nous _____ à côté des tamtams (tam-tams) au pow-wow.
2. Pourquoi_____-tu toujours sous les arbres?
3. Ama_____ près de Kwanita; Anaki et Abequa _____ à côté de moi.
4. Quand il était en camping, il _____ toujours par terre.
5. Où voulez-vous que je _____?
6. Je _____ où je voudrai!

Lecture

Indignée avant l'heure — Maud Watt

© Daniel Rose/Shutterstock.com

HIVER 1930. Sa décision est prise, elle quitte à pied Waskaganish à la baie James, alors appelé Fort Rupert, par -45 degrés Celsius, ses enfants de 6 et 3 ans couchés sur un traîneau. Accompagnée de deux guides cris, elle marche 400 km afin de rallier Cochrane, la gare ferroviaire la plus proche dans le nord de l'Ontario. Elle gagne ensuite la ville de Québec. Le but de son voyage: revendiquer auprès du premier ministre Louis-Alexandre Taschereau la protection de territoires pour la sauvegarde du castor, une question de vie et de mort pour les Cris. Voilà Maud Watt.

Maude Maloney naît en Gaspésie en 1894 et grandit à Mingan, sur la Côte-Nord, où son père travaille pour la Compagnie de la Baie d'Hudson. En 1915, elle épouse James Watt. Ensemble, ils vont s'établir à Fort Chimo (aujourd'hui Kuujjuaq*). Trois ans plus tard, au terme de leur contrat de résidence, le bateau de ravitaillement qui doit les ramener ne se présente pas. Qu'à cela ne tienne, ils chaussent leurs raquettes et, se joignant à des familles innues, traversent le Labrador jusqu'à Sept-Îles, une randonnée de 1280 km à travers la taïga!**

En 1920, Jim est affecté à Fort Rupert. Le castor jusqu'alors abondant y connaît un grave déclin, attribué notamment à la chasse abusive. Les Cris, dont la subsistance en dépend, risquent la famine. En dépit de la situation, la Compagnie de la Baie d'Hudson continue d'appliquer sa politique : pas de fourrures, pas de crédit! Jim et Maud ont alors une idée originale; si on veut sauver les Cris, il

faut sauver le castor. Ils décident donc de créer des territoires protégés afin de permettre à ces rongeurs de se reproduire. La Compagnie de la Baie d'Hudson ayant refusé de les aider, ils se tournent vers le gouvernement provincial. Maud n'a rien perdu de son français : c'est elle qui partira pour Québec.

Elle réussit à convaincre les fonctionnaires de sauver le castor de l'extinction, et cela pour la survivance d'Autochtones qu'on n'aurait même pas su nommer à Québec! Elle revient à Fort Rupert avec un acte de concession garantissant une réserve protégée de plus de 18 650 km^2. Bien que rébarbatifs de prime abord, à cette idée nouvelle de gestion de la faune, les Cris respectent peu à peu ces zones protégées. Ils surnomment affectueusement Jim et Maud Watt, *Amisk Utsimawat*, c'est-à-dire Maîtres des castors. L'idée sera reprise avec succès dans les Territoires du Nord-Ouest et en Ontario.

En 1942, 8 ans après la mort de son mari, Maud Watt est nommée officiellement garde-chasse à Fort Rupert, ce qui fait d'elle la première Québécoise à exercer ce métier. Elle passera une dizaine d'années comme elle aime vivre, en raquettes, protégeant ses réserves de castors, et adoptant des enfants cris qu'elle fait instruire à ses frais.

À sa retraite, elle devient boulangère et réalise un dernier grand projet : la construction à Fort Rupert d'une maison communautaire pour les Cris. Pourtant, à 73 ans, elle est littéralement expulsée du village, devenu une réserve indienne entre-temps. On sait que la Loi sur les Indiens ne permettait pas à un Blanc – encore moins à une Blanche – de résider dans une réserve. Qui l'en a chassée? Les autorités fédérales ou le Conseil de Bande? Les motifs exacts de son expulsion demeurent nébuleux. Une fois partie, la grande dame du Nord tombe dans l'oubli. Elle mourra à Ottawa en 1987 à 93 ans.

De Marie-Christine Lévesque, *Québec Science*, 67 avril – Mai 2013, p. 67, Publ. Vélo Québec Editions.

---

* Village inuit - nord Québec – à Nunavik.

** Taïga : formation végétale de type forestier.

affecter	to post	**instruire**	to educate
amener à	to bring to	**nébuleux (euse)**	not clear
but (m.)	goal	**oubli** (m.)	oblivion
castor (m.)	beaver	**prime abord : à—**	at first glance
chasse (f.)	hunting	**proche**	close
chausser	to put on	**protégé (e)**	protected
coucher	to lay down	**rallier**	to rejoin
dépit de: en—	in spite of	**ramener**	to take back
entre-temps	in the meantime	**randonnée** (f.)	hike
exercer	to practise	**ravitaillement** (m.)	provisions
faune (f.)	wildlife	**rébarbatif (ive)**	unappealing
ferroviaire	railway	**(se) rendre**	to go
fonctionnaire (f.m.)	civil servant	**repris (e)**	repeated
fourrure (f.)	fur	**revendiquer**	to claim
frais (m.)	expense	**rongeur** (m.)	rodent
gagner	to reach	**sauvegarde** (f.)	safeguard
garde-chasse (f.m.)	gamekeeper	**surnommer**	to nickname
gare	station	**survivance** (f.)	survival
gestion	management	**terme : au —**	at the end
indigné (e)	outraged	**traîneau**	sleigh

QUESTIONS

1. Quelle décision importante prend Maud Watt, l'hiver 1930 à Waskaganish?
2. D'où vient Maud Watt, qui épouse-t-elle et où est-ce que le couple s'établit?
3. Pourquoi le couple doit-il plus tard se rendre à Sept-Iles?
4. Qu'est-ce qui amène Maud et son mari à créer des territoires protégés à Fort Rupert?
5. Qu'est-ce que Maud obtient des fonctionnaires de Québec?
6. Quelle réaction cette décision provoque-t-elle chez les Autochtones?
7. Quel titre obtient-elle en 1942?
8. En quoi consiste le style de vie de Maud Watt?
9. Que se passe-t-il à sa retraite?
10. Pourquoi est-elle expulsée de la réserve?

SITUATIONS – CONVERSATIONS

1. Que faut-il que vous fassiez aujourd'hui? (ce soir? demain? la semaine prochaine? l'année prochaine?)

2. Y a-t-il des autochtones dans votre province? Parlez-nous de leur origine, de leur culture, de leur vie. Croyez-vous qu'ils aient raison de préserver leur culture?

3. Notre société se veut plus consciente de son écologie. Quel enseignement pourraient nous fournir les autochtones?

4. Comment réagissez-vous aux injustices commises contre les autochtones?

5. Pourquoi, d'après vous, les gouvernements s'intéressent-ils aux droits des autochtones?

6. Parlons loisirs et passe-temps. Le jardinage (gardening), le pilotage (flying), le bénévolat (voluntary work), le magasinage (shopping), le bricolage (handyman work), l'artisanat (craft), le jeu (playing), le cyclisme (cycling), l'astrologie, la chasse, la musique, la photographie, la poterie, la danse, la navigation, l'astronomie, la céramique, la peinture, le théâtre.

   Quel est mon passe-temps favori?

   J'adore:

jouer la comédie	prendre des photos
aller aux concerts	observer les étoiles
fabriquer des meubles	rouler à vélo
acheter des objets	fabriquer des vases
planter des fleurs	peindre un tableau
me promener en kayak	rendre visite à des malades

7(a). Comment s'appelle une personne qui s'adonne...

   au jeu? *Un(e) joueur(euse)*   à la chasse? *Un(e) chasseur(euse)*

   à la pêche? *Un(e) pêcheur(euse)*   à l'astronomie? *Un(e) astronome*

   à l'astrologie? *Un(e) astrologue*   à la lecture? *Un(e) lecteur(trice)*

7(b). Comment s'appelle une personne qui est passionnée de...

   ... musique? *Un(e) mélomane*

   ... cinéma? *Un(e) cinéphile*

   ... collections? *Un(e) collectionneur(euse)*

Remplacez le mot ou l'expression qui ne convient pas.

M. Chichimon est mélomane, il fabrique des paniers _____.

Maman est peintre, elle brode des nappes _____.

Mon cousin est bibliophile, il collectionne les livres _____.

Mon beau-frère est cartophile, il joue aux cartes _____.

Le mari de ma cousine est bénévole, il achète des vieux disques _____.

Ma femme est astronome, elle fait des horoscopes _____.

Mon grand-père est collectionneur, il peint des tableaux _____.

Ma voisine est artisane, elle magasine régulièrement _____.

Mme Grand-canot est cinéphile, elle admire les étoiles _____.

COMPOSITIONS

1. On déplore les manifestations racistes contre les minorités. Croyez-vous que le racisme existe vraiment dans ce pays? À quoi l'attribuez-vous?

2. Préparez un plaidoyer en faveur des droits des autochtones.

3. S'il fallait que vous convainquiez un groupe minoritaire des bienfaits de votre civilisation, quels arguments apporteriez-vous?

 # PRONONCIATION   ((• Listen on myfrenchlab

(Students and instructors can listen to the audio track for this exercise on MyFrenchLab.)

I. Le son p (/p/)

Répétez d'après le modèle:

pas	pis	pot	pour	père
patron	piston	pore	poule	appeler
partir	pire	reporter	poudre	répète
repasser	empire	rapport	repousser	pelle
pan	pont	pain	tape	loupe
penser	pondre	pincer	carpe	lampe
pendre	répondre	repeindre	type	trompe
soupente	lapon	lapin	taupe	pulpe

II. Le son t (/t/)

Répétez d'après le modèle:

ta	tôt	tout	thé	tic
étape	râteau	atout	amputé	timon
tableau	couteau	bistouri	haute	Attila
attaque	torride	retour	téléphone	otite
tant	ton	tain	patte	rote
tendre	tondre	teindre	rate	arête
attendre	laiton	atteindre	route	pente
honteux	chaton	lutin	rut	pinte

III. Le son k (/k/)

Répétez d'après le modèle:

carotte	cour	cultiver	qui	coma
cabane	couler	culot	quitte	cobra
écart	écouler	acculer	équilibre	école
escale	découper	recul	requis	accoler
conte	quand	sac	suc	brique
compter	cancan	bec	donc	moque
décompte	décanter	choc	banque	musc
acompte	encan	bouc	cinq	tchèque

MyFrenchLab   Visit MyFrenchLab to access additional resources such as audio exercises, the *Cahier de laboratoire*, and web destinations.

CHAPITRE 20

© StockLite/Shutterstock.com

L'emploi

MyFrenchLab

Visit MyFrenchLab to access additional resources, including

- *Cahier de laboratoire*
- Self-grading assessments
- Audio exercises
- Grammar primers and tutorials

Thèmes

- L'emploi
- Mon curriculum vitæ
- Une entrevue pour un emploi
- Comment exprimer un but, une concession, une condition, une restriction et le temps
- Ce que je fais aux autres
- Ce que les autres me font

Lecture

Filer à la française

Grammaire

20.1 Le subjonctif après certaines conjonctions

20.2 Emploi de l'infinitif à la place du subjonctif

20.3 *Faire* + infinitif

20.4 *Rendre* + adjectif

20.5 Le verbe irrégulier *conduire*

20.6 Les pronoms indéfinis

VOCABULAIRE UTILE

Noms

adjoint(e)	assistant	mise à pied (f.)	layoff
affectation (f.)	posting	ouvrage (m.)	work
Allemand(e)	German	ouvrier, ouvrière	labourer
augmentation (f.)	raise	panne (f.)	breakdown
bagnole (f.)	car	patron, patronne	boss
bâtiment (m.)	building	plongeur, plongeuse	dishwasher
bilan (m.)	assessment	poste (m.)	position
boulot (m.)	work	recherche (f.)	research
cadre (m.)	managerial staff	reportage (m.)	coverage
carrefour (m.)	crossroads, intersection	rendement (m.)	performance
chantier (m.)	site	tâche (f.)	task

Adjectifs

chemin (m.) — way, path	déprimé(e) — depressed
chiffre (m.) — number	disponible — available
chômage (m.) — unemployment	épuisant(e) — exhausting
chômeur, chômeuse — unemployed person	exigeant(e) — demanding
cinéaste (m./f.) — film director	rémunérateur, rémunératice — lucrative
conférencier, conférencière — speaker	rentable — profitable

congé (m.) leave

Verbes

contremaître, contremaîtresse — foreman, forewoman	accroitre (accroître) — to increase
curriculum vitae (C.V.) (m.) — resumé	assumer — to take on
	baisser — to decrease
débouché (m.) — job prospect	(se) dépêcher — to hurry
demande d'emploi (f.) — job application	(se) détendre — to relax
	dresser — to write out
domaine (m.) — field	effectuer — to make, to do
enseignant(e) — teacher	embaucher — to hire
entretien (m.) — maintenance	gérer — to manage
équipe (f.) — team	joindre — to reach
faiblesse (f.) — weakness	laisser — to let (allow)
fonctionnaire (m./f.) — civil servant	licencier — to let go, dismiss
genre (m.) — kind	postuler — to apply
gestion (f.) — management	prêter — to lend
impôt (m.) — tax	rédiger — to write
main d'œuvre (f.) — manpower	remorquer — to tow
métier (m.) — trade	remplir — to fill

traduire	to translate	poser sa candidature	to apply for

Adverbe

fort   strong, hard

**Que faites-vous
dans la vie?**   What do you
                         do in life?

Expressions

Proverbe

à son compte   self-employed

**Qui ne risque rien
n'a rien.**   Nothing ventured,
                     nothing gained.

GRAMMAIRE ET EXERCICES ORAUX

20.1 Le subjonctif après certaines conjonctions

The subjunctive must be used in clauses introduced by conjunctions that express a goal, a concession, a condition, a restriction, and time.

pour que		so that	à moins que	unless (a restriction)
afin que	}	(a goal)	sans que	without (a restriction)
bien que		although	avant que	before (time)
quoique	}	(a concession)	jusqu'à ce que	until (time)
pourvu que		provided that		
à condition que	}	(a condition)		

Exemples:

Je lui ai écrit **pour qu**'elle ait ma nouvelle adresse. (a goal)

Bien qu'il soit malade, il vient au boulot. (a concession)

Je te prêterai de l'argent **à condition que** tu me le rendes. (a condition)

Nous irons faire du ski **à moins qu**'il fasse trop froid. (a restriction)

Il persistera **jusqu'à ce qu**'il réussisse. (time)

 EXERCICES ORAUX

a. Quels sont leurs buts? Employez *pour que* ou *afin que + subjonctif*.

1. Cet ouvrier travaille fort. (Son contremaître est fier de lui.)
2. Je poserai ma candidature à plusieurs postes. (On ne m'oubliera pas.)
3. J'ai prêté mon ordinateur à mon frère. (Il pourra préparer son C.V.)
4. Soignez bien votre C.V. (On aura une bonne opinion de vous.)
5. Laisse-lui un message. (Il saura où te joindre.)

b. Quelquefois, il faut faire des concessions. Employez *bien que* ou *quoique + subjonctif*.

1. J'aime ce projet; pourtant° il n'est pas très rémunérateur.
2. Elle continue de servir au restaurant; pourtant elle trouve son patron trop exigeant.
3. Je viendrai cette fin de semaine; pourtant j'ai beaucoup d'ouvrage.
4. John s'occupe de l'administration; pourtant il déteste les chiffres.
5. Louise veut devenir avocate; pourtant elle ne comprend pas bien le Code civil.

c. Il y a toujours une condition à tout. Employez le subjonctif.

    1. Je t'attendrai pourvu que tu _____.

    2. Elle fera une belle carrière à condition que ses patrons _____.

    3. Nous choisirons une industrie pourvu que _____.

    4. Je souhaite un poste de cadre à condition que la direction _____.

    5. J'assumerai de nombreuses responsabilités pourvu que ma famille _____.

d. *Avec ou sans restriction.* Employez le subjonctif.

    1. Je ne serai pas nerveux à l'entrevue à moins que _____.

    2. Je peux prendre une décision sans que _____.

    3. L'employeur m'oblige à répondre sans que _____.

    4. Je peux terminer cette étude à moins que _____.

    5. Sophie acceptera cette affectation à moins que _____.

e. Exprimez le temps. Employez *avant que.*

    1. Je voudrais le revoir. Il s'en ira.   4. Le patron veut consulter le document.

    2. Nous te reverrons. Tu partiras.   Nous ferons notre rapport.

    3. Elle effectue un stage. Ils l'engageront.   5. Nous irons passer l'audition. Tu partiras.

    Employez *jusqu'à ce que.*

    1. Nous regarderons ce film. Il se terminera.

    2. Je te répéterai la même chose. Tu comprendras.

    3. Elle restera à ce poste. Elle aura une promotion.

    4. Elle refuse de manger. Elle perdra cinq kilos.

    5. Vous devriez rester ici. La conférence commence.

f. Un peu de tout...! Faites des phrases avec les conjonctions suivantes.

    1. pour que   4. pourvu que

    2. bien que   5. à moins que

    3. jusqu'à ce que

20.2 Emploi de l'infinitif à la place du subjonctif

When the subject of the main clause refers to the same person or thing as the subject of the subordinate clause in the subjunctive, the subjunctive is replaced by the infinitive and the following conjunctions are replaced by corresponding prepositions:

Conjunctions	Prepositions	Conjunctions	Prepositions
pour que	pour	à moins que	à moins de
afin que	afin de	sans que	sans
à condition que	à condition de	avant que	avant de

Do not use these constructions:

*J'*étudie pour que *je* devienne avocat.

Elle travaille pour qu'*elle* gagne de l'argent.

Elle viendra à condition qu'*elle* soit disponible.

Nous avons passé deux nuits sans que *nous* dormions.

Viens me voir avant que *tu* t'en ailles.

Je te le prêterai à moins que *j'*en aie besoin.

Use instead:

J'étudie pour devenir avocat.

Elle travaille pour gagner de l'argent.

Elle viendra à condition d'être disponible.

Nous avons passé deux nuits sans dormir.

Viens me voir avant de t'en aller.

Je te le prêterai à moins d'en avoir besoin.

Some conjunctions do not have a corresponding preposition: **bien que, quoique, pourvu que, jusqu'à ce que**. In such a case, the infinitive construction is not possible and the subjunctive must be used:

> Il fait du théâtre bien qu'il n'ait pas de talent.
>
> Quoique nous soyons occupés, nous irons entendre ce conférencier.
>
> J'étudierai jusqu'à ce que j'obtienne mon diplôme.
>
> Elle ira travailler pourvu qu'il n'y ait pas de mise à pied.

 EXERCICES ORAUX

a. Transformez les phrases d'après le modèle.

> *Modèle:* Je reviendrai vous voir. J'en aurai le temps. (à condition de)
> *Je reviendrai vous voir à condition d'en avoir le temps.*

1. Je l'ai fait. J'y pensais. (sans)
2. Tu dois lire ce livre. Tu comprendras cette théorie. (afin de)
3. Il veut la revoir. Il va partir. (avant de)
4. Fais ton service. Tu aideras la communauté. (pour)
5. Il réussira. Il travaillera. (à condition de)
6. Il tombera malade. Il se détendra. (à moins de)
7. Elle s'entraine. Elle participera au marathon. (afin de)
8. On ne peut pas devenir ingénieur. On fait des maths. (à moins de)
9. Finis ta job. Tu vas partir. (avant de)

b. Complétez les phrases suivantes. Employez l'infinitif ou le subjonctif selon le cas.

1. Je te texterai avant de…
2. Elle étudiera jusqu'à ce que…
3. Je bois du café bien que…
4. Va voir un avocat pour que…
5. Je négocierai le contrat à condition que…
6. Il proposera une assistance technique afin de….
7. Elle ne veut pas quitter sans…
8. Nous irons vous rencontrer à moins que…
9. Il s'habille avec élégance pour…
10. Tu réussiras pourvu que…
11. Les vacances finiront avant que…

20.3 *Faire* + infinitif

The causative construction **faire** plus infinitive indicates that the subject of **faire** causes an action to be performed by someone else. It corresponds to the English constructions "to make someone do (something)" and "to have something done (by someone)."

1) **Il fait travailler ses employés.**	He makes his employees work.

In this sentence, **ses employés** refers to the people performing the action and is the direct object of **faire**. As a noun, it follows the infinitive. If it is replaced by a direct object pronoun, this pronoun must precede **faire**:

Il *les* fait travailler.	He makes them work.

Similarly:

Elle faisait parler sa patronne. ⟶ Elle *la* faisait parler.

Il fait rire les spectateurs. ⟶ Il *les* fait rire.

2) **Il a fait réparer sa voiture.**	He had his car repaired.

Here, we do not know who performs the action: **Sa voiture** is the direct object of the infinitive **réparer** and refers to what the action is performed upon. However, the construction is identical to the one in (1): As a noun, the direct object of the infinitive follows it; as a direct object pronoun, it precedes **faire**:

Il *l'*a fait réparer.	He had it repaired.

Similarly:

Elle fait décorer sa maison. ⟶ Elle *la* fait décorer.

Il a fait bâtir sa maison. ⟶ Il *l'a* fait bâtir.

✻ Note

The past participle of *faire* does not agree with the direct object in a causative construction.

3) **Il fait répéter la phrase aux étudiants.**	He makes the students repeat the sentence.

When, as in this sentence, the infinitive has a direct object (**la phrase**) and the person or group performing the action is also mentioned, the noun referring to the latter is preceded by the preposition **à** or **par**. If it is a pronoun, the indirect object pronoun is used:

Il *leur* fait répéter la phrase.	He makes them repeat the sentence.

Similarly:

J'ai fait écrire la lettre par la secrétaire. ⟶ Je *lui* ai fait écrire la lettre.

Elle fait construire sa maison par les ouvriers. ⟶ Elle *leur* fait construire sa maison.

Note that a direct object pronoun and an indirect object pronoun may be used together in this construction:

>Il *la leur* fait répéter.
>Je *la lui* ai fait écrire.
>Elle *la leur* fait construire.

 EXERCICES ORAUX

a. Répondez aux questions en remplaçant les noms par des pronoms.

Modèle: Est-ce que le patron fait travailler les employés?
Il les fait travailler.

1. Est-ce que l'humoriste faisait rire les gens?
2. Est-ce que les professeurs font réfléchir les étudiants?
3. Est-ce que je vous fais parler français?
4. Est-ce que les administrateurs font accroitre les profits?
5. Est-ce que je vous fais rire?
6. Est-ce que tu fais pleurer les jeunes femmes / les jeunes hommes?
7. Est-ce que l'alcool te fait dormir?
8. Est-ce que le cours de français vous fait avancer dans la vie?
9. Est-ce que vos cours vous font évoluer?

b. Que faire si… (Attention aux pronoms!)

1. ta voiture est en panne? Je… (remorquer par le garagiste).
2. les revenus ont baissé? Je… (accroitre en engageant du personnel).
3. le rapport d'impôt n'est pas fait? Je… (faire par le trésorier).
4. ton auto est encore sale? Je… (laver par le garagiste).
5. ton électricité a été coupée? Je… (rétablir par la compagnie).
6. ton chien a vraiment faim? Je… (manger).
7. tu ne sais pas comment faire cette estimation? Je… (rédiger par une adjointe).

c. Suivez le modèle: employez d'abord un pronom objet indirect, ensuite, employez un autre pronom objet direct.

Modèle: Je fais laver la vaisselle au plongeur.
Je lui fais laver la vaisselle.
Je la lui fais laver.

1. Je fais réparer mon auto par le garagiste.
2. Elle fait répéter des phrases aux étudiants.
3. Il a fait recruter ses clients par son associé.
4. Nous avons fait remplir le questionnaire par Nicolas.
5. Tu feras vérifier le bilan par le patron.

20.4 *Rendre* + adjectif

Rendre, not **faire**, is used with an adjective in a causative construction:

Il rend sa femme malheureuse.   **Son succès l'a rendu vaniteux.**

He makes his wife unhappy.   His success made him vain.

 EXERCICES ORAUX

a. Allons, dis-moi ce qui ne va pas.

1. Qu'est-ce qui te rend triste? C'est _____.
2. Qui est-ce qui te rend malheureux(se)? C'est _____.
3. Pourquoi est-ce que tu te rends malade? Parce que _____.
4. Qu'est-ce qui te rend si impatient(e)? C'est _____.
5. Qui est-ce qui te rend si nerveux(se)? C'est _____.
6. Qu'est-ce qui te rend si agressif(ve)? C'est _____.
7. Qu'est-ce qui rendrait ton travail plus facile? C'est _____.
8. Qui est-ce qui pourrait te rendre plus joyeux(se)? C'est _____.

20.5 Le verbe irrégulier *conduire*

Présent de l'indicatif				*Participe passé*	*Futur*
je	**condu**is	nous	**condu**isons	**condu**it	je **condu**irai
tu	**condu**is	vous	**condu**isez		
il / elle / on	**condu**it	ils / elles	**condu**isent		

Conditionnel présent	*Subjonctif présent*
je **condu**irais	que je **condu**ise

The present subjunctive of **conduire** is regular.

Conduire means "to drive" or "to lead." Other verbs conjugated like conduire include **construire** (to build), **détruire** (to destroy), **produire** (to produce), **reconduire** (to drive/escort/take someone back home; to accompany), **réduire** (to reduce, to decrease), and **traduire** (to translate; to convey).

Elle conduit une vieille bagnole.

On a construit une nouvelle maison dans cette rue.

Ce village a été détruit pendant la guerre.

Ces usines produisent beaucoup de matériel informatique.

Est-ce qu'on a traduit Margaret Atwood en français?

 **EXERCICES ORAUX**

a. Demandez à un copain ou à une copine:

1. Est-ce que tu conduis bien?
2. Est-ce que tu conduis vite?
3. Quel genre de voiture conduis-tu?
4. Quel chemin conduit au carrefour?
5. Est-ce que tu conduis mieux quand tu as bu de l'alcool?
6. Qui te conduit à l'université le matin?
7. Est-ce que tu conduis la délégation à l'hôtel?
8. Reconduis-tu ton ami(e) chez lui / elle quand vous êtes sortis ensemble?
9. As-tu déjà conduit une moto? un camion? un tracteur?
10. Est-ce qu'on construit de nouveaux bâtiments sur le campus?
11. Est-ce qu'on a construit une centrale nucléaire près d'ici?
12. Est-ce que la pollution détruit l'environnement dans ta région?
13. Qu'est-ce qui a détruit la réputation de ce politicien?
14. Qu'est-ce que les fermiers produisent surtout dans votre région?
15. Est-ce qu'on a traduit ce volume en anglais?

20.6 Les pronoms indéfinis

The indefinite pronouns **quelqu'un, quelque chose, personne,** and **rien** have already been presented. The following are also indefinite pronouns.

1) **Tout / tous / toutes** (all/everything)

The singular form **tout** is invariable when it means "everything":

> J'ai **tout** entendu, mais je n'ai pas **tout** compris.
>
> Nous n'avons plus rien à faire: **tout** est fini.
>
> Cet intellectuel veut **tout** connaitre.

Tous and **toutes** replace the adjectives **tous** and **toutes** when the noun they modify is replaced by a personal pronoun (subject, direct, or indirect object):

Tous les travailleurs sont absents. ⟶	**Ils** sont **tous** absents.
Toutes ses amies travaillent. ⟶	**Elles** travaillent **toutes**.
Il a rencontré **tous les employeurs**. ⟶	Il **les** a **tous** rencontrés.
Elle parlera à **toutes ses clientes**. ⟶	Elle **leur** parlera à **toutes**.

Note that
— the s in the pronoun **tous** is pronounced and not in the adjective **tous**;
— **tout, tous,** and **toutes** are placed between the auxiliary verb and the past participle in compound tenses when used as direct objects;
— **tous** and **toutes** may function as subjects without a personal subject pronoun:
Tous sont absents. / **Toutes** travaillent.

2) **Chacun / chacune** (each one)

Chacun(e) replaces the adjective **chaque** and the masculine or feminine noun it modifies:

  Chaque ouvrier est différent. ⟶ **Chacun** est différent.

  Il a parlé à **chaque employée**. ⟶ Il a parlé à **chacune**.

Chacun(e) may be followed by the preposition **de** + stress pronoun or by **de** + determiner + noun:

  Chacun de nous est fatigué. ⟶ **Chacune de mes amies** est sportive.

  Il a parlé à **chacune d'elles**. ⟶ Il connait **chacune de mes faiblesses**.

  Je remercie **chacun de vous**. ⟶ Il a obéi à **chacun des ordres**.

3) **Aucun / aucune** (none/not . . . a single one)

Aucun / aucune replaces the adjective **aucun / aucune** and the noun it modifies when used as a subject. When used as a direct object, the pronoun **en** must replace the noun. Like the corresponding adjective, the pronoun **aucun / aucune** is used with **ne**.

  Aucune vendeuse n'est venue. ⟶ **Aucune** n'est venue.

  Je n'ai vu **aucun document**. ⟶ Je n'**en** ai vu **aucun**.

Aucun(e) may be followed by the preposition **de** + stress pronoun or by **de** + determiner + noun:

  Aucun de nous n'est responsable.

  Je n'ai parlé à **aucune d'elles**.

  Aucun de ces livres ne l'intéresse.

  Elle ne veut rencontrer **aucun des représentants**.

4) **Quelques-uns / quelques-unes** (some)

Quelques-uns / quelques-unes replaces the adjective **quelques** and the masculine or feminine noun it modifies when used as a subject. When used as a direct object, the pronoun **en** must replace the noun.

  Quelques exploitations sont rentables. ⟶ **Quelques-unes** sont rentables.

  J'ai lu **quelques livres**. ⟶ J'**en** ai lu **quelques-uns**.

These pronouns may be followed by **de** + determiner + noun:

  Quelques-uns de ces postes sont dangereux.

  J'aime **quelques-unes des pièces** de Michel Tremblay.

They may also be followed by **d'entre** + stress pronoun:

  Je l'ai déjà dit à **quelques-uns d'entre vous**.

  Quelques-unes d'entre elles font des mathématiques.

 **EXERCICES ORAUX**

a. Dites le contraire. Employez *tout* ou *aucun / aucune*.

1. Il ne veut rien dire.
2. Tous les emplois l'intéressent.
3. Rien ne l'amuse.
4. Je n'ai rien vu.
5. Toutes mes sœurs sont mariées.

6. Il n'a rien su faire.
7. J'en ai parlé à tous mes collègues.
8. Elle veut jeter toutes ses lettres.
9. Je n'ai rien perdu.

b. Employez les pronoms *tous* ou *toutes*.

Modèle: Il fait lire tous ses étudiants.
Il les fait tous lire.

1. J'ai téléphoné à tous les propriétaires.
2. Tous mes compagnons sont venus.
3. Elle vendra toutes ses propriétés.
4. Toutes les raisons sont différentes.

5. Elle prête de l'argent à toutes ses amies.
6. Je te donnerai tous les noms.
7. J'ai lu tous les livres de Galbraith.

c. Transformez les phrases d'après le modèle.

Modèle: Nous sommes tous responsables.
Chacun de nous est responsable.

1. Elles sont toutes différentes.
2. Vous avez tous des responsabilités.
3. Nous avons tous du travail.

4. Je vous écrirai à tous.
5. Il nous a tous encouragés.

d. Dites le contraire.

Modèle: Chacun de nous est responsable.
Aucun de nous n'est responsable.

1. Chacune d'elles sait conduire.
2. Chacun de nous a le temps de le faire.
3. J'en ai donné à chacun de vous.

4. Il aime chacune d'elles.
5. Écoute chacun d'eux.

e. Répondez aux questions, soit avec *aucun(e)*, soit avec *quelques-un(e)s*.

Modèle: As-tu vu des pièces de théâtre récemment?
Oui, j'en ai vu quelques-unes. / Non, je n'en ai vu aucune.

1. As-tu acheté une tablette numérique?
2. As-tu regardé des jobs sur le net?
3. Lis-tu les annonces classées?

4. Accepteras-tu des emplois de serveur?
5. As-tu reçu des réponses positives?
6. Est-ce qu'il y a des offres d'emploi?

EXERCICES ÉCRITS

a. Transformez les phrases d'après le modèle.

> *Modèle:* Dépêchons-nous. Elle ne doit pas nous attendre. (afin que)
> *Dépêchons-nous afin qu'elle ne doive pas nous attendre.*

1. Je voudrais te revoir. Tu t'en vas. (avant que)
2. Je dois aller à la banque. Tu veux y aller à ma place. (à moins que)
3. Ses parents ont économisé de l'argent. Il pourra faire des études. (pour que)
4. Nous t'attendrons. Tu ne seras pas trop en retard. (pourvu que)
5. Il n'est pas nerveux. Il est chargé d'une mission délicate. (bien que)
6. Elle ne peut rien faire. Nous l'aidons. (sans que)
7. Tu devras travailler fort. Tu feras des progrès. (jusqu'à ce que)
8. C'est une bonne secrétaire. Elle n'est pas très rapide. (quoique)
9. Je vais te donner des instructions. Tu sauras ce qu'il faut faire. (afin que)
10. La banque vous prêtera de l'argent. Vous avez un emploi. (à condition que)

b. Transformez les phrases selon le modèle.

> *Modèle:* Je t'accompagnerai. J'aurai le temps. (à condition de)
> *Je t'accompagnerai à condition d'en avoir le temps.*

1. Nous avons décidé d'aller le voir. Nous en discuterons avec lui. (afin de)
2. Il ne participera pas. Il partagera les bénéfices. (à moins de)
3. Téléphone-moi. Tu viendras me voir. (avant de)
4. Vous devez lui parler. Vous la rassurerez. (pour)
5. Il a nagé deux kilomètres. Il ne s'est pas arrêté. (sans)

c. Transformez les phrases d'après le modèle. Employez le verbe *faire* au présent.

> *Modèle:* Les étudiants refont l'exercice. (le professeur)
> *Le professeur fait refaire l'exercice aux étudiants.*

1. Son petit-fils écoute de la musique classique. (Olivier)
2. Sa fille apprend le russe. (la pharmacienne)
3. Le maçon répare la cheminée. (je)
4. Nous faisons des compositions. (le professeur)
5. Il analyse le dossier. (son associé)
6. Elles passent une audition. (la chorégraphe)

d. Répondez aux questions par des phrases complètes.

1. À qui fais-tu lire tes partitions?
2. À qui fait-on recommencer les exercices?
3. À qui le pianiste fait-il répéter la pièce?
4. Par qui fait-on réparer sa voiture?
5. À qui les médecins font-ils prendre des médicaments?

e. Transformez les phrases d'après le modèle.

   Modèle: Les gens deviennent déprimés. (l'inactivité)
   L'inactivité rend les gens déprimés.

   1. Je suis devenu(e) prudent(e). (cet accident)
   2. Les gens deviennent paresseux. (trop de confort)
   3. Pierre devient désagréable. (l'alcool)
   4. Elle devenait ridicule. (son snobisme)
   5. Vous devenez très élégante. (ces vêtements)

f. Mettez les verbes entre parenthèses au présent de l'indicatif.

   1. Il (traduire) ce roman en allemand.
   2. Les gens qui ont bu (conduire) dangereusement.
   3. Est-ce que tu (reconduire) Sylvie chez elle?
   4. Je (construire) ma maison moi-même.
   5. Il dit que nous (détruire) la planète.
   6. Est-ce que vous (produire) beaucoup de pétrole dans votre pays?

g. Remplacez les mots en italique par les pronoms appropriés.

   1. J'ai vu *tous les films de ce cinéaste.*
   2. Il a donné de l'argent *à chaque parti.*
   3. J'ai jeté *toute ma collection.*
   4. Nous avons rencontré *quelques candidats.*
   5. *Quelques postes* sont ouverts.
   6. *Chaque homme* a son prix.

Lecture

Filer à la française

© Nyul/Dreamstime/Getstock.com

Le Canada est un beau grand pays bilingue! Quoique discutable, cette affirmation repose sur un fond de vérité. Car il est réellement possible de faire carrière en français dans le *Rest of Canada*, tout comme ailleurs dans le monde.

France Veilleux n'avait que 17 ans quand elle a quitté la Beauce pour la province des cowboys. À Edmonton, qui n'a pourtant pas la réputation d'être un phare de la francophonie, elle a réussi à étudier en français et à obtenir un baccalauréat en administration des affaires à la Faculté Saint-Jean de l'Université de l'Alberta. Elle a par la suite trouvé un emploi en français dans cette province qui ne compte que 2% de francophones parmi sa population.

À 23 ans, la jeune femme voit à la gestion d'une librairie [...] qui, outre ses ventes de livres, fait la distribution de publications en français à travers l'Alberta. "On peut vivre et travailler en français ici", fait valoir la Beauceronne. "Bien qu'il n'y ait que peu de francophones, il y a toutefois beaucoup de francophiles et la communauté française d'Edmonton est très dynamique." [...]

Pour répondre aux besoins du million de francophones vivant à l'extérieur du Québec, la Loi sur les langues officielles oblige les instances fédérales à offrir des services en français et en anglais dans les régions qu'elle désigne bilingues, soit le nord et l'est de l'Ontario, le Nouveau-Brunswick et la région d'Ottawa.

[À la fonction publique canadienne] il faut ajouter les milliers d'entreprises francophones ou francophiles — qui sont intéressées à recruter du personnel francophone pour répondre à leur clientèle ou leurs fournisseurs. Ainsi, la Saskatchewan, qui avec ses 20 000 francophones accueille une des plus petites communautés hors du Québec, compte 3 000 enterprises de langue française ou francophiles, selon le Conseil de coopération de la Saskatchewan.

En Ontario, au Nouveau-Brunswick et au Manitoba notamment, où les francophones sont considérablement plus nombreux qu'en Saskatchewan, les possibilités de travailler en français sont encore plus grandes, selon le Réseau national de développement économique francophone, un organisme qui favorise le développement économique et la création d'emplois dans les communautés francophones et acadiennes du Canada. Au pays, des entreprises œuvrant dans tous les domaines, tels les assurances, les services bancaires, la culture, les soins de santé, ont besoin de personnel francophone.

"Nous avons couramment des Québécois francophones qui travaillent pour nous", rapporte le directeur de la succursale de la Banque Royale de Metaghan, en Nouvelle-Écosse. "Ils sont un atout pour la banque et ils ont une bonne réputation. Les travailleurs bilingues sont recherchés, mais les unilingues francophones peuvent aussi apprendre l'anglais en travaillant."

Le monde est tout près

Ailleurs dans la vaste toile de la francophonie mondiale, des entreprises recherchent des travailleurs francophones pour pourvoir à divers postes et font souvent appel à des agences de placement pour faciliter le recrutement.

Planète ZETA, qui fournit en ressources humaines des clients européens, notamment, est une de ces agences. "Nous avons une vingtaine d'employés qui ont des mandats dans des entreprises situées à Paris et à Nice", affirme Marie Devreau, conseillère en relations humaines et en recrutement. "Ils travaillent tous dans le domaine des technologies de l'information." [...]

[On] recrute aussi des informaticiens francophones destinés à travailler dans les milieux bancaires et financiers français. "L'un des critères importants d'embauche est la capacité de bien écrire et s'exprimer en français", dit-il. "Le principal lieu de travail est Paris, dans de grandes entreprises de consultation. [...] Cependant, il arrive quelquefois que ces entreprises aient besoin d'informaticiens dans d'autres pays francophones d'Europe." [...]

L'Europe vieillissante recherche également du personnel francophone dans plusieurs secteurs d'emploi, par exemple la métallurgie, l'hôtellerie et la santé (infirmières et médecins surtout). Selon le responsable de la Chancellerie consulaire au Consulat de France, ces manques de main-d'œuvre ne sont toujours pas résolus et il y a encore d'intéressantes occasions de carrière.

Article de Stéphane Gagné, extrait du magazine Jobboom

ailleurs	elsewhere	**monter**	to set up
atout (m.)	asset	**notamment**	notably
besoin (m.)	need	**œuvrer**	to perform
compter	to count	**outil** (m.)	tool
conseiller, conseillère	consultant	**parcours** (m.)	journey
discutable	debatable	**phare** (m.)	beacon
embauche (f.)	hiring	**poste** (m.)	position
fournisseur (m.)	supplier	**reposer**	to rest
fond (m.)	base	**quitter**	to leave
fournir	to supply	**réseau** (m.)	network
instance (f.)	authorities	**valoir: faire —**	to assert
manque (m.)	shortage	**vivant(e)**	living
main-d'œuvre (f.)	workforce		

QUESTIONS

1. Racontez le parcours de la jeune Beauceronne en Alberta?
2. Quel emploi occupe-t-elle?
3. Que dit-elle de la communauté francophone d'Edmonton?
4. Que propose la loi sur les langues officielles au Canada?
5. Combien y a-t-il d'entreprises francophones en Saskatchewan?
6. Dans quels domaines recherche-t-on des employé(e)s bilingues dans les autres provinces?
7. Pourquoi engage-t-on des Québécois en Nouvelle-Écosse?
8. Ailleurs dans le monde, pourquoi recrute-t-on des travailleurs francophones?
9. Que recherche la vieille Europe?
10. Dans quels milieux dirige-t-on les informaticien(ne)s?
11. Dans quels secteurs se trouvent les bonnes occasions de carrière en Europe?

SITUATIONS – CONVERSATIONS

Personnel Demandé

1. **Adjoint(e) au directeur**
   Gérer les activités de vente et de commercialisation, de service à la clientèle, et les contrats.

2. **Enseignant(e) de musique pour école privée**
   Monter un programme de musique. Obtenir les ressources pour acheter instruments. Certificat d'enseignement.

3. **Directeur ou directrice de la section subventions**
   Service de la recherche, de l'innovation et de la création. Campus de l'université.

4. **Superviseur(e) entretien — Milieu industriel**
   Planifier, diriger les activités d'entretien et les équipes. Habileté avec outils informatiques.

5. **Collaborateurs brillants et motivés pour les postes suivants:**
   Développeurs logiciel — architecture Concepteurs mécanique — concepteurs de système de marketing

6. **Directeur(trice) — Administration et relations internationales**
   Développer un réseau de relations avec les autorités du pays. Projets de développement économique et de transfert de technologie.

7. **Courtier en assurance des entreprises.**
   Permis des autorités en assurance. Travail informatisé. Service à la clientèle.

CURRICULUM VITÆ

Nom _____

Adresse _____

Tél. _____

_____

Formation: universitaire, secondaire, élémentaire

_____

Expérience de travail —   Nom de l'entreprise.

Poste _____   Tâches _____

Intérêts divers (politique, littérature, informatique, etc.)

Activités parascolaires (sportives, artistiques, etc.)

Références sur demande.

1. Vous passez une entrevue pour l'emploi que vous avez choisi (voir les petites annonces). Un(e) étudiant(e) joue le rôle du candidat ou de la candidate, et les autres étudiants du groupe jouent le rôle des membres du comité de sélection pour l'employeur. Les membres du comité posent des questions sur les aptitudes et la formation; le candidat ou la candidate répond aux questions des membres du comité et les interroge sur les conditions de travail.

2. Dans quel domaine voulez-vous travailler? (agriculture, industrie, commerce, technologie, administration, domaine public)

   Quel genre de travail préférez-vous? (intellectuel, recherche, entrepreneur, administration, direction, gestion)

   Quels métiers ou quelles professions? [mécanicien(ne), secrétaire, plombier(ière), médecin, infirmier(ère), professeur(e), informaticien(ne), cadre, avocat(e), etc.]

   Préférez-vous travailler à votre compte ou être salarié(e) d'une entreprise?

   Quels sont les avantages et désavantages de la profession que vous avez choisie? [bons salaires (revenus instables), nombreux débouchés (peu de débouchés), contacts humains (travail en solitaire), avantages sociaux sûrs (inexistants), possibilités de promotion assurée (ou non), stabilité d'emploi (ou instabilité), nombreuses responsabilités (ou responsabilités limitées), etc.]

3. Reliez le titre au lieu et à la description du travail.

Un musicien	au poste de police	travaille sur un ordinateur
Un professeur	à la boulangerie	répare des autos
Une avocate	au bureau de poste	aide les élèves
Un agent de police	au bureau	rédige le courrier
Une infirmière	au collège	distribue les lettres
Un facteur	à l'usine	vend du pain
Une informaticienne	au palais de justice	dresse des contraventions
Une secrétaire	au club	soigne les malades
Un boulanger	à l'hôpital	joue du piano
Un mécanicien	sur un chantier	dirige les travaux
Une ingénieure	au garage	plaide à la cour

4. Que faisons-nous? (travailler, enseigner, taper, étudier, réparer, vendre, rédiger, établir, choisir, répondre, exécuter, punir)

L'agent d'immeuble _____ des maisons. La chimiste _____ dans un laboratoire. L'étudiante _____ à l'université. La secrétaire _____ des lettres. Le mécanicien _____ un camion. La journaliste _____ des articles. Le comptable _____ des bilans financiers. Le couturier _____ des tissus. La directrice d'école _____ les élèves dissipés. Le téléphoniste _____ au téléphone. Les ouvriers _____ un travail manuel.

COMPOSITIONS

1. Est-ce que le travail est la priorité essentielle de votre vie ou est-ce que vous avez d'autres priorités? Selon vous, quelle devrait être la place du travail dans une vie équilibrée? Les conditions sociales actuelles favorisent-elles cet équilibre? Qu'est-ce que vous changeriez si vous le pouviez?

2. À l'aide du modèle proposé, préparez votre C.V. accompagné d'une courte lettre à un employeur.

PRONONCIATION

((•—Listen on myfrenchlab

(Students and instructors can listen to the audio track for this exercise on MyFrenchLab.)

S + i ou u

S when placed between two vowels is pronounced /z/.

Répétez:

1) /z/

azur	brisure	vision	lisiez
usure	césure	visière	cerisier
usuel	framboisier	rasions	cohésion
visuel	fraisier	rasiez	fusion
mesure	inusité	lisions	décision

S when placed between a vowel and a consonant is pronounced /s/. The letters **ss** are always pronounced /s/.

2) /s/

sur	massue	passion	poussions
rassurer	rassurant	dossier	laissions
tonsure	bossu	poussière	cassions
tissu	assurance	scission	dépensions
issue	pansu	pension	fassions

Visit MyFrenchLab to access additional resources such as audio exercises, the *Cahier de laboratoire*, and web destinations.

MyFrenchLab

CHAPITRE 21

© 123rf.com

L'humeur et l'humour

MyFrenchLab

Visit MyFrenchLab to access additional resources, including

- *Cahier de laboratoire*
- Self-grading assessments
- Audio exercises
- Grammar primers and tutorials

Thèmes

- Qu'est-ce qui te fait rire?
- As-tu le sens de l'humour? Qu'est-ce que cela signifie pour toi?
- Exprimer le passé dans le passé

- Que s'est-il passé avant? — Ce qu'ils ont fait après — Que s'est-il passé après?
- Rapporter les propos de quelqu'un

Lecture

Quoi, vous ne riez plus!

Grammaire

21.1 L'antériorité dans le passé: le plus-que-parfait

21.2 L'infinitif passé

21.3 Le verbe irrégulier *valoir*

21.4 Le discours indirect

VOCABULAIRE UTILE

Noms

atelier de misère (m.)	sweatshop
blague (f.)	joke
boulot (m.)	work, job
butin (m.)	plunder
citron (m.)	lemon
ennui (m.)	worry
fric (m.)	dough
grand-chose: pas–	not much, nothing much
jeu (m.)	game
mobylette (f.)	moped
numéro (m.)	number, act
tacot (m.)	clunker (used car)
tapage (m.)	din
vacarme (m.)	commotion

Adjectifs

affreux, affreuse	awful
bête	silly
cassé(e)	broke
cinglé(e)	cracked
dévergondé(e)	libertine, wanton
drôle	funny
élancé(e)	slim
fatigant(e)	annoying
pompette	tipsy
raté(e)	missed
rusé(e)	cunning
têtu(e)	stubborn
vanné(e)	tired out

Verbes

attraper	to catch
blairer	to stand
bosser	to work hard, to slog
bouder	to sulk
chialer	to blubber
dégager	to get lost
dévaliser	to clean out
(se) disputer	to tell off, scold
emprunter	to borrow
(s')énerver	to get worked up
(s')envoler	to vanish
(se) fourvoyer	to err
placoter	to chat
(se) sauver	to escape

Expressions

avoir le mal de bloc	to have a hangover
avoir le trac	to have the jitters
(se) donner du mal	to go to the trouble of
en avoir ras le bol	to be fed up
(s')en aller au bout du monde	to buzz off
en tenir compte	to consider
faire la fête	to party
faire la tête	to sulk
foutre le camp	to get out of, to leave, to buzz off (very familiar)
jouer un tour	to play a trick
mettre à la porte	to sack, to fire
pas mal	pretty much
Qu'est-ce que tu as?	What is the matter with you?
Quelle mouche l'a piqué(e)?	What's gotten into him?
prendre la vie du bon côté	to look on the bright side (of life)
une fois de trop	once too often

GRAMMAIRE ET EXERCICES ORAUX

21.1 L'antériorité dans le passé: le plus-que-parfait

The **plus-que-parfait** was presented in Chapitre 16 in conjunction with the past conditional. Apart from its use in **si** (if) clauses, the **plus-que-parfait** may be used to indicate anteriority in relation to some point in the past, which is sometimes stated and sometimes understood:

> **Elle était fatiguée parce qu'elle *avait* apparemment *travaillé*.**
> She was tired because she had worked apparently.
> **Il a jeté la bague à diamant que son ex-amie lui *avait donnée*.**
> He threw away the diamond ring that his ex-girlfriend had given him.
> **J'avais *déjà mangé* le homard quand tu es arrivé(e).**
> I had already eaten the lobster when you arrived.

It may also be used in contrast to the **passé composé** to emphasize the fact that one is referring to the distant past. Compare the following sentences:

> **Il n'*a* jamais *pensé* devenir humoriste.**
> He has never thought of becoming a humourist (until now).
> **Il n'*avait* jamais *pensé* devenir humoriste.**
> He had never thought of becoming a humourist (until then).
> **J'ai perdu le chèque que tu m'*as donné*.**
> I lost the check that you gave me (more or less recently).
> **J'ai perdu le chèque que tu m'*avais* donné.**
> I lost the check that you had given me (quite a while ago).

 EXERCICES ORAUX

a. Situez les activités chronologiquement.

> *Modèle:* Tu m'as parlé de ce film la semaine dernière. Je l'ai hélas vu hier.
> *J'ai hélas vu hier le film dont tu m'avais parlé la semaine dernière.*

1. Elle a rencontré ce comique à Bâton-Rouge l'an dernier. Elle l'a épousé.
2. Ce théâtre a été détruit pendant la guerre. On l'a reconstruit.
3. Il a acheté ce CD humoristique à Calgary. Il ne l'a pas retrouvé.
4. J'ai fait une blague à ce garçon. Je ne l'ai pas revu.
5. Mon ami a créé ce monologue. Je l'ai écouté une fois de trop.
6. Cet artiste n'a pas assisté aux répétitions. Le directeur l'a mis à la porte.

b. Dites pourquoi. Utilisez le plus-que-parfait dans vos réponses.

1. Pourquoi n'a-t-elle pas répondu à son message? (elle ne veut pas le blesser)
2. Pourquoi a-t-il eu un accident? (il conduit comme un fou)

3. Pourquoi étais-tu si fatigué(e) hier? (je passe la nuit dehors)

4. Pourquoi n'étais-tu pas chez moi samedi? (j'oublie notre rendez-vous)

5. Pourquoi avez-vous quitté le spectacle? (nous l'avons déjà vu)

6. Pourquoi était-il de si bonne humeur? (il reçoit un retour d'impôt)

c. Qu'aviez-vous accompli avant l'âge de seize ans?

1. Je (faire)...

2. Je (étudier)...

3. Je (apprendre)...

4. Je (avoir une première expérience amoureuse)...

5. Je (avoir des ennuis)...

6. Je (voyager beaucoup)...

7. Je (avoir un site sur Facebook)...

8. Je (ne pas faire grand-chose)...

21.2 L'infinitif passé

The perfect infinitive is formed by using the infinitive of the auxiliary verb (**avoir** or **être**) and the past participle of the verb:

avoir chanté   être revenu(e)   s'être lavé(e)

It is used to indicate anteriority in relation to the conjugated verb. The agreement of the past participle follows the usual rules:

Il regrette d'avoir ach**et**é ce citron.

Ce citron, je regrette de l'avoir ach**et**é.

Elle est heureuse de n'être pas ven**ue** l'entendre.

Elles se souviennent de s'être amus**ées** dans ce parc pendant leur enfance.

The perfect infinitive must be used after the preposition **après**:

Après être rentrés du cinéma, ils ont diné.

After coming back (having come back) from the cinema, they had dinner.

Il est allé au lit après avoir mangé.

He went to bed after having eaten.

EXERCICES ORAUX

a. Transformez les phrases d'après le modèle.

Modèle: Je les ai rencontrés. Je ne me rappelle pas cela.

Je ne me rappelle pas les avoir rencontrés.

1. Il a oublié ses clés au motel. Il pense cela.

2. J'ai gagné à la loto. J'espère cela.

3. Elle a épousé un humoriste. Elle regrette cela.

4. Ils ont pris une mauvaise décision. Ils croient cela.

5. Nous nous sommes fourvoyés. Nous sommes contents de cela.

6. Tu as assez chialé. Es-tu sûr(e) de cela?

7. J'ai vu ce macho quelque part. Je me souviens de cela.

8. J'ai été attrapé au jeu. J'ai peur de cela.

b. Exprimez vos sentiments sur ce qui s'est passé avec humour.

> *Modèle:* Je suis désolé(e) de...
> *Je suis désolé(e) d'avoir perdu mon pari.*

1. Je ne crois pas...

2. Je suis certain(e) de...

3. Je regrette de...

4. J'ai peur de...

5. J'espère...

6. Je suis surpris(e) de...

7. Je pense...

8. Je me souviens de...

c. Qu'ont-ils fait après.....

> *Modèle: Il a pris l'argent. Ensuite il s'est enfui.*
> *Il s'est enfui après avoir pris l'argent.*

1. Elle est rentrée de voyage. Ensuite, elle a trouvé sa maison dévalisée.

2. J'ai dîné dans ce nouveau restaurant. Ensuite, j'ai eu une indigestion.

3. Elle a appris l'espagnol. Ensuite, elle est allée vivre en Allemagne.

4. Parle à ton banquier. Ensuite, nous irons en vacances.

5. Tu finiras tes études. Qu'est-ce que tu feras ensuite?

6. Ils ont acheté un ordinateur. Ensuite, ils se sont branchés sur Internet.

7. Il a perdu sa job. Ensuite, il s'est mis à courir les femmes.

d. Complétez les phrases en employant des infinitifs passés.

> *Modèle: Le professeur a eu mal à la tête après...*
> *Le professeur a eu mal à la tête après avoir lu ma composition.*

1. Il disparait après...

2. J'ai sommeil après...

3. Elle a décidé de devenir comédienne après...

4. Il s'est fait attraper par la police après...

5. Marc a cessé de voir la vie en rose après...

6. Ils sont allés au casino après...

7. J'ai pris la vie du bon côté après...

8. Nous irons au pub après...

e. Et vous, que ferez-vous après...

Après avoir obtenu mon diplôme, je _____(1),

et ensuite, après avoir (1) _____ je_____(2).

Puis, après (2) _____, je_____(3).

Plus tard, après (3) _____, je _____(4),

et finalement, après (4) _____, je _____(5).

21.3 Le verbe irrégulier *valoir*

Although **valoir** may be used in all persons with the meaning of "to be worth," it is most commonly used in the third person singular.

Présent de l'indicatif:	il vaut
Futur:	il vaudra
Participe passé:	valu
Présent du subjonctif:	qu'il vaille

Valoir is used in the expression **il vaut mieux** (it is better), followed either by an infinitive or by **que** + subjunctive:

> **Il vaut mieux** ne pas s'énerver: il est toujours en retard.
>
> **Il vaut mieux que** nous partions parce que je suis cassé(e).
>
> **Il vaudrait mieux que** tu t'en ailles, car tu deviens cinglé(e).
>
> **Il vaudrait mieux que** tu dormes plutôt que de faire la fête.
>
> **Il aurait mieux valu que** tu ne viennes pas: on ne veut pas te voir.

It is also used in the expression **ça vaut la peine / ça ne vaut pas la peine** (it is well worth/it is not worth the trouble):

> **Ça vaut la peine** de suivre ce cours de cuisine: on ne sait jamais.
>
> **Ça ne vaut pas la peine** que tu ailles voir ce film: il est affreux.

Note that these expressions are followed either by **de** + infinitive or by **que** + subjunctive.

 EXERCICES ORAUX

a. Simple suggestion: il vaudrait mieux que...

1. Je rentrerai à minuit. (plus tôt)
2. Paul suivre un cours d'humoriste. (pratiquer avant)
3. Les étudiants jouent au poker. (faire du sport)
4. Je m'en vais seul au bout du monde. (m'attendre)
5. J'ai une vilaine grippe. (dégager)
6. Bob a mal à la tête. (cesser de placoter)
7. Louise ne se trouve pas d'emploi. (changer de métier)
8. Jojo a vraiment l'air bizarre. (voir son dentiste)
9. Ma blonde m'a fait des reproches. (ne pas en tenir compte)

21.4 Le discours indirect

The difference between direct speech (**discours direct**) and indirect speech (**discours indirect**) is shown in the following two sentences:

> Il m'a dit: "Je suis pas mal occupé aujourd'hui."
>
> Il m'a dit qu'il était pas mal occupé ce jour-là.

The change from direct to indirect speech entails several modifications. In this particular instance

a) the quote becomes a subordinate clause

b) the subject of the quote must be changed

c) the tense must be changed

d) words and expressions of time must change

From quote to subordinate clause

1) Imperative sentence

The imperative is changed to the infinitive form preceded by **de**:

Il nous dit: "Venez." ⟶ Il nous dit **de** venir.

2) Declarative sentence

A declarative sentence is replaced by a subordinate clause introduced by the conjunction **que / qu'**:

Il dit: "Je téléphonerai." ⟶ Il dit **qu'**il téléphonera.

3) Interrogative sentence

a) A question requiring a "yes" or "no" answer, using **est-ce que** or an equivalent, becomes a subordinate clause introduced by **si** (whether):

Elle demande: "Vient-il?" ⟶ Elle demande **s'**il vient.

b) A question beginning with **qu'est-ce qui** is changed to a subordinate clause beginning with **ce qui**:

Il se demande: "Qu'est-ce qui
fait ce tapage?" ⟶ Il se demande ce qui fait ce tapage.

c) A question beginning with **que** or **qu'est-ce que** is changed to a subordinate clause beginning with **ce que**:

Tu me demandes: "Que fait-il?" ⟶ Tu me demandes ce qu'il fait.
Elle demande: "Qu'est-ce que c'est?" ⟶ Elle demande ce que c'est.

d) The other interrogative words (adjectives, pronouns, or adverbs) do not change:

Je me demande **quelle** heure il est.
Il demande **laquelle** j'ai achetée.
Elle demande **avec qui** je suis sorti(e).
Il lui demande **pourquoi** elle boude tout le temps.

Personal pronouns and possessive adjectives

Personal pronouns (subject, direct and indirect object) and possessive adjectives change in a logical fashion:

Elle dit: "**Je** viendrai." ⟶ Elle dit qu'**elle** viendra.
Il me dit: "**Tu** ne **me** comprends pas." ⟶ Il me dit que **je** ne **le** comprends pas.
Ils demandent: "Où as-**tu** mis **notre** butin?" ⟶ Ils demandent où **j'**ai mis **leur** butin.

Changes in verb tenses

1) When the verb of the main clause is in the present or the future tense, no change occurs in the subordinate clause:

Elle nous dit: "J'arrive."   Elle nous dit qu'elle arrive.

Elle me dira: "J'ai oublié."   Elle me dira qu'elle a oublié.

2) If the verb of the main clause is in a past tense (**passé composé, imparfait,** or **plus-que-parfait**), the following tenses used in quotes must be changed in subordinate clauses:

Direct speech	*Indirect speech*
présent	*imparfait*
Elle m'a dit: "Il dort."	Elle m'a dit qu'il dormait.
passé composé	*plus-que-parfait*
Tu m'as dit: "Il a fait beau."	Tu m'as dit qu'il avait fait beau.
futur	*conditionnel present*
Elle se demandait: "Où irai-je?"	Elle se demandait où elle irait.
futur antérieur	*conditionnel passé*
J'ai demandé: "Quand auront-ils fini?"	J'ai demandé quand ils auraient fini.

Expressions of time

When indirect speech is used to report what was said at some point in the past, the following expression of time must change:

Direct speech	*Indirect speech*
aujourd'hui	ce jour-là
hier	la veille
demain	le lendemain
ce matin	ce matin-là
ce soir	ce soir-là
cette semaine	cette semaine-là
ce mois-ci	ce mois-là
cette année	cette année-là
la semaine dernière	la semaine précédente
la semaine prochaine	la semaine suivante
l'année dernière	l'année précédente
l'année prochaine	l'année suivante
en ce moment maintenant }	à ce moment-là, alors

EXERCICES ORAUX

a. Mettez les phrases au discours indirect (impératif – un ordre).

1. Elle a dit: "Venez au barbecue."
2. Il m'a dit: "Apporte les steaks."
3. Je lui dis: "Fais la salade."
4. Elle nous dit: "Ouvrez le vin."
5. Il m'a dit: "Invite tes copines."
6. Je lui dirai: "Oublie moi."
7. Il leur a conseillé: "Apportez votre tente."
8. Tu nous as dit: "Amenez vos amis."

b. Mettez au style indirect. Attention aux pronoms personnels et aux adjectifs possessifs (une déclaration).

1. Il dit: "Je suis venu hier."
2. Elles disent: "Nous allons au cirque."
3. Je te dis: "Je reviendrai demain."
4. Nous lui disons: "Tu as toujours raison."
5. Elle nous dit: "Vous n'arriverez pas à temps."
6. Il nous dit: "Vous ne m'écoutez pas."
7. Il me dit: "Tu me prêteras ton tacot."
8. Je te dis: "Oublie ça."
9. Je dis à Suzanne: "Tu m'oublieras."
10. Elle dit à Pierre: "Tu ne me parles pas assez."
11. Elle dit à ses enfants: "Vous devez m'obéir."
12. Il dit à son ami: "Tu dois me rendre mon argent."
13. Je dis à Henri: "Tu as oublié de me téléphoner?"

c. Qu'est-ce qu'il vous demande? (une interrogation)

Modèle: Est-ce qu'il fait froid?
Il me demande s'il fait froid.

1. Y a-t-il des spectateurs dans la salle?
2. Est-ce que tu as déjà entendu mon sketch?
3. Viendras-tu avec nous?
4. As-tu vu mon show?
5. Est-ce que tu veux m'emprunter quelque chose?
6. Qu'est-ce qui fait ce vacarme?
7. Qu'est-ce qui t'inquiète?
8. Qu'est-ce qui cause ce problème?
9. Qu'est-ce qui te fait peur?
10. Qu'est-ce que Paul cherche?
11. Qu'est-ce que tu fais?
12. Qu'est-ce que Loulou regarde?
13. Qu'as-tu trouvé?
14. Que feras-tu?
15. Qu'est-ce que tu portes ce soir?
16. Où iras-tu?
17. Pourquoi insultes-tu ma soeur?
18. Quelle mouche t'a piqué(e)?
19. Comment a-t-il fait pour s'envoler?
20. Combien vaut ta parole?

d. Mettez les phrases suivantes au style indirect en effectuant les changements de temps nécessaires.

Modèle: Alain m'a dit... (present ⟶ imparfait)
J'ai beaucoup de fric.
Alain m'a dit qu'il avait beaucoup de fric.

1. Il va se moquer de toi.
2. Je vais foutre le camp d'ici.
3. Je pars en vacances au soleil.
4. Je ne peux plus le blairer.
5. Tu es trop dévergondé(e).
6. Nous en avons ras le bol.

Modèle: Hélène m'a demandé...

7. Veux-tu quelque chose?
8. Qu'est-ce que tu as?
9. Qu'est-ce qui te rend nerveux(euse)?

10. Qu'est-ce que tu regardes?
11. Que fais-tu?
12. Pourquoi fais-tu cette tête-là?

Modèle: Je lui ai répondu...

13. Je ne veux rien.
14. Je n'ai rien.
15. Rien ne me rend nerveux.

16. Je ne regarde rien.
17. Je ne fais pas la tête.

Modèle: Je lui ai demandé... (passé composé ⟶ plus-que-parfait)

18. Où es-tu allé(e)?
19. Qu'est ce que tu as fait de l'argent?
20. Pourquoi as tu abandonné ton auto?

21. As tu commis un crime?
22. Qu'est-ce qui t'a rendu(e) fou / folle?

Modèle: Elle lui a demandé... (futur ⟶ conditionnel présent)

23. Quand arriveras-tu?
24. Qu'est-ce que tu feras?
25. À quelle heure rentreras-tu?

26. Quand termineras-tu ton boulot?
27. Seras-tu à la maison à onze heures?

Modèle: Il lui a répondu...

28. Nous te téléphonerons.
29. Le numéro durera dix minutes.
30. Je prendrai le bus de minuit.

31. Nous irons faire dodo tout de suite.
32. Nous nous lèverons tard demain.

Modèle: Nous lui avons dit... (futur antérieur ⟶ conditionnel passé)

33. Nous aurons fini avant cinq heures.
34. Nous te téléphonerons quand nous aurons eu les résultats.
35. Nous viendrons te voir quand tu seras revenu(e).

36. Nous te texterons dès que nous serons arrivé(e)s.
37. Nous nous sauverons aussitôt que les cours seront finis.

e. Tu as rencontré la belle Violette. Qu'est-ce qu'elle t'a raconté?

Elle m'a demandé...

J'ai répondu...

1. "Comment vas-tu ce soir?"
2. "Est-ce que tu seras libre demain?"
3. "Qu'est-ce que tu fais ensuite?"
4. "Viendras-tu diner avec moi?"

5. "Oui, d'accord, c'est mieux que rien."

"Je vais bien, merci."
"Je joue au football tout l'après-midi."
"Je prendrai une douche."
"Ça dépend, je pourrai entre 7 h 12 et 8 h 23. Est-ce que ça te convient?"
"Alors, on se verra demain."

EXERCICES ÉCRITS

a. Mettez les verbes entre parenthèses au plus-que-parfait.

1. Je suis allé(e) voir la comédie dont tu me (parler).
2. Nous sommes retournés au théâtre où vous nous (amener).
3. Jean nous a raconté ce qu'il (faire) pendant ses vacances ratées.
4. Comme elle était pompette, elle (devoir) rentrer chez elle.
5. Il a échoué à l'audition parce qu'il (avoir le trac).

b. Transformez les phrases d'après le modèle. Remplacez les mots en italique par un pronom.

Modèle: Je ne me souviens pas de cela: j'ai rencontré *cette jeune femme.*
Je ne me souviens pas de l'avoir rencontrée.

1. Je crois cela: j'ai oublié *mes clés* sur ta table de nuit.
2. Elle pensait cela: elle avait bien répondu *à l'interrogatoire du policier.*
3. Nous sommes désolés de cela: *nous avons oublié votre numéro.*
4. Elle est contente de cela: elle a joué *un tour à son copain.*
5. J'espère cela: j'ai trouvé *la bonne solution.*

c. Que s'est-il passé après...

Modèle: J'ai bossé toute la nuit. En suite, j'étais vanné(e).
J'étais vanné(e) après avoir bossé toute la nuit.

1. Ma sœur s'est mariée. Ensuite, elle est devenue polyglotte.
2. Tu feras la vaisselle. Ensuite, tu pourras regarder la télé.
3. Le médecin m'a examiné(e). Ensuite, il m'a conseillé de faire mon testament.
4. Il est allé à la banque. Ensuite, il a foutu le camp.

d. Répondez aux questions par des phrases complètes.

1. Est-ce que ça vaut la peine de rire régulièrement?
2. Pourquoi est-ce que ça vaut la peine que tu te donnes du mal pour être riche?
3. Combien d'heures vaut-il mieux que tu pratiques pour être bon?
4. Est-ce qu'il vaut mieux prendre un café ou prendre une aspirine quand on a un mal de bloc?

e. Votre mère vous a téléphoné la semaine passée pour vous donner des nouvelles de la famille. Répétez ce qu'elle vous a dit.

Elle a dit:

1. "Ici tout va bien."
2. "Ta sœur quittera encore son mari."
3. "Ton père et moi allons encore l'aider à déménager."
4. "Ton grand frère a eu un accident de mobylette."
5. Nous irons te voir avant les examens.
6. "Travaille fort si tu veux devenir humoriste."
7. "Nous te souhaitons bonne chance!"

Lecture

Quoi, vous ne riez plus!

Vous ne riez plus? Quel désastre! Peut-être avez-vous perdu contact avec vous-même.

Cet éloignement de votre "moi " vous empêche-t-il de réagir sainement et positivement aux événements de la vie?

Si vous avez répondu oui à cette question, consolez-vous: vous n'êtes pas seul. L'ensemble de la population rit de moins en moins. En 1939, les gens riaient en moyenne 19 minutes par jour, pour 6 minutes seulement en 1982! Et à peine plus de 4 minutes en 1990… Comment en sommes-nous arrivés là? Le rire est pourtant inscrit en nous. C'est le propre de l'homme, comme l'affirmaient Rabelais et Aristote avant lui. C'est une caractéristique qui nous distingue des animaux. Car si les singes possèdent des muscles faciaux assez nombreux pour rire, ils ne peuvent créer ce lien "magique " qui se bâtit entre deux personnes qui échangent leur bonne humeur en effusions. Le rire fait partie de notre nature. Souvenez-vous… nous rions avant de parler.

Alors, pourquoi avons-nous perdu le goût de rire? La vie est-elle devenue si lourde et si désagréable qu'on l'apprécie moins que dans les années 1930? Sommes-nous en train d'étouffer notre joie de vivre? Quel choix avons-nous fait? Celui de prendre place avec ceux qui, trop souvent, son incapables d'exprimer leurs émotions, qui les refoulent et qui laissent la pression augmenter à l'intérieur d'eux? Quelle lourdeur! Quelle lourdeur, ce sérieux!

D'après le grand philosophe allemand Friedrich Nietzsche, le sérieux révèle un sentiment de laideur face à la vie, un sentiment qui déforme l'essence même de l'Homme. On commence par se prendre au sérieux, on s'emplit de soi puis, petit à petit, on renie sa nature intrinsèque: la jovialité. Puisqu'un homme qui a cessé de rire est celui qui a cessé de vivre, il est maintenant temps, tout en restant sobre…, de sortir le "rieux " du "sérieux" et de s'esclaffer à gorge déployée…

Les sortes de rires

Vous êtes-vous déjà demandé de quelle façon vous riez? Eh bien, une équipe de chercheurs s'est penchée pour vous sur le sujet et a identifié, avec un groupe d'environ 5000 personnes, quelques 187 types de rires différents, du rire jaune au rire gras, du rire glacial à mourir de rire, du rire en coin au rire hypocrite, en passant par le rire à gorge déployée, le rire reniflé, le rire "Goofy ", le rire "Charlemagne " ou encore le rire en "pompe aspirante ".

Et la liste est encore longue. On peut y ajouter le rire nerveux, snob, poli, gêné, moqueur… rire dans sa barbe… Peut-être n'est-ce en fait qu'un réflexe naturel et tout ce qui reste à faire, pour élucider le mystère est d'en…

Pratiquons:

Exercice: À l'aide de chaque voyelle, il est possible de développer un rire naturel. Remarquez comment chacune d'entre elles propose une vibration sur les différentes parties du corps. Et rappelez-vous qu'un rire forcé amène autant de bienfaits à l'organisme qu'un rire naturel.

A… Ha! Ha! Ha! Ha! Travaille la gorge et les poumons.

E… Hé! Hé! Hé! Hé!   Agit sur la glande thyroide.

I… Hi! Hi! Hi! Hi!   Fait vibrer toutes les parties du corps

O… Ho! Ho! Ho! Ho! Sollicite le diaphragme, la cage thoracique et masse l'intérieur du ventre.

© Mandy Gpdlbehear/Shutterstock.com.

U... Hu! Hu! Hu! Hu! Fait vibrer les cordes vocales et la nuque.

Si, à la suite de cet exercice, vous avez encore de la difficulté à déclencher un rire naturel, autrement dit, si vous êtes toujours pris d'un rire "intellectuel", un rire qui part de la tête sans faire participer le reste du corps, je vous suggère un autre exercice tout simple.

Tenez-vous debout.

Les bras allongés de chaque côté de votre corps.

Pliez légèrement les genoux.

Et en prononçant la voyelle A – Ha! Ha! Ha! Ha!

Pliez et remontez les genoux.

ENCORE!

Pliez et remontez vos genoux

à quelques reprises et vous sentirez le rire à partir de vos tripes!

Et ainsi de suite avec les autres voyelles.

Si vous faites cet exercice régulièrement je vous garantis que vous retrouverez bientôt votre rire d'enfant et que vous transformerez votre tristesse en joie.

La rigolothérapie – aut. Paule Desgagnés, Les Éditions Québecor.

affirmer	to maintain	**intrinsèque**	inherent
agir	to act	**jaune**	yellow
ainsi de suite	and so on and so forth	**laideur** (f.)	ugliness
		lien (m.)	tie
augmenter	to increase	**lourd (e)**	heavy
amener	to bring	**lourdeur** (f.)	heaviness
allongé (e)	stretched out	**moyenne : en-**	on average
autrement	otherwise	**mourir de rire**	hilarious
barbe (f.)	beard	**nuque** (f.)	neck
bâtir	to build	**partir : à**	starting from
bienfait (m.)	benefit	**peine : à -**	barely
consoler	to comfort	**se pencher**	to look into
debout	on your feet	**plier**	to bend
déclencher	to trigger	**poumon** (m.)	lung
déformer	to modify	**propre de -**	particularity
effusion (f.)	warmth	**réagir**	to react
éloignement (m.)	distance	**refouler**	to hold back
élucider	to clarify	**remonter**	to go back
empêcher	to prevent	**renier**	to deny
s'emplir	to fill up	**renifler**	to sniff
ensemble	whole	**rigolo**	funny
s'esclaffer	to burst out laughing	**reprises: à quelques**	repeat
		rire (m.)	laughter
étouffer	to stifle	**sentir**	to feel
facon (f.)	way	**seul (e)**	alone
gêné (e)	shy	**singe** (m.)	monkey
genou (m.)	knee	**sorte** (f.)	kind
gens (f.pl.)	people	**train de: en–**	in the process of
gorge (f.)	throat	**tripe** (f.)	guts
gout (m.)	taste	**tristesse** (f.)	sadness
gras (se)	raucous	**ventre** (m.)	stomach
inscrire	to record		

QUESTIONS

1. D'après Paule Desgagnés, pourquoi est-ce qu'on ne rit plus?
2. Que disent les statistiques au sujet du rire?
3. Qu'est-ce qui distingue l'homme du singe d'après l'auteur?
4. Pourquoi avons-nous perdu le gout de rire?
5. Que révèle le "sérieux" selon Friedrich Nietzsche?
6. Nommez différents types de rires et mimez-les.
7. Quels bienfaits un rire naturel peut-il vous apporter?

SITUATIONS – CONVERSATIONS

1. Qu'avez-vous en commun avec les animaux?

   (Choisissez, dans la colonne de gauche, la qualité qui convient à l'animal de l'autre colonne.)
   Moi, je suis:

heureux(euse)	comme un(e)	bœuf	
rapide		coq	(*rooster*)
fort(e)		poisson dans l'eau	
léger(ère)		carpe	
bête		agneau	
gai(e)		chat	
gourmand(e)		pinson	(*chaffinch*)
chaud(e)		mule	
vaniteux(euse)		lapin	(*rabbit*)
têtu(e)		renard	(*fox*)
rusé(e)		chien	
fidèle		âne	(*donkey*)
doux, douce		lièvre	(*hare*)
rouge		oiseau	
muet(te)		paon	(*peacock*)

2. Est-ce qu'il y a une personne que vous trouvez extraordinaire dans votre famille ou parmi vos amis? Décrivez-la avec humour.

   Il (elle) a une tête allongée comme _____, les oreilles courtes comme _____, un nez rond comme _____, la taille élancée comme _____, un tempérament doux comme _____, etc.

3. Racontez une plaisanterie à tour de rôle.

4. Vous êtes déprimé(e) (Charlie Brown). Vous allez consulter un(e) psychologue (Lucy). Racontez-lui vos malheurs. L'étudiant(e) qui joue le rôle du (de la) psychologue donne des suggestions contre la dépression.

COMPOSITIONS

1. Qu'est-ce qui vous fait rire? Donnez des exemples.

2. Faites votre autoportrait avec humour.

 # PRONONCIATION

(Students and instructors can listen to the audio track for this exercise on MyFrenchLab.)

Liaisons interdites et liaisons obligatoires

As mentioned in Chapitre 2, **liaison** is optional in many instances. It is however important to remember particular instances when it must never be made (**liaisons interdites**) and when it must always occur (**liaisons obligatoires**).   ((•—[Listen on myfrenchlab

Liaisons interdites

Do not make a **liaison**

— between two rhythmic groups:

> Mes amis / ont faim.   Je pars / en train.
> Les enfants / arrivent.   Peu de gens / étaient là.

— with a word beginning with an aspirate **h** (**h** *aspiré*):

> très / haut   des / homards   les / harpons

— with the **t** of **et** and the following word:

> nous et / eux   il part et / elle arrive

— between the pronouns **ils** and **elles** and the past participle in a question with inversion:

> Sont-ils / arrivés?   Ont-elles / écouté?

Liaisons obligatoires

Always link

— a determiner and a noun or adjective:

> les‿oranges   tes‿idées   les‿autres cours
> des‿arbres   ses‿achats   mes‿anciens cours
> deux‿autos   quelques‿œufs   plusieurs‿autres cours
> trois‿arbres   plusieurs‿autos   leurs‿anciennes maisons

— an adjective and the noun following it:

> de vieux‿arbres   d'anciens‿amis
> de beaux‿enfants   les vieilles‿églises

— a subject or object pronoun and a verb:

nous‿avons	ils‿écoutaient	ils‿ont fini
vous‿aimez	elles‿adorent	elles‿ont mangé
je les‿aime	tu les‿écoutes	il vous‿admire

— a verb and a subject pronoun (or **y** and **en**) following it (in a question with inversion or in the imperative):

Part‿il?	Chantaient‿ils?	Prends‿en.
Attend‿elle?	Parleront‿elles?	Allez‿y.

— the adverbs **très, plus, moins** and the adjectives or verbs they modify:

très‿élégant	plus‿âgé	moins‿actif
J'ai moins‿aimé ce cours.		

— monosyllabic prepositions and the following article, noun, or pronoun:

chez‿elles	sans‿eux	en‿Italie
dans‿une chambre		sous‿une table

— the conjunction **quand** and the following pronoun:

quand‿elle arrive	quand‿il reviendra

The liaison with "d" of **quand** will be pronounced /t/.

MyFrenchLab

Visit MyFrenchLab to access additional resources such as audio exercises, the *Cahier de laboratoire*, and web destinations.

© Agnes Chapsal/AFP/Getty Images

CHAPITRE 22

Les droits de la personne

MyFrenchLab

Visit MyFrenchLab to access additional resources, including

- *Cahier de laboratoire*
- Self-grading assessments
- Audio exercises
- Grammar primers and tutorials

Thèmes

- Les droits fondamentaux
- Mes sentiments au sujet d'évènements passés

Grammaire

22.1 Le subjonctif passé

22.2 Le verbe *manquer*

22.3 Le verbe irrégulier *fuir*

22.4 Les verbes irréguliers en *-indre*

Lecture

Hymne national *"Ô Canada"*

VOCABULAIRE UTILE

Noms

aller-retour (m.)	return ticket	**réunion** (f.)	assembly, meeting
but (m.)	goal	**secours** (m.)	aid, assistance
congé (m.)	notice, leave	**séjour** (m.)	stay
connaissance (f.)	knowledge		
créancier (m.)	creditor	**Adjectifs**	
délit (m.)	offence	**blessé(e)**	hurt
dispute (f.)	argument, quarrel	**effrayant(e)**	frightening
don (m.)	gift	**hâtif, hâtive**	hasty
dossier (m.)	file	**sauvage**	wild
douanes (f.pl.)	custom		
espoir (m.)	hope	**Verbes**	
étranger (m.)	abroad, foreign country	**bouger**	to move
		convoquer	to summon
gare (f.)	train station	**peser**	to weigh
gens (m.pl.)	people	**(se) tromper**	to be mistaken
juge de paix (m.)	justice of the peace		
menace (f.)	threat	**Adverbes**	
minet, minette	kitty	**dorénavant**	henceforth, from now on
piéton, piétonne	pedestrian		
pire (m.)	the worst	**sans cesse**	unceasingly
préposé(e)	agent	**Expression**	
recherche (f.)	research	**fuir à toutes jambes**	to flee at full speed

GRAMMAIRE ET EXERCICES ORAUX

22.1 Le subjonctif passé

The past subjunctive is formed by using the present subjunctive of **avoir** or **être** and the past participle of the verb.

aimer

que j' aie **aimé**	que nous ayons **aimé**
que tu aies **aimé**	que vous ayez **aimé**
qu'il / elle / on ait **aimé**	qu'ils / elles aient **aimé**

venir

que je	sois venu(e)	que nous	soyons venu(e)s
que tu	sois venu(e)	que vous	soyez venu(e)(s)
qu'il / on	soit venu	qu'ils	soient venus
qu'elle	soit venue	qu'elles	soient venues

s'habiller

que je me	sois habillé(e)	que nous nous	soyons habillé(e)s
que tu te	sois habillé(e)	que vous vous	soyez habillé(e)(s)
qu'il / on se	soit habillé	qu'ils se	soient habillés
qu'elle se	soit habillée	qu'elles se	soient habillées

While the present subjunctive indicates *simultaneity* or *posteriority* in relation to the action described by the verb in the main clause, the past subjunctive indicates *anteriority*. Compare the following examples:

1) the verb in the main clause is in the present tense:

> Je suis heureux(euse) que tu **sois** ici. (simultaneity)
>
> Je veux que tu **viennes** demain. (posteriority)
>
> Je regrette que tu ne **sois** pas **venu(e)** hier. (anteriority)

2) the verb in the main clause is in a past tense:

> Il était content que nous **soyons** avec lui. (simultaneity)
>
> Il est parti avant que nous **arrivions**. (posteriority)
>
> Il a réussi à l'examen bien qu'il n'**ait** pas beaucoup **étudié**. (anteriority)

3) the verb in the main clause is in the future tense (or the **futur antérieur**):

> Nous ferons ce travail sans que vous nous **aidiez**. (simultaneity)
>
> J'aurai fini avant que vous **arriviez**. (posteriority)
>
> Il sera triste que tu ne **sois** pas **allé(e)** le voir. (anteriority)

Remember that the infinitive construction replaces the subjunctive when the subject of the subordinate clause in the subjunctive would refer to the same person or thing as the subject of the main clause. The past subjunctive is replaced by the past infinitive form:

> Il est content de **t'avoir vu(e)**.
>
> Je regrette d'**être venu(e)**.
>
> Elle est morte sans **avoir connu** son petit-fils.
>
> Vous réussirez à condition d'**avoir travaillé**.

EXERCICES ORAUX

a. Répondez aux questions en exprimant l'incertitude à l'aide de *Je ne crois pas*.

> *Modèle:* Est-ce que ton grand-père a pris l'avion?
> *Je ne crois pas qu'il ait pris l'avion.*

1. Est-ce qu'ils ont pris un billet aller-retour?
2. Est-ce qu'il est parti sans espoir de retour?
3. Est-ce qu'elles sont rentrées du Mali la semaine dernière?
4. Est-ce que la famille a vendu tous ses biens?
5. Est-ce qu'ils sont passés aux douanes?
6. Est-ce que ton cousin est devenu parrain pour son ami?
7. Est-ce qu'ils se sont rendu compte de leur erreur dans la déclaration?

b. Répondez en exprimant le doute, une opinion, un sentiment.

> *Modèle:* Il a déjà obtenu son visa de séjour. (je doute)
> *Je doute qu'il ait déjà obtenu son visa de séjour.*

1. Il a travaillé quelque temps en Afrique. (il est possible)
2. Ils font partie d'une minorité visible. (je ne pense pas)
3. Mon grand-père a attendu trop longtemps avant d'immigrer. (j'ai peur)
4. Tu as réfléchi aux problèmes des doubles nationalités. (je doute)
5. Vous êtes allés voir le Service d'immigration. (je suis content(e)
6. Vous n'avez pas reçu de réponse du gouvernement. (je regrette)
7. Gino est resté six ans en Amérique du Sud. (je suis surprise(e)

c. Subjonctif présent ou subjonctif passé? Employez le temps qui convient.

1. Il est parti avant que nous (finir) la discussion.
2. Je regrette que tu ne (pouvoir) pas venir dimanche dernier.
3. Bien qu'elle (être) convoquée la semaine dernière, elle a remis sa demande ce matin.
4. J'ai attendu jusqu'à ce que vous (accepter) de me recevoir.
5. Après leur séparation, il était triste que sa femme (vouloir) retourner dans son pays.
6. Je lui avais prêté de l'argent pour qu'il (pouvoir) louer un appartement.

d. Exprimez la joie et la tristesse. Attention au subjonctif passé ou à l'infinitif passé.

1. Je suis heureux. Je suis venu au Canada.
2. Nous sommes contents. Vous avez obtenu votre permis de travail.
3. Il était triste. Il n'avait pas pu obtenir la citoyenneté canadienne.
4. Elle regrettait. Je n'avais pas encore reçu mon visa de résident.
5. Ils ont eu peur. Ils avaient fait une erreur dans leur déclaration.
6. Je ne pensais pas. J'avais fait des progrès si intéressants, dans mon dossier.

e. Transformez les phrases selon le modèle.

   Modèle: Tu réussiras. Tu auras pris des initiatives. (à condition de)
   Tu réussiras à condition d'avoir pris des initiatives.

   1. Roberto part pour le Maroc. Il a averti ses parents. (sans)
   2. J'ai pris une décision. J'avais beaucoup réfléchi. (sans)
   3. Les immigrants peuvent rester au pays. Il en ont acquis les connaissances linguistiques.
      (à condition de)
   4. Il arrivera bientôt. Il aura oublié notre rendez-vous. (à moins de)

22.2 Le verbe *manquer*

Manquer is a regular **-er** verb with two* distinct uses:

1) **manquer** + direct object means "to miss":

J'ai manqué le train.	I missed the train.
Tu as manqué un	You have missed a
bon film à la télé.	good movie on TV.
Il vient de manquer l'autobus.	He has just missed the bus.

2) **manquer de** means "to lack," "not to have enough":

Il manque de talent.	He lacks talent.
Je manque de courage pour continuer.	I do not have enough courage to continue.

 EXERCICES ORAUX

a. Vous avez manqué quelque chose...

   Modèle: As-tu entendu ce bruit effrayant?
   Non, je l'ai manqué.

   1. A-t-il pris le train de 11 h 40?
   2. As-tu eu le temps de prendre l'autobus?
   3. Avez-vous vu ce film?
   4. As-tu pu voir ton grand-père quand il est venu du Liban?

---

* A third use of **manquer** is with an indirect object, with the meaning of "to miss (someone)," in a construction that is the reverse of the English one. For instance, "I miss you" corresponds to **"Tu me manques,"** where **me** is the indirect object. However, another construction is used to express the same meaning: **s'ennuyer de quelqu'un.** For instance, **"Je m'ennuie de toi"** would correspond to "I miss you."

b. De quoi manque-t-on?

> *Modèle:* A-t-il assez d'argent?
> *Non, il manque d'argent.*

1. As-tu assez de temps pour terminer ton travail?
2. A-t-elle assez d'ambition pour changer de carrière?
3. Est-ce que les gens ont assez de nourriture dans ce pays?
4. A-t-il assez d'influence pour faire bouger les choses?
5. Avons-nous assez d'amour dans notre vie?

22.3 Le verbe irrégulier *fuir*

Présent de l'indicatif				Participe passé	Futur
je	fuis	nous	fuyons	fui	je fuirai
tu	fuis	vous	fuyez		
il / elle / on	fuit	ils / elles	fuient		

Subjonctif présent: fuie, fuies, fuie, fuyions, fuyiez, fuient

Subjonctif passé: aie fui, aies fui, ait fui, ayons fui, ayez fui, aient fui

Fuir means "to flee," **s'enfuir de** means "to run away from," and **une fuite** means "escape."

Anthony fuit les disputes.

Ces immigrants ont fui la guerre.

Trop d'adolescents s'enfuient de chez eux.

L'homme qui a percuté un piéton est
accusé de délit de fuite.

Le criminel s'est enfui avant que
la police (n')arrive.

La confidentialité de cette information
n'a pas pu être gardée; il y a eu des fuites.

EXERCICES ORAUX

a. Dialogue absurde. Répondez aux questions.

Dis-moi...
1. Est-ce que tu fuis toujours tes responsabilités?
2. As-tu quelquefois envie de fuir la réalité? Quand?
3. Quel genre de personne est-ce que tu fuis?
4. T'es-tu déja enfui(e) de chez toi quand tu étais plus jeune?
5. Trouves-tu que le temps fuit trop vite?
6. T'enfuirais-tu sur une ile déserte avec moi?
7. Pourquoi le voleur s'est-il enfui à toutes jambes?

22.4 Les verbes irréguliers en *-indre*

Atteindre (to reach), **craindre** (to fear), **peindre** (to paint), and **se plaindre** (to complain) are all irregular verbs conjugated on the same pattern.

Présent de l'indicatif

	craindre	**peindre**
je	crains	peins
tu	crains	peins
il / elle / on	craint	peint
nous	craignons	peignons
vous	craignez	peignez
ils / elles	craignent	peignent

Participes passés: craint, peint
Futur: je craindrai, je peindrai
The present subjunctive is regular.

Exemples:

> Je crains de m'être trompé(e). (+ **de** + infinitive)
>
> Il craignait que nous lui refusions la nationalité. (+ subjunctive)
>
> Jean-Paul Riopelle a beaucoup peint.
>
> Je repeindrai la maison au printemps.
>
> On a atteint Montréal en deux heures.
>
> Ma mère est atteinte d'une grave maladie.
>
> Il s'est plaint au directeur.
>
> Elle se plaignait d'avoir mal à la tête. (+ **de** + infinitive)
>
> Il se plaint d'un mal de tête continuel. (+ **de** + noun)

 EXERCICES ORAUX

a. Remplacez le sujet par les mots entre parenthèses.

1. Il atteint toujours ses objectifs. (je, nous, vous, ils)
2. Elle peint surtout des paysages. (ces peintres, vous, je)
3. Tu te plains sans raison. (Pierre, vous, vos amis)
4. Nous craignons la guerre. (je, vous, elle, les jeunes)
5. Elle se plaignait du bruit. (je, nous, les étudiants)
6. J'atteindrai mon but. (vous, tu, nous)

b. Répondez aux questions.

1. Qu'est-ce que tu crains le plus pour l'humanité?
2. Craignais-tu les animaux quand tu étais enfant?
3. Qui a peint la Joconde?
4. Quel tableau aurais-tu aimé avoir peint?
5. Qu'est-ce que les enfants peignent généralement?
6. As-tu atteint tes objectifs jusqu'à maintenant? Lesquels dois-tu encore atteindre?
7. Est-ce que tu te plains souvent?
8. De quoi te plains-tu en général?

c. De quoi se plaint-il encore!

Il se *plaint* de ne pouvoir *peindre* le tableau génial qui lui permettrait d'*atteindre* son idéal sans *craindre* de perdre sa célébrité.

Faites une phrase de ce genre en utilisant les mêmes quatre verbes.

 # EXERCICES ÉCRITS

a. Mettez les verbes entre parenthèses au subjonctif passé.

1. Bien qu'il (faire) des progrès en mathématiques, il n'a pas réussi à l'examen.
2. Je regrette qu'elle (ne pas s'entendre) avec le préposé.
3. Il est possible qu'elles (revenir) en train.
4. Je doute qu'ils (fuir) leur créancier.
5. Elle regrette que nous (s'inquiéter) pour rien.
6. Il était surpris qu'elle (rentrer) de l'étranger si tôt.
7. Je lui enverrai un message texte, à moins qu'elle (partir) déjà.

b. Refaites les phrases selon le modèle. Employez le temps du subjonctif qui convient (présent ou passé) dans la subordonnée.

Modèle: Je suis sûr(e) qu'il est revenu de voyage. (je doute)
Je doute qu'il soit revenu de voyage.

1. J'espère qu'il passera un examen médical. (il est possible)
2. Je savais que tu avais acheté une nouvelle voiture. (je n'étais pas certain)
3. Nous pensons qu'elle est repartie à Montréal. (nous sommes contents)
4. Je crois qu'il est juge de paix. (je ne crois pas)
5. Je pense qu'elle a manqué d'argent l'an dernier. (j'ai peur)
6. Il est certain qu'il a du talent. (il n'est pas impossible)
7. Il a cru qu'elle était blessée dans l'accident. (il a eu peur)

c. Refaites les phrases suivantes en employant le verbe *manquer (de)*.

1. Il n'a pas assez d'espoir pour poursuivre ses recherches.
2. Je n'ai pas pu voir le candidat parce que je n'avais pas le temps.
3. Je voulais acheter cette tablette, mais je n'avais pas d'argent.
4. Je n'aime pas le camping parce qu'on n'a pas assez de confort.

d. Mettez les verbes *fuir* et *s'enfuir* au temps et au mode qui conviennent.

1. Dieter (fuir) toujours les réunions syndicales.
2. Quand elle était jeune, elle (s'enfuir) de sa patrie, seule.
3. S'il y avait une guerre ici, il (s'enfuir) pour aller dans un autre pays.
4. Je suis désolé(e) que mon minet (s'enfuir) quand tu l'approches.
5. Ne (fuir) pas les efforts que vous devez faire pour réussir.
6. Nous sommes venus vivre à la campagne il y a cinq ans: nous (fuir) la ville et la pollution.

e. Mettez les verbes entre parenthèses au temps et au mode qui conviennent.

1. Tout le monde (craindre) le pire, c'est connu.
2. Quand il est devenu politicien, il (atteindre) son objectif.
3. Si le gouvernement refuse ma demande, je (se plaindre).
4. Si tu (peindre) tous les jours, tu maitriseras (maîtriseras) ton art.
5. Il est possible que vous (craindre) des choses qui n'existent pas.
6. Chaque fois que vous avez un peu de travail, vous (se plaindre)!
7. Si j'avais un don, je (peindre) un chef-d'œuvre.
8. Si elle (se plaindre) encore, tu lui donnes son congé.

Lecture
Ô Canada

Ô Canada est l'hymne national du Canada. La musique a été écrite par Calixa Lavallée, et les paroles par sir Adolphe-Basile Routhier. Il a été chanté pour la première fois le 24 juin 1880 lors d'une célébration de la Saint-Jean-Baptiste pendant la Convention nationale des Canadiens Français, dans la ville de Québec, mais n'est devenu l'hymne national du Canada que le 1er juillet 1980, un siècle après.

Historique

C'était à l'origine un chant patriotique canadien-français composé pour la Société Saint-Jean-Baptiste. Le chant est devenu de plus en plus populaire et, au cours des années, il est apparu de nombreuses versions anglaises. La version anglaise officielle est tirée de celle composée en 1908

© ymgerman/Fotolia.com

par le juge Robert Stanley Weir. Elle incorpore les changements apportés en 1968 par un comité mixte du Sénat et de la Chambre des communes. La version française n'a pas été modifiée.

Lors de sa visite au Canada en 2002, Jean-Paul II a chanté les vers "Car ton bras sait porter l'épée, Il sait porter la croix!" pour rappeler les origines chrétiennes du pays et de l'hymne.

Paroles

Version originale

La version originale était le chant patriotique des Canadiens français en 1880.

> Ô Canada! Terre de nos aïeux,
> Ton front est ceint de fleurons glorieux!
> Car ton bras sait porter l'épée,
> Il sait porter la croix!
> Ton histoire est une épopée
> Des plus brillants exploits.
> Et ta valeur, de foi trempée,
> Protégera nos foyers et nos droits,
> Protégera nos foyers et nos droits.
>
> Sous l'œil de Dieu, près du fleuve géant,
> Le Canadien grandit en espérant.
> Il est né d'une race fière,
> Béni fut son berceau.
> Le ciel a marqué sa carrière
> Dans ce monde nouveau.
> Toujours guidé par sa lumière,
> Il gardera l'honneur de son drapeau,
> Il gardera l'honneur de son drapeau.
>
> De son patron, précurseur du vrai Dieu,
> Il porte au front l'auréole de feu.
> Ennemi de la tyrannie
> Mais plein de loyauté,
> Il veut garder dans l'harmonie,
> Sa fière liberté;
> Et par l'effort de son génie,
> Sur notre sol asseoir la vérité,
> Sur notre sol asseoir la vérité.

> Amour sacré du trône et de l'autel,
> Remplis nos cœurs de ton souffle immortel!
> Parmi les races étrangères,
> Notre guide est la loi:
> Sachons être un peuple de frères,
> Sous le joug de la foi.
> Et répétons, comme nos pères,
> Le cri vainqueur: "Pour le Christ et le roi!"
> Le cri vainqueur: "Pour le Christ et le roi!"

Version angolophone

Cette version est l'adaptation anglophone du poème qui a donné la version anglophone officielle de l'hymne national.

> *O Canada! Our home and native land!*
> *True patriot love in all our sons command.*
> *With glowing hearts we see thee rise,*
> *The True North strong and free!*
> *From far and wide,*
> *O Canada, we stand on guard for thee.*
> *God keep our land glorious and free!*
> *O Canada, we stand on guard for thee.*
> *O Canada, we stand on guard for thee.*
>
> *O Canada! Where pines and maples grow.*
> *Great prairies spread and lordly rivers flow.*
> *How dear to us thy broad domain,*
> *From East to Western Sea,*
> *Thou land of hope for all who toil!*
> *Thou True North, strong and free!*
> *God keep our land glorious and free!*
> *O Canada, we stand on guard for thee.*
> *O Canada, we stand on guard for thee.*
>
> *O Canada! Beneath thy shining skies*
> *May stalwart sons and gentle maidens rise,*
> *To keep thee steadfast through the years*
> *From East to Western Sea,*
> *Our own beloved native land!*
> *Our True North, strong and free!*
> *God keep our land glorious and free!*
> *O Canada, we stand on guard for thee.*
> *O Canada, we stand on guard for thee.*

SITUATIONS – CONVERSATIONS

1. Est-ce que les droits de l'homme sont universels?

2. Imaginez des situations dans lesquelles vous sentiriez des menaces peser sur a) votre vie privée; b) votre réputation; c) votre liberté d'expression.

3. À part une charte ou une constitution, qu'est-ce qu'il faut pour garantir le respect des droits et libertés de la personne et celui des animaux?

4. Existe-t-il dans notre société des catégories de personnes dont les droits et la liberté sont menacés?

5. Quel est le plus beau cadeau que vous ayez reçu de votre vie? Quel âge aviez-vous? Qui vous l'a offert? À quelle occasion?

6. Quand vous étiez enfant, quelles sont les choses que vous craigniez le plus?

7. Racontez l'expérience la plus amusante (ou la plus embarrassante) que vous ayez vécue.

8. Vos grands-parents ou vos parents viennent peut-être d'un pays étranger. Racontez leur arrivée dans notre pays. Quand, comment et pourquoi sont-ils venus?

COMPOSITIONS

1. Vous sentez-vous libre en toutes occasions? Que signifie la liberté pour vous?

2. Faut-il priver d'aide économique les pays où les droits de la personne ne sont pas respectés?

 # PRONONCIATION   ((•─[Listen on myfrenchlab

(Students and instructors can listen to the audio track for this exercise on MyFrenchLab.)

Les groupes figés

1. When two unstable e's (/ə/) follow each other at the beginning of a rhythmic group, it is sometimes possible to pronounce either the first or the second one:

je le̷ fais	or	je̷ le fais
ne me̷ parle pas	or	ne̷ me parle pas
je re̷pars	or	je̷ repars

2. Fixed groups (**groupes figés**) are those that are always pronounced in the same way.

   1) **je n¢**

   Je n¢ parle pas.   Je n¢ l'ai pas fait.
   Je n¢ chante pas.   Je n¢ l'ai pas pris.
   Je n¢ sais pas.   Je n¢ l'ai pas cassé.

   2) **de n¢**

   Il m'a dit de n¢ pas boire.   J'ai décidé de n¢ pas rentrer.
   Il m'a dit de n¢ pas parler.   Il a choisi de n¢ pas venir.
   Il m'a dit de n¢ pas partir.   Elle m'accuse de n¢ pas travailler.

   3) **j¢ te**

   J¢ te vois.   J¢ te ramènerai.
   J¢ te comprends.   J¢ te téléphonerai.
   J¢ te regarde.   J¢ te conduirai.

   4) **c¢ que**

   Dis-moi c¢ que tu fais.   Fais c¢ que tu veux.
   Dis-moi c¢ que tu veux.   Prends c¢ que tu peux.
   Il fait c¢ que nous voulons.   Répète c¢ que tu dis.

MyFrenchLab **Visit MyFrenchLab to access additional resources such as audio exercises, the** *Cahier de* *laboratoire*, **and web destinations.**

La conjugaison des verbes

A. LES VERBES RÉGULIERS DES TROIS GROUPES

	Verbes en -er	Verbes en -ir	Verbes en -re
INFINITIF	parler	finir	attendre
PARTICIPES			
Passé	parlé	fini	attendu
Présent	parlant	finissant	attendant
INDICATIF			
Présent	parle	finis	attends
	parles	finis	attends
	parle	finit	attend
	parlons	finissons	attendons
	parlez	finissez	attendez
	parlent	finissent	attendent
Imparfait	parlais	finissais	attendais
	parlais	finissais	attendais
	parlait	finissait	attendait
	parlions	finissions	attendions
	parliez	finissiez	attendiez
	parlaient	finissaient	attendaient
Futur	parlerai	finirai	attendrai
	parleras	finiras	attendras
	parlera	finira	attendra
	parlerons	finirons	attendrons
	parlerez	finirez	attendrez
	parleront	finiront	attendront
Passé composé	ai parlé	ai fini	ai attendu
Plus-que-parfait	avais parlé	avais fini	avais attendu
Futur antérieur	aurai parlé	aurai fini	aurai attendu
IMPÉRATIF	parle	finis	attends
	parlons	finissons	attendons
	parlez	finissez	attendez
CONDITIONNEL			
Présent	parlerais	finirais	attendrais
	parlerais	finirais	attendrais
	parlerait	finirait	attendrait
	parlerions	finirions	attendrions
	parleriez	finiriez	attendriez
	parleraient	finiraient	attendraient
Passé	aurais parlé	aurais fini	aurais attendu

SUBJONCTIF			
Présent	parle	finisse	attende
	parles	finisses	attendes
	parle	finisse	attende
	parlions	finissions	attendions
	parliez	finissiez	attendiez
	parlent	finissent	attendent
Passé	aie parlé	aie fini	aie attendu

B. VERBES DONT L'ORTHOGRAPHE VARIE

1) Les verbes comme **acheter** (**amener, emmener, lever, mener, promener**): Le e qui précède la consonne devient **è** quand la consonne est suivie d'un **e muet**.

PARTICIPES
Présent / Passé   achetant / acheté

INDICATIF

Présent   achète, achètes, achète,

achetons, achetez, achètent

Imparfait   achetais, etc.

Futur   achèterai, etc.

CONDITIONNEL

Présent   achèterais, etc.

SUBJONCTIF

Présent   achète, achètes, achète,

achetions, achetiez, achètent

2) Les verbes comme **espérer** (**inquiéter, précéder, préférer, répéter**): Le é qui précède la consonne devient **è** quand la consonne est suivie d'un **e caduc**.

PARTICIPES
Présent / Passé   espérant / espéré

INDICATIF

Présent   espère, espères, espère,

espérons, espérez, espèrent

Imparfait   espérais, etc.

Futur*   espèrerai, espèreras, espèrera,

espèrerons, espèrerez, espèreront

CONDITIONNEL*

Présent   espèrerais, espèrerais, espèrerait,

espèrerions, espèreriez, espèreraient

*See the appendix on "La nouvelle orthographe".

SUBJONCTIF

Présent	espère, espères, espère,
	espérions, espériez, espèrent

3) Les verbes **appeler** et **jeter** et leurs composés (**rappeler**, **rejeter**): La consonne finale est redoublée devant un **e muet**.

PARTICIPES

Présent / Passé	appelant / appelé

INDICATIF

Présent	appelle, appelles, appelle
	appelons, appelez, appellent
Imparfait	appelais, etc.
Futur	appellerai, etc.

CONDITIONNEL

Présent	appellerais, etc.

SUBJONCTIF

Présent	appelle, appelles, appelle,
	appelions, appeliez, appellent

4) Les verbes comme **payer** (**ennuyer**, **essayer**): Le **y** devient **i** devant un **e muet**.

PARTICIPES

Présent / Passé	payant / payé

INDICATIF

Présent	paie, paies, paie,
	payons, payez, paient
Imparfait	payais, etc.
Futur	paierai, etc.

CONDITIONNEL

Présent	paierais, etc.

SUBJONCTIF

Présent	paie, paies, paie,
	payions, payiez, paient

5) Les verbes comme **manger** (**changer**, **corriger**, **diriger**, **nager**): Le **g** est suivi d'un **e** devant une voyelle différente de **e** ou **i**.

PARTICIPES

Présent / Passé	mangeant / mangé

INDICATIF

Présent	mange, manges, mange,
	mangeons, mangez, mangent

Imparfait	mangeais, mangeais, mangeait,
	mangions, mangiez, mangeaient
Futur	mangerai, etc.
CONDITIONNEL	
Présent	mangerais, etc.
SUBJONCTIF	
Présent	mange, manges, mange,
	mangions, mangiez, mangent

6) Les verbes comme **commencer** (**agacer**): Le **c** prend une cédille (**ç**) devant une voyelle différente de **e** ou **i**.

PARTICIPES	
Présent / Passé	commençant / commencé
INDICATIF	
Présent	commence, commences, commence,
	commençons, commencez, commencent
Imparfait	commençais, commençais, commençait,
	commencions, commenciez, commençaient
Futur	commencerai, etc.
CONDITIONNEL	
Présent	commencerais, etc.
SUBJONCTIF	
Présent	commence, commences, commence,
	commencions, commenciez, commencent

C. LES VERBES AUXILIAIRES *AVOIR* ET *ÊTRE*

INFINITIF	avoir		être	
PARTICIPES				
Passé	eu		été	
Présent	ayant		étant	
INDICATIF				
Présent	ai	avons	suis	sommes
	as	avez	es	êtes
	a	ont	est	sont
Imparfait	avais	avions	étais	étions
	avais	aviez	étais	étiez
	avait	avaient	était	étaient

Futur	aurai	aurons	serai	serons
	auras	aurez	seras	serez
	aura	auront	sera	seront
Passé composé	ai eu	avons eu	ai été	avons été
	as eu	avez eu	as été	avez été
	a eu	ont eu	a été	ont été
Plus-que-parfait	avais eu		avais été	
Futur antérieur	aurai eu		aurai été	
IMPÉRATIF	aie		sois	
	ayons		soyons	
	ayez		soyez	
CONDITIONNEL Présent	aurais	aurions	serais	serions
	aurais	auriez	serais	seriez
	aurait	auraient	serait	seraient
Passé	aurais eu		aurais été	
SUBJONCTIF Présent	aie	ayons	sois	soyons
	aies	ayez	sois	soyez
	ait	aient	soit	soient
Passé	aie eu		aie été	

D. VERBES IRRÉGULIERS

Chacun des verbes suivants se conjugue de la même façon que le verbe entre parenthèses qui le suit.

abattre	(battre)	offrir	(ouvrir)
admettre	(mettre)	peindre	(craindre)
apercevoir	(recevoir)	plaindre	(craindre)
apprendre	(prendre)	produire	(conduire)
atteindre	(craindre)	promettre	(mettre)
combattre	(battre)	recouvrir	(ouvrir)
comprendre	(prendre)	retenir	(tenir)
construire	(conduire)	sentir	(partir)
couvrir	(ouvrir)	servir	(partir)
décevoir	(recevoir)	soumettre	(mettre)
découvrir	(ouvrir)	sourire	(rire)
détruire	(conduire)	sortir	(partir)
dormir	(partir)	souffrir	(ouvrir)
s'enfuir	(fuir)	survivre	(vivre)
mentir	(partir)		

INFINITIF / PARTICIPES	INDICATIF présent	INDICATIF imparfait	INDICATIF futur	IMPÉRATIF	SUBJONCTIF présent
aller / allant / allé	vais / vas / va — allons / allez / vont	allais	irai	va / allons / allez	aille / ailles / aille — allions / alliez / aillent
assoir / assoyant / assis	assois / assois / assoit — assoyons / assoyez / assoient	assoyais	assoirai	assois / assoyons / assoyez	assoie / assoies / assoie — assoyions / assoyiez / assoient
battre / battant / battu	bats / bats / bat — battons / battez / battent	battais	battrai	bats / battons / battez	batte / battes / batte — battions / battiez / battent
boire / buvant / bu	bois / bois / boit — buvons / buvez / boivent	buvais	boirai	bois / buvons / buvez	boive / boives / boive — buvions / buviez / boivent
conduire / conduisant / conduit	conduis / conduis / conduit — conduisons / conduisez / conduisent	conduisais	conduirai	conduis / conduisons / conduisez	conduise / conduises / conduise — conduisions / conduisiez / conduisent
connaitre / connaissant / connu	connais / connais / connait — connaissons / connaissez / connaissent	connaissais	connaitrai	connais / connaissons / connaissez	connaisse / connaisses / connaisse — connaissions / connaissiez / connaissent
craindre / craignant / craint	crains / crains / craint — craignons / craignez / craignent	craignais	craindrai	crains / craignons / craignez	craigne / craignes / craigne — craignions / craigniez / craignent
croire / croyant / cru	crois / crois / croit — croyons / croyez / croient	croyais	croirai	crois / croyons / croyez	croie / croies / croie — croyions / croyiez / croient
devoir / devant / dû	dois / dois / doit — devons / devez / doivent	devais	devrai	— / — / —	doive / doives / doive — devions / deviez / doivent

Infinitif / Participes	Indicatif présent		Imparfait	Futur	Impératif	Subjonctif présent	
dire	dis	disons	disais	dirai	dis	dise	disions
disant	dis	dites			disons	dises	disiez
dit	dit	disent			dites	dise	disent
écrire	écris	écrivons	écrivais	écrirai	écris	écrive	écrivions
écrivant	écris	écrivez			écrivons	écrives	écriviez
écrit	écrit	écrivent			écrivez	écrive	écrivent
faire	fais	faisons	faisais	ferai	fais	fasse	fassions
faisant	fais	faites			faisons	fasses	fassiez
fait	fait	font			faites	fasse	fassent
falloir	il faut		il fallait	il faudra	—	il faille	
fallu							
lire	lis	lisons	lisais	lirai	lis	lise	lisions
lisant	lis	lisez			lisons	lises	lisiez
lu	lit	lisent			lisez	lise	lisent
mettre	mets	mettons	mettais	mettrai	mets	mette	mettions
mettant	mets	mettez			mettons	mettes	mettiez
mis	met	mettent			mettez	mette	mettent
ouvrir	ouvre	ouvrons	ouvrais	ouvrirai	ouvre	ouvre	ouvrions
ouvrant	ouvres	ouvrez			ouvrons	ouvres	ouvriez
ouvert	ouvre	ouvrent			ouvrez	ouvre	ouvrent
partir	pars	partons	partais	partirai	pars	parte	partions
partant	pars	partez			partons	partes	partiez
parti	part	partent			partez	parte	partent
pleuvoir	il pleut		il pleuvait	il pleuvra	—	il pleuve	
pleuvant							
plu							
pouvoir	peux, puis	pouvons	pouvais	pourrai	—	puisse	puissions
pouvant	peux	pouvez			—	puisses	puissiez
pu	peut	peuvent			—	puisse	puissent
prendre	prends	prenons	prenais	prendrai	prends	prenne	prenions
prenant	prends	prenez			prenons	prennes	preniez
pris	prend	prennent			prenez	prenne	prennent

recevoir	reçois	recevons	recevais	recevrai	reçois	reçoive	recevions
recevant	reçois	recevez			recevons	reçoives	receviez
reçu	reçoit	reçoivent			recevez	reçoive	reçoivent
rire	ris	rions	riais	rirai	ris	rie	riions
riant	ris	riez			rions	ries	riiez
ri	rit	rient			riez	rie	rient
savoir	sais	savons	savais	saurai	sache	sache	sachions
sachant	sais	savez			sachons	saches	sachiez
su	sait	savent			sachez	sache	sachent
suivre	suis	suivons	suivais	suivrai	suis	suive	suivions
suivant	suis	suivez			suivons	suives	suiviez
suivi	suit	suivent			suivez	suive	suivent
tenir	tiens	tenons	tenais	tiendrai	tiens	tienne	tenions
tenant	tiens	tenez			tenons	tiennes	teniez
tenu	tient	tiennent			tenez	tienne	tiennent
valoir	vaux	valons	valais	vaudrai	vaux	vaille	valions
valant	vaux	valez			valons	vailles	valiez
valu	vaut	valent			valez	vaille	vaillent
venir	viens	venons	venais	viendrai	viens	vienne	venions
venant	viens	venez			venons	viennes	veniez
venu	vient	viennent			venez	vienne	viennent
vivre	vis	vivons	vivais	vivrai	vis	vive	vivions
vivant	vis	vivez			vivons	vives	viviez
vécu	vit	vivent			vivez	vive	vivent
voir	vois	voyons	voyais	verrai	vois	voie	voyions
voyant	vois	voyez			voyons	voies	voyiez
vu	voit	voient			voyez	voie	voient
vouloir	veux	voulons	voulais	voudrai	veuille	veuille	voulions
voulant	veux	voulez			veuillons	veuilles	vouliez
voulu	veut	veulent			veuillez	veuille	veuillent

La nouvelle orthographe

French spelling presents some difficulties and irregularities. Calls for its modernization have resulted in a set of "rectifications" published in 1990 by the *Conseil supérieur de la langue française*. These consist of rules affecting about 2000 words (5000 if rare and technical words are included). Neither the traditional (still predominantly used in mainstream publications) nor the new spelling is to be considered incorrect.

While some of the new rules of orthography, such as those governing the spelling of compound words, are beyond the purview of a beginners' text such as this one, others affect words that even beginning learners are bound to encounter. These rules fall under the following three categories:

a. hyphenation;
b. diacritical marks;
c. double consonants.

A. HYPHENATION IN NUMBERS

A hyphen may be placed between all the components of a number:

Traditional spelling	*New spelling*
deux mille douze	deux-mille-douze
cent trente et un	cent-trente-et-un

B. DIACRITICAL MARKS

1. *Accent circonflexe*

The *accent circonflexe* is omitted over *i* and *u*, except when needed to prevent confusion between words.

Traditional spelling	*New spelling*
le mois d'août	le mois d'aout
coûter	couter

2. *Accent grave et accent aigu*

The *accent grave* is used systematically instead of the *accent aigu* before a syllable containing an unstable (mute) *e*. Verbs like espérer follow this pattern in the futur simple and the conditionnel présent.

Traditional spelling	*New spelling*
événement	évènement
le céleri	le cèleri
je réglerai	je règlerai
je préférerai	je préfèrerai

Exceptions: words beginning with the prefix *é-* (élever), *dé-* (démener), or *pré-* (prévenir), as well as "médecin(e)."

3. *Tréma (dieresis)*

The *tréma* is placed over the *u* in words ending in *-gue*.

Traditional spelling	*New spelling*
aiguë	aigüe
ambiguë	ambigüe

C. DOUBLE CONSONANTS IN VERBS ENDING IN *-TER* AND *-LER*

Verbs whose infinitive ends in *-ter* or *-ler* are now conjugated on the same model as *acheter*: They are no longer spelled with a double consonant before a mute *e*; instead, the preceding *e* takes the accent grave.

Traditional spelling	*New spelling*
elle feuillette (feuilleter)	elle feuillète
il renouvelle (renouveler)	il renouvèle
je morcellerai (morceler)	je morcèlerai

However, the verbs *jeter* and *appeler* (as well as their derivatives like *projeter* or *rappeler*) retain the traditional spelling (the consonant is still doubled).

Vocabulaire — Français / Anglais

A

à at, in, to
abandonner to abandon; to give up
abattre to knock down; to fell
abîmé(e) damaged
abondant(e) abundant
abonder to be plentiful
abord: d'— firstly
aborder to tackle
aboutir à to lead to
abricot (m.) apricot
absent(e) absent
absolument absolutely
absurde absurd
abus (m.) abuse
abuser to abuse
à cause de because of
accéder à to reach
accélérer to accelerate
accentuer to accentuate
accès (m.) access
accessoires (m.pl.) accessories
accidenté(e) injured (person); uneven, bumpy (terrain)
accommoder to accommodate
accompagner to accompany
accomplir to accomplish
accord (m.) agreement; chord;
    d'— agreed/O.K.;
    être d'— to agree
accorder to grant; to attach;
    s'— avec to fit in with
accoucher to give birth
accourir to come running
accroitre to increase;
    s'— to grow
accueillant(e) friendly
accueillir to meet, to welcome
accumuler to accumulate
achat (m.) purchase
acheter to buy; — à crédit to buy on credit
achever to end, to finish
à coté de beside, next to
acquérir to acquire
acteur, trice (m./f.) actor; agent
actuel(le) present
actuellement at present, now
adepte (m./f.) follower, enthusiast
adieu (m.) farewell
adjoint(e) (m./f.) assistant
admettre to admit
administration (f.) management

ado (m.) teenager, adolescent
adonner: s'— au sport to do sports
adoptif, ive adoptive
adresser: s'— à to address (someone)
à droite de to the right of
adroit(e) skillful
adversaire (m./f.) opponent
aéroport (m.) airport
affaire (f.) deal; —s business; belongings
affamé(e) hungry
affectation (f.) posting
affectueux, euse affectionate
affiche (f.) poster
afficher to exhibit; to display; to put up
affirmer: s'— to assert oneself
affreux, euse awful
affronter to brave, to face
afin que so that
agacer to annoy, to irritate
âge (m.) age;
    Quel — avez-vous? How old are you?
âgé(e) old, aged
à gauche de to the left of
agence (f.) agency
agent (m.) agent; police officer;
    — immobilier realtor
aggraver: s'— to worsen
agir to act; s'— de to be about
agiter to perturb
agneau (m.) lamb
agrandir to enlarge
agréable pleasant
agresser to attack
agressif, ive aggressive
agriculteur (m.) farmer
aider to help
    s'aider to help one another
aigre-doux, -douce sweet and sour
aiguille (f.) hand (clock); needle
ail (m.) garlic
aile (f.) wing
ailleurs elsewhere;
    d'— moreover, besides
aimable amiable, friendly
aimer to like; to love;
    — mieux to prefer
aîné(e) eldest (child)
ainsi thus; so; in this way
air (m.) air; appearance;
    en plein — outdoors

aise: à l'— comfortable (person);
    mal à l'— ill at ease
ajouter to add
alarmer to alarm
alcool (m.) alcohol
aliment (m.) food
alimentation (f.) food; diet
Allemagne (f.) Germany
allemand(e) German
aller to go; s'en — to leave
aller (m.) one-way ticket;
    — -retour round-trip ticket
allonger to lengthen, to stretch;
    s'— to lie down
allumer to light
alors so
    — que whereas
alpinisme (m.) mountaineering
alto (m.) viola
amabilité (f.) kindness
ambiance (f.) atmosphere
ambitieux, euse ambitious
amélioration (f.) improvement
améliorer to improve
aménagement (m.) development
amende (f.) fine
amener to bring (a person)
amer, ère bitter
américain(e) American
Amérique (f.) America
ami(e) (m./f.) friend
amical(e) friendly
amour (m.) love
amoureux, euse in love;
    être — (de) to be in love (with)
    tomber — de to fall in love with
amulette (f.) charm
amusant(e) amusing, funny
amuser to amuse;
    s'— to have a good time
analogue similar
ananas (m.) pineapple
ancêtre (m./f.) ancestor
ancien, ienne ancient, old
anémie (f.) anemia
anglais(e) English
Angleterre (f.) England
angoisse (f.) anguish, anxiety
animateur, trice (m./f.) activity leader
année (f.) year; grade
anniversaire (m.) anniversary, birthday

annonce (f.) announcement, advertisement (ad)

annoncer to announce, to herald

annuellement annually

antérieur(e) anterior

antipathique disagreeable

aout August

apathique apathetic

apercevoir to catch a glimpse of;
  s'— to realize

apparaitre to appear

appareil (m.) appliance; plane; device;
  — spatial spacecraft

appartement (m.) apartment

appartenir (à) to belong (to)

appel (m.) call

appeler to call; s'— to be called

appétit (m.) appetite

applaudir to applaud

appliquer to apply;
  s'— à to apply oneself to

apport (m.) contribution

apporter to bring (something)

apprécier to appreciate

apprendre to learn

apprentissage (m.) apprenticeship, learning process

approcher to come near;
  s'— de to get near, to go up to

approprié(e) appropriate

approuver to approve

approximativement approximately

âprement fiercely

après after

après-midi (m./f.) afternoon

aptitude (f.) skill

aquarelle (f.) watercolour

arbitre (m.) referee

arbre (m.) tree

ardeur (f.) ardour, zeal, eagerness

argent (m.) money

armoire (f.) cupboard, cabinet

arracher to tear out, to pull off

arranger to arrange

arrêt (m.) stop;
  sans — without stopping

arrêter to stop; to arrest;
  s'— to stop

arrière (m.) back; back part;
  en — backward
  être en — behind

arrivée (f.) arrival

arriver to arrive

arriver (à faire qch) to manage (to do something)

arrondi(e) rounded

arroser to sprinkle

artisan, ane (m./f.) craftsperson

artisanat (m.) crafts

ascenseur (m.) elevator

assiette (f.) plate

assister to attend

assorti(e) matching

assumer to take on

assurance (f.) assurance; insurance

assurer to assure; to insure
  s'— to secure

atelier (m.) workshop

atelier de misère (m.) sweatshop

athée (m./f.) atheist; atheistic

atout (m.) asset

attacher to attach

attaches (f.pl.) ties

attaquer to attack

attendant: en — in the meantime

attendre to wait for;
  s'— à to expect

attendre un enfant to expect a child

attente (f.) waiting

Attention! Watch out!

atténuer to attenuate, to lessen

atterrir to land

atterrissage (m.) landing

attirer to attract

attrait (m.) appeal, attraction

attraper to catch

attribuer to award, to grant

attrister to sadden

aubaine (f.) bargain

aube (f.) dawn

auberge (f.) inn

aucun(e) none, not any

audace (f.) daring, boldness

au-dessous de below

au-dessus de above

au fait by the way

augmentation (f.) increase

augmenter to increase

aujourd'hui today

au moins at least

auparavant before

auprès de near

Au revoir Goodbye

aussi also

aussitôt right away;
  — que as soon as

autant (de) ... que as much/many as; d'— plus que all the more, especially as

authentique genuine

autobus (m.) bus

autochtone (m./f.) native

automatisé(e) computerized

automne (m.) autumn, fall

autorisation (f.) authorization

autoriser to authorize

autour around

autre other;
  — chose something else

autrement otherwise

autrui another, others

auxiliaire auxiliary

avaler to swallow

avance (f.) advance;
  être en — to be early

avancer to be fast; to move along

avant (que, de) before

avant-midi (m.) morning (Québec)

avec with

avertir to inform; to warn

aveugle blind

avion (m.) airplane;
  — à réaction jet

avis (m.) opinion, advice;
  à mon — in my opinion

avoir to have;
  — des nouvelles de to hear from;
  — du mal à to have a hard time;
  — envie de to feel like;
  — honte de to be ashamed of;
  — l'intention de to intend to;
  — l'air to seem, look;
  — lieu to take place;
  — mal (à) to ache, hurt; to have a — ache;
  — peur de to be afraid of;
  — raison (de) to be right;
  — tort (de) to be wrong;
  en — assez, en — marre (fam.) to have had enough

avortement (m.) abortion

avorter: se faire — to have an abortion

avouer to confess

avril April

B

baccalauréat (m.) bachelor's degree

bagages (m.pl.) luggage

bagnole (f.) car

bague (f.) ring

baguette (f.) stick

baigner: se — to take a bath, to go swimming

bâiller to yawn

bain (m.) bath

baiser (m.) kiss

baisse (f.) drop, decline

baisser to lower

balade (f.) stroll, walk

baladeur (m.) digital media player;
  ex. iPod™

balai (m.) broom

balayer to sweep

balle (f.) ball

ballon (m.) ball, balloon

banal(e) trite

banc (m.) bench

bande (f.) group, band;
  — magnétique tape

banlieue (f.) suburb

banque (f.) bank

banquier (m.) banker

barbe (f.) beard

barbu (m.) bearded man

barrage (m.) dam

bas, basse low; en — downstairs;
tout — in a low voice

base (f.) base, basis,
de — basic

bataille (f.) battle

bâtiment (m.) building

bâtir to build

bâton (m.) stick

battement (m.) beat; — de cœur
heartbeat

batterie (f.) drums

battre to beat; se — to fight

bavarder to chat

bazou (m.) clunker (used car)

beau, belle beautiful

beaucoup much, many, a lot

beau-frère (m.) brother-in-law,
stepbrother

beau-père (m.) father-in-law;
stepfather

beauté (f.) beauty

bec fin (m.) picky eater

belge Belgian

Belgique (f.) Belgium

béguin: avoir le — pour to have a
crush on

beignet (m.) doughnut

belle-mère (f.) mother-in-law;
stepmother

belle-sœur (f.) sister-in-law;
stepsister

bénéfice (m.) profit

bénéficier de to benefit from

bénédiction (f.) blessing

bénir to bless

berceau (m.) cradle; birthplace

berge (f.) river bank

berner to fool

besoin (m.) need; avoir — de to need

bête stupid; (f.) animal

beurre (m.) butter

beurrer to butter

bibliothécaire (m./f.) librarian

bibliothèque (f.) library

bicyclette (f.) bicycle

bien (m.) good, possession;
— de(s) many;
— que although;
— sûr of course;
très — very well

bien-être (m.) well-being

bienfait (m.) benefit

bientôt soon; À — See you soon

bière (f.) beer

bijou (pl.-oux) (m.) jewel

bilan (m.) assessment

billet (m.) ticket

biscuit (m.) cookie

bison (m.) buffalo

bixi (m.) bicycle

bizarre strange

blague (f.) joke

blairer to stand

blanc, blanche white
— d'œuf (m.) egg white

blanchir to turn white; to make
something white

blé (m.) wheat

blessé(e) injured

blesser: se — to hurt oneself

bleu(e) blue; (m.) bruise

bleuir to become blue

bleuet (m.) blueberry

blonde (f.) girlfriend

blondir to turn blond

bloquer to block (up)

bobo (m.) sore, hurt (childish)

bœuf (m.) beef

boire to drink

bois (m.) wood

boite (f.) box; — de conserve can

bon, bonne good

bon enfant good-natured

bon marché inexpensive

bonbon (m.) candy

bonheur (m.) happiness

bonhomme de neige (m.) snowman

Bonjour Hello; Good morning;
Good day

Bonsoir Good evening

bord (m.) edge; à — aboard;
au — de on the edge of

bosquet (m.) grove

bosser to slog

botte (f.) boot

bouche (f.) mouth

bouchée (f.) mouthful

boucher (m.) butcher

boucle d'oreille (f.) earring

bouder to sulk

boue (f.) mud

bouffer to stuff oneself

bouger to move
avoir la bougeotte to be on
the move

bougie (f.) candle

bouillir to boil

boule (f.) ball

bouleversement (m.) disruption,
upheaval, upset

bouleverser to disrupt, to upset

boulot (m.) work, job

bouquin (m.) book

bourse (f.) scholarship

bout (m.) tip; end; au — de at the
end of

bouteille (f.) bottle

boutique (f.) boutique

bouton (m.) button

branche (f.) branch

bras (m.) arm

brillamment brilliantly

brillant(e) brilliant, bright

briser to break, to smash

brochure (f.) booklet, pamphlet

bronchite (f.) bronchitis

brosse (f.) brush

brosser: se — to brush

brouillard (m.) fog

bru (f.) daughter-in-law

bruit (m.) noise

brûler un feu rouge to go through
a red light

brunante (f.) dusk

brun, brune brown; dark(-haired)

brunir to turn brown

brusquement abruptly

brutal(e) rough

bruyamment noisily

bûche (f.) log

bureau (m.) desk; office

but (m.) goal, objective, purpose

butin (m.) plunder

C

c'est-à-dire that is to say

ça that; it;
c'est comme — that's how it is;
c'est pour — that's why
— et là here and there

cabaret (m.) tray

cabine (f.) cabin

(se) cacher to hide

cachet (m.) fee

cadre (m.) frame; setting;
managerial staff

café (m.) coffee

cahier (m.) notebook

caillou (m.) pebble

cajoler to cuddle

calculatrice (f.) calculator

calendrier (m.) calendar

calme calm, quiet

calmer to quiet down

camarade (m./f.) companion,
friend

campagne (f.) country

canard (m.) duck

candidature (f.) candidacy;
application

canot (m.) canoe

canotage (m.) boating;
faire du — to go canoeing

cantique (m.) hymn

canton (m.) township

caprice (m.) whim

capter to pick up, to intercept, to
captivate

captivant(e) captivating

car for, because
caractère (m.) characteristic;
  nature; avoir bon / mauvais
  — to have a good/bad disposition
carburant (m.) fuel
cardiaque cardiac
carnet (m.) notebook
carré(e) square
carrefour (m.) intersection
carrière (f.) career
carte (f.) card; map
cas (m.) case; en — de in case of;
  dans ce — -là in that case
casque (m.) helmet
casquette (f.) cap
casse-croûte (m.) snack, snack bar
cassé(e) broken
casser to break
cauchemar (m.) nightmare
cavalier, ière (m./f.) rider
ce, cet, cette, ces this, that, these,
  those
ceinture (f.) belt
célèbre famous
célébrer to celebrate
célébrité (f.) fame, celebrity
célibataire single
cent one hundred
centaine (f.) about a hundred
centre (m.) centre;
  — commercial shopping centre;
  — hospitalier hospital complex;
  — -ville downtown
cependant however, nevertheless
cerner to surround
cerise (f.) cherry
certain(e) certain; (pl.) some
certainement certainly
certitude (f.) certainty
cesser to cease
ceux, celles those
chacun(e) each one
chaine de montage (f.) assembly line
chair (f.) flesh
chaise (f.) chair
chaleureux, euse warm, cordial
chambre (f.) bedroom
charmant(e) charming
champ (m.) field
champignon (m.) mushroom
championnat (m.) championship
chance (f.) luck, opportunity
chandail (m.) sweater
changement (m.) change
chanson (f.) song
chant (m.) song
chanter to sing
chanteur, euse (m./f.) singer
chantier (m.) site
chapeau (m.) hat
chapitre (m.) chapter

chaque each
charcuterie (f.) delicatessen
chasse (f.) hunting
chasseur, euse (m./f.) hunter
chat, chatte (m./f.) cat
château (m.) castle
chaud(e) warm, hot
chaudement warmly
chauffage (m.) heating
chauffé(e) heated
chauffer to heat
chauffeur (m.) driver
chaussée (f.) pavement
chausser to put on (footwear)
chaussure (f.) shoe
chauve bald
chef-d'œuvre (m.) masterpiece
chemin (m.) path; — de fer railway
cheminée (f.) chimney
cheminer to walk along
chemise (f.) shirt
chemisier (m.) blouse
chèque (m.) check
cher, chère dear; expensive
chercher to look for
chercheur, euse (m./f.) researcher
cheval (pl.-aux) (m.) horse
chevalet (m.) easel
cheveu (pl.-eux) (m.) hair
cheville (f.) ankle
chevreuil (m.) deer
chez at, to (home)
chialer to blubber
chicagne (f.) bickering
chien, chienne (m./f.) dog; bitch
chiffre (m.) figure, number
chimie (f.) chemistry
Chine (f.) China
chirurgien (m.) surgeon
choisir to choose
choix (m.) choice
chômage (m.) unemployment
chômeur, euse (m./f.) unemployed
  person
chose (f.) thing
chou (m.) cabbage
chronique (f.) column
chute (f.) fall
cible (f.) target
ciel (m.) sky
cime (f.) peak
cimetière (m.) cemetery
cinéaste (m./f.) film director
cinéma (m.) movie theatre
cinéphile (m./f.) film enthusiast,
  movie buff
cinglé(e) nut
circulation (f.) traffic
cirque (m.) circus
citer to quote
citron (m.) lemon

clair de lune (m.) moonlight
clairière (f.) clearing
classe (f.) class; classroom
clavarder to chat
clavecin (m.) harpsichord
clavier (m.) keyboard
clé (f.) key
clé USB (f.) USB flash drive,
  pen drive
clément(e) mild
client(e) (m./f.) customer
cloche (f.) bell
cœur (m.) heart; avoir mal au — to
  be nauseated; de bon — heartily;
  par — by heart
cocher to check
coffre (m.) chest
cohabitation (f.) living together
coiffeur, euse (m./f.) hairdresser
coiffure (f.) hairdo
coin (m.) corner
coincé(e) (m.) stuck
colère (f.) anger;
  être en — to be angry
collègue (m./f.) colleague
colline (f.) hill
combat (m.) fight
combattre to fight
combien how much (many)
combler to fill
combustible (m.) fuel
comédien, ienne (m./f.) actor
comique comical, funny
comité (m.) committee
commande (f.) order (of goods)
commander to order
comme as, like; since;
  — d'habitude as usual;
  — ci — ça so-so
commencer to begin
comment how, what; — allez-vous?
  how are you? — vous appelez-
  vous? what is your name?
commentaire (m.) comment
commerçant(e) (m./f.) merchant
commerce (m.) trade, business
commettre to commit
commis (m.) clerk
commode convenient
commun(e) common
commun: mettre en — to share
compagnon, compagne (m./f.)
  companion; roommate
compagnie (f.) company
comparaison (f.) comparison
compenser to compensate
compétence (f.) qualification, skill
compliqué(e) complicated
comportement (m.) behaviour
comporter: se — to behave
compréhension (f.) understanding

comprendre to understand; to include

comprimé (m.) tablet, pill

comptabilité (f.) accounting

comptable (m./f.) accountant

comptant: payer — to pay cash

compte (m.) count; account;
se rendre — to realize

compter to count; to intend;
— parmi to rank among
— sur to count on

comptoir (m.) counter

concentrer: se — to concentrate

conception (f.) idea

concilier to reconcile

conclure to conclude

concombre (m.) cucumber

concours (m.) competition

concubinage (m.) cohabitation

concurrence (f.) competition

conducteur, trice (m./f.) driver

conduire to drive

conférencier, ière (m./f.) speaker, lecturer

confiance (f.) confidence

confier: se — à to confide in

confiserie (f.) candy store

confiture (f.) jam

confronter to confront

congé (m.) holiday; en — on leave

congeler to freeze (food)

conjoint, conjointe (m./f.) spouse

connaissance (f.) knowledge;
faire — to meet

connaitre to know, to experience

conquête (f.) conquest

consacrer to devote

conscience (f.) awareness;
prendre — de to become aware of

conseil (m.) advice

conseiller to advise

conséquent: par — therefore, consequently

conservatoire (m.) school of music

conserver to preserve, to keep

consoler to soothe, to console

consolider to reinforce

consommateur, trice (m./f.) consumer

consommation (f.) consumption; drink

constamment constantly

constater to note; to verify

constituer to make up

construire to build

consulter to consult

contemporain(e) contemporary

conte (m.) tale, story

contenir to contain

contenter: se — de to be content with, make do with

conteur (m.) storyteller

continuel(le) constant

contraignant(e) constraining, compelling

contre against

contrée (f.) land, region

contrebasse (f.) double bass

contremaitre, contremaitresse foreman, forewoman

contribuer to contribute

convaincre to convince

conventionnel(le) conventional

convive (m.) guest at a meal

convoquer to summon

copain, copine (m./f.) buddy, pal

cor (m.) horn

corps (m.) body

correctement correctly

corriger to correct

costaud(e) strong, sturdy

costume (m.) costume, suit

côté (m.) side; à — de next to;
de l'autre — (de) on the other side (of); across

côtelette (f.) chop

côtier, ière coastal

côtoyer to mix with

cou (m.) neck

coucher: se — to lie down; to go to bed

coude (m.) elbow

couler to flow

couleur (f.) colour;
de quelle —? What colour?

coup (m.): — de fil phone call, ring;
— de foudre love at first sight

coupable guilty

coupe à blanc (f.) clear-cutting

coupé(e) cut

couper to cut; (se) couper to cut (oneself)

cour (f.) yard

courageux, euse courageous

courant (m.): — d'air draft;
être au — to be informed

courbé(e) bent

coureur (m.) runner

courir to run

courrier (m.) mail

cours (m.) class, course;
au — de in the course of

course (f.)
faire des —s to go shopping

courses (f.pl.) shopping

court(e) short

cousin, cousine (m./f.) cousin

cout (m.) cost; à moindre — at a lower cost

couteau (m.) knife

couter to cost

couteux, euse costly

coutume (f.) custom

couvert(e) covered

couverture (f.) blanket

couvrir to cover

craie (f.) chalk

craindre to fear

crâne (m.) skull

cravate (f.) tie

crayon (m.) pencil

créancier (m.) creditor

créer to create

crème (f.) cream

creuser to dig

crevé(e) exhausted

crevette (f.) shrimp

cri (m.) shout, scream

crier to shout

criminel(le) criminal

critique critical

crochet (m.) hook

croire to believe

croisière (f.) cruise

croissance (f.) growth

croissant(e) growing

croitre to grow, to increase

croix (f.) cross

croquis (m.) sketch

croute (f.) crust

cuillère (f.) spoon

cuir (m.) leather

cuisiner to cook

cuisse de grenouille (f.) frog leg

cuit(e) cooked

cultivé(e) educated, cultivated

cultiver to cultivate, to farm

culture (f.) culture, cultivation, agriculture

culturel(le) cultural

curieux, euse curious, strange

curriculum vitae (CV) (m.) resumé

D

dactylographier to type

dangereux, euse dangerous

dans in, into

danse (f.) dance

danser to dance

d'après according to

date (f.) date

dater de to date back to

dauphin (m.) dolphin

davantage more

de of, from

dé (m.) dice

déambuler to stroll

débarquer to disembark

déboiser to deforest

débouché (m.) opening, job prospect

debout standing

débrouiller: se — to manage

début (m.) beginning

débuter to begin
décembre December
déchet (m.) waste
décennie (f.) decade
décevoir to disappoint
décision (f.) decision;
  prendre une — to make a decision
décontracté(e) relaxed
décor (m.) scenery; theatre set
décorer to decorate
découvrir to discover
décrire to describe
décroissance (f.) decrease
décroitre to decrease
dedans inside
défaut (m.) fault, flaw
défi (m.) challenge
défilé (m.): — de mode fashion show
définir: se — to define oneself
définitif, ive final
dégager to free, extricate
degré (m.) level, degree
déguster to sample
dehors outside
déjà already
déjeuner (m.) lunch; breakfast
délit (m.) offence
demain tomorrow; À — See you
  tomorrow;
  après — day after tomorrow
demande (f.) request;
  — d'emploi job application
demander to ask for;
  se — to wonder
démangeaison (f.) itching
démarrer to start (up)
déménager to move
dément(e) lunatic
demeure (f.) home, residence
demi(e) half
démodé(e) out of date, old-fashioned
démolir to demolish
dénoncer to denounce
dent (f.) tooth
dentiste (m./f.) dentist
dépendre (de) to depend (on)
dépense (f.) expense, consumption
dépenser to spend
dépérir to decline
dépit: en — (de) in spite (of)
déplacement (m.) travelling, trip
déplacer: se — to move about
dépliant (m.) leaflet
déplorer to deplore
déprimé(e) depressed
depuis since, for
dernier, ière last
dérober to steal
derrière behind
dès as early as; — que as soon as
désagréable unpleasant

descendre to go down;
  — de to be descended from
désespéré(e) desperate
déshabiller: se — to undress
désobéir to disobey
désœuvré(e) idle
désolé(e) upset, sorry
désordre (m.) en — untidy
désormais henceforth
dessin (m.) drawing
dessinateur, trice
  (m./f.) draftsperson; cartoonist
dessiner to draw
dessous below
détendre: se — to relax
détente (f.) relaxation
détester to detest
détour (m.) deviation, circuitous
  way
détruire to destroy
dette (f.) debt
dévaliser to clean out
devant in front of
développer to develop
devenir to become
dévergondé(e) libertine
déverser to unload
deviner to guess
devise (f.) motto
devoir to have to; to owe
devoir (m.) duty; —s homework
dévoué(e) devoted
diagnostic (m.) diagnosis
dieu, déesse (m./f.) god, goddess
difficile difficult
difficilement with difficulty
digérer to digest
dimanche Sunday
diminution (f.) decrease
dinde (f.) turkey
diner to dine, to have dinner
diner (m.) dinner; lunch (Québec)
dingue crazy (colloqu.)
diplôme (m.) degree, diploma
diplômé(e) (m./f.) graduate
dire to say, to tell;
  c'est-à- — that is to say;
  se — to say to oneself
directeur, trice (m./f.) director,
  manager
diriger to direct
discours (m.) speech
discuter to discuss
dispendieux, ieuse expensive
disponible available
disposer de to have available
disposition (f.) clause
dispute (f.) quarrel, argument
disputer: se — to quarrel
disque compact (CD) (m.) compact
  disk (CD)

disquette (f.) diskette
dissertation (f.) essay
dissimuler to dissimulate
distinguer to distinguish
distrait(e) absent-minded
divers, erse(s) varied, various
divertir: se — to amuse oneself,
  to have fun
divorcer to divorce
divulguer to disclose
dizaine (f.) about ten
doctorat (m.) doctoral degree
doigt (m.) finger
domaine (m.) field, area; domain
dommage: c'est — it is a pity
don (m.) donation
donc therefore
données (f.pl.) data
donner to give
dont of which, whose
dorénavant henceforth, from now on
dormir to sleep
dos (m.) back
dossier (m.) file, folder
d'où hence; whence
douane (f.) customs (inspection)
doublé(e) dubbed
doucement gently, slowly, softly
douceur (f.) gentleness
doué(e) gifted
douleur (f.) pain
douloureux, euse painful
doute (m.) doubt; sans — probably;
  sans aucun — without a doubt
douter to doubt; se — de to
  suspect
doux, douce gentle, sweet
douzaine (f.) dozen
doyen (m.) dean
dramaturge (m./f.) playwright
dresser to train (animal); to write out
drogue (f.) drug
droit (m.) right; (study of) law;
  faire du — to study law
droit, droite right, straight;
  à droite de to the right of
drôle funny
dur(e) hard
durant during
durée (f.) duration
durer to last
dynamisme (m.) drive

E

eau (pl.-eaux) (f.) water;
  — douce fresh water
ébullition (f.) boiling
échantillon (m.) sample
échapper: s'— to escape
échec (m.) failure
échelle (f.) ladder; scale

échelon (m.) level
éclairage (m.) lighting
éclatement (m.) explosion
éclater to break out
éclater de rire to burst into laughter
école (f.) school
écolier, ière (m./f.) schoolboy,
    schoolgirl
économe thrifty
économie (f.) economics (class);
    economy;
    —s savings
économiser to save
écouter to listen
écouteurs (m.pl.) headphones,
    earphones
écrevisse (f.) crayfish
écrire to write
écrivain (m.) writer
écureuil (m.) squirrel
édifice (m.) building
éducation (f.) education, upbringing
éducation permanente (f.)
    continuing education
effacer to erase, to delete
effectuer to carry out; to make
effet (m.) effect; en — indeed
efficace effective
effrayant(e) frightening
effronté(e) insolent
égal(e) equal
également equally, also
égalité (f.) equality
égard (m.): à cet — in this respect
égout (m.) sewer
égoutter to drain
élaborer to develop
élancé(e) slim
électricien, ienne (m./f.) electrician
élevage (m.) breeding (livestock)
élève (m./f.) pupil
élevé(e) high
élever to bring up; to raise
    s'— to rise
éliminer to eliminate
élire to elect
éloge (m.) praise
élu(e) elected, chosen
emballer to thrill; to wrap
embarrassant(e) embarrassing
embarquer to embark
embaucher to hire
emboutir to hit, to run into
émergence (f.) surfacing
émincer to chop
émission (f.) program, broadcast
emmener to take (someone) along
empêcher to prevent
emplette (f.) purchase, shopping
emploi (m.) use; job
    — du temps (m.) schedule

employé(e) (m./f.) employee, clerk
employer to use
employeur, euse (m./f.) employer
emporter to take (something) along;
    l'— sur to prevail over
emprunter to borrow
ému(e) moved, disturbed
en in, by; made of
encaisser to cash
enceinte pregnant
enchanter to delight
encore again, still
    — une fois once more
endommager to damage
endormir: s'— to fall asleep
endroit (m.) place, spot
enduire to coat
énergique energetic
énervé(e) on edge
énerver: s'— to get worked up
enfance (f.) childhood
enfant (m./f.) child
enfiévré(e) feverish
enfin finally, at last
enfuir: s'— (de) to flee, to escape
    (from)
engagement (m.) agreement;
    involvement
engin (m.) machine
engueuler (fam.) to reprimand
    s'— to quarrel
enjeu (m.) issue; stake
enjoué(e) cheerful
enneigé(e) snow-covered
ennemi(e) enemy
ennui (m.) boredom; trouble
ennuyer to annoy; to bore;
    s'— to be bored
ennuyeux, euse boring
énorme enormous, huge
enquête (f.) investigation; survey
enragé(e) fanatic
enregistrer to record; to save
    (computer)
enrichir to enrich
enseignant(e) (m./f.) teacher
enseigne (f.) sign
enseignement (m.) teaching;
    education, lesson
enseigner to teach
ensemble together
ensemble (m.) series, set
ensuite then, afterwards
énumérer to list
entendre to hear;
    — dire que to hear that;
    — parler de to hear about;
    s'— avec to get along with
entente (f.) agreement
entêter: s'— to persist
entier, ière entire, whole
entièrement entirely

entorse (f.) sprain
entourer to surround
entraide (f.) mutual aid
entrainement (sports) training, practice
entrainer: s'— to train
entraineur(euse) (m./f.) coach
entre between; among
entrée (f.) entrance; main course
entremêlé(e) de intermingled with
entreprendre to undertake
entrepreneur (m.) contractor
entrer to enter
entre-temps meanwhile
entretenir to maintain;
    s'— avec to converse with
entretien (m.) maintenance
énumérer to enumerate
envahir to invade
envergure (f.) range, scope
envers toward
envers: à l'— inside out
envie (f.) envy; craving
    avoir — de to wish for; to feel like
environ about; approximately
environs (m.pl.) surroundings
envisager to consider
envoler: s'— to vanish
envoyer to send
épais, aisse thick
épanouissement (m.) blossoming
épatant(e) splendid
épater to amaze
épaule (f.) shoulder
épeler to spell
épice (f.) spice
épicé(e) spicy, hot
épicerie (f.) grocery store
épinards (m.pl.) spinach
éponge (f.) sponge
époque (f.) period
épouser to marry
épouvante (f.) terror;
    film d'— horror movie
épreuve (f.) event (sports); test, ordeal
éprouver to feel
épuisant(e) exhausting
épuisement (m.) exhaustion; scarcity
équilibre (m.) balance
équilibré(e) balanced
équipe (f.) team
équipement (m.) machinery
équipier, ière (m./f.): co— team
    member
équitation (f.) horseback riding
érable (m.) maple tree
erreur (f.) error, mistake
escalier (m.) staircase, stairs
escargot (m.) snail
escarpin (m.) pump
escrime (f.) fencing
espadrille (f.) sneaker
Espagne (f.) Spain

espagnol(e) Spanish
espionnage (m.) spying
espoir (m.) hope
esprit (m.) mind, spirit
essai (m.) try
essayer to try
essence (f.) gasoline
essor (m.) progress
est (m.) east
estomac (m.) stomach
estomper: s'— to shade off; to fade
établir to establish; s'— to settle
établissement (m.) institution
étage (m.) floor
étagère (f.) shelf
étape (f.) lap; stage
état (m.) state; position; condition
   faire — de to mention, to state
États-Unis (m.pl.) United States
été (m.) summer
éteindre to turn off (lights); to put
   out (fire)
étendre: s'— to lie down; to stretch,
   to spread
étendue (f.) stretch
éterniser: s'— to outlast the years
étoile (f.) star;
   à la belle — in the open air
étonnant(e) amazing
étonner to amaze
   s'— to be surprised, to wonder
étouffer to suffocate; to smother;
   to stifle
étourdissement (m.) dizzy spell
étranger, ère foreign;
   à l'étranger abroad
être to be; — à to belong to; (m.)
   being
étroit(e) narrow
études (f.pl.) studies;
   faire des — to study
eux, elles them
évaluer to evaluate
évènement (m.) event
éventuel, elle potential
évidemment of course, obviously
évidence (f.) evidence;
   de toute — quite obviously
évident(e) obvious
évier (m.) sink
éviter to avoid
évoluer to evolve
exactement exactly
examiner to check, to examine
excentrique eccentric
excepté except
exceptionnel(le) exceptional
exciter to stimulate
excursion (f.) excursion, outing
exécuter to execute, to perform
exercer to exercise

exercice (m.) exercise
exigence (f.) requirement
exigeant(e) demanding, requiring
exiger to demand, to require
exode (m.) exodus
expérience (f.) experience;
   experiment
explication (f.) explanation
expliquer to explain
explorateur, trice (m./f.) explorer
exportation (f.) export
exposer to exhibit
exposition (f.) exhibition
exprès: faire — to do on purpose
exprimer to express
extérieur(e) exterior, outside
extérieur (m.) exterior;
   à l'— de outside of
extrêmement extremely

F

fabriquer to make, manufacture
façade (f.) façade, frontage
face (f.) face; en — de facing
fâché(e) mad, angry
fâcher: se — to get mad
facile easy
facilement easily
façon (f.) manner, way;
   de toute — in any case
facteur (m.) factor; mailman
facultatif, ive optional
faible weak; slight
faiblesse (f.) weakness
faim (f.) hunger;
   avoir — to be hungry
faire to do, make;
   — le tour to go around;
   — la queue to wait in line;
   se — mal to hurt oneself;
faire-part (m.) wedding
   announcement
fait (m.) fact
fait: ça ne — rien it doesn't matter
falloir to be necessary
familial(e) family, domestic
famille (f.) family
fané(e) wilted
fantôme (m.) ghost
farine (f.) flour
farcir to stuff
fascinant(e) fascinating
fasciner to fascinate
fatigant(e) tiring
fatigué(e) tired
fatiguer: se — to get tired
faune (f.) wildlife
faut: il — it is necessary
faute (f.) fault, mistake
fauteuil (m.) armchair
faux, fausse false

favoriser to favour
fée (f.) fairy
félicitations (f.pl.) congratulations
féliciter to congratulate
fenêtre (f.) window
fer (m.) iron
ferme (f.) farm
fermer to close
fermeture (f.) closing
fermier, ière (m./f.) farmer
fête (f.) holiday, feast day, celebration,
   festivity, party; birthday
fêter to celebrate
feu (m.) fire; traffic light;
   faire un — to build a fire; —
   d'artifice (m.) pyrotechnics,
   fireworks
feuille (f.) leaf
feuilleton (m.) soap opera (TV)
feuillu(e) leafy
fève (f.) bean
février February
fiable reliable
fiançailles (f.pl.) engagement
fiancer: se — to get engaged
fiche (f.) slip, form
fiche technique (f.) technical data
   sheet
fichier (m.) file
fidèle faithful
fièvre (f.) fever
fil (m.) thread, wire
filet (m.) net; fillet
fille (f.) girl, daughter;
   jeune — young lady
fils (m.) son
fin (f.) end;
   à la — de at the end of
fin, fine slender
finir to finish
fixations (f.pl.) bindings (ski)
fixer to determine
flâner to stroll
flatteur, euse (m./f.) flatterer
fleur (f.) flower
fleurir to bloom
fleuve (m.) river
foie (m.) liver
fois (f.) time;
   une — once; à la — at the same
   time
folie (f.) madness
follement madly
foncé(e) dark
fonction (f.) role, task, work
fonction publique (f.) civil service
fonctionnaire (m./f.) civil servant
fonctionnement (m.) working
   (machine)
fond (m.) bottom, background
fondateur, trice (m./f.) founder

fonder to found;
— **un club** to start a club
fondre to melt
force (f.) strength
formation (f.) training, education
forme (f.) shape, form;
en pleine — in great shape
former to make up; to train
formidable fantastic; great
fort, forte strong; loud;
travailler fort to work hard
fortune: de — makeshift
fossé (m.) ditch
fougue (f.) ardour, spirit
fouiller to dig
foulard (m.) scarf
foule (f.) crowd
four (m.) oven; flop
fourbu(e) exhausted
fourchette (f.) fork
fourmi (f.) ant
fournir to supply, to provide
fourrure (f.) fur
fourvoyer: se — to err
foyer (m.) fireplace
fracassant(e) shattering
frais (m.pl.) expenses; **— de
scolarité** tuition fees
frais, fraiche cool, fresh
fraise (f.) strawberry
framboise (f.) raspberry
français(e) French
franc, franche candid,
fresh, free
francophone French-speaking
frapper to knock, to hit,
to strike
frein (m.) brake
frère (m.) brother
fric (m.) dough (money)
fringale (f.) raging hunger,
craving
friperie (f.) second-hand clothes
store
frisson (m.) quiver, shiver
frit(e) fried
frites (f.pl.) French fries
froid (m.) cold
avoir — to be cold
froissé(e) hurt, bruised
fromage (m.) cheese
front (m.) forehead
frontière (f.) border
fuir to flee, to evade
fumée (f.) smoke
fumer to smoke
fumeur, euse (m./f.) smoker
fumoir (m.) smoker (for meat)
furieux, euse furious
fusion (f.) combination
futile trivial, frivolous

G

gaffe (f.) blunder
gagnant(e) (m./f.) winner
gagner to win, to gain
galerie (f.) (art) gallery
gant (m.) glove
garagiste (m.) garage owner
garantir to safeguard, to guarantee
garçon (m.) boy; waiter
garder to keep
garderie (f.) day-care center
gare (f.) train station
gars (m.) guy
gaspillage (m.) waste
gâté(e) spoiled
gâteau (m.) cake
gauche (f.) left;
à — de to the left of
gazon (m.) grass, lawn
geler to freeze
gênant(e) embarrassing
gêné(e) embarrassed, shy
généreux, euse generous
genévrier (m.) juniper tree
génial(e) brilliant, inspired
génie (m.) genius; engineering
genou (pl.-oux) (m.) knee
genre (m.) gender; kind, type
gens (m.pl.) people
gentil, ille nice, kind
gentillesse (f.) kindness
gerbe (f.) bouquet
gérer to manage
gestion (f.) management
gigue (f.) jig
gigantesque gigantic, immense
gifle (f.) slap
gite touristique (m.) bed and
breakfast
glace (f.) mirror; ice
glacé(e) chilled, frozen
glaçon (m.) icicle, ice cube
glissant(e) slippery
glisser to slide
gorge (f.) throat, gorge
gourmand (m.) fond of food
gout (m.) taste
gouter to taste
goutte (f.) drop
grâce à thanks to
grand(e) tall, big, great
grand magasin (m.) department store
grand-mère (f.) grandmother
grand-père (m.) grandfather
grandir to grow up
grands-parents (m.pl.) grandparents
gras, grasse fat, luxuriant, rich
gratter to scratch
gratuit(e) free of charge
grave serious
gravure (f.) engraving

grec, grecque Greek
Grèce (f.) Greece
grêler to hail (weather)
grenouille (f.) frog
grief (m.) grievance
griffe (f.) claw
grimper to go up, to climb
grippe (f.) flu
gris, grise gray
gronder to scold
gros, grosse big, fat
grossesse (f.) pregnancy
grossir to gain weight
groupe (m.) group; band
guérir to cure, to heal
guerre (f.) war
guerrier, ière (m./f.) warrior
gueule (f.) mouth (animal)
guichet (m.) ticket window

H

habillé(e) dressed
habiller: s'— to get dressed; to dress
habit (m.) garment
habitant(e) (m./f.) inhabitant
habitation (f.) dwelling
habiter to live, to dwell
habitude (f.) custom, habit;
d'— usually
habituel(le) habitual, customary
habituer: s'— to get used to
haïr to hate
haleine (f.) breath
haricot (m.) bean
hâte (f.) haste;
avoir — de to be eager to
hâtif, hâtive hasty
hausse (f.) rising, increase
haut, haute high;
du — de from the top of;
en — upstairs
haut-parleur (m.) loudspeaker
hebdomadaire weekly
hebdomadaire (m.) weekly
magazine
hein? what? eh?
hélas! alas!
herbe (f.) grass; **— à puce** (f.)
poison ivy
hésiter to hesitate
heure (f.) hour; **à l'—** on time;
à quelle —? at what time?
Quelle — est-il? What time is it?
tout à l'— in a while, a moment
ago
heureux, euse happy
heureusement fortunately
heurter to run, bump into;
se — à to come up against
hier yesterday
histoire (f.) history, story

hiver (m.) winter
hollandais(e) Dutch
Hollande (f.) Holland
homard (m.) lobster
homme (m.) man;
— d'affaires businessman
honnête honest
honnêteté (f.) honesty
honneur (m.) honour
honte (f.) shame
horloge (f.) clock
hors-d'œuvre (m.) hors d'œuvre(s)
hors outside
hôte, hôtesse (m./f.) host, hostess
huile (f.) oil
humer to breathe in
humide humid, damp

I

ici here
idée (f.) idea
île (f.) island
il y a there is, there are; ago
image (f.) picture, image
imaginer to imagine
imiter to imitate
imperméable (m.) raincoat
impliquer to imply
impôt (m.) tax
impressionner to impress
imprimante (f.) printer (computer)
incendie (m.) fire
inclure to include
incommoder to disturb, to bother
incontestable indisputable
inconvénient (m.) disadvantage,
drawback
incroyable incredible
indécis, ise undecided
indigné(e) indignant
indiquer to indicate
inédit(e) unpublished
inévitable unavoidable
infirmier, ière (m./f.) nurse
influer sur to affect
informaticien, ienne (m./f.)
computer scientist
informatique (f.) computer science;
information technology
informatisation (f.) automation
informatiser: s'— to become
automated
informer to inform
infortune (f.) misfortune
ingénieur (m.) engineer
ingéniosité (f.) ingenuity
ingrat(e) ungrateful
inhabituel(le) unusual
inhibé(e) inhibited
injustice (f.) injustice, unfairness
innombrable innumerable

inquiet, ète worried
inquiéter: s'— to worry
inscription (f.) registration
inscrire to record; s'— to register
insensé(e) crazy, foolish
insolite unusual
inspecteur, trice (m./f.) inspector
inspirer: s'— de to draw inspiration
from
installer to set up; s'— to settle
instructeur (m.) instructor
insuffisant(e) insufficient
insulter to insult
intégrante: faire partie — to be an
integral part
intention (f.) intention;
avoir l'— de to intend to
intéresser to interest;
s'— à to be interested in
intéressant(e) interesting
interdire to forbid
intérieur (m.) inside; à l'— (de)
inside
internaute (m./f.) internet user, net
surfer
interroger to interrogate, to
question; s'— to wonder
interrompre to abort, interrupt,
terminate
intervenir to intervene
inutile useless
investir to invest
investissement (m.) investment
invité(e) guest
irrégulier, ière irregular
irriter to irritate
isolé(e) isolated
Italie (f.) Italy
italien, ienne Italian
ivre drunk

J

jamais never, ever
jambe (f.) leg
jambon (m.) ham
janvier January
Japon (m.) Japan
japonais(e) Japanese
jardin (m.) garden
jaser to chat (Québec)
jaune yellow; — d'œuf (m.) egg yolk
jaunir to turn yellow
jeter to throw (away);
— un coup d'œil to glance
jeu (m.) game, play
jeudi (m.) Thursday
jeune young;
— homme young man;
les —s young people;
des —s gens young men, young
people

jeunesse (f.) youth
joie (f.) joy
joindre to reach
joli(e) pretty
joue (f.) cheek
jouer to play
joueur, euse (m./f.) player
jouissance (f.) enjoyment
jour (m.) day
— de l'An New Year's Day;
de nos —s nowadays;
mettre à — to update;
par — per day;
tous les —s every day
journal (pl.-aux) (m.) newspaper
journée (f.) day
juge de paix (m.) justice of the
peace
juillet July
juin June
jumeau, elle (m./f.) twin
jumelles (f.pl.) binoculars
jupe (f.) skirt
jus (m.) juice
jusque until
jusqu'à (ce que) up to; until
justement precisely
juste just, fair

K

kilo(gramme) (m.) kilogram
kilomètre (m.) kilometre

L

là there; —-bas over there
laboratoire (m.) laboratory
lâcher prise to let go; to give up
laid(e) ugly
laine (f.) wool
laisse (f.) leash
laisser to let; to allow; to leave;
— tomber to drop
se — aller to let oneself go, to
relax
lait (m.) milk
laitue (f.) lettuce
lampe (f.) lamp
lancer to throw; se — to launch
lanceur (m.) pitcher
langue (f.) tongue
— maternelle first language
lapin (m.) rabbit
large wide
larme (f.) tear
lavabo (m.) washbasin
laver to wash;
se — to wash oneself
lave-vaisselle (m.) dishwasher
leçon (f.) lesson
lecteur, trice (m./f.) reader
légume (m.) vegetable

lendemain (m.):
  le — the next day
lent(e) slow
lequel, laquelle which, which one
lever to raise; se — to get up
lèvre (f.) lip
libérer to free
licencier to let go, to dismiss
lier to bind, to connect
lieu (m.) place;
  au — de instead of;
  avoir — to take place;
  donner — à to give rise to
ligne (f.) line; — aérienne airline
ligue (f.) league
lilas (m.) lilac
linge (m.) clothes
lire to read
liste (f.) list
lit (m.) bed
littérature (f.) literature
livre (m.) book
local (m.) premises, place, room
locataire (m./f.) tenant
logement (m.) dwelling
logiciel (m.) computer program,
  software
logis (m.) dwelling, home
loin far;
  — de far from
loisir (m.) leisure activity
long, longue long
long: le — de along
longtemps a long time
longueur (f.) length
lorsque when
loterie (f.) lottery
louer to rent
lourd(e) heavy
loyer (m.) rent
lumière (f.) light
lundi (m.) Monday
lune (f.) moon;
  — de miel honeymoon
lunettes (f.pl.) glasses
lutte (f.) struggle
luxe (m.) luxury
  se payer le — de to allow oneself
  the luxury of
luxueux, euse luxurious
lys (m.) lily

M

machin (m.) whatnot
machine à coudre (f.) sewing
  machine
maçon (m.) mason
madame Madam, Mrs.
mademoiselle Miss
magasin (m.) store
magasinage (m.) shopping

magasiner to go shopping
magie (f.) magic
magique magic, magical
magnifique magnificent
mai May
maigre skinny
maillot (m.) (de bain) swimsuit
main (f.) hand
main-d'œuvre (f.) labour force
maintenant now
maintenir to maintain, to hold
mais but
maïs (m.) corn
maison (f.) house;
  à la — at home
maitrise (f.) master's degree
maitriser to master, to control
majeur(e) major
mal (m.) evil, difficulty;
  avoir — (à) to ache, hurt;
  pas — not bad
malade sick; (m.) patient
maladie (f.) sickness, illness, disease
maladresse (f.) clumsiness
maladroit(e) clumsy
malaise (m.) indisposition
malbouffe (f.) junk food
malchanceux, euse unlucky
malgré in spite of
malhonnête dishonest
maltraité(e) ill-treated, abused
maman (f.) mama, mom, mummy
manche (f.) sleeve
manette (f.) controller
manger to eat
manière (f.) manner, way
manifester to manifest;
  se — to appear
manque (m.) lack
manquer to lack; to miss
manteau (m.) coat
maquillage (m.) makeup
maquiller: se — to put on makeup
  (on one's face)
marchand, ande (m./f.) merchant,
  shopkeeper
marché (m.) market;
  bon — cheap, inexpensive
marcher to walk; to work (function)
mardi (m.) Tuesday
marée (f.) tide
mari (m.) husband
marié(e) married
maringouin (m.) (Can) mosquito
marque (f.) brand; de — high-class
  product
marquer to mark; to show; to punc-
  tuate
  — des points to score points
marre: en avoir — to be fed up with
marron brown

mars March
matelas (m.) mattress
matériel informatique (m.)
  computer hardware
maternel(le) maternal
maternelle (f.) nursery school
matin (m.) morning
mécanicien, ienne (m./f.) mechanic
méchant(e) mean
mécontent(e) discontented
médaille (f.) medal
médecin (m.) doctor
médecine (f.) medicine
médicament (m.) medicine
méfier: se — de to distrust
meilleur(e)... que better ... than le,
  la — the best
mélanger to mix
mêler: se — à to mingle
mélodéon (m.) accordion
même even; same; very
  de — que as well as
mémoire (f.) memory
ménage (m.) household;
  housekeeping
mener to lead
mensonge (m.) lie
mensuel(le) monthly
mentalité (f.) mentality
mentionner to mention
mentir to lie
menton (m.) chin
menuisier (m.) carpenter
mépris (m.) contempt
merci thank you
mercredi (m.) Wednesday
mère (f.) mother
mériter to deserve
merveilleux, euse marvellous,
  wonderful
messe (f.) mass
mesure (f.) measure; measurement;
  dans la — to the extent
métier (m.) profession, trade
mètre (m.) metre
métro (m.) subway
mets (m.) dish (of food)
metteur en scène (m.) film director
mettre to put, to place;
  se — à to begin
mexicain(e) Mexican
Mexique (m.) Mexico
midi (m.) noon
miel (m.) honey
miens: les — my family, my people
mieux... que better ... than
mieux: le — (the) best
mijoter to simmer
milieu (m.) middle; environment;
  circle
  au — in the middle

mille thousand
milliard (m.) billion
million (m.) million
mince thin
minceur (f.) slimness
mine (f.): avoir bonne — to look well
minerai (m.) ore
minet, minette (m./f.) kitty
mineur (m.) miner
minuscule tiny
minime very small
ministre (m.) minister
minuit (m.) midnight
miroir (m.) mirror
mise à pied (f.) layoff
mixte mixed
mobylette (f.) moped
moche ugly
mode (f.) fashion
  à la — fashionable
modèle (m.) model
modérément moderately
modifier to modify
moins less, minus;
  à — que unless;
  au — at least;
  — de fewer than;
  — ... que less ... than
mois (m.) month
moitié (f.) half
moment (m.) moment, instant;
  à ce — -là at the time;
  au — où at the time when;
  en ce — now
monde (m.) world; people;
  tout le — everybody, everyone
mondial(e) worldwide;
  guerre mondiale world war
monnaie (f.) change
monoparentale: famille — (f.)
  single-parent family
monsieur (m.) gentleman, sir, Mr.
montant (m.) amount
monter to go up, to get on; — un
  projet to design; to set up
montre (f.) watch
montrer to show
moquer: se — de to make fun of
morceau (m.) piece
mordre bite
mordu(e) (m./f.) enthusiast, buff
mort (f.) death
mort, morte dead
mortel(le) mortal
morue (f.) cod
mot (m.) word;
  en un — in short
moto (f.) motorbike
motoneige (f.) snowmobile
mouche (f.) fly

mouette (f.) gull
mourir to die;
  — de faim to be starving
moutarde (f.) mustard
mouton (m.) sheep
mouvement (m.) motion; trend
moyen (m.) means, way;
  — de transport means of
  transportation
moyenne (f.) average
muet, muette mute
multiple numerous
munir to equip
mur (m.) wall
mûr(e) ripe
musclé(e) muscular
museau (m.) muzzle
musée (m.) museum
musicien, ienne (m./f.) musician
myope short-sighted
mystère (m.) mystery
mystérieux, euse mysterious

N

naissance (f.) birth
naitre to be born
nappe (f.) tablecloth
natal(e) native (adj.)
natalité (f.) birth rate
naturel(le) natural
navet (m.) turnip; flop
naviguer to browse
néanmoins nevertheless
né(e) born
ne... guère hardly
ne... jamais never
ne... ni... ni neither ... nor
ne... non plus neither, not either
ne... nulle part nowhere
ne... pas not
ne... pas encore not yet
ne... personne nobody
ne... plus no longer, no more
ne... que only
ne... rien nothing
nécessaire necessary
nécessiter to necessitate
négatif, ive negative
neige (f.) snow
neiger to snow
nerveux, euse nervous
nervosité (f.) nervousness
net, nette clear, precise, sharp
nettoyer to clean
neuf, neuve brand-new
neveu (m.) nephew
névrosé(e) neurotic
nez (m.) nose
ni... ni neither ... nor
nid (m.) nest
nièce (f.) niece

n'importe où anywhere
noce (f.) wedding
Noël (m.) Christmas
noir(e) black
noircir to become black
noirceur (f.) darkness
nom (m.) noun, name
nombre (m.) number
nombreux, euse(s) numerous
non no; — plus neither,
  not either
nord (m.) north
normalement normally
notaire (m.) notary
notamment particularly
noter to note; to grade; to observe
nouille (f.) noodle
nounou (f.) nanny
nourrir to nourish
nourrissant(e) nourishing
nouveau, nouvelle new
nouvelle (f.) short story
novembre November
nucléaire nuclear
nu(e) naked
nuage (m.) cloud
nuit (f.) night
nulle: (ne...) — part nowhere, not
  anywhere
numéro (m.) number, act

O

obéir to obey
objet (m.) object
objectif, ive objective
objectif (m.) goal, objective
obligatoire compulsory
obliger to force, to impel
obscur(e) dark
obtenir to obtain, to get, to receive
occasion (f.) opportunity;
  d'— second-hand
occupé(e) busy
occuper to occupy;
  s'— to busy oneself;
  s'— de to look after
octobre October
octroi (m.) grant
odeur (f.) odour, smell
odorant(e) sweet-smelling
œil (pl.yeux) (m.) eye
œuf (m.) egg
œuvre (f.) work
officiel(le) official
offrir to offer
oie (f.) goose
ognon (m.) onion
oiseau (m.) bird
ombre (f.) shade, shadow;
  à l'— in the shade
on one, people

oncle (m.) uncle
ongle (m.) nail
onguent (m.) ointment
or (m.) gold
orage (m.) thunderstorm
ordinateur (m.) computer
ordonnance (f.) prescription
ordonner to order
ordre (m.) command;
    en — in order
oreille (f.) ear
organisme (m.) organization
orgue (m.) organ
originaire originating from
orignal (m.) moose
origine (f.) origin;
    à l'— originally
orteil (m.) toe
os (m.) bone
oser to dare
ôter to take off
ou or
où where;
    d'— whence
oublier to forget
ouest (m.) west
oui yes
ouragan (m.) hurricane
outil (m.) tool
ouvert(e) open
ouvrage (m.) work
ouvrier, ière (m./f.) worker
ouvrir to open

P

pacifique peaceful
pain (m.) bread
paisible peaceful
paix (f.) peace
palace (m.) luxury hotel
palais (m.) palace
pamplemousse (m.) grapefruit
pâlir to turn pale
panier (m.) basket
panne (f.) failure;
    tomber en — to have a
    mechanical breakdown
pantalon (m.) pants
papa (m.) dad
papier (m.) paper
Pâques (f.pl.) Easter
paquet (m.) package
par by;
    — hasard by chance
paraitre to appear
parapluie (m.) umbrella
parc (m.) park
parcourir to travel throughout
parcours (m.) journey
Pardon! Excuse me!
pareil(le) like, similar

parenté (f.) kinship
paresseux, euse lazy
parfait(e) perfect
parfaitement perfectly
parfois sometimes
parfum (m.) perfume, fragrance
parfumer: se — to wear perfume
parlement (m.) parliament
parler to speak, talk
pari (m.) bet
parmi among
paroisse (f.) parish
parole (f.) spoken word
part: à — except, aside;
    d'autre — moreover
    de la — de on behalf of;
    quelque — somewhere
part (f.) part, share
partager to share, to split
partenaire (m./f.) partner
particulier, ière particular;
    en — in particular
particulièrement particularly
partie (f.) part; game, match
    faire — de to be part of; — de
    cartes (f.) card game
partir to leave
    à — de from
partition (f.) musical score
partout everywhere
parution (f.) publication
parvenir à to manage to;
    faire — to send to
pas (m.) step
pas: ne... — not
passager, ère (m./f.) passenger
passé (m.) past
passer to pass, to go through; to
    spend (time);
    se — to happen;
    — un examen to take an exam;
    — un film to show a film
passionné(e) passionate
patate (f.) potato
pâte (f.) dough; (pl.) pasta
paternel(le) paternal
patience (f.) patience
patin (m.) skate
patiner to skate
patinoire (f.) ice rink
pâtisserie (f.) pastry; pastry shop
patrimoine (m.) heritage
patron, onne (m./f.) boss
patte (f.) paw
pauvre poor; (m./f.) poor person
pauvreté (f.) poverty
payer to pay for;
    — comptant to pay cash
pays (m.) country, land
en voie de développement devel-
    oping country

paysage (m.) scenery
paysan, anne (m./f.) peasant
peau (f.) skin
pêche (f.) fishing; peach
pêcheur (m.) fisherman
peigner: se — to comb one's hair
peindre to paint
peintre (m./f.) painter
peine (f.) sorrow, difficulty;
    à — hardly;
    — de mort death penalty
pelage (f.) fur
peler to peel
pelle (f.) shovel
pelleter to shovel
pendant during;
    — que while
pénétrer to enter
pensée (f.) thought
penser to think
pension alimentaire (f.) alimony
pente (f.) slope
pénurie (f.) shortage
percevoir to perceive
perdant(e) (m./f.) loser
perdre to lose
père (m.) father
période (f.) period (of time)
perle (f.) pearl
permettre to allow, to permit; to
    enable, to make it possible
permis (m.) de conduire driver's
    licence
persienne (f.) shutter
persister to persist
personne (f.) person;
    ne... — nobody
perte (f.) loss
peser to weigh
pessimiste pessimistic
petit(e) small
petit-déjeuner (m.) breakfast
petit-fils (m.) grandson
petite-fille (f.) granddaughter
petits-enfants (m.pl.) grandchildren
pétoncle (m.) scallop
peu: un — de a little;
    — à — little by little;
    à — près about, almost
    très — very little
peur (f.) fear
peut-être perhaps, maybe
pharmacien, ienne (m./f.) druggist,
    pharmacist
phoque (m.) seal
phrase (f.) sentence
physiquement physically
pièce (f.): — de théâtre play
pied (m.) foot
pierre (f.) stone
piéton (m.) pedestrian

piètre mediocre

pigiste (m./f.) freelance journalist

pilule (f.) pill

pin (m.) pine

pinceau (m.) brush

piquenique (m.) picnic

piqûre (f.) shot, injection

pire worse;
   le — the worst

piscine (f.) swimming pool

piste (f.) trail; — cyclable bicycle path

place (f.) place, room, seat, square

placer to place; se — to find employment

placoter to chat

plafond (m.) ceiling

plage (f.) beach

plaidoyer (m.) plea

plaindre to pity

plaire à to please;
   s'il vous plaît please

plaisir (m.) pleasure

plan (m.) plan, project; level

planche à voile (f.) windsurfing

plancher (m.) floor

planète (f.) planet

plaque (f.) d'immatriculation licence plate

plat (m.) dish

plat, plate flat

plein, pleine full

pleurer to cry; to mourn

pleuvoir to rain;
   il pleut it is raining

plier to fold

plombier (m.) plumber

plongée sous-marine (f.) skindiving, scuba diving

plonger to dive

plongeur, plongeuse (m./f.) dishwasher (person)

pluie (f.) rain

plupart: la — de most of

plus more
   le — the most
   ne... — no more, no longer;
   — ou moins more or less;
   — que more than;
   de — furthermore;
   de — en — more and more

plusieurs several, many

plutôt rather

pneu (m.) tire

poche (f.) pocket

poêle (f.) frying pan

poids (m.) weight

poignet (m.) wrist

poilu(e) hairy

point (m.) de vue point of view

pointu(e) sharp

pointure (f.) size (shoes, gloves)

poire (f.) pear

poisson (m.) fish

poitrine (f.) chest, breast

poivre (m.) pepper

poivron (m.) pepper

poli(e) polite

policier (m.) police officer

politicien, ienne (m./f.) politician

politique (f.) politics; policy

pomme (f.) apple; — de terre potato

pompette tipsy

pondre to produce

pont (m.) bridge

popoter to cook

porc (m.) pig, pork

porte (f.) door

porté(e): être — vers to be inclined toward

portée (f.) significance

porter to carry; to wear;
   — secours à to come to the aid of

poser to put;
   — une question to ask a question

posséder to possess, to own

poste (f.) post office, mail

poste (m.) position (job)

postuler to apply

potage (m.) soup

potager (m.) kitchen garden

poterie (f.) pottery

poubelle (f.) garbage can

pouce (m.) thumb

poule (f.) hen

poulet (m.) chicken

poumon (m.) lung

poupée (f.) doll

pour for, in order to;
   — que so that;
   — ce qui est de as for, regarding

pourboire (m.) tip

pourquoi why

poursuivre to chase, to pursue; to carry on with

pourtant however, yet

pourvu que provided that

pousser to grow; to push;
   — à to urge, to impel

pouvoir to be able to

pouvoir (m.) power, authority

pratique practical; (f.) practice

pratiquer to practise

précédent(e) preceding, previous

précieux, euse precious

précisément precisely

préciser to specify

préféré(e) favourite

préférer to prefer

premier, ière first

premièrement firstly, in the first place

prendre to take

prendre soin to take care

prendre conscience de to become aware of

prénom (m.) first name

préoccupé(e) preoccupied

préparatifs (m.pl.) preparations

préposé(e) (m./f.) agent

près de near, close to

présentement presently, now, at present

présenter to present, to introduce

presque almost

pressé(e) in a hurry

pression (f.) pressure

prêt, prête ready

prêter to lend

prêtre (m.) priest

preuve (f.) proof;
   faire — de to show

prévaloir to prevail

prévenir to forewarn, to warn

prévoir to foresee, to expect, to anticipate

prière (f.) prayer

principal(e) main

principe (m.) principle;
   en — theoretically, as a rule

printemps (m.) spring

prix (m.) price; prize

probable likely

probablement probably

procès (m.) lawsuit

prochain(e) next

prochain (m.) fellow human being

proche close, near
   les — s family and friends

procurer to supply, to provide

produire to produce;
   se — to perform; to happen

produit (m.) product

professeur (m.) professor, teacher

profil (m.) profile; characteristics

profiter to profit, to take advantage of

profond(e) deep, profound

programmer to program

progrès (m.) progress, improvement

prolonger to prolong

promenade (f.) walk, stroll

promener to take for a walk;
   se — to take a walk

promesse (f.) promise

promettre to promise

promouvoir to promote

propos (m.) talk, words; intent

propos: à — by the way;
   à — de about, concerning

propre proper; clean; own; specific

propriétaire (m./f.) owner; landlord

protéger to protect

provenir to come from
provision (f.) food supply
provoquer to cause
prudent(e) cautious
psychologie (f.) psychology
puis then
puisque since
puissant(e) powerful
pull (m.) sweater
punir to punish
punition (f.) punishment
pupitre (m.) desk
purée (f.) **de pommes de terre**
  mashed potatoes

Q

quai (m.) wharf
qualifié(e) qualified
quand when
  — on veut, on peut where
  there's a will, there's a way
quant à as for/to
quart (m.) quarter, fourth
quartier (m.) neighbourhood, district
quatuor (m.) quartet
que whom, which, that
  ne — only
quel(le) what, which
quelque chose something
quelquefois sometimes
quelque part somewhere
quelques a few, some
quelqu'un someone
quelques-uns, unes some, a few
queue (f.) queue, line up; tail
qui who, which;
  — est-ce? who is it?
quincaillerie (f.) hardware;
  hardware store
quitter to leave
quoi what
quoi que ce soit anything
quoi qu'il en soit be that as it may
quoique although
quotidien, enne daily
quotidien (m.) daily newspaper;
  everyday life
quotidiennement every day

R

racine (f.) root
raconter to tell
radiographie (f.) X-ray
raffiner: se — to become more
  sophisticated
rafraichir to refresh, to cool
ragout (m.) stew
raisin (m.) grape
raison (f.) reason;
  en — de on account of;
  avoir — to be right

rajeunir to rejuvenate, to get
  younger
ralentir to slow down
ramasser to pick up
rame (f.) oar
ramener to bring back
ramer to row
randonnée (f.) outing, walk
  faire une — go on a hike
randonneur(euse) (m./f.) hiker
rang (m.): **être au premier —** to be
  in the forefront
rangée (f.) row
ranger to put away, to keep
rapide fast, quick
rappeler to remind;
  se — to remember
rapport (m.) report; rapport;
  relationship;
  par — à in comparison with
rapporter to bring back
raquette (f.) racket (tennis); snowshoe
raser: se — to shave
rassembler to gather, to bring together
rassurer to reassure
rattacher: se — à to be connected with
rater to fail; to miss
rationnel(le) rational
rationner to ration
ravir to delight
rayer to cross out
rayon (m.) ray
réagir to react
réaliser to realize; to achieve
réaliste realistic
réapparaitre to reappear
récent(e) recent
recette (f.) recipe
recevoir to receive
réchauffer: se — to warm up
recherche (f.) research, search
rechercher to search for
récit (m.) narration, tale
réclamer to claim, to demand
recommandé(e) registered (mail)
recommander to recommend
recommencer to start over
récompense (f.) reward
récompenser to reward
reconduire to see home
réconfort (m.) comfort
réconforter to comfort
reconnaissance (f.) recognition
reconnaitre to recognize
reconnu(e) recognized, well-known
reconstruire to rebuild
recours (m.) resort, recourse
recouvrir to cover
recueil de poésies (m.) collection
  of poems
recueillir to collect

rédaction (f.) composition
rédiger to write, to compose
redonner to give back
redressement (m.) setting right
réel(le) real
réfléchir to think, reflect
refléter to reflect
réfrigérer to refrigerate
refroidir to cool
refuser to refuse
regard (m.) look, glance
régime (m.) diet; **suivre un —** to diet
règle (f.) rule
règlement (m.) regulation, rule
regretter to regret
régulièrement regularly
reine (f.) queen
rejeter to reject
rejeton (m.) offspring (colloqu.)
rejoindre to rejoin, to meet
réjouir: se — to rejoice, to delight
relâche (f.) break
relever to help (someone) up
relier to bind, to connect, to link
religieux, euse religious
relire to reread
remarque (f.) remark
remarquer to notice
remède (m.) remedy, cure
remercier to thank
remettre to put back, to hand back;
  se — to recover
  — au gout du jour update
remonter to go back up
remorquer to tow
remplacer to replace
remplir to fill (out); to carry out
rempli(e) filled, full
remporter to win
rémunérateur, trice paying, lucrative
rencontre (f.) meeting
rendement (m.) performance
rendez-vous (m.) date, appointment
renfermer to contain, to hold
renommé(e) renowned, famous
renouveau (m.) revival, renewal
renouveler to renew, to replace
renseigner to inform;
  se — to make inquiries
rentable profitable
rentrée scolaire (f.) start of the
  school year
renvoyer to send back
répandre to spread
réparer to repair, to fix
répartir to allocate, to distribute
répartition (f.) distribution
repas (m.) meal
repasser to iron
répéter to repeat
répondre to answer

reportage (m.) coverage
repos (m.) rest
reposer to put back; to rest, relax
reprendre to take back, to resume
représentant(e) (m./f.) representative
représentation (f.) performance
réputé(e) famous, well-known
réseau (m.) network; réseaux sociaux
  (m.pl.) social networking sites
réseautage (m.) networking
résister to resist
résoudre to solve
respectueux, euse respectful
respiratoire breathing
respirer to breathe
ressembler (à) to look like, to
  resemble
ressentir to feel
ressortir: faire — to bring out
rester to stay
restes (m.pl.) remains, leftovers
résultat (m.) result
retard (m.): être en — to be late
retour (m.) return
retourner to return, to go back
retracer to trace back
retraite (f.) retirement
retrouver to find again
  se — to meet, to join, to gather
réunion (f.) meeting
réunir to unite, to gather;
  se — to get together
réussir to succeed
réussite (f.) success
rêve (m.) dream
révéler to reveal
réveille-matin (m.) alarm clock
réveiller: se — to wake up
réveillon (m.) Christmas Eve dinner
revenir to come back, to return
rêver to dream
revoir to see again
revue (f.) magazine
rhume (m.) cold
riche rich
ridicule ridiculous
rien nothing; en un — de temps in
  no time at all
rigolo funny
rigueur (f.): de — essential
rire (m.) laugh
rive (f.) shore
riverain (m.) lakeside resident
robe (f.) dress
rocher (m.) rock
roi (m.) king
roman (m.) novel; — policier
  detective novel
romancier, ière (m./f.) novelist
rondelle (f.) puck
rosbif (m.) roast beef

rose pink
rosée (f.) dew
rôti (m.) roast
roue (f.) wheel
rouge red
rougir to turn red; to blush
rouleau (m.) roll
rouler to roll along; to drive, to ride
rouspéter to grumble
route (f.) road
rubrique (f.) column
rudiments (m.pl.) basics
rue (f.) street
ruiner: se — to ruin oneself
ruisseau (m.) brook
rupture (f.) breaking off
rural(e) country, rural
rusé(é) cunning
russe Russian
Russie (f.) Russia

S

sable (m.) sand
sac (m.) bag, purse
  — à dos backpack
sacrifier to sacrifice
sage wise
saignant(e) rare (steak)
sain, saine healthy
saisir to grab
saison (f.) season
salaire (m.) salary, wages
sale dirty
salle (f.) room;
    — d'attente waiting room
    — de bains bathroom
    — de cours classroom
    — à manger dining room
salon (m.) living room
saluer to salute, to greet
Salut! Hello!, Hi!, Goodbye!
samedi (m.) Saturday
sang (m.) blood
sans (que) without
sans cesse unceasingly
santé (f.) health;
  en bonne — in good health
sapin (m.) fir
satisfait(e) satisfied, content
saucisson (m.) sausage
saumon (m.) salmon
sauter to jump
sauvage wild
sauver to save
sauver: se — to escape
savoir to know
savoir (m.) knowledge
savoir-faire (m.) know-how
savon (m.) soap
scellé(e) sealed
scénario (m.) film script

scientifique scientific
scolaire academic
scolarisation (f.) schooling
sculpture (f.) sculpture
sec, sèche dry
sécher to dry
secondaire secondary
secours (m.) aid, assistance
secteur (m.) area; sector
sécuritaire safe
séjour (m.) stay
sel (m.) salt
sélectionner to select
selle (f.) saddle
selon according to
semaine (f.) week
sembler to seem
sens (m.) meaning
sensible sensitive
sentier (m.) path
sentir to feel; to smell;
  se — to feel
séparer to separate
septembre September
sérieux, euse serious
serpent (m.) snake
serrer la main to shake hands
serviette (f.) napkin; briefcase; towel
servir to serve;
  se — de to use
seuil (m.) threshold
seul(e) alone
seulement only
sévère strict
si if, whether
siècle (m.) century
sien: les —s one's own people
signifier to mean
simple simple, easy
sinon if not, or else
sirop (m.) syrup
site d'enfouissement (m.) dump
situé(e) located, situated
ski (m.) ski, skiing;
  — nautique water skiing
  — de fond cross-country skiing
  — alpin downhill skiing
skieur, euse (m./f.) skier
sœur (f.) sister
soif (f.) thirst;
  avoir — to be thirsty
soigner to care for, to look after,
  to tend
soi-même oneself
soin (m.) care;
  avec — carefully
soir (m.) evening;
  ce — tonight
soi self
soit either, or
solaire solar

soleil (m.) sun;
   au — in the sun
solennel(le) solemn
sombre dark
sommeil (m.) sleep;
   avoir — to be sleepy
somnifère (m.) sleeping pill
son (m.) sound
sondage (m.) poll
songer to dream; to think
sonner to ring
sort (m.) fate
sorte (f.) sort, kind
sortie (f.) exit
sortir to go out
sot, sotte silly
sou (m.) penny
souci (m.) worry
soudain all of a sudden
souffrir to suffer
souhait (m.) wish
souhaitable desirable
souhaiter to wish
soulever to lift
soulier (m.) shoe
souligner to stress, to underline
soumettre to submit
souper to have supper
source (f.) spring, source
sourcil (m.) eyebrow
sourd, sourde deaf
sourire (m.) smile
sourire to smile
souris (f.) mouse
sous under
soustraction (f.) subtraction
sous-vêtement (m.) undergarment
soutien (m.) support
soutien-gorge (m.) bra
souvenir: se — de to remember
souvenir (m.) memory, recollection
spatule (f.) spatula
spécialement especially
spécialiser: se — to specialize
spécialiste (m./f.) specialist
spectacle (m.) show, play
spectateur, trice (m./f.) spectator
sport (m.) sport
sportif, ive athletic; (m./f.)
   sportsman, sportswoman
stade (m.) stadium
stationnement (m.) parking
stationner to park
stylo (m.) pen; — à bille ballpoint pen
subir to undergo
subitement suddenly
subvenir to provide
succès (m.) success
succulent(e) delicious
sucre (m.) sugar
sud (m.) south

Suède (f.) Sweden
suffisamment sufficiently, enough
suffisant(e) sufficient
suggérer to suggest
suicider: se — to commit suicide
Suisse (f.) Switzerland
suite (f.): par — de as a result of
suivant(e) following
suivre to follow; to take (a course)
sujet (m.) subject, topic
superficie (f.) area
supermarché (m.) supermarket
supprimer to remove
sur on, onto
sûr, sûr(e); sure; safe
sûrement surely
surnommer to nickname
surprise (f.) surprise
surtout above all, especially
surveiller to watch over
survivre to survive, to outlive
susciter to give rise to
sympathique likeable, nice

T

tabac (m.) tobacco
tableau (m.) blackboard, painting
tablette (f.) digital tablet; ex. iPad™
tache (f.) stain
tâche (f.) task, work
taché(e) stained
tacite implied
tacot (m.) clunker (used car)
taille (f.) size; waist; figure
tailleur (m.) tailor
taire: se — to be quiet, to be silent
talon (m.) heel
tambour (m.) drum
tandis que while, whereas
tant (de) so much (many);
   — mieux so much the better;
   — pis too bad
tant que as long as, as well as
tante (f.) aunt
tantôt at one time
tapage (m.) din
tapis (m.) rug
tard late
tarder: sans — without delay
tarif (m.) rates
tarte (f.) pie
tas: un — de a lot of
tasse (f.) cup
taux (m.) rate
technique technical
tel(le) such; — que such as
télécharger to download
tellement so, so much, so many
témoigner to testify; — de to bear
   witness to
témoin (m.) witness

tempérament (m.) nature
temps (m.) time; weather; tense (verb);
   de — en — from time to time;
   en même — at the same time;
   être de son — to keep up with
   the times;
   — partiel part time;
   — plein full time;
   perdre son — to waste one's
   time;
   Quel — fait-il? What is the
   weather like?
ténacité (f.) stubbornness
tendance (f.) trend
tendre to reach out
tendresse (f.) tenderness
tenir to hold;
   — à to insist upon; to value
tentative (f.) attempt
tenter to attempt, to try
terminaison (f.) ending
terminer to end
terminus (m.) terminal
terrain (m.) ground, lot
terre (f.) earth, soil
   par — on the floor (ground)
terrifiant(e) terrifying
terrifier to terrify
tête (f.) head;
   — à — private conversation;
   mal de — headache
têtu(e) stubborn
thé (m.) tea
tigre, tigresse (m./f.) tiger, tigress
timbre (m.) stamp
tintamarre (m.) racket
tire-bouchon (m.) corkscrew
tirer to pull
tiroir (m.) drawer
tisane (f.) herbal tea
tissu (m.) material
titre (m.) title
titulaire (m./f.) possessor
toile (f.) canvas; painting; web
toilette (f.) washing up, dressing up;
   —s restrooms
toit (m.) roof
tolérer to tolerate
tomber to fall
ton (m.) (de la voix) tone (of voice)
tonnelle (f.) arbour
tonnerre (m.) thunder
tornade (f.) tornado
tort (m.) fault;
   avoir — to be wrong
tôt early
   le plus — possible as soon as
   possible
toucher to touch; to concern; to
   affect
toujours always, still

tour (m.) turn;
  à mon — my turn;
  faire le — de to tour, to go
  around;
  jouer un — to play a bad trick
tour (f.) tower
tournée: être en — to be on tour
tourner to turn
tousser to cough
tout, toute, tous, toutes all, whole,
  every, everything;
  — à coup suddenly;
  — à fait quite; entirely;
  — de suite immediately;
  — le monde everyone
  — le temps all the time;
  pas du — not at all
toutefois however, yet
trac (m.) stage fright
traducteur, trice (m./f.) translator
traduire to translate; to convey
trahir to betray
train: être en — de to be in the
  midst of (doing something)
trait (m.) feature, characteristic
traitement de texte (m.) word
  processing, word processor
trancher to slice
tranquille quiet;
  laisser — to leave alone
transmettre to transmit, to convey,
  to pass on, to communicate
transporter to carry
transports en commun
  (m.pl.) public transport
travail (m.) work, job; assignment
travailler to work
travailleur, euse hardworking
travaux ménagers
  (m.pl.) housework
travers: à — through; across
traverser to cross
traversier (m.) ferryboat
tremplin (m.) ski jump; diving
  board
très very
trésor (m.) treasure
trier to sort
triste sad
tristesse (f.) sadness
tromper to fool; se — to make a
  mistake
tronc (m.) trunk
trop (de) too, too much/many
trottoir (m.) sidewalk
trou (m.) hole
troupe (f.) band
trouvaille a find, a treasure
trouver to find
truite (f.) trout
tuque (f.) cap, tuque
type (m.) guy

U

un, une a, an; one
unir to unite
urbain(e) urban
urgence (f.) emergency
usage (m.) use, usage; practice
usé(e) worn out
usine (f.) plant, factory
utile useful
utilisation (f.) use
utiliser to use

V

va-et-vient (m.) coming and going
vacances (f.pl.) vacation, holidays
vacarme (m.) commotion
vache (f.) cow
vague (f.) wave
vaguement vaguely
vain: en — in vain
vainqueur (m.) conqueror, victor
vaisselle (f.) dishes;
  faire la — to do the dishes
valise (f.) suitcase, luggage
valoir to be worth
vanné(e) tired out
vapeur (f.) steam
varié(e) varied
vaut: ça — la peine de it's worth
  (doing);
  il — mieux it is better
veau (m.) calf, veal
vedette (f.) star
végétarien, ienne vegetarian
veille: la — de the day before
veillée (f.) evening gathering
veiller à to see to, to look after
vélo (m.) bicycle
vendeur, euse (m./f.) salesperson
vendre to sell
vendredi (m.) Friday
vénérien, ienne venereal
venir to come
vent (m.) wind
vente (f.) sale
ventre (m.) belly, stomach
verdir to turn green
vérifier to check
véritable real, genuine, true
vernissage (m.) inauguration (art)
vers toward; around; about
vert, verte green
vertige (m.) vertigo
veste (f.) jacket
vestige (m.) trace, remains
vestimentaire dress (adj.)
veston (m.) jacket
vêtement (m.) garment, clothing
veuf, veuve (m./f.) widower, widow
viande (f.) meat
vide empty
vie (f.) life

vieillard(e) old man, woman
vieillesse (f.) old age
vieillir to grow old
vieillissement (m.) aging
vieux, vieille old
ville (f.) town, city
vin (m.) wine
violemment violently
violet, ette purple, violet
violon (m.) violin
violoncelle (m.) cello
virage (m.) turn, bend
visage (m.) face
visée (f.) design
viser to aim at
visionner to view
visite (f.) visit;
  rendre — à to visit someone
vite quickly, fast
vitesse (f.) speed
  — de pointe top speed
vivant(e) living
vivre to live; to go through,
  to experience
voici here is, here are
voilà there is, there are
voile (f.) sail
voilier (m.) sailing ship
voir to see
voisin(e) (m./f.) neighbour
voiture (f.) car
voix (f.) voice;
  à — basse in a low voice
vol (m.) theft; flight
volant (m.) steering wheel
voler to steal
volet (m.) part, section
voleur (m.) thief
volonté (f.) will
volume (m.) book
vouloir to want, wish;
  — dire to mean
  en — à to hold a grudge against
voyage (m.) trip, journey;
  — de noces honeymoon
voyager to travel
voyageur, euse (m./f.) traveller
vrai(e) true
vraiment really, indeed
vue (f.) sight, view
vulgaire vulgar

W

wagon-lit (m.) sleeping car
week-end (m.) weekend

Y

y there
yeux (m.pl.) (sing.œil) eyes

Z

zodiaque (m.) zodiac
zoo (m.) zoo

Vocabulaire — Anglais / Français

A

a lot, a great deal beaucoup
able (to be —) pouvoir
abort interrompre
abortion avortement (m.)
   to have an — se faire avorter
about (concerning) au sujet de, concernant
about (time) vers
abroad à l'étranger
absolutely absolument
accommodate accommoder
accomplish accomplir
according to selon
accordion mélodéon (m.)
account (on my —) à mon compte
accountant comptable (m.)
ache avoir mal à
across from en face de
act agir
actor, actress acteur, actrice (m./f.)
ad annonce (f.)
adapt (s')adapter
add ajouter
admit admettre, avouer
adolescent ado (m.)
advertising publicité (f.)
advice conseil (m.)
advise conseiller
aerobic aérobique
afraid (to be —) avoir peur
after après
afternoon après-midi (m./f.)
afterwards ensuite
again encore
against contre
agent préposé(e) (m./f.)
ago il y a
agreed entendu; d'accord
agreement accord (m.), entente (f.)
aid secours (m.)
aids sida (m.)
aim viser
alarm clock réveille-matin (m.)
alcohol alcool (m.)
all the time tout le temps
allow permettre
almost presque
alone seul(e)
already déjà
also aussi
although bien que
always toujours
amazing étonnant(e)
among parmi

ancestor ancêtre (m./f.)
ancient ancien, ancienne
angry en colère, fâché(e)
animated animé(e)
ankle cheville (f.)
announce annoncer
annoy ennuyer
annoyed fâché(e), ennuyé(e)
annoying ennuyeux, euse, fatigant(e)
answer répondre
anxious (to be —) avoir hâte de
apartment building immeuble (m.)
apple pomme (f.)
apply postuler
appreciate apprécier
approve approuver
approximately environ
April avril (m.)
area superficie (f.)
argument dispute (f.)
arm bras (m.)
around autour
arrival arrivée (f.)
arrive arriver
as aussi; comme
   — a matter of fact justement;
   — far as jusqu'à;
   — many, — much autant
as soon as aussitôt que
ashamed (to be — of) avoir honte de
Asian asiatique (m./f.)
ask demander
asleep (to fall —) s'endormir
assessment bilan (m.)
assistant adjoint(e) (m./f.)
astonish étonner
astonished étonné(e)
astonishing étonnant(e)
at en, à, chez
athletic sportif, ive
atrocious atroce
attend assister
attic grenier (m.)
attract attirer
August aout (m.)
aunt tante (f.)
authorized autorisé(e)
available disponible
average moyen(ne)
avoid éviter

B

bachelor's degree baccalauréat (m.)
back dos (m.)
   be — home être de retour chez soi

backpack sac à dos (m.)
badly mal
bag sac (m.)
bakery boulangerie (f.)
balanced équilibré(e)
bandage pansement (m.)
basement sous-sol (m.)
basket panier (m.)
basketball ballon-panier (m.)
bathroom salle de bains (f.)
be être
beach plage (f.)
bean haricot (m.)
beard barbe (f.)
beautiful beau, belle
because car, parce que
because of à cause de
become devenir
bed lit (m.)
   — and breakfast gite touristique
bedroom chambre (f.)
beef bœuf (m.)
beer bière (f.)
before avant, avant que
beforehand auparavant
begin commencer
beginning début (m.)
behave (se) comporter
behaviour comportement (m.)
behind derrière
Belgian belge
Belgium Belgique (f.)
believe croire
belong to appartenir, être à
belt ceinture (f.)
benefit bienfait (m.)
besides en plus, de plus
best meilleur(e)
best wishes tous mes vœux
bet pari (m.)
better mieux
between entre
bickering chicagne (f.)
bicycle bicyclette (f.), vélo (m.), bixi
big grand(e)
bill addition (f.)
biology biologie (f.)
bird oiseau (m.)
birth naissance (f.)
birthday anniversaire (m.)
bit peu
black noir(e)
blackboard tableau noir (m.)
blank blanc; espace vide (m.)
blood sang (m.)

blubber chialer
blueberry bleuet (m.)
blunder gaffe (f.)
blush rougir
body corps (m.)
body-building
  musculation (f.)
boiling ébullition (f.)
bone os (m.)
book livre (m.)
boot botte (f.)
booth cabine (f.)
border frontière (f.)
bore ennuyer
bored (to be —) s'ennuyer
boring ennuyeux, euse
boss patron, patronne (m./f.)
both les deux
bother ennuyer, déranger
bottle bouteille (f.)
bouquet gerbe (f.)
bowl bol (m.)
box boite (f.)
boy garçon (m.)
boyfriend chum (Québec), petit
  ami (m.)
brand marque (f.)
bread pain (m.)
break (se) casser
break down tomber en panne
break out éclater
breakfast déjeuner (m.)
breast poitrine (f.)
breath haleine (f.), respiration (f.)
breathe respirer
bridge pont (m.)
briefcase serviette (f.)
bring apporter
  — back rapporter
British Columbia Colombie-
  Britannique (f.)
broadcast émission (f.)
broken cassé(e)
bronchitis bronchite (f.)
broom balai (m.)
brother frère (m.)
brother-in-law beau-frère (m.)
brown brun(e)
browse naviguer
brush brosser
buddy copain, copine
build bâtir
building bâtiment (m.),
  immeuble (m.)
burst out laughing éclater de rire
business commerce (m.)
businessman homme d'affaires (m.)
businesswoman femme d'affaires (f.)
busy occupé(e)
but mais
butcher boucher, bouchère (m./f.)

butcher's shop boucherie (f.)
butter beurre (m.)
buy acheter
by par; avant (time)
by the way à propos
Bye! Salut!

C

cake gâteau (m.)
calendar calendrier (m.)
call appel (m.)
call appeler
called (to be) s'appeler
calmly calmement
campground camping (m.)
camping (to go —) aller camper
can boite (f.) de conserve
candy bonbon (m.)
candy store confiserie (f.)
canoeing (to go —) faire du
  canotage
car voiture, auto (f.), char (m.)
  bagnole (f.)
card carte (f.)
card game partie de cartes (f.)
career carrière (f.)
careful prudent(e)
carry porter
  — out effectuer
cartoon bande dessinée (f.)
cast plâtre (m.)
cat chat, chatte (m./f.)
catch attraper
CD disque compact, CD (m.)
CD player lecteur de CD (m.)
celebrate célébrer, fêter
century siècle (m.)
chair chaise (f.)
challenge défi (m.)
change changement (m.)
change changer
charm amulette (f.)
charming charmant(e)
chat bavarder, jaser (Québec),
  clavarder, placoter
check vérifier
cheek joue (f.)
cheerful enjoué(e)
cheese fromage (m.)
chemistry chimie (f.)
chest poitrine (f.)
chestnut brown châtain(e)
chicken poulet (m.)
child enfant (m./f.)
chin menton (m.)
choice choix (m.)
choose choisir
chop émincer
chores travaux ménagers (m.pl.)
Christian chrétien, chrétienne
Christmas Noël (m.)

cider cidre (m.)
circulate circuler
circus cirque (m.)
city ville (f.)
city hall hôtel de ville (m.)
civil servant fonctionnaire (m./f.)
class cours (m.), classe (f.)
classmate camarade de classe (m./f.)
classroom salle de classe (f.)
clean propre
clean nettoyer
clean out dévaliser
clear clair(e)
clear cut coupe à blanc (f.)
close fermer
closed fermé(e)
clothes linge (m.)
clothing vêtement (m.)
cloud nuage (m.)
cloudy nuageux, nuageuse
clumsiness maladresse (f.)
clunker (used car) bazou (m.),
  tacot (m.)
coach entraineur, euse (m./f.)
coat manteau (m.)
coat enduire
cold froid(e); to be — avoir froid
cold rhume (m.)
collection of poems recueil de
  poésie (m.)
column chronique (f.), rubrique (f.)
combination fusion (f.)
comb one's hair se peigner
come venir; to — back revenir
comedy comédie (f.)
comfort réconfort (m.); to —
  réconforter
commonly communément
commotion vacarme (m.)
communicate transmettre
compact disc (CD) disque compact
  CD (m.)
compare comparer
compared to en comparaison de
competition concours (m.)
completely complètement; tout
  à fait
complicated compliqué(e)
composition rédaction (f.)
computer ordinateur (m.)
computer hardware matériel
  informatique (m.)
computer science informatique (f.)
computer scientist informaticien,
  informaticienne (m./f.)
condition état (m.)
confess avouer
confide (in) (se) confier
congratulate féliciter
congratulations félicitations (f.pl.)
conjugate conjuguer

conjugation conjugaison (f.)
consequently par conséquent, donc
consider considérer
console consoler
constantly constamment
consult consulter
contain renfermer
continuation suite (f.)
continue continuer
continuing education éducation
  permanente (f.)
contribution apport (m.)
controller manette (f.)
convince convaincre
convinced convaincu(e)
cook cuisinier, cuisinière (m./f.);
  to — faire la cuisine, popoter
cooked cuit(e)
cookie biscuit (m.)
cool frais, fraiche
cool refroidir
corkscrew tire-bouchon (m.)
correct corriger
cost cout (m.); to — couter
  costly couteux,euse
  at a lower — à moindre cout
cough tousser
cough toux (f.)
count compter
country pays (m.); in the country-
  side à la campagne
coverage reportage (m.)
cracker biscuit (m.)
craft shop boutique d'artisanat (f.)
crafts artisanat (m.)
craving fringale (f.)
crayfish écrevisse (f.)
crazy fou, folle
cream crème (f.)
create créer
creditor créancier (m.)
crisis crise (f.)
criticize critiquer
cross traverser
cross-country skiing ski de fond (m.)
cross out rayer
crowd foule (f.)
cry pleurer
cunning rusé(e)
cup tasse (f.)
cure guérir
cure guérison (f.)
custom coutume (f.)
customer client(e) (m./f.)
cut coupé(e)
cut (oneself) (se) couper
cute mignon(ne)
cybernaute internaute (m./f.)
cycling cyclisme (m.) to go — faire
  du vélo, de la bicyclette

D

daily quotidien(ne)
damp humide
dance danse (f.); danser
dangerous dangereux, euse
dare oser
dark foncé(e)
data données (f.pl)
daughter fille (f.)
dawn aube (f.)
day jour (m.)
dear cher, chère
death mort (f.)
debate débat (m.)
deceive décevoir
decide décider
decline dépérir
deer chevreuil (m.)
deforest déboiser
delicatessen charcuterie (f.)
delight (se) réjouir
delighted ravi(e)
demand exiger
demanding exigeant(e)
den salle de séjour (f.)
depart partir
department store grand magasin (m.)
depend (on) dépendre (de)
depressed déprimé(e)
describe décrire
design monter un projet
desire désir (m.); to — désirer
desire (to feel like) avoir envie de
destroy détruire
develop développer
developing en voie de développement
dice dé (m.)
die mourir
difficult difficile
dig creuser
digital media player baladeur (m.)
  ex. iPod™
digital tablet tablette (f.) ex. iPad™
din tapage (m.)
dining room salle à manger (f.)
dinner diner (m.); to have — diner
direct diriger
director directeur, directrice (m./f.)
disadvantage inconvénient (m.)
disagreement désaccord (m.)
disappear disparaître
disappointed déçu(e)
disappointment déception (f.)
discomfort inconfort (m.)
discover découvrir
discovery découverte (f.)
discuss discuter
disgusted dégoûté(e)
dish plat (m.)
dishes vaisselle (f.)

dishwasher lave-vaisselle (m.);
  (person) plongeur, plongeuse (m./f.)
diskette disquette (f.)
disorder: disorderly en désordre
display afficher
displeased mécontent(e)
distrust se méfier de
do faire
doctor docteur, médecin (m.)
dog chien, chienne (m./f.)
donation don (m.)
Don't bother! Ce n'est pas la peine!
door porte (f.)
dormitory dortoir (m.)
doubt doute (m.); to — douter
dough (money) fric (m.)
doughnut beignet (m.)
downhill skiing ski alpin (m.)
download télécharger
downtown centre-ville (m.)
dozen douzaine (f.)
drain égoutter
drama drame (m.); to study —
  étudier l'art dramatique
dreadful épouvantable
dream rêve (m.); to — rêver
dress robe (f.)
dressed (to get —) s'habiller
drink boire; to have a — prendre
  un verre
drugstore pharmacie (f.)
dry sec, sèche
dry sécher
dryer sécheuse (f.)
dump site site d'enfouissement (m.)
duration durée (f.)
Dutch hollandais(e) (m./f.)

E

each chaque
each one chacun(e)
ear oreille (f.)
early en avance, tôt
earth terre (f.)
earthquake tremblement de terre (m.)
ease (at —) aise (à l'—)
east est (m.)
Easter Pâques (f.pl.)
easy facile
eat manger
ecological écologique
ecology écologie (f.)
economy économie (f.)
edge bord (m.)
egg œuf (m.)
egg white blanc d'œuf (m.)
elementary school école primaire (f.)
elsewhere ailleurs
embarassed embarrassé(e); gêné(e)
encourage encourager

encouraging encourageant(e)
end fin (f.); bout (m.)
end terminer
engaged fiancé(e)
engaged (to get —) se fiancer
engagement fiançailles (f.pl.)
English anglais(e) (m./f.)
enjoy se plaire, jouir de, aimer
enough assez
entertain divertir
entrance entrée (f.)
envy envier
equally également
err se fourvoyer
errands (to do —) faire des courses
escape (se) sauver
especially surtout
essay dissertation (f.)
ethnicity ethnie (f.)
event événement (m.)
every tous les
everyone tout le monde
everything tout
everywhere partout
evidence évidence (f.); preuve (f.)
exactly exactement
exaggerate exagérer
exam examen (m.)
exchange échange (m.)
excuse excuser, pardonner
excuse oneself s'excuser
exercise exercice (m.)
    to get some — faire de l'exercice
exhausted crevé(e)
exhausting épuisant(e)
exist exister
expect a child attendre un enfant
expenses frais (m.pl.)
expensive cher, chère
experience vivre
explain expliquer
explanation explication (f.)
express exprimer
extraordinary extraordinaire
extricate dégager
eye(s) œil (m.) (yeux (m.pl.))

F

face visage (m.)
face affronter
fact fait (m.)
fairly well assez bien
faithful fidèle
fall tomber
fall automne (m.)
falls chutes (f.pl.)
false faux, fausse
family famille (f.)
    — and friends les proches
famous célèbre
far from loin de

fare tarif (m.)
farm ferme (f.)
farmer fermier, fermière (m./f.)
fascinate fasciner
fast rapide, vite
fat gros, grosse
father père (m.)
father-in-law beau-père (m.)
fatherly paternel, paternelle
fear peur (f.)
February février (m.)
feel se sentir
feel sentir; ressentir
    to — like avoir envie de
fees (tuition) frais de scolarité (m.pl.)
ferryboat traversier (m.)
fever fièvre (f.)
few peu de; quelques
fewer moins
field champs (m.)
file fichier (m.)
film director cinéaste (m./f.)
film script scénario (m.)
find: to — trouver; **a —** trouvaille (f.)
finger doigt (m.)
finish finir, terminer
fire feu (m.), incendie (m.)
    — place foyer (m.)
    — works feu d'artifice (m.)
first premier, première
first of all tout d'abord
fish poisson (m.)
fishing pêche (f.)
fish shop poissonnerie (f.)
flight vol (m.)
floor étage (m.)
floppy disk disque souple (m.),
    disquette (f.)
florist fleuriste (m./f.)
flour farine (f.)
flower shop fleuriste (m./f.)
flu grippe (f.)
fluently couramment
fly mouche (f.)
fog brouillard (m.)
folder dossier (m.)
follow suivre
followed suivi(e)
following suivant(e)
fond of food gourmand(e) (m./f.)
food aliment (m.)
fool tromper, berner
foolish insensé(e)
foot pied (m.)
for pour, pendant, depuis, car
forbidden interdit(e), défendu(e)
forehead front (m.)
foreign étranger, ère
foreigner étranger, étrangère (m./f.)
foreman, forewoman contremaitre,
    contremaitresse (m./f.)

forget oublier
forgive pardonner
former ancien(ne)
fortunately heureusement
frankly franchement
freelance journalist pigiste (m./f.)
freeze (food) congeler; **to —** geler
freezer congélateur (m.)
French français(e)
French fries frites (f.pl.)
Friday vendredi (m.)
fridge frigo (m.)
fried frit(e)
friend ami, e (m./f.), copain, copine
    (m./f.)
friendly aimable
frightening effrayant(e)
frog leg cuisse de grenouille (f.)
from de, à partir de
frustrated frustré(e)
frustrating frustrant(e)
fun plaisir (m.)
funny amusant(e), rigolo, drôle
furious furieux, furieuse

G

game jeu (m.)
garbage can poubelle (f.)
garden jardin (m.)
    kitchen — potager
gas essence (f.)
generally généralement
generous généreux, généreuse
gentle doux, douce
gentleman monsieur (m.)
gentlemen messieurs (m.pl.)
gently doucement
German allemand(e) (m./f.)
gesture geste (m.)
get obtenir;
    — used to s'habituer,
    — along s'entendre;
    — dressed s'habiller;
    — it comprendre
gift don (m.)
gifted doué(e)
girl fille (f.)
girlfriend amie, petite amie, blonde
    (f.) (Québec)
give donner
give up renoncer, laisser tomber
gladly avec plaisir
glasses lunettes (f.pl.)
glove gant (m.)
go aller;
    — back retourner;
    — home rentrer;
    — in entrer;
    — out sortir
    — up monter;
    — to bed se coucher

goal but (m.)
god dieu (m.)
gold or (m.)
Good evening! Bonsoir!
Goodbye! Au revoir!
goods biens (m.pl.)
grab saisir
granddaughter petite-fille (f.)
grandfather grand-père (m.)
grandmother grand-mère (f.)
grandparent grand-parent (m.)
grandson petit-fils (m.)
grant accorder, attribuer
grape raisin (m.)
great formidable, super
greedy gourmand(e)
Greek grec, grecque
green vert(e)
greet saluer
grey gris(e)
groceries provisions (f.pl.)
grocery shopping (to go —) faire
    ses provisions
grocery store épicerie (f.)
ground haché(e)
ground floor rez-de-chaussée (m.)
group leader animateur,
    animatrice
grow grandir; pousser
guess deviner
guest invité(e) (m./f.)
    — (at a meal) convive (m./f.)
guilty coupable
guitar guitare (f.)
guy gars (m.), type (m.)
gym gymnase (m.)

H

habit habitude (f.)
hair cheveux (m.pl.)
hairdresser coiffeur, euse (m/f.)
half moitié, demi(e) (f.)
half-way à mi-chemin
hallway couloir (m.)
ham jambon (m.)
hand main (f.)
hand in remettre
handbag sac (m.)
handsome beau, belle
happen se passer, arriver
happiness bonheur (m.)
happy content(e), heureux, euse
Happy Birthday! Bon anniversaire!
Happy Easter! Joyeuses Pâques!
hard dur(e)
    — disk disque dur (m.)
    — ware matériel (m.)
    — ware store quincaillerie (f.)
    — working travailleur, travailleuse
hard disk disque dur (m.)
hardware matériel (m.)

hardware store quincaillerie (f.)
hardworking travailleur, travailleuse
hasty hâtif, hâtive
hat chapeau (m.)
hate détester
have avoir
hay fever rhume des foins (m.)
head tête (f.)
headphones écouteurs (m.pl.)
health santé (f.)
healthy sain(e)
hear entendre
heart cœur (m.)
    —beat battement de cœur
heat chauffer
heavy lourd(e)
help aider
hen poule (f.)
henceforth dorénavant
here ici
hesitate hésiter
Hi! Salut!
hide (se) cacher
highway autoroute (f.)
hiker randonneur, euse (m./f.)
hiking: to go — faire de la randonnée
hip hanche (f.)
hire embaucher
history histoire (f.)
hit frapper
holiday congé (m.);
    to be on — être en vacances
homesick (to be —) avoir le mal
    du pays
homework devoirs (m.pl.)
honest honnête
honey miel (m.)
horror movie film (m.)
    d'épouvante
hospital hôpital (m.)
host hôte, hôtesse (m./f.)
hot chaud(e)
hot (to be —) avoir chaud
hour heure (f.)
house maison (f.)
    household appliance appareil
    ménager (m.)
    housing logement (m.)
how comment
How are you? Comment ça va?
    Comment allez-vous?
how many combien
how much combien
however cependant; toutefois
hungry (to be —) avoir faim;
    affamé(e)
hunter chasseur, euse (m./f.)
hunting chasse (f.)
hurricane ouragan (m.)
hurry (to be in a — to) avoir hâte
    de, être pressé(e)

hurt avoir mal à;
    to — oneself se blesser
husband mari (m.)

I

ice cream crème glacée (f.)
identify identifier
if si
ill (to feel —) se sentir mal
ill-at-ease mal à l'aise
illness maladie (f.)
imagine imaginer
immediately immédiatement, tout
    de suite
impressive impressionnant(e)
improvement amélioration (f.)
impulsively impulsivement
in dans, en, au; — front devant;
    — love amoureux, euse;
    — my opinion à mon avis;
    — order that afin que, pour que;
    — the beginning au début;
    — the country à la campagne;
    — the future à l'avenir
    — the middle au milieu;
    — those days à cette époque-là;
inauguration (art) vernissage (m.)
include compter, comprendre,
    inclure
increase augmenter, accroître
indeed en effet
indicate indiquer, signaler
indignant indigné(e)
inexpensive bon marché (inv.)
inform renseigner
inhabitant habitant(e) (m./f.)
inn auberge (f.)
inside à l'intérieur
install installer
instead of au lieu de
insult insulter
insurance assurance (f.)
intend to avoir l'intention de
interest intérêt (m.)
interested (to be — in) s'intéresser à
interesting intéressant(e)
interrupt interrompre
intersection carrefour (m.)
intervene intervenir
introduce présenter, introduire
introduction présentation (f.)
invite inviter
Irish irlandais(e) (m./f.)
iron fer à repasser (m.)
iron repasser
irregular irrégulier, irrégulière
irritation énervement (m.)
island île (f.)
Israeli israélien,
    israélienne (m./f.)
it ça

J

job emploi (m.); travail (m.)
   job application demande
    d'emploi (f.)
   job prospect débouché (m.)
joke blague (f.)
journey parcours (m.)
junkfood malbouffe (f.)
justice of the peace juge de paix (m.)

K

keep: to — garder
key touche (f.); clé (f.)
keyboard clavier (m.)
kill tuer
kiss baiser (m.), bec (m.)(Québec)
kitchen cuisine (f.);
kitty minet, minette (m./f.)
knee genou (m.) (genoux (m.pl.))
know connaitre, savoir
know-how savoir-faire (m.)
know how to savoir comment
knowledge connaissance (f.)
Korean coréen, coréenne (m./f.)

L

Ladies mesdames (f.pl.)
lakeside resident riverain (m.)
land atterrir
last year l'an dernier, l'an passé
   (m.), l'année dernière, l'année
   passée (f.)
last night hier soir, cette nuit
late tard; to be — en retard
lateness retard (m.)
laugh rire
launch (se) lancer
laundry lavage (m.)
lay: to — down se coucher
layoff mise à pied (f.)
lazy paresseux, paresseuse
lead aboutir
leaf feuille (f.)
leaflet dépliant (m.)
learn apprendre
leather cuir (m.)
leave quitter, partir, sortir
lecturer conférencier, iére (m/f.)
left gauche (f.)
leisure (activities) loisirs (m. pl.)
lemon citron (m.)
lemonade (pop) limonade (f.)
length longueur (f.)
less moins
lesson leçon (f.)
let (to allow) laisser; to — go
   (to dismiss) licencier to — go
   (to give up) lâcher prise
Let's see … Voyons…
lettuce laitue (f.)
libertine dévergondé(e)

library bibliothèque (f.)
lie mensonge (m.)
life vie (f.)
light lumière (f.)
light clair(e); léger,ère
like aimer
like comme
lined doublé(e)
link lier, relier
listen écouter
little peu
   a — un peu
   very — très peu
little of peu de
live vivre, habiter
living vie (f.);
   to earn one's — gagner sa vie
living room salon (m.)
located situé(e)
location lieu (m.)
long-sleeved à manches longues
long time longtemps
look for chercher
look like ressembler
loosen détendre
lose perdre
lot (a lot) beaucoup
loud (louder) fort (plus fort)
lousy moche
love amour (m.); in — amoureux,
   amoureuse
love adorer, aimer
low bas, basse
luck chance (f.)
lucky chanceux, chanceuse
lucrative rémunérateur, trice
luggage valise (f.)
lunch diner (m.)
lung poumon (m.)

M

Madam madame (f.)
magazine revue (f.)
magnificent magnifique
mail courrier (m.)
make rendre, faire
   — fun of se moquer de
   — plans faire des projets
   — sure s'assurer
man homme (m.)
manage (to be able to —) se
   débrouiller; (to —) gérer
management gestion (f.)
manpower main d'œuvre (f.)
manner manière (f.), façon (f.)
many plusieurs
map carte (f.)
March mars (m.)
market marché (m.)
married marié(e)
marvellous merveilleux, merveilleuse

master maitriser
   master's degree maitrise (f.)
maybe peut-être
meal repas (m.)
mean vouloir dire, signifier
mean méchant(e)
means moyen (m.)
meanwhile entre-temps
measure mesure (f.)
meat viande (f.)
medecine médicament (m.)
meditate méditer
meet (up with someone) se retrouver
meeting réunion (f.), rencontre (f.)
melt fondre
memory mémoire (f.), souvenir (m.)
mention mentionner
merchant marchand, marchande (m./f.)
Merry Christmas Joyeux Noël
Mexico Mexique (m.)
microwave oven four à
   micro-ondes (m.)
middle milieu (m.)
milk lait (m.)
mind esprit (m.)
miss (s')ennuyer de (Québec)
   I miss you tu me manques
Miss mademoiselle (f.)
mistake faute (f.), erreur (f.)
misunderstanding malentendu (m.)
mix mélanger
moist humide
Monday lundi (m.)
money argent (m.)
monitor moniteur, monitrice (m./f.)
month mois (m.)
monthly mensuel(le)
mood humeur (f.)
moonlight clair de lune (m.)
moose orignal (m.)
moped mobylette (f.)
more plus
more and more de plus en plus
more or less plus ou moins
Moroccan marocain(e) (m./f.)
Moslem musulman(e) (m./f.)
mosquito maringouin (m.) (Can)
most la plupart de/des
mother mère (f.)
mother-in-law belle-mère (f.)
motherly maternel(le)
motion mouvement (m.)
mourning deuil (m.)
mouse souris (f.)
mouth bouche (f.)
move: (location) bouger; (house)
   déménager
   on the — avoir la bougeotte
   — ment mouvement (m.)
movie film (m.)
movie theatre cinéma (m.)

museum musée (m.)
mushroom champignon (m.)
must devoir

N

naked nu(e)
name nom (m.)
nanny nounou (f.)
napkin serviette (f.)
native autochtone (m./f.)
near près de, proche
necessary nécessaire
neck cou (m.)
need besoin (m.)
need (to —) avoir besoin de
needle (injection) piqûre (f.)
neighbourhood quartier (m.)
neither non plus
neither one ni l'un(e) ni l'autre
neither ... nor ne... ni... ni
nephew neveu (m.)
nervous nerveux, nerveuse
nest nid (m.)
Netherlands Pays-Bas (m.pl.)
networking réseautage (m.)
never ne... jamais
nevertheless quand même
new neuf, neuve; nouveau,
    nouvelle
Newfoundland Terre-Neuve (f.)
newspaper journal (m.)
newstand kiosque à journaux (m.)
New Year's Day jour de l'An (m.)
next puis; prochain(e)
next to à côté de
nice gentil(le); sympathique
nickname surnom (m.); to —
    surnommer
night nuit (f.)
nightmare cauchemar (m.)
no non, aucun(e)
no longer ne... plus
no one ne... personne
none aucun(e)
noise bruit (m.)
nonetheless néanmoins
noon midi (m.)
normally normalement
north nord (m.)
nose nez (m.)
not ne... pas
not a single ne... aucun(e)
not any ne... aucun(e)
not at all pas du tout
not bad pas mal
not very well pas très bien, pas
    tellement
not yet ne... pas encore
notebook cahier (m.)
nothing ne... rien
notice remarquer
noun nom (m.)

Nova Scotia Nouvelle-Écosse (f.)
novel roman (m.)
now maintenant, présentement
number numéro (m.), nombre (m.),
    chiffre (m.)
numerical numérique
nut cinglé(e)

O

O.K. d'accord
obey obéir
observe noter
obviously évidemment
occupy occuper
of de
of course bien sur
of which dont
of whom dont
offence délit (m.)
offend offenser
offer offrir
office bureau (m.)
old vieux, vieille;
    to be X years — avoir X ans
on sur, à, en
on holiday en vacances
on my account à mon compte
on the other hand par contre
on time à l'heure
once again une fois de plus
one has to falloir (il faut)
one more time une fois de plus
oneself soi-même
onion ognon (m.)
only ne... que; seulement
open ouvrir
opinion avis (m.), opinion (f.)
opportunity occasion (f.)
or ou
ordeal épreuve (f.)
order commander
ordinarily ordinairement
ordinary ordinaire
organize organiser
other autre
    otherwise autrement
outdoors en plein air
outing (to go on an —) faire une
    excursion
outside dehors
outside of en dehors de
oven four (m.)
over there là-bas
owe devoir
own posséder
owner propriétaire (m./f.)

P

pain douleur (f.)
paint peindre
    — er peintre (m./f.)
part volet (m.)

party fête (f.)
path chemin (m.)
paw patte (f.)
pay payer
    — attention faire attention
    — cash payer comptant
peanut arachide (f.)
pear poire (f.)
peas petits pois (m.pl.)
pebble caillou (m.)
peel peler
pen stylo (m.)
pencil crayon (m.)
penny sou (m.)
people gens (m.pl.)
people (national or ethnic group)
    peuple (m.)
pepper poivre (m.), poivron (m.)
perfect parfait(e)
performance rendement (m.)
perfume parfum (m.)
perfume store parfumerie (f.)
permit permettre
pet animal de compagnie (m.)
pick up ramasser
picky eater bec fin (m.)
picnic piquenique (m.)
picture photo (f.)
pie tarte (f.)
piece morceau (m.)
piece of advice conseil (m.)
pill comprimé (m.); pilule (f.)
pity plaindre
place place (f.); endroit (m.); lieu (m.)
plan planifier
plan projet, plan (m.)
plate assiette (f.)
platform quai (m.)
play pièce de théâtre (f.)
play jouer
plea plaidoyer (m.)
pleasant plaisant(e), agréable
please s'il te / vous plaît
please (se) plaire
pleased content(e)
pleasure plaisir (m.)
plumber plombier, plombière (m./f.)
plunder butin (m.)
poem poème (m.)
poet poète (m.), femme poète (f.)
poison ivy herbe à puce (f.)
policy politique (f.)
politely poliment
poll sondage (m.)
poor pauvre
popular populaire
position (job) poste (m.)
post afficher
post office bureau de poste (m.)
poster affiche (f.)
posting affectation (f.)
postpone remettre, ajourner

pound livre (f.)
poverty pauvreté (f.)
powerful puissant(e)
practise pratiquer
pray prier
prescription ordonnance (f.)
present (to be —) assister à
pressure pression (f.)
pretend (to) faire semblant (de)
pretty joli(e)
prevent empêcher
previous précédent(e)
previously auparavant
price prix (m.)
prize prix (m.)
printer (computer) imprimante (f.)
private privé(e)
probably probablement
produce produit (m.)
produce produire
profession métier (m.); profession (f.)
profile profil (m.)
profitable rentable
program émission (f.)
promise promettre
promote promouvoir
proof preuve (f.)
property propriété (f.)
protect protéger
provided that pourvu que
publication parution (f.)
punish punir
purchase achat (m.)
purple violet(te)
put mettre
put away ranger
put up afficher

Q

qualification compétence (f.)
quarrel dispute (f.)
quarrel s'engueuler
questioning interrogation (f.)
quite assez, tout à fait

R

racket tintamarre (m.)
rain pluie (f.)
rain pleuvoir
rain shower averse (f.)
raincoat imperméable (m.)
raise (object) lever; (children) élever
rare saignant(e)
rarely rarement
rate taux (m.)
rather plutôt
reach joindre
reach out tendre
react réagir
read lire
reader lecteur, trice (m./f.)

reading lecture (f.)
ready prêt(e)
ready (to get —) se préparer
real estate agency agence
    immobilière (f.)
realize réaliser, se rendre
    compte
really vraiment
reasonable raisonnable
reassure (oneself) se rassurer
receive recevoir
recently récemment
recipe recette (f.)
recognize reconnaître
record disque (m.)
red rouge
red-haired roux, rousse
reflect réfléchir
register (s')inscrire
regular régulier, régulière
regularly régulièrement
reject rejeter
relationship rapports (m.pl.)
relax relaxer; se détendre
reliable fiable
relief soulagement (m.)
relieved soulagé(e)
remedy remède (m.)
remember se rappeler, se
    souvenir de
remind rappeler
rent loyer (m.)
rent louer
repair réparer
repaired (to get —) faire réparer
repeat répéter
replace remplacer
reproach reproche (m.)
requirement exigence (f.)
research recherche (f.)
researcher chercheur, chercheuse
    (m./f.)
resist résister
resolve résoudre
rest repos (m.)
result résultat (m.)
resumé curriculum vitae (CV) (m.)
retirement retraite (f.)
return retourner, rendre
return ticket aller-retour (m.)
review révision (f.)
reward récompense (f.)
reward récompenser
rice riz (m.)
ride (to go for a —) se promener;
    to take for a — promener
right droit (m.);
    to be — avoir raison;
    to the — of à droite de
river rivière (f.), fleuve (m.);
    — bank berge (f.)

road route (f.)
roast rôti (m.)
rock rocher (m.)
roll petit pain (m.)
roll rouler
roof toit (m.)
room (to have — for) avoir de la
    place pour
rule règlement (m.)
run courir
    to — through parcourir
Russian russe (m./f.)

S

sad triste
sadness tristesse (f.)
salesperson vendeur,
    vendeuse (m./f.)
salt sel (m.)
same même
sample échantillon (m.)
Saturday samedi (m.)
sausage saucisse (f.), saucisson (m.)
save: to — money économiser
say dire
scared (to be —) avoir peur de
scarf foulard (m.)
scenery paysage (m.)
scholarship bourse (f.)
school école (f.)
    beginning of — year rentrée (f.)
scientist scientifique (m./f.)
scold gronder
Scottish écossais(e) (m./f.)
seal phoque (m.)
search recherche (f.)
search for fouiller
season saison (f.)
second-hand d'occasion
secretary secrétaire (m./f.)
secretary's office secrétariat (m.)
see voir
See you! À la prochaine!
See you soon! À bientôt!
seem avoir l'air; sembler
select sélectionner
selfish égoïste
sell vendre
send envoyer
sensitive sensible
sentence phrase (f.)
series ensemble (m.)
serious grave, sérieux, sérieuse
serve servir
set the table mettre la table
set up installer; monter
settle in s'installer
several plusieurs
shake hands serrer la main
shame honte (f.)
    (to be ashamed) avoir honte

shape forme (f.)
share partager
sharp pointu(e); coupant(e)
shave (se) raser
shirt chemise (f.)
shock choquer
shoe chaussure (f.), soulier (m.)
shoe store magasin de chaussures (m.)
shop commerce (m.)
shopping (f.pl.) courses
shopping (to go —) magasiner, faire des achats
shopping centre centre commercial (m.)
shore rive (f.); bord (m.)
short court(e)
short-sleeved à manches courtes
shortly tout à l'heure; bientôt
shoulder épaule (f.)
shout cri (m.); **to —** crier
shovel pelle (f.)
shovel snow pelleter la neige
show montrer, faire preuve de
show spectacle (m.)
shy timide; gêné(e)
sick malade
sickness maladie (f.)
side côté (m.)
sigh soupirer
silent silencieux, silencieuse
silly bête
similar pareil(le)
similarity ressemblance (f.)
since puisque, comme; depuis
sing chanter
singer chanteur, chanteuse (m./f.)
sister sœur (f.)
sister-in-law belle-sœur (f.)
sit down assoyez-vous
site chantier (m.)
ski skier
skiing (downhill, cross-country, water) ski (alpin, de fond, nautique)
skiing (to go —) faire du ski
skirt jupe (f.)
skin peau (f.)
skull crâne (m.)
sky ciel (m.)
sleep dormir
sleepy (to be —) avoir sommeil
sleeve manche (f.)
slice tranche (f.)
slim mince, élancée
slimness minceur (f.)
slippery glissant(e)
slog bosser
slow lent(e)
slowly lentement
small petit(e)

small talk (to make —) bavarder, jaser (Québec)
smell sentir
smile sourire (m.)
smoke fumer
smoker (for meat) fumoir (m.)
snack collation (f.)
sneakers espadrilles (f.pl.)
sneeze éternuer
snobbish snob
snow neige (f.)
snow neiger
snowman bonhomme de neige (m.)
snowstorm tempête de neige (f.)
so alors, tellement
so many of tant de
so much of tant de
so much the better tant mieux
so that afin que, pour que
so-so comme ci, comme ça
soap opera (TV) feuilleton (m.)
social networking sites réseaux sociaux (m.pl.)
social sciences sciences humaines (f.pl.), sciences sociales (f.pl.)
social studies sciences humaines (f.pl.)
soft doux, douce
soft drink boisson non alcoolisée, liqueur douce (f.) (Québec)
software logiciel (m.)
soldier soldat (m.)
some quelque(s); certain(es)
someone quelqu'un
something quelque chose
sometimes quelquefois, parfois
son fils (m.)
song chanson (f.)
soon bientôt
sorrow peine (f.)
sorry désolé(e)
sorry (to be —) regretter
sort sorte (f.)
sort trier
south sud (m.)
Spanish espagnol(e) (m./f.)
speak parler
speaker conférencier, ière (m./f.)
specialty spécialité (f.)
specific propre
speech discours (m.)
speed vitesse (f.)
spell épeler
spend (money) dépenser
spend (time) passer (du temps)
spicy épicé(e)
spite: in — of en dépit de
spoonful cuillerée (f.)
spot place (f.)
sprain (se) fouler; **a —** entorse (f.)
spring printemps (m.)

sprinkle arroser
square place (f.); carré (m.)
stadium stade (m.)
stage étape (f.)
stairs escalier (m.)
stamp timbre (m.)
stand: to — être debout
— in line faire la queue
I can't — him/her Je ne peux pas le/la blairer
state état (m.)
stationery store papeterie (f.)
stay séjour (m.)
stay rester
step étape (f.)
still encore
stockings bas (m.pl.)
stomach ventre, estomac (m.)
stomach ache (to have a —) avoir mal au cœur / au ventre
store magasin (m.)
storekeeper commerçant(e) (m./f.)
stove cuisinière (f.)
straight ahead tout droit
strange étrange, bizarre
street rue (f.)
strike frapper
strong fort(e)
strongly fortement
stubborn têtu(e)
stuck: to be — être coincé(e)
studies études (f.pl.)
stuff oneself bouffer
sturdy solide
suburbs banlieue (f.)
subway métro (m.)
succeed réussir
such pareil(le); tel(le)
suffocate étouffer
suggest suggérer
suit habit (m.), costume (m.)
sulk bouder
summer été (m.)
summon convoquer
sun soleil (m.)
Sunday dimanche (m.)
sunny ensoleillé(e)
supper souper (m.)
supply fournir
support soutien (m.)
suppose supposer
supposed (to be — to) devoir, être censé(e)
surprise surprendre
surprising surprenant(e)
sweater chandail (m.) (Québec)
sweatshop atelier de misère (m.)
sweep balayer
sweet and sour aigre-doux, -douce
swimming pool piscine (f.)

swimsuit maillot (m.) de bain
Swiss suisse (m./f.)
syrup sirop (m.)

T

tablecloth nappe (f.)
take prendre;
— an exam passer un examen;
— (a person) emmener;
— advantage of profiter de;
— care prendre soin;
— charge of s'occuper de;
— down descendre;
— in rentrer;
— leave prendre congé;
— on assumer;
— out emporter;
— place avoir lieu
tale conte (m.), récit (m.)
tall grand(e)
tape player magnétophone (m.)
task fonction (f.), tâche (f.)
taste gout (m.)
taste gouter
tax impôt (m.)
teach enseigner
teacher professeur(e) (m./f.),
enseignant(e) (m./f.)
team équipe (f.)
teasing taquinerie (f.)
technical data sheet fiche
technique (f.)
tell: to — a story raconter
terrified (to be —) terrifié(e)
thank remercier
thank you merci
—s to grâce à
that cela, que, ça;
— day ce jour-là;
— irritates me ça m'énerve;
— is c'est-à-dire;
—'s right! c'est ça;
—'s too bad c'est dommage
the day after tomorrow
après-demain
the day before yesterday avant-hier
the next day le lendemain (m.)
the same le / la même
The weather is nice! Il fait beau!
The weather is poor! Il fait mauvais!
them eux, elles
then ensuite, puis
there là; — is voilà
there is, there are il y a
There's no harm done! Il n'y a pas
de mal!
therefore donc
thigh cuisse (f.)
thing chose (f.)
think penser; songer
thirsty (to be —) avoir soif

this week cette semaine
those ceux, celles
threshold seuil (m.)
Thursday jeudi (m.)
thus ainsi
ticket billet (m.)
tide marée (f.)
ties attaches (f.pl.)
time fois, époque (f.); temps (m.);
heure (f.)
—table horaire (m.)
tipsy pompette
tired fatigué(e)
tired out vanné(e)
tiring fatigant(e)
to à, chez, dans
toaster grille-pain (m.)
today aujourd'hui (m.)
together ensemble
tomorrow demain
tongue langue (f.)
tonight ce soir
Too bad! Dommage!
too many (of) trop (de)
too much (of) trop (de)
tool outil (m.)
tooth dent (f.)
tow remorquer
towel serviette
toward envers
toy jouet (m.)
trade métier (m.)
traffic jam embouteillage (m.)
traffic light feu (m.)
train: to — s'entrainer
—ing (education) formation;
(sports) entrainement
train station gare (f.)
translate traduire
transportation transport (m.)
travel voyager;
— throughout parcourir
— agency agence de voyages (f.)
tray cabaret (m.)
tree arbre (m.)
trip voyage (m.); to make a — faire
un voyage
trouble problème (m.)
true vrai(e)
trust confiance (f.)
try essayer
Tuesday mardi (m.)
tuna thon (m.)
turn tourner, virer; tour (m.)
type genre (m.)

U

ugly laid(e), moche
umbrella parapluie (m.)
unacceptable inacceptable
unbearable insupportable

unbelievable incroyable
unceasingly sans cesse
under sous
understand comprendre
underwear sous-vêtements (m.pl.)
undoubtedly sans doute
unemployment chômage (m.)
unfortunately malheureusement
unhealthy malsain(e)
United States États-Unis (m.pl.)
university universitaire (adj.)
university université (f.)
unless à moins que
unlikely peu probable
unload déverser
unmarried célibataire
unpleasant désagréable
unpublished inédit(e)
unrealistic irréaliste
until jusqu'à, jusqu'à ce que
up (to get —) se lever
up to jusqu'à
update mettre à jour
upset boulversement (m.)
up-to-date à jour
usage emploi (m.)
USB flash drive, pen drive clé
USB (f.)
use se servir de, utiliser, employer
useful utile
usually d'habitude

V

vacation vacances (f.pl.)
vacuum cleaner aspirateur (m.)
vanish (s')envoler
various divers(e)(s)
VCR magnétoscope (m.)
veal veau (m.)
vegetable légume (m.)
very très
very well très bien
view visionner
visit rendre visite à (person); visiter
(things)
volleyball ballon-volant (m.)
vomit vomir

W

wait attendre
waiter serveur (m.)
waitress serveuse (f.)
wake up (se) réveiller
walk marcher
walk (to go for a —) faire une
marche / promenade
Walkman baladeur (m.)
wall mur (m.)
want vouloir
war guerre (f.)
warm chaud(e), chaleureux,
chaleureuse

warn prévenir
warrior guerrier, ière (m./f.)
wash (se) laver
washer laveuse (f.)
waste gaspillage (m.)
watch montre (f.)
watch regarder, surveiller
water eau (f.)
water-skiing ski nautique (m.)
water-skiing (to go) faire du ski
    nautique
way chemin (m.); façon (f.)
weak faible
weakness faiblesse (f.)
wear porter
weather temps (m.);
    — forecast météo (f.)
web toile (f.)
Wednesday mercredi (m.)
week semaine (f.)
weekly hebdomadaire
weigh peser
weight poids (m.)
welcome bienvenue (f.)
welcome accueillir
well (to be —) aller bien
Well … listen … Bon / Eh bien,
    écoutez…
west ouest (m.)
West Indies Antilles (f.pl.)
wharf quai (m.)
What Qu'est-ce-que; Qu'est-ce-qui
what quoi, quel(le)
whatnot machin (m.)
What's the matter with you?
    Qu'est-ce que tu as?
What's the matter? Qu'est-ce qu'il
    y a?
What's the weather like? Quel
    temps fait-il?

wheat blé (m.)
when lorsque, quand
where où
whereas alors que
which que, qui, quel(le)
    — one lequel, laquelle
while alors que
while (a —) un bout de temps
while (a short —) un peu de temps
white blanc, blanche
who qui
Who Qui est-ce que
Who Qui est-ce qui
Who is it? Qui est-ce?
whom que
why pourquoi
widowed veuf, veuve (m./f.)
wildlife faune (f.)
will volonté (f.)
wind vent (m.)
window fenêtre (f.)
wine vin (m.)
wine grower viticulteur,
    viticultrice (m./f.)
winter hiver (m.)
winter coat manteau (m.) d'hiver
wish souhaiter, désirer
wishe vœu (m.)
with avec
within d'ici (time)
without sans, sans que
wonder se demander
wonderful formidable
wonderfully à merveille
wood fire feu de bois (m.)
wool laine (f.)
word mot (m.)
word processing/processor
    traitement de texte (m.)

work (It works!) marcher, fonction-
    ner, (Ça marche!)
work travailler
work travail (m.), boulot (m.)
work of art œuvre d'art (f.)
worked up: to get — (s')énerver
worker ouvrier, ouvrière (m./f.)
working class classe ouvrière (f.)
world monde (m.)
worried inquiet, inquiète
worry inquiétude (f.), ennui(s) (m.)
worry (s')inquiéter
worth (doing) ça vaut la peine
Would you mind…? Voulez-vous
    bien…?
Would you please…? Voulez-vous
    bien…?
Wow! Oh là là!
write écrire, rédiger
wrong (to be —) avoir tort

Y

year an (m.), année (f.); to be X
    years old avoir X ans
yellow jaune
yes oui
yesterday hier
yet pourtant
You poor thing! Mon / Ma pauvre!
    (m./f.)
You're welcome! De rien!,
    Bienvenue! (Québec)
young jeune
young ladies mesdemoiselles (f.pl.)
youth jeunesse (f.)

Z

Zairean zaïrois(e) (m./f.)

INDEX